HISTOIRE ECCLÉSIASTIQUE

SOURCES CHRÉTIENNES

Fondateurs : H. de Lubac, s.j. et † J. Daniélou, s.j.
Directeur : C. Mondésert, s.j.

N° 306

SOZOMÈNE

HISTOIRE ECCLÉSIASTIQUE

Livres I-II

TEXTE GREC DE L'ÉDITION J. BIDEZ

INTRODUCTION

PAR

Bernard GRILLET   et   **Guy SABBAH**
Maître-Assistant   Professeur
à l'Université Lyon II   à l'Université de Saint-Étienne

TRADUCTION

PAR

† **André-Jean FESTUGIÈRE**, o.p.

ANNOTATION

PAR

Guy SABBAH

Ouvrage publié avec le concours
du Centre National des Lettres

LES ÉDITIONS DU CERF, 29, BD DE Latour-Maubourg, Paris-7e
1983

*Cette publication a été préparée
avec le concours de l'Institut des Sources chrétiennes
(E.R.A. 645 du C.N.R.S.)*

BR
160
.S8
F7
1983

AVANT-PROPOS

Depuis longtemps, les historiens de l'Antiquité tardive et beaucoup de ceux qui s'intéressent aux textes chrétiens des premiers siècles souhaitent la publication des anciennes histoires de l'Église, avec texte critique, traduction et même commentaire. De ces *Histoires*, notre Collection a déjà édité la première, celle d'Eusèbe de Césarée, qui offre, comme on le sait, un grand nombre de renseignements et même de textes, concernant les premières églises et communautés chrétiennes jusqu'en 324 : Gustave Bardy a traduit et largement annoté le texte établi par Ed. Schwartz (S.C. nᵒˢ 31, 41, 55, 73). Aujourd'hui, nous présentons à nos lecteurs l'*Histoire ecclésiastique* de Sozomène.

C'est à l'initiative du Père A.-J. Festugière (décédé le 13 août 1982) que nous devons d'avoir entrepris cette édition : il en avait fait, il y a quelques années, la traduction et il avait bien voulu accepter que nous la publiions avec une double introduction, littéraire et historique, rédigée par nos amis Bernard Grillet, maître-assistant à l'Université Lyon II, et Guy Sabbah, professeur à l'Université de Saint-Étienne. Sans prétendre vouloir faire un véritable commentaire de l'œuvre de Sozomène, Guy Sabbah a également rédigé pour le texte français une abondante annotation dans laquelle s'insèrent les quelques notes préparées par le Père Festugière et signalées ici par ses initiales. M. Jean Rougé, professeur honoraire de l'Université Lyon II, a relu tout le manuscrit de ce volume et, grâce à sa compétence d'historien, nous a suggéré maintes améliorations et précisions ; nous lui en sommes très reconnaissants.

Pour le texte grec, nous avons adopté — à quelques très rares variantes près — celui de Joseph Bidez († 1945), mis au point et complété par de précieux *Indices*, et publié en 1960 par Günther Christian Hansen dans la série *Die Griechischen Christlichen Schriftsteller* de l'Académie des Sciences de Berlin. C'est en accord avec celle-ci que nous reproduisons un texte critique dont la préparation avait été programmée en 1902, en même temps que celui des *Histoires* de Théodoret de Cyr et de Philostorge : l'*Histoire* de Théodoret a été publiée en 1911 par L. Parmentier, rééditée et mise au point en 1954 par Felix Scheidweiler. Celle de Philostorge l'a été en 1913 par J. Bidez, pour être rééditée, avec des améliorations successives, en 1972, puis en 1981, par Friedhelm Winkelmann.

Quant à Sozomène, rappelons simplement que l'*editio princeps* a été procurée par Robert Estienne à Paris en 1544. Wolfgang Musculus et John Christopherson ont, l'un et l'autre, donné une traduction latine de l'*Histoire ecclésiastique*, parue, la première à Bâle en 1549, la seconde à Louvain en 1569, après la mort de Christopherson. Cette dernière a, par la suite, été complétée et souvent réimprimée en divers endroits. En 1668, une édition importante du texte est achevée à Paris par les soins d'Henri de Valois, puis, elle aussi, réimprimée en divers endroits. Il faut encore mentionner celle, posthume, de Robert Hussey, parue à Oxford en 1960. Mais les traductions de Sozomène en langues modernes demeurent peu nombreuses : elles sont dues, successivement, à Cousin (Paris 1676), Walford (Londres 1855) et Hartranft (New York 1890, rééd. 1979).

Il va de soi que, pour la description des manuscrits de l'œuvre de Sozomène dans la tradition directe ou indirecte, pour des informations détaillées concernant les utilisateurs de cette *Histoire*, ses éditions et ses traductions, pour l'étude des sources comme pour celle des variantes du texte, on devra se reporter à la dernière édition de Berlin, qui est actuellement épuisée, mais fait l'objet d'une souscription en vue d'une réédition. Nous ne prétendons, par ce volume et les suivants, que rendre aux lecteurs et aux usagers de la Collection S.C. au moins le service essentiel qu'ils attendent ordinairement de nos publications : une traduction sûre et lisible, accompagnée d'un minimum de notes explicatives, qui permettent un accès personnel à ces anciens textes.

15 septembre 1983   Claude MONDÉSERT

INTRODUCTION

CHAPITRE I

LA VIE ET L'ŒUVRE

Les renseignements que nous possédons sur Sozomène sont fournis par le texte même de l'*Histoire ecclésiastique;* ils laissent une place très large à l'interprétation. Seuls quelques faits ou quelques dates émergent au milieu d'hypothèses, de probabilités ou de vraisemblances.

Le nom de Sozomène Le nom complet de Sozomène est, selon Photius, Salamanès Hermeias Sozomène[1]; malgré de nombreuses variantes dans la place respective des trois noms et dans la forme même de ces noms, il semble bien que la leçon de Photius soit exacte[2]. Il n'en reste pas moins que le dernier

1. Photius, *Bibliothèque*, cod. 30 : « Lue l'*Histoire ecclésiastique* de Salamanès Hermeias Sozomène le scholastique en 9 livres ».
2. Sur le problème du nom de Sozomène voir en particulier H. de Valois, *Annotationes* (reproduites en *P G* 67, c. 853) et Bidez « La tradition manuscrite de Sozomène », p. 23. Presque partout Sozomène est désigné par une série de trois noms placés diversement selon les mss ; deux sont d'origine grecque, Hermeias et Sozomène, et on les trouve en Orient à l'époque du Bas-Empire (cf. *P.L.R.E.*, II, p. 547 et 1023). Hermeias paraît être le nom de famille, car l'usage était assez

de ces noms est devenu l'appellation courante ; c'est ainsi
que très tôt l'auteur de l'*Histoire ecclésiastique* a été nommé
simplement Sozomène[1].

répandu dès le Iᵉʳ siècle en Orient de ces noms de famille formés sur
un nom de divinité (Apollon, Hermès, Asclépios) : plusieurs Hermeias
et Asclépiadès sont cités dans *P.L.R.E.*, I, p. 113 et 422 ; et MARTIN-
DALE (*P.L.R.E.*, II, p. 114-118) énumère des Apollinaire, Apollodore,
Apolloridès, Apollonios. Quant au surnom Sozomène (Σωζομενός,
« sauvé »), il est peut-être dû à un épisode de la petite enfance. Pour le
troisième nom, sa place et sa forme même sont sujettes à des variantes :
Salamanès, Salamios, Salmanès, placés en tête de la série des trois
noms, et Salamènios, Salaminios placés après les deux autres noms.
NICÉPHORE CALLISTE (XIVᵉ s.) fait de Salaminios un ethnique
(*H.E.* I, 1 [*PG* 145, c. 605 D]) : Ἑρμείας Σωζομενὸς ὁ καὶ Σαλαμινίος
λεγόμενος (Hermeias Sozomène appelé le Salaminien) ; cette interprétation est peu vraisemblable car rien ne permet de rapprocher
Sozomène ou sa famille de la ville de Salamine de Chypre : tous les
renseignements que fournit Sozomène lui-même tendent à faire de la
Palestine (région de Gaza) le berceau de ses ancêtres et aucun lien
privilégié, d'autre part, ne paraît avoir existé entre Sozomène et
Chypre, où il n'est même pas sûr qu'il se soit rendu pour y recueillir
des témoignages sur les évêques et les églises de cette île. — La seule
leçon plausible est Salamanès Hermeias Sozomène : c'est la leçon la
plus ancienne, celle de Photius (IXᵉ s.) et, avec la variante Salmanès,
celle du *Marcianus 917* (XIIIᵉ s.). Il s'agit, pour Salamanès, de la
transcription en grec du mot d'origine sémitique (d'où les variantes
portant uniquement sur les voyelles) Shalam. Le nom de Salamanès
apparaît dans les inscriptions de l'époque et chez Sozomène, où il est
le nom d'un moine — selon VALOIS (*PG* 87, c. 854) ce nom a été donné
à Sozomène parce qu'il aurait travaillé sous la direction de ce moine
Salamanès dans sa jeunesse. L'adjonction au nom de famille d'un nom
d'origine indigène grécisé est d'usage courant dès l'époque hellénistique en Orient.

1. THÉODORE LE LECTEUR (début VIᵉ s.), dans la Préface à son
Histoire tripartite, qui est une compilation dans sa première partie de
Socrate, Sozomène et Théodoret, cite conjointement Socrate et Sozo-
mène, et parle ailleurs du « bienheureux Sozomène » (*PG* 86, c. 160) ;
CASSIODORE (VIᵉ s.) parle de *duobus disertissimis viris, Sozomeno et
Socrate* (Préface à son *Histoire ecclésiastique*, PL 69, c. 880) ; GRÉGOIRE
LE GRAND (VIᵉ s.) parle de Sozomène (*Lettre* XXXIV). A noter
qu'ISIDORE DE PÉLUSE adresse une lettre (I, 300) à un certain Sozo-
mène qui pourrait être notre historien.

Naissance de Sozomène

Béthéléa, près de Gaza en Palestine est, selon toute vraisemblance, le lieu natal de Sozomène[1] ; du moins ses ancêtres en étaient-ils originaires. Cette bourgade populeuse contenait, nous dit-il, des « temples vénérables par leur antiquité et leur architecture », et en particulier, édifié sur une acropole artificielle, un « Panthéon », dont le nom de Béthel dans la langue du pays (maison des dieux) avait sans doute donné son nom à la localité. C'est à Béthéléa que naquit le grand-père de Sozomène ; il appartenait à une noble famille païenne et fut un des premiers habitants de Béthéléa à se convertir au christianisme avec toute sa famille. Cette conversion eut pour cause la guérison miraculeuse par le moine Hilarion d'un concitoyen et peut-être parent[2], Alaphion, possédé du démon. Hilarion qui avait d'abord vécu dans la solitude d'Égypte, était venu se fixer comme ermite à Maïouma, non loin de Gaza, au bord de la mer[3]; il y vivait depuis 307, mais sa célébrité date seulement de ses premiers miracles, en 329 ; comme Jérôme, dans sa *Vie d'Hilarion*, ne cite pas la guérison miraculeuse d'Alaphion au nombre des premiers miracles[4], c'est donc que cet événement est relativement postérieur à 329. Le grand-père de Sozomène, qui était un homme instruit et cultivé, doué en mathématiques, se consacra alors à l'étude des saintes Écritures : « De là vint qu'il fut très aimé des chrétiens de Gaza et des lieux d'alentour pour qui il résolvait les difficultés des saintes Écritures. » Au moment de la persécution de Julien (362), il partit en

1. *Histoire ecclésiastique* V, 15, 14 et VI, 32, 5. Cf. BENZINGER, art. « Bethelia », *PW* III, 1 (1897), c. 363.

2. Cf. VALOIS, ap. *PG* 67, c. 1259, n. 11.

3. Sozomène parle longuement d'Hilarion en III, 14, 21-28. Né en 291, Hilarion mourut à Chypre en 371 ; son corps fut transporté à Maïouma (JÉRÔME, *Vie d'Hilarion*, 32-33 [C. MOHRMANN, *Vite dei Santi*, IV, p. 142]).

4. Il est vrai que cette « Vie » est fortement romancée.

exil avec toute sa famille, puis revint à Béthéléa quand cessèrent les tracasseries. Les descendants d'Alaphion s'attachèrent à Hilarion, devinrent ses disciples et fondèrent dans la région de Gaza des monastères et des églises[1]. Sozomène déclare avoir fréquenté, « quand lui-même était tout jeune », certains hommes de mérite, alors assez âgés, de cette famille d'Alaphion[2] ; avec vraisemblance on a conjecturé de la promesse qu'il fait de revenir plus tard sur ces « hommes de bien », qu'il s'agit des quatre frères Salamanès, Phouskon, Malachion et Crispion, dont il parle en effet à deux reprises de façon assez détaillée : ils menaient une vie d'ascèse dans les monastères près de Béthéléa, sous le règne de Valens (364-378)[3] et « brillaient de toute leur gloire » au temps où Épiphane vivait encore en Palestine, avant sa nomination (367) à Chypre[4].

Tous ces éléments sont insuffisants pour permettre d'établir sûrement la date de la naissance de Sozomène, mais on peut la conjecturer. Il aurait connu les frères moines alors qu'il avait 10-12 ans (νέος ὤν) et qu'il apprenait auprès d'eux les rudiments des lettres ; si l'on admet que ces quatre moines, déjà âgés (ἤδη πρεσβυταί) au moment où Sozomène les a fréquentés, étaient dans la plénitude de l'âge mûr (autour de quarante ans) quand « ils brillaient de tout leur éclat avant le départ d'Épiphane de la Palestine » (c'est-à-dire en 367), leur date de naissance se situerait entre les années 320 et 330. En rapprochant ces chiffres on arrive à la date, très approximative, de 380 pour la naissance de Sozomène[5].

1. Sur Hilarion et ses successeurs à l'époque de Constant (337-350), voir SOZOMÈNE, III, 14, 28.
2. *H.E.* V, 15, 14-17.
3. *H.E.* VIII, 15, 2.
4. *H.E.* VI, 32, 5. Le plus jeune, Crispion, devait mourir peu avant 403 alors qu'il assumait les fonctions d'archidiacre auprès d'Épiphane, évêque de Salamine de Chypre (*ibid.* VI, 32, 6).
5. Voir *H.E.* V, 15, 17. Si Sozomène est né en 380, la date de la

**Enfance
et adolescence**

Quelle fut l'éducation de Sozomène ? On suppose qu'il passa
quelques années auprès des moines
dans un monastère de la région de Gaza. Certains textes
paraissent en effet dénoter une dette de reconnaissance à
leur égard : il y a d'abord les nombreux éloges de la vie
monastique au cours de son ouvrage[1], les lignes consacrées
à Hilarion, qui s'installa près de Gaza, et à son disciple
Hésychios, lignes qui révèlent une bonne connaissance des
monastères de Palestine, des habitudes ascétiques des
moines et des détails matériels de leur existence[2]. Il y a
surtout les confidences du début du livre I : « Il ne serait
pas déplacé, dans une *Histoire ecclésiastique*, de raconter
quels ont été en quelque sorte les pères et les instigateurs
de ceux que l'on appelle moines, et ceux qui après eux,
successivement, ont joui d'un grand renom, dont nous
avons connaissance de science certaine ou par ouï-dire. Ainsi
en effet nous ne paraîtrons ni ingrats à leur égard en livrant
leur vertu à l'oubli, ni ignorants de l'information relative à
ce point[3]. » Cette gratitude de Sozomène s'adresse-t-elle
à « ceux sous l'autorité de qui il a vécu et dont il a reçu tant
d'illustres exemples de vie, adolescent », comme n'hésite
pas à l'écrire Valois[4] ? Ne concerne-t-elle que la vie monastique en général et l'influence qu'elle a exercée sur le mouvement religieux du IVe siècle ? Il est difficile de trancher,
mais l'hypothèse d'une éducation monastique de Sozomène
enfant est plausible.

Il n'existait pas alors en Orient — ni en Occident —
d'écoles religieuses primaires et secondaires pour les

----

rencontre avec les moines, vers l'âge de 10 ans, se situerait vers 390
et les quatre moines, en 390, auraient eu entre 60 et 70 ans.

1. *H.E.* I, 12. Cf. *ibid.* III, 14 s. ; VI, 28 s.

2. *H.E.* III, 14, 21-28. Sozomène cite en particulier le village de
Tabatha, au sud de Gaza (III, 14, 21).

3. *H.E.* I, 1, 18-19.

4. *PG* 67, c. 23 C.

familles chrétiennes, et les enfants recevaient tous dans les
écoles publiques un enseignement profane à base de textes
de littérature grecque (Homère, les Tragiques) et de
mythologie[1]. Les chrétiens qui y professaient mêlés aux
autres maîtres païens[2] utilisaient les méthodes pédago-
giques en vigueur et étudiaient les auteurs du programme ;
s'ils donnaient à leur enseignement une tonalité chrétienne,
ils ne pouvaient pas se consacrer à la formation spirituelle
de leurs élèves, qui était assurée essentiellement par les
parents d'abord[3], puis par les maîtres chargés de l'instruction des catéchumènes *(didascaloi)* jusqu'au baptême[4].

Dès le début du monachisme en Orient certains monastères, semble-t-il[5], ont organisé des écoles à l'intention
des enfants de familles chrétiennes ; en tout cas Basile, qui,
dans la région de Néo-Césarée, avait fondé des couvents vers

1. Cf. MARROU, p. 461, et A.-J. FESTUGIÈRE, *Antioche païenne et
chrétienne*, Paris 1959, p. 187.

2. MARROU, p. 463 et 464, et référ. des notes. La loi scolaire de
Julien (en 362) interdit l'enseignement aux chrétiens dans les écoles
(cf. *Code Théodosien*, XIII, 3, 5), mais devant les réactions des chré-
tiens l'interdiction fut levée dès janvier 364 (cf. la *Lettre* 61 de
JULIEN, avec l'introd. de J. BIDEZ à son éd., Paris 1960², p. 44-47 ;
MARROU, p. 463).

3. MARROU, p. 452-453. Cf. le traité de JEAN CHRYSOSTOME, *Sur la
vaine gloire*, où l'auteur explique comment les parents doivent faire
le commentaire de l'histoire sainte pour que l'enfant en comprenne
facilement la portée et s'y intéresse (§§ 19, 45, 52, 59, 90). Toute
l'éducation religieuse de Chrysostome a été faite pendant la durée de
ses études primaires et secondaires par sa mère Anthousa.

4. Cf. MARROU, p. 453.

5. En particulier en Égypte dans les monastères pachômiens (*Reg.
Pach.*, Pr. 5 ; 159 ; 166 ; 172 ; cf. MARROU, p. 472). Voir J. M. BESSE,
Les moines d'Orient antérieurs au concile de Chalcédoine, Paris 1900,
p. 121 ; P. COUSIN, *Précis d'histoire monastique*, Paris 1956, p. 62.
BARDY doute de l'existence de ces écoles ; l'instruction donnée aux
enfants dans les couvents égyptiens était selon lui purement religieuse : ils apprenaient à lire pour être capables de lire la Bible (« Les
origines des écoles monastiques en Orient », p. 296 et 302).

357[1], spécifiait dans ses *Règles* que les monastères pouvaient accueillir des « enfants du siècle » (παιδία βιωτικά)[2]. Orphelins ou confiés par leurs parents, ces enfants ne prononçaient pas de vœux ; ils recevaient une instruction, logés et nourris à l'écart des frères, et quittaient le monastère s'ils n'y avaient pas pris le goût de la vie ascétique[3]. L'enseignement moral et religieux était primordial : l'enfant confié à un moine apprenait à lire, à écrire, mais les auteurs profanes étaient bannis et remplacés par la Bible ; l'instruction était complétée par l'étude des Pères, des livres de morale pratique et des vies de saints[4].

Cette expérience pédagogique présentait un double inconvénient : fructueuse pour les jeunes se destinant à la vie monastique, elle s'avérait décevante pour ceux qui n'avaient pas la vocation, car l'instruction dispensée dans les couvents répondait mal aux exigences des réalités du monde ; d'autre part, elle risquait de perturber le recueillement des moines : Basile lui-même, semble-t-il, désirait limiter le nombre de ces enfants et ne les accepter qu'en perspective d'une très probable vocation[5]. En Syrie, Jean Chrysostome, d'abord partisan de l'éducation monastique

1. *H.E.* VI, 17, 3.

2. *Regulae brevius tractatae*, 292 (*PG* 31, c. 1288 B ; *Les Règles monastiques*, trad. L. Lèbe, Maredsous 1969, p. 332) : « Faut-il dans une communauté de frères un précepteur pour les enfants du siècle ? » Cf. BRÉHIER, « L'enseignement à Byzance », p. 59.

3. BASILE, *Regulae fusius tractatae*, 15 (*PG* 31, c. 952 B ; 956 C ; Lèbe, *trad. cit.*, p. 80; 83). Selon BARDY (*art. cit.*, p. 302 s.), les enfants ne recevaient dans ces écoles qu'une formation religieuse.

4. BASILE, *ibid.* (c. 953 C ; p. 82). Cf. L. BRÉHIER, *Le monde byzantin*, III : *La civilisation byzantine*, Paris 1950, p. 500.

5. « Sans une telle intention et un tel espoir, je pense que cela n'est ni agréable à Dieu, ni pour nous utile et convenable » *(Regulae brevius tract.*, 292 [1288 B ; p. 332]). Cf. BARDY, *art. cit.*, p. 305 et MARROU, p. 437. Le concile de Chalcédoine (451) interdit aux monastères de devenir des « habitations mondaines », où serait enseignée une science mondaine, et les réserve aux vraies vocations : cf. HEFELE-LECLERCQ, t. II, 2, p. 810, Canon sur la sécularisation des monastères (c. 24).

dans les années 376-380[1], se montre plus réservé sur ce point dans son traité *Sur la vaine gloire*, composé sans doute en 393 : instruit par l'expérience, il conseille aux parents de ne pas faire pression sur leurs enfants « en les envoyant dans la solitude » et de se charger eux-mêmes de leur éducation religieuse, laissant ainsi à l'enseignement laïc le soin de les former aux carrières publiques[2].

Tout comme l'Égypte, la Syrie et la Cappadoce, la Palestine, elle aussi, avait ses monastères ; au temps de Valens (364-378) elle « abondait en écoles de moines »[3], groupés en petites colonies dans le désert de Juda et sur la côte près de Gaza[4], et, à l'époque de l'enfance de Sozomène (vers 390-395), elle était couverte de « monastères suscités par l'exemple d'Hilarion »[5]. Rien ne prouve que ces moines aient organisé, suivant l'exemple basilien, des écoles à l'intérieur de leurs communautés ; mais peut-être acceptaient-ils d'y accueillir des enfants à titre individuel. En ce cas, il n'est pas impossible que Sozomène dans son jeune âge ait bénéficié de cette faveur et soit entré dans le monastère où vivaient ces quatre frères descendants d'Alaphion dont nous avons cité les noms plus haut[6]. Les liens d'amitié, sinon de parenté, qui unissaient la famille de Sozomène et celle d'Alaphion peuvent en effet avoir incité le père de Sozomène à confier son fils à leur petite communauté. Il y apprit les rudiments de l'enseignement primaire : lecture,

1. *Adversus oppugnatores* (*P G* 47, c. 319-346).

2. *Sur la vaine gloire*, 19. L'ouvrage est daté de 393-394 par A.-M. MALINGREY, dans l'Introduction à son édition (*SC* 188, Paris 1972, p. 41-47).

3. *H.E.* VI, 32, 1. Voir LABRIOLLE, p. 346 (« Les débuts du monachisme »).

4. Sur Gaza, voir H. LECLERCQ, art. « Gaza », *DACL* VI (1924), c. 695 s. ; M. MEYER, *History of the city of Gaza*, New York, 1907 ; DOWNEY, *Gaza*.

5. JÉRÔME, *Vie d'Hilarion*, 4.

6. Voir *supra*, p. 12. — L'hypothèse a été émise par VALOIS (*P G* 67, c. 23 B).

écriture, calcul, mais surtout ce séjour, quelle qu'en fût la durée, a notablement marqué l'esprit et la conscience de l'enfant à l'âge où l' « âme encore tendre reçoit l'empreinte des bons principes »[1]. En particulier, l'orthodoxie de Sozomène face aux contestations et contradictions des diverses sectes a peut-être son origine dans la foi simple inculquée en son jeune âge par ces moines, plus soucieux d'adorer Dieu que de méditer sur l'*homoousia*. Plus d'une fois il avoue son mépris pour les arguties des sophistes et, quoique tolérant, il reste très attaché aux principes qu'on lui a appris dans sa jeunesse.

Est-ce chez les moines qu'il reçut cet enseignement plus approfondi du *grammaticus*, comportant grammaire, littérature, explication d'auteurs, qui correspondait à peu près à notre enseignement secondaire entre 12 et 16 ans[2] et qui permettait à l'enfant de se perfectionner dans l'art du style, de la parole, par la pratique des grands auteurs classiques profanes ? Cet enseignement était parfois dispensé dans les écoles des moines comme dans les écoles publiques, mais il s'adressait essentiellement aux adultes, aux futurs moines qui ne l'avaient pas encore reçu au moment de leur entrée au monastère[3]. Aussi est-il peu probable que Sozomène en ait bénéficié ; il a sans doute effectué ce cursus secondaire dans une école publique, à Gaza ou ailleurs. Sa culture classique, autant qu'elle peut apparaître dans une histoire de l'Église, n'est pas négligeable[4] ; or, si l'édu-

1. CHRYSOSTOME, *Sur la vaine gloire*, 20. Cf. BASILE, *Regulae fusius tractatae*, 15 (*PG* 31, c. 956 A ; Lèbe, *trad. cit.*, p. 82).

2. L'idéal de l'enseignement secondaire était toujours l'*enkuklios paideia*, comportant les *artes liberales* (grammaire, littérature) et des disciplines scientifiques (mathématiques, géométrie, musique). Cf. MARROU, p. 410, et DOWNEY, *Gaza*, p. 102.

3. Cf. BRÉHIER, « L'enseignement à Byzance », p. 65.

4. Sozomène met une certaine coquetterie même à en faire part à ses lecteurs appartenant, semble-t-il, à un milieu assez cultivé. Il mentionne les Argonautes (I, 6), le mythe d'Apollon et de Daphné (V, 19), Pan et les Muses de l'Hélicon (II, 5, 4), Pausanias et les

cation monastique, à ce niveau des études, était peu ouverte sur le classicisme, les écoles profanes, à Gaza en particulier, continuaient dans ce domaine la tradition païenne[1].

Au terme de ses études secondaires et avant d'entreprendre des études supérieures juridiques, Sozomène a peut-être suivi les cours de l'école de rhétorique de Gaza, qui devait acquérir aux Ve et VIe siècles une certaine célébrité[2] ; elle était déjà réputée et fréquentée à son époque : Libanios en parle, ainsi que Grégoire de Nazianze[3]. Le fait que Sozomène ait entrepris plus tard des études de droit plaide en faveur de son passage dans cette école dont les étudiants se destinaient en assez grand nombre à la carrière juridique[4].

Après son séjour chez les moines et à Gaza, Sozomène fit des études de droit : la profession de *scholasticos* qu'il exerça à Constantinople ne laisse aucun doute à ce sujet. Quelle université fréquenta-t-il ? Béryte (Beyrouth) probablement, car son choix était limité : il n'y avait pas encore d'université à Constantinople, Rome était bien loin et même si l'on admet que Sozomène y séjourna, à une époque indéterminée, rien ne permet de penser que sa formation

---

guerres médiques (II, 5, 4), Platon (II, 24, 2), Aristote (III, 15 et VII, 17), Homère, Ménandre, Euripide, Pindare (V, 18), etc.

1. Sur ce point, voir DOWNEY, « Christian schools », p. 299-300, 302, 303 et 308.

2. Elle fut illustrée par des rhéteurs de grand renom : Timothée, Procope de Gaza, Procope de Césarée (cf. DOWNEY, *Gaza*, p. 106).

3. LIBANIOS, *or.* LV, 3 ; GRÉGOIRE DE NAZIANZE, *or.* IV, 86. Cf. DOWNEY, « Christian schools », p. 308. Sur l'école de Gaza voir aussi F.-M. ABEL, *Histoire de la Palestine, depuis la conquête d'Alexandrie jusqu'à l'invasion arabe*, Paris 1952, t. II, p. 362.

4. Cf. COLLINET, qui cite les noms de plusieurs étudiants de l'université de Béryte originaires de Gaza et de Maïouma (p. 95-97, 115). K. SEITZ (*Die Schul von Gaza*, Dissert., Heidelberg 1941, p. 3 et 5) prétend que les élèves de l'école de Gaza se destinaient pour la plupart à la carrière juridique.

juridique ait été effectuée dans cette ville. Béryte au
contraire était proche de Gaza[1], les jeunes gens de la région
s'inscrivaient en grand nombre à cette université[2] ; elle était
la seule grande école juridique de l'Orient romain et elle
jouissait même d'un prestige, au dire de Libanios, qui en
faisait la rivale de Rome[3]. Les études à Béryte duraient
alors quatre ans et les étudiants étaient généralement âgés
d'une vingtaine d'années quand ils quittaient l'université[4].
Le programme des études comportait à cette époque les
Institutiones de Gaius, les *Libri ad Sabinum* et le *Liber ad
Edictum* d'Ulpien, les *Responsa* de Papinien et de Julius
Paulus[5]. Les *Codices* en vigueur étaient le *Gregorianus* et
l'*Hermogenianus*, qui contenaient les constitutions impériales avant la promulgation du *Code Théodosien* (438).
L'enseignement avait lieu en latin[6], semble-t-il, et Sozo-

---

1. Sozomène cite cette université à l'occasion des études qu'y fit
l'évêque de Ledraï, Triphyllos (I, 11, 18). VALOIS (*PG* 67, c. 23 B)
déclare que Sozomène aurait fréquenté l'école de Béryte ; cette opinion
a été contestée par J. HASE (ap. *Nova librorum rariorum collectio*,
Halle 1716, t. V, p. 104) ; l'hypothèse de Valois a été reprise par
H. LAMMENS, « La vie universitaire à Beyrouth sous les Romains et
le Bas-Empire », *Revue du Monde Égyptien*, t. I, nº 10 (sept. 1921),
p. 643-666. P. ALLARD (*Julien l'Apostat*, Paris 1903², t. III, p. 393)
avance même que Sozomène professa dans cette université, mais il
ne s'appuie sur aucun texte (cf. COLLINET, p. 32).

2. COLLINET, p. 115. Pour plus de renseignements sur l'école de
Beyrouth, voir la bibliographie donnée par COLLINET, p. 7-9.

3. LIBANIOS, *or.* XLVIII, 11 : « Les enfants des sénateurs et des
anciens sénateurs (d'Antioche) naviguent les uns vers Beyrouth, les
autres vers Rome » (Πρὸς τὴν βουλήν). Sur la spécialisation des uni-
versités dans l'Antiquité (Gaza, Constantinople, Alexandrie, Athènes,
Rome), cf. DOWNEY, *Gaza*, p. 106, et J. W. H. WALDEN, *The Univer-
sities of ancient Greece*, New York 1909.

4. COLLINET, p. 112.

5. COLLINET, p. 220-223, et MARROU, p. 421.

6. C'est dans les disciplines littéraires qu'en Orient le latin recule
devant le grec ; à l'université l'enseignement en grec a plus de titulaires que l'enseignement en latin (sur ce point, voir l'argumentation
de COLLINET, p. 213-218, concernant la substitution du grec au latin

mène put se familiariser avec cette langue dont la connaissance lui était indispensable pour l'étude du droit romain et
des institutions impériales[1].

A une époque difficile à déterminer, mais proche des
années 395-400, Sozomène se rendait souvent à Maïouma
où « il voyait de ses yeux Zénon, évêque de Maïouma, alors
âgé de cent ans, venir aux offices du matin et du soir à
moins qu'il ne fût malade »[2] ; la phrase semble indiquer une
certaine connaissance des habitudes de Zénon en même
temps qu'une fréquentation de son église. Sozomène cite
Zénon au nombre de ces évêques « qui se distinguèrent vers
la fin du règne de Théodose » (mort en 395), mais nous ne
possédons aucun document susceptible de nous préciser la
date de la mort de l'évêque.

L'âge mûr   Ses études achevées (vers 400-
                402), que fit Sozomène ? Nous ne
disposons plus d'aucune indication biographique jusqu'à
l'année 443. Certains supposent qu'il se rendit à Rome ;
un texte semble prouver en effet sa présence dans la capitale de la chrétienté, mais rien n'indique l'époque où il

---

à Beyrouth aux environs de 381, et OSTROGORSKY, p. 83-84). DOWNEY
précise (*Gaza*, p. 107) qu'à Constantinople, université fondée en 425
par Théodose II à partir de l'école supérieure fondée par Constantin,
il y avait 10 professeurs de grammaire et philologie latines, 3 professeurs de littérature et rhétorique latines, 10 professeurs de grammaire
et philologie grecques, 5 professeurs de littérature et rhétorique
grecques. Cette évolution en faveur du grec ne concerne pas le droit,
qui, à cette époque, reste latin.

1. Si Sozomène connaissait bien la langue latine, il n'a jamais pris
la responsabilité d'une traduction personnelle d'un document latin :
« J'ai trouvé cette lettre traduite du latin et je la présente telle que je
l'ai trouvée » (lettre de Constantin [III, 2]) — « J'ai trouvé ces deux
lettres traduites du latin et je les reproduis ici » (deux lettres d'Inno-
cent [VIII, 26]). Au sujet du concile de Rimini, Sozomène dit simplement : « Voici la lettre traduite du latin » (IV, 18).

2. *H.E.* VI, 28, 4.

aurait effectué ce voyage, et l'on peut tout aussi bien le situer beaucoup plus tard, au moment de la conception de l'*Histoire ecclésiastique*[1]. En 443, il se trouvait à Constantinople où il travaillait « dans les tribunaux » en qualité de *scholasticos* avec son collègue Aquilinus[2]. Depuis quand était-il à Constantinople ? Il ne s'y trouvait pas en 403-404 : dans son long récit des manifestations qui ont accompagné les exils de Jean Chrysostome, à aucun moment il ne fait allusion à sa présence dans la ville et il ne mentionne aucun souvenir personnel de ces événements auxquels fut mêlé un homme qu'il admire ; or il n'hésite pas à se mettre en scène lui-même quand il a un témoignage vécu à verser au dossier[3]. Peut-être même ne vint-il à Constantinople qu'après 426, puisqu'il dit indirectement n'avoir pas connu l'évêque Atticus mort en 426[4].

En quoi consistaient les fonctions de *scholasticos* ? Le terme équivaut à *dicologos* (latin : *causidicus*) : ou bien il désigne un homme chargé de plaider une cause, ou bien il peut être synonyme de *rhêtôr* et il désigne alors un avocat, ou bien enfin il est synonyme de *nomicos* ou de *pragmaticos*, termes qui s'appliquent à un jurisconsulte, un conseiller

1. Il cite de façon précise certaines coutumes propres à l'Église de Rome qu'il a sans doute apprises sur place : par exemple sur les diacres (VII, 19, 3), sur l'alleluia chanté une seule fois au premier jour de la fête de Pâques (VII, 19, 4), sur la coutume locale qui veut que l'évêque ne prêche pas à l'église (VII, 19, 5), sur la date de l'assemblée du culte (VII, 19, 8), sur l'emplacement réservé aux pénitents pendant la messe (VII, 16, 5 : c'est le seul document parlant de cette coutume). Sur l'hypothèse du voyage à Rome, voir BARDY, art. « Sozomène », c. 2469.

2. *H.E.* II, 3, 10. Le terme *scholasticos* apparaît dans le titre du livre VII et chez Photius (cf. *supra*, p. 9, n. 1).

3. *H.E.* I, 1, 13 : « Je mentionnerai les événements auxquels j'ai assisté » ; par exemple il se cite lui-même à propos du transfert des reliques des quarante martyrs dans l'église Saint-Thyrse (IX, 2, 19).

4. *H.E.* VIII, 27, 7 : « Tel fut le personnage, au dire de ceux qui l'ont connu. »

juridique, un homme de loi[1]. Qu'était au juste Sozomène ?
On ne sait. Sa connaissance des lois l'a-t-elle désigné pour
participer à l'élaboration du *Code Théodosien* ? Son nom,
du moins, ne figure pas sur la liste des compilateurs.
Quant à ses relations avec la Cour, on ne les connaît pas,
mais le ton de la dédicace personnelle à Théodose semble
suggérer une certaine familiarité avec l'empereur ; en outre
l'éloge de Pulchérie laisse supposer une dette de gratitude
de Sozomène à l'égard de l'*Augusta*, à l'époque où fut
rédigé le livre IX.

Il rapporte deux anecdotes qui ont trait à sa vie à Constantinople, mais elles se situent à des dates inconnues. Il
dit avoir eu recours à l'intercession de S. Michel « de qui
il a été l'objet de grands bienfaits », sans autre précision,
faveur qui lui fut octroyée dans le Michaélion, c'est-à-dire
l'église Saint-Michel de l'Anaplous, sur la côte européenne
du Bosphore[2]. D'autre part, sous l'épiscopat de Proclos
(434-447) il a assisté, dit-il, aux cérémonies du transfert
dans l'église Saint-Thyrse des cendres des 40 soldats martyrisés sous Licinius à Sébaste d'Arménie[3].

Résidant à Constantinople, Sozomène connaît bien sa
ville et il relate avec soin les péripéties de sa fondation[4] ;
au hasard des événements historiques qui s'y sont déroulés,
il cite les monuments publics, les édifices, les églises, les
martyria, les oratoires édifiés par Constantin ou ses
successeurs.

Les voyages   Très certainement il voyagea.
                     Sozomène fait un éloge des voyages
en pays lointain que « les philosophes grecs, parmi les

---

1. Cf. F. Preisigke, art. « Scholasticos 1. », *PW* II A1 (1923),
c. 624. Le terme peut avoir aussi un sens plus général, celui d'homme
de lettres, d'homme d'études (joint à *philosophos* dans Julien,
Lettre 26, 414 C).

2. *H.E.* II, 3, 9. Voir Janin, *Géographie*, p. 351.

3. *H.E.* IX, 2, 17.

4. *H.E.* II, 3.

anciens et les récents, ont accomplis en vue d'enquêter
sur les villes et les régions inconnues[1] ». Se range-t-il parmi
ces sages ? S'il fait rarement mention expresse de ses
propres voyages, il est vraisemblable qu'il en accomplit
plusieurs, ne serait-ce que pour amasser les matériaux de
son ouvrage historique, les archives de Constantinople
n'ayant pu lui fournir toutes les anecdotes, les traditions
locales, les coutumes qu'il cite abondamment. Un voyage
est certain, celui qu'il fit en Bithynie, où il put voir au pied
du mont Olympe un grand nombre de soldats scires faits
prisonniers après la défaite du chef hun Uldis (en 408) :
« Dispersés çà et là, ils cultivaient les plaines et les collines
au pied de la montagne[2]. » Un voyage en Cilicie est très
vraisemblable également, car c'est à Tarse, sans doute, qu'il
a consulté « un Cilicien, prêtre de l'Église de Tarse, homme
très âgé, aux cheveux blancs », sur la découverte de l'Apocalypse de Paul[3]. Outre sa région natale de Gaza qui lui
est familière — aussi bien le désert de Gaza[4] que Béthéléa,
Gaza, Maïouma[5] —, il a parcouru la Palestine, visité peut-
être Hébron, ville à environ 250 stades de Jérusalem, près
de laquelle se trouve le chêne dit de Mambré : « Ce lieu,
qu'on nomme aujourd'hui Térébinthe a, dans son voisinage,
au midi, à une distance de 15 stades, la ville d'Hébron[6]. »
Sans doute se rendit-il à Jérusalem où il semble avoir
recueilli des témoignages directs sur l'élection de Maxime
au siège de la ville[7] ; sans doute aussi à Césarée de Philippe,
« qu'on appelle en Phénicie Panéas »[8], où sa curiosité de
touriste et d'historien a pu l'inciter à voir « les morceaux

1. *H.E.* II, 24, 2 et 4.
2. *H.E.* IX, 5, 7.
3. *H.E.* VII, 19, 11.
4. *H.E.* III, 14, 21 ; V, 3, 6 ; etc.
5. *H.E.* II, 5, 8 ; V, 3, 6 ; V, 15 ; VI, 32 ; VII, 28, 4 ; etc.
6. *H.E.* II, 4, 1.
7. *H.E.* II, 20, 2 ; cf. II, 1, 3.
8. *H.E.* V, 21, 1-2.

de la célèbre statue du Christ, abattue par Julien... déposés dans l'église même où on les conserve encore aujourd'hui ».

Les voyages plus lointains qu'on lui a prêtés sont plus hypothétiques ; peut-on, de la relation d'une coutume locale, d'une remarque concernant tel ou tel détail d'architecture, tirer une conclusion sur une connaissance *de visu* de la ville, de la région ou du monument ? Quand Sozomène écrit : « C'est parfois jusque dans les villages que des évêques exercent le culte, comme chez les Arabes et à Chypre, *ainsi que je l'ai appris*[1] », est-ce à dire qu'il tient cette information d'une enquête personnelle en Arabie ou à Chypre ? Mais il est vraisemblable qu'il s'est rendu à Rome[2], qu'il a parcouru l'Égypte, au moins visité Alexandrie, où il a vu une coutume qui l'a surpris[3], qu'il s'est rendu à Antioche, dont il décrit avec force détails le célèbre faubourg de Daphné[4], qu'il a vu les cratères de Sicile[5].

La mort   On ignore la date de sa mort ; il vivait encore au moment de l'épiscopat de Proclos (mort en 446) ; dans le livre IX, en effet, Sozomène déclare avoir assisté au transfert des reliques des 40 martyrs, « qui eut lieu à l'époque où Proclos gouvernait l'Église de Constantinople » (de 434 à 446) ; il y eut, nous dit-il, beaucoup de spectateurs à la cérémonie, « dont presque tous vivent encore »[6]. La formulation de la phrase laisse supposer qu'à l'époque où Sozomène écrit son livre IX Proclos était déjà mort et que l'événement relaté

1. *H.E.* VII, 19, 2.
2. Cf. *supra*, p. 21, n. 1.
3. *H.E.* VII, 19, 6 : « L'évêque ne se lève pas durant la lecture de l'Évangile ; je n'ai vu cela ni ne l'ai entendu dire nulle part ailleurs. »
4. *H.E.* V, 19, 5.
5. *H.E.* II, 24, 2 : « Aujourd'hui encore on peut voir beaucoup de champs brûlés qui n'admettent ni ensemencement ni plantation d'arbres. »
6. *H.E.* IX, 2. Voir à ce sujet JANIN, *Géographie*, p. 247 et 482.

était déjà ancien. Ce livre IX a été rédigé, nous le verrons plus loin, avant 448. Il est inachevé, et on peut émettre l'hypothèse que c'est la mort qui en est la cause, mort qui se situerait donc avant 448 ; mais on peut tout aussi bien imaginer que la maladie ou toute autre circonstance ont empêché Sozomène de terminer son ouvrage et que sa mort n'est intervenue que plus tard.

Composition de l'ouvrage

L'*Histoire ecclésiastique* en 9 livres ne nous est pas parvenue dans sa forme originale. Le projet initial[1] comportait un ouvrage très vaste, qui embrassait l'histoire de l'Église depuis l'Ascension du Christ jusqu'à l'avènement de Constantin. Sozomène y a renoncé : la raison invoquée est que l'ouvrage existait déjà, et il cite les œuvres de Clément d'Alexandrie, auteur des *Hypotyposes*[2], d'Hégésippe le Palestinien (iie s.), auteur de *Mémoires* (ὑπομνήματα) dans lesquelles on a vu la première histoire ecclésiastique qui ait été composée[3], de Julius Africanus (iiie s.), palestinien lui aussi, auteur d'une *Chronographie*, sorte d'histoire universelle depuis le début du monde jusqu'en 221 de notre ère, d'Eusèbe de Césarée, palestinien du ive siècle, dont l'*Histoire ecclésiastique* s'achève sur la victoire de Constantin en 333. Abandonnant donc ce projet trop grandiose, il a voulu cependant faire précéder son histoire d'une large synthèse embrassant les premiers siècles du christianisme jusqu'à Constantin. Ce *compendium*, prélude au grand ouvrage, comprenait deux livres ; il ne nous en est rien resté.

L'*Histoire ecclésiastique* comporte une dédicace à Théo-

1. *H.E.* I, 1, 12.
2. Il ne reste que des fragments de ces notes sur des passages de l'Ancien et du Nouveau Testament. Eusèbe cite souvent Clément dans son *Histoire ecclésiastique*.
3. Le jugement est de Jérôme (*vir. ill.* 2).

dose, puis neuf livres, les huit premiers groupés par paires, et le livre IX détaché :

I-II	: Constantin (324-337)
III-IV	: les fils de Constantin (337-361)
V-VI	: Julien (361-363), Jovien (363-364), Valentinien (364-375), Valens (364-378)
VII-VIII	: Gratien (367-383) et Valentinien II (375-392), Théodose I (379-395), Arcadius (395-408)

Le livre IX est consacré à l'empereur régnant Théodose II, depuis son avènement (408) jusqu'à son dix-septième consulat (439).

Seule la date de la dédicace paraît à peu près sûre ; pour celle de la composition et de la publication des neuf livres, on est réduit à des hypothèses.

La date de la dédicace est facile à déterminer. Théodose est présenté comme l'empereur dont l'autorité et le prestige sont incontestés : il protège les poètes et les artistes[1], il se distingue entre les empereurs par sa piété, son courage, sa philanthropie, sa modération, sa justice, sa libéralité et sa grandeur d'âme[2] ; son goût et son jugement en matière littéraire sont sûrs[3], etc. Tout en faisant la part de l'éloge courtisan, on peut admettre que ces qualités sont celles de la maturité d'un homme et d'un règne. Théodose étant né en 401 et mort en 450, c'est la dernière partie de son règne qui a inspiré ce portrait flatteur. D'autre part, les dernières lignes de la dédicace souhaitent que « soit transmis le pieux règne de Théodose aux fils de ses fils ». Or Théodose n'avait eu qu'une fille, Eudoxie, née en 423 de l'impératrice Eudocie[4] ; l'impératrice, écartée de la cour à partir de 441, se trouvait dans sa retraite définitive de Jérusalem

---

1. Dédicace, 3 et 7.
2. Dédicace, 15.
3. Dédicace, 4.
4. Deux enfants étaient morts en bas âge : cf. STEIN-PALANQUE, p. 281 et note 148 (p. 564).

en 443[1]. Ce n'est donc qu'après 443 seulement qu'on pouvait envisager le remariage de Théodose, âgé de 42 ans, et une postérité mâle pour l'empereur. Enfin et surtout, une anecdote curieuse rappelle un récent (πρώην) voyage que l'empereur entreprit en Bithynie aux ruines d'Héraclée du Pont, afin de « chercher à la restaurer alors qu'elle était ruinée par l'âge[2] ». Ce voyage a eu lieu au cours de l'été 443[3]. On peut donc tenir pour à peu près certain que la dédicace à Théodose a été rédigée fin 443 ou début 444.

Dans la réalisation de l'œuvre, à quel moment se situe la dédicace ? L'*Histoire ecclésiastique* a-t-elle été rédigée tout entière avant 443 ou après ? et Sozomène a-t-il offert à Théodose, en même temps que la dédicace, l'ouvrage en sa totalité ou seulement en partie ?

Le dessein d'écrire une histoire de l'Église est évidemment très antérieur à 443, et il y a toutes chances pour que la dédicace ait été rédigée une fois terminés les travaux de documentation, ainsi que les démarches, recherches aux archives, interrogations de témoins, voyages divers : une introduction-préface ne peut être écrite que lorsque l'architecture de l'œuvre a été dessinée et que la problématique en a été définie. Peut-être même l'ouvrage était-il déjà composé en grande partie dès 443. Il n'était pas achevé toutefois à cette date, puisque le livre IX tel que nous l'avons ne correspond pas au plan annoncé dans la dédicace[4]. Le livre IX devait, selon les termes de Sozomène,

1. Cf. STEIN-PALANQUE, p. 293.

2. *H.E.*, Dédicace, 13.

3. Cf. A. LIPPOLD, art. « Théodosius II », *PW* Suppl. XIII (1973), c. 993.

4. Sozomène déclare dans cette dédicace qu' « il est en train d'écrire une histoire de l'Église (participe présent συγγράφοντι) », qu' « il va raconter (μέλλων ἀφηγεῖσθαι) la vertu de beaucoup d'hommes remplis de Dieu ». Une phrase même laisse entendre qu'il propose à Théodose d'être son réviseur : « Reçois de moi cet écrit, examine-le et, y ajoutant les additions et retranchements que t'inspire ton esprit exact, purifie-le par tes soins. » C'est là peut-être clause de style, mais il est possible

recouvrir les 31 années du règne de Théodose II, depuis la mort de son père (408) jusqu'à son dix-septième consulat (439). Or ce livre, le plus court de l'ouvrage, ne traite guère que les toutes premières années du règne personnel de Théodose II, qui gouverna d'abord sous la tutelle du préfet du prétoire Anthémius jusqu'en 414, puis sous celle de sa sœur Pulchérie, proclamée *Augusta* quoiqu'âgée seulement de quinze ans et à peine l'aînée de son frère. Le seul événement mentionné du règne est la campagne, en 408-409[1], contre Uldis, chef des Huns, alors que Théodose âgé de sept ans gouvernait depuis un an la *pars orientalis*. Le reste du livre est consacré, après un long éloge de Pulchérie (chap. 1-3), à la *pars occidentalis*, secouée par les démêlés d'Honorius avec les Goths d'Alaric (chap. 6-10), par les tentatives des usurpateurs, dont Constantin III, en Gaule et en Italie (chap. 11-16). Au chapitre 16, Sozomène revient à la *pars orientalis*, mais, après avoir annoncé qu'il va parler des deux découvertes des corps du prophète Zacharie et du diacre Étienne[2], il relate les circonstances qui ont entouré la découverte de Zacharie, puis le récit s'interrompt et le lecteur est laissé sur sa faim. De la même façon, une phrase du chapitre 1 à propos de l'action de Pulchérie dans la politique religieuse de la Cour promettait des développements ultérieurs : il n'en est pas fait mention par la suite[3]. Ce livre IX, donc, a été composé dans sa première partie avec la même rigueur que les précédents pour les événements antérieurs à 414, mais il s'arrête à cette date, sans que Sozomène ait laissé prévoir cette brusque fin,

---

également que Sozomène en 443 offre à Théodose les pages qu'il a déjà écrites comme une lecture de révision préalable à la publication.

1. *H.E.* IX, 5.

2. *H.E.* IX, 16, 4.

3. « Que de nouvelles hérésies ne l'aient pas emporté de notre temps, nous trouverons que c'est à elle surtout qu'on le doit, comme on le verra plus loin » (IX, 1, 9).

sans qu'il ait même achevé un récit commencé, à plus forte raison sans qu'il ait esquissé une conclusion à son ouvrage.

On peut avancer trois hypothèses : a) ou bien la fin du livre IX n'a pas été conservée (mais tous les manuscrits donnent le même texte et certains précisent même : ici s'achève l'*Histoire ecclésiastique* de Sozomène) — b) ou bien le livre IX a été victime de la censure impériale[1], dont l'arbitrage était invoqué dans la dédicace et qui aurait fait disparaître tous les textes relatifs aux événements contemporains, en particulier ceux consacrés à la période où l'influence d'Eudocie a été grande sur l'empereur. Retirée à Jérusalem en 443, Eudocie laissait la Cour aux mains de l'affranchi Chrysaphius, et il est possible que pour se venger d'elle Théodose ait fait supprimer dans l'ouvrage de Sozomène tout ce qui rappelait l'influence de son ancienne épouse[2]. Mais cette hypothèse a contre elle qu'on voit mal pourquoi la censure aurait amputé toute la fin du livre en bloc, sans discrimination, et non pas seulement les passages concernant Eudocie. Après tout, jusqu'en 439, l'activité de Théodose II — même inspirée par Eudocie — n'a rien que de très positif, et l'histoire de l'Église en cette période comporte des événements qui ne nuisent pas à la mémoire de l'empereur : crise nestorienne, dès 428, résolue par le concile d'Éphèse (431), élection de Proclos au siège de Constantinople (janvier 438), sans parler des réalisations de Théodose comme la création de l'université de Constantinople (425) et la promulgation du Code Théodosien (438). D'autre part, il est douteux que l'historien ait couru le risque de s'exposer à la censure en dressant un éloge d'Eudocie : si au cours du livre IX le nom d'Eudocie n'est jamais cité alors que Pulchérie est l'objet de sa sollicitude, est-ce le fait de la censure ou plutôt d'une élémentaire précaution de Sozomène ? Les pages de Socrate

1. Cf. BARDY, art. « Sozomène », c. 2469-2470.
2. Le nom d'Eudocie n'apparaît pas chez Sozomène.

consacrées à cette période sont allusives et prudentes, on ne voit pas pourquoi Sozomène aurait agi autrement. Enfin, en fixant à 439 le terme de son *Histoire*, Sozomène obéissait à des raisons d'opportunité, qui n'ont pas échappé non plus à Socrate, et se mettait ainsi à l'abri d'une censure éventuelle : après 438, la politique extérieure de Théodose est peu flatteuse pour sa mémoire et la politique intérieure voit le prince passer sous l'influence de Chrysaphius, dont l'assiduité auprès de Théodose avait contribué à la chute du remarquable préfet du prétoire d'Orient Cyrus de Panopolis (441) et à celle d'Eudocie (443) — c) reste la troisième hypothèse, la plus simple et la plus vraisemblable, c'est que le livre IX, s'interrompant de façon aussi abrupte, n'a pas pu être achevé par Sozomène : l'auteur, pendant la rédaction de ce livre, a été saisi soit par la maladie, soit par la mort.

A quelle époque remonte ce début de rédaction du livre IX ? Il est impossible de le dire : le *terminus a quo* est 443[1], date de la dédicace, le *terminus ad quem* est 448. Sozomène fait allusion, au 1er chapitre (§ 9) du livre IX, à la lutte de Pulchérie contre « les dogmes bâtards », c'est-à-dire à la querelle avec Nestorius, achevée par le concile d'Éphèse (431). Selon Sozomène, c'est « la dernière manifestation hérétique qu'il ait connue » ; il a donc rédigé ces lignes avant la crise eutychéenne[2] à laquelle la Cour fut mêlée

---

1. Si l'on admet que le livre IX a été l'objet de la censure impériale, rien ne s'oppose à ce qu'il ait été publié en même temps que les huit premiers.

2. Eutychès, moine antinestorien, soutenu par l'affranchi Chrysaphius, fut accusé devant l'empereur par le nestorien Domnus, évêque d'Antioche, de professer l'hérésie apollinariste (cf. la lettre de Domnus à Flavien en septembre 448 : STEIN-PALANQUE, p. 308 et note 109 [p. 572]). Ce fut le début d'une affaire qui eut un assez grand retentis-

intimement à partir de 448. Il est vain de vouloir préciser davantage[1].

---

sement à la Cour. Condamné par le synode de Constantinople le 22 novembre 448, Eutychès devait être, grâce aux efforts de Chrysaphius, réhabilité par le concile d'Éphèse d'août 449, réuni par les soins de Théodose. Après la mort de l'empereur et l'avènement de Marcien et de Pulchérie (450) et après l'exécution de Chrysaphius, le concile œcuménique de Chalcédoine (20 octobre 451) définissait un nouveau symbole de foi, mettant un terme à la crise eutychéenne.

1. Deux autres passages du livre IX appellent des remarques : a) le récit de la découverte des reliques des 40 martyrs (IX, 2). Le transfert des corps près de Saint-Thyrse eut lieu, dit Sozomène, sous l'épiscopat de Proclos, donc entre 434 et 446 : « J'y ai assisté moi-même, ajoute-t-il ; ceux qui ont assisté à la fête peuvent témoigner qu'il en fut ainsi..., presque tous vivent encore. » La date du transfert est inconnue, mais on peut penser qu'il eut lieu avant 439 puisqu'il est relaté (mais pas à sa vraie date) dans ce livre IX qui s'achève théoriquement en 439. Le *Chronicon paschale* et Nicéphore Calliste situent l'événement plus tard, en 451, mais la contradiction n'est qu'apparente, car Sozomène parle du transfert à Saint-Thyrse, alors que le *Chronicon* évoque explicitement la construction par Césarius, préfet du prétoire, d'une église des 40 martyrs, bâtie pour recevoir les corps (ap. *M.G.H. a.a.*, t. XI, p. 83-84 ; Nicéphore Calliste, *H.E.* XIV, 10 [*PG* 146, c. 1085 D] ; cf. Janin, *Géographie*, p. 146, 247 et 482). Si Sozomène ne parle pas de cet édifice, c'est que l'église n'était pas construite au moment où il écrivait, et même qu'on ne parlait pas encore de la construire — b) d'autre part, Sozomène loue longuement la virginité de Pulchérie et son vœu solennel devant Dieu, prêtres et sujets, confirmé par l'offre de la table sainte à l'Église de Constantinople (IX, 1, 4) ; ce vœu, l'*Augusta* « le poursuit » (IX, 3, 2) ; de toute évidence, la page est écrite avant le mariage de Pulchérie (450). — On ne peut guère tirer de conclusion du texte du chapitre 3, dans lequel Sozomène fait l'éloge des sœurs de Pulchérie en employant successivement le présent, l'imparfait, l'aoriste. On sait qu'Arcadia (née en 400) est morte en 444 (O. Seeck, art. « Arkadia 5. », *PW* II, 1 [1896], c. 1137) ; on ignore la date de la mort de Marina (cf. O. Seeck, art. « Marina 4. », *PW* XIV, 2 [1930], c. 1757). Sozomène mêle apparemment dans le même éloge le présent et le passé.

CHAPITRE II

L'HISTOIRE ECCLÉSIASTIQUE

Sozomène historien

Sozomène définit sa méthode et ses objectifs dans quelques paragraphes de la dédicace et surtout au cours du 1er chapitre du livre I.

Modestement il ne se reconnaît pas les capacités suffisantes pour mener à bien son *Histoire de l'Église* et il invoque l'aide de l'Esprit Saint : « Pour un sujet qui n'est pas l'œuvre des hommes, il n'est pas difficile à Dieu de me faire paraître, contrairement à l'attente, un historien[1]. » Et c'est bien en historien qu'il entend œuvrer : « Je me propose de décrire la vertu de beaucoup d'hommes remplis de Dieu et les événements relatifs à l'Église universelle[2]. » Cela dans un souci d'information du lecteur qui a droit à la vérité (« Tout doit pour l'historien passer après la vérité[3] »), et à l'objectivité (« La tâche de l'historien est de raconter seulement les faits sans y introduire aucun élément personnel[4] »). Les sources auxquelles il puise sont les souvenirs personnels, les témoignages oraux directs ou indirects, les lettres, les archives : « Je mentionnerai les événements auxquels j'ai assisté ou que j'ai appris des gens au courant

1. *H.E.* I, 1, 12.
2. *H.E.*, Dédicace, 17.
3. *H.E.* I, 1, 17. Cf. : « Il faut se soucier principalement de la vérité pour que soit honnête l'histoire » (I, 1, 16).
4. *H.E.* III, 15, 10.

et témoins des choses, dans ma génération et celle qui l'a précédée. Quant aux événements plus reculés, j'en ai poursuivi l'enquête d'après les lois qui ont été édictées pour notre religion, d'après les conciles de temps en temps réunis, d'après les innovations apportées au dogme et les lettres des empereurs et des pontifes, dont les unes sont conservées jusqu'à ce jour dans les palais impériaux et les églises, et dont les autres se rencontrent çà et là chez les amis des lettres[1]. » Ces sources ne sont pas citées dans le texte, l'auteur leur emprunte seulement le renseignement désiré, sauf à l'occasion de points délicats sur lesquels les témoignages divergent : « J'ai souvent eu en pensée d'introduire le texte même de ces documents dans mon ouvrage, mais j'ai jugé meilleur, pour ne pas alourdir l'exposé, d'en rapporter brièvement le sens, à moins que nous n'y trouvions des points disputés sur lesquels les opinions de la plupart divergent ; en ces cas-là, si je mets la main sur quelque écrit, je le présenterai pour manifester la vérité[2]. » Eusèbe aimait à donner de larges extraits des documents auxquels il avait recours ; en prenant ses distances avec ses sources Sozomène adopte une méthode, nouvelle chez les historiens de l'Église, qui rappelle celle des grands historiens grecs classiques, tels que Thucydide ou Xénophon[3].

Après ces déclarations d'intention — vérité, objectivité —, Sozomène précise la finalité qu'il entend donner à l'ouvrage : « J'ai voulu montrer comment, en butte à tant d'ennemis, l'Église universelle a fini par aborder à ton port[4]. » La vérité, pour Sozomène, est donc celle de l'ortho-

1. *H.E.* I, 1, 13. A l'occasion Sozomène rappelle cette fidélité aux sources : « J'ai écrit... ce que j'ai appris de gens exactement au courant » (II, 21, 8).
2. *H.E.* I, 1, 14.
3. Sozomène connaissait sans doute l'œuvre de Thucydide et plus certainement celle de Xénophon, auquel il paraît emprunter les premiers mots de la *Cyropédie* (cf. *infra*, p. 83 et p. 108, n. 1).
4. *H.E.*, Dédicace, 17.

doxie, et son objectivité consiste à dénoncer les erreurs des sectes qui ont défiguré la vraie doctrine et à réfuter ainsi certains historiens qu'il estime partisans ou mal informés, dont les manœuvres ont souvent abusé les chrétiens : « Afin que nul, par ignorance de la réalité, ne convainque de mensonge mon traité, pour avoir lu peut-être des écrits contraires, il faut savoir que, à l'occasion des doctrines d'Arius et des hérésies nées plus tard, les chefs des diverses Églises, en dispute les uns avec les autres, écrivaient des lettres à ceux de leur parti sur les points qui leur tenaient à cœur ; se rassemblant en conciles, ils émettaient les votes de leur choix, et souvent ils condamnaient par défaut les tenants des opinions contraires ; entourant de prévenances les empereurs du moment et les puissants de leur suite, ils cherchaient à les persuader de leur mieux et à se les concilier, et pour démontrer leur orthodoxie, prenant parti les uns pour ceux-ci, les autres pour ceux-là, ils ont formé des collections des lettres en circulation pour la défense de leur propre secte et ont passé sous silence les lettres contraires ; ce qui rend tout à fait tortueuse pour nous la découverte de ce qui s'est vraiment passé touchant ces faits[1]. » C'est donc une mise au point qu'il entend faire sur cette période traversée par la crise arienne, la réfutation des erreurs doctrinales successives permettant de rendre plus éclatant le triomphe final de la vérité orthodoxe : « La doctrine de l'Église universelle apparaîtra dans la plus grande pureté possible, puisqu'elle aura été plusieurs fois mise à l'épreuve par les machinations de ses adversaires et que, Dieu lui accordant la victoire, elle est revenue à sa puissance première et a attiré à sa vérité première toutes les Églises et toutes les masses[2]. »

L'*Histoire ecclésiastique* est ainsi une version orthodoxe de l'histoire de l'Église au IVe siècle depuis Constantin ;

1. *H.E.* I, 1, 15-16.
2. *H.E.* I, 1, 17.

le *compendium* résumant les événements depuis l'Ascension du Christ illustrait le cheminement de cette vérité à travers les siècles. Est-ce à dire que Sozomène se situe dans la lignée des apologistes des IIe et IIIe siècles et des premiers historiographes chrétiens, tels Clément d'Alexandrie, Julius Africanus ou Hippolyte[1] ? Peut-on voir en lui le continuateur d'Eusèbe ? En aucune façon : Sozomène est un laïc et il observe l'histoire de l'Église de l'extérieur, en profane ; l'économie interne de l'ouvrage en est déjà une preuve, car la chronologie des évêques n'y joue plus qu'un rôle secondaire et les chapitres sont ordonnés en fonction des règnes des empereurs et non plus par référence à la succession des évêques sur les sièges apostoliques. Mais surtout la perspective dans laquelle Sozomène aborde les problèmes est différente ; il ne cherche à démontrer ni la permanente présence de Dieu parmi les hommes, ni la continuité de la parole évangélique dans son impact sur le monde, ainsi que le fait Eusèbe ; il conçoit son histoire de l'Église comme un historien l'histoire d'un État, se consacrant aux hommes et aux événements, relatant les péripéties des combats qu'ont livrés contre des hérésiarques des hommes défenseurs de la bonne cause, combats où s'affrontaient des doctrines, mais aussi des caractères et des passions. Les évêques ne sont plus seulement des hommes d'Église, mais aussi des hommes qui font l'histoire, avec leurs faiblesses et leurs grandeurs. La période qui occupe l'historien, d'ailleurs, est différente de celle d'Eusèbe : avec le triomphe de l'Église, celle-ci et l'État tendent à se confondre et l'*Histoire ecclésiastique* reflète cette situation ambiguë. Le regard critique de Sozomène s'exerce sur le jeu cruel de la comédie humaine auquel se livrent ces personnages en quête d'une place honorifique,

---

1. Cf. *supra*, p. 25. — Et voir Scavone, p. 64 ; Momigliano, «Pagan and christian historiography in the fourth century », *Paganism and Chistianity*, Essay IV, p. 79.

d'une fonction, d'un siège épiscopal[1], sur la confusion qui
règne dans ce monde encore en gestation, où dominent les
intérêts, les ambitions, les cupidités, les haines, et d'où
souvent est absent le souffle de l'Esprit Saint.

Une histoire de l'Église ainsi désacralisée devient plus
accessible au profane, qu'en tout état de cause il s'agit
moins de convertir que d'informer ; elle n'est pas, à proprement parler, une œuvre d'apologie du christianisme[2], mais
plutôt un document intéressant sur l'idée qu'un historien
chrétien se fait de sa religion et des querelles religieuses de
son temps.

Valeur apologétique de l'ouvrage La portée apologétique de l'ouvrage est donc assez faible, d'abord
parce que le manque de formation
théologique de son auteur ne lui
permet pas une étude sur le fond : « Je n'ai pas l'expérience
de ces sortes de disputes », écrit-il au sujet des discussions
soulevées par les sectes sur certains points du dogme[3] ;
ensuite parce que Sozomène se propose seulement de soutenir le point de vue de l'orthodoxie sans prétendre en
démontrer la vérité. Tout ce qui touche au contenu de la
doctrine est soigneusement occulté : l'exposé que, sur sa
demande, les prêtres firent à Constantin après l'apparition

---

1. Entre autres nombreux exemples, les lignes critiques concernant
la comédie cynique jouée par les mélétiens et les ariens (« bien que
chaque camp désavouât dans le privé ce qui venait de l'autre, ils
acceptaient de se jouer la comédie contrairement à leur opinion
propre et de s'accorder dans la communion de leur haine, chaque camp
espérant bien qu'il se rendrait aisément maître de ce qu'il désirait »
(II, 21, 5)) ; de même les innombrables machinations fomentées contre
Athanase sont présentées dans une lumière assez crue (II, 23).

2. Le ton n'a pas cette raideur dogmatique que possèdent parfois
les ouvrages apologétiques écrits par des clercs. Sozomène ne manque
pas, même, d'un certain humour quand il prend les sectes en flagrant
délit de contradiction (II, 21, 5 ou III, 5, 8 : « à moins que quelque
sens obscur ne se cache en secret dans les formules... »), ou quand il
s'amuse des mots d'esprit de Sisinnius (VIII, 1, 11).

3. *H.E.* VII, 17, 8.

du signe de la Croix n'est rapporté qu'en quelques mots[1] ;
le texte du Credo de Nicée, fondement de l'orthodoxie
cependant, n'est pas cité, à plus forte raison commenté :
« Pour que, explique Sozomène, le symbole de la foi qui fut
alors admise en commun soit à l'avenir fermement assuré
et manifeste aux générations futures, j'avais d'abord jugé
nécessaire, pour démontrer la vérité, d'en mettre sous les
yeux le texte même. Mais sur le conseil d'amis pieux et
compétents en ces matières, attendu que les seuls initiés et
initiateurs ont le droit de dire et d'entendre ces choses, j'ai
suivi leur avis... et j'ai caché le plus possible ce qu'il faut
taire des mystères secrets[2]. »

De la sorte, la vérité du christianisme est pour Sozomène
un postulat qu'éclairent trois affirmations sommaires, mais
suffisantes à ses yeux : — a) affirmation de l'essence divine
du Christ, dont Sozomène s'étonne comme d'un scandale
qu'elle n'ait été reconnue qu'avec tant de réticence par le
peuple juif[3] — b) affirmation de l'essence divine du chris-

1. *H.E.* I, 3, 4-6.
2. *H.E.* I, 20, 3. Toutefois les formules capitales sont assez fidèlement rapportées : « Il faut savoir que les Pères déclarèrent que le Fils
est consubstantiel au Père ; quant à ceux qui disent : ' Il fut un temps
où il n'était pas ' et : ' Il n'a pas existé avant d'avoir été engendré '
et : ' Il a été tiré du néant ' ou qui le disent d'une autre substance ou
essence, ou susceptible de mutation ou de changement, ils les excommunièrent » (I, 21, 1). Sozomène souligne à dessein l'unanimité de la
décision : « A la fin tous les évêques tombèrent d'accord et ils votèrent
que le Fils est consubstantiel au Père. On dit qu'au début il n'y eut
que dix-sept évêques pour louer la thèse d'Arius, mais que, sur le
champ, la plupart de ces Pères se rangèrent à l'opinion commune »
(I, 20, 1). Pour tous les conciles, on retrouve chez l'historien ce souci
de ne pas citer intégralement les textes faisant l'objet de contestation,
comme s'il craignait de donner à ses lecteurs de mauvaises idées ;
simplement, les conclusions sont formulées en phrases concises. En
toute occasion cependant il rappelle l'inanité de ces discussions dont
l'importance sur le plan théologique semble lui échapper.
3. *H.E.* I, 1, 1. Seul Josèphe « pourrait bien être un témoin sûr de
la vérité sur le Christ... C'est tout juste s'il ne s'écrie pas, en se réfé-
rant à ses actes, que le Christ est Dieu » (I, 1, 5-6).

tianisme, authentifiée selon lui par les apparitions du signe
de la Croix aux moments décisifs de l'histoire : ce signe
apparaît à Constantin à la veille de la bataille[1] ; il apparaît
plus tard aussi sous Constance[2], et cette apparition, inter-
prétée « comme le symbole de la victoire du Christ sur
l'Hadès[3] », dessille les yeux d'un grand nombre de païens[4] ;
authentifiée aussi par la vie exemplaire et le martyre des
premiers chrétiens dont les actes « forçaient sans contestation, dans les maisons et les villes, à croire ce qu'on n'avait
pas entendu auparavant[5] » — c) affirmation de la vérité
de la religion prouvée par les miracles, signes de la volonté
divine « de faire progresser la religion » en lui donnant le
sceau de la vérité[6].

Les nombreux miracles relatés par Sozomène se présentent essentiellement sous trois formes : a) *le lieu miraculeux* : ainsi la statue du Christ à Panéas[7], la fontaine
miraculeuse de Nicopolis, source « guérisseuse où les hommes
en se lavant se débarrassent de leurs maux[8] », l'arbre gué-
risseur d'Hermoupolis[9] ; tous ces lieux sont « le signe de la
présence de Dieu et de sa victoire sur le démon[10] » — b) *la
puissance miraculeuse* concédée par Dieu « aux hommes qui
lui sont chers[11] » ; ce pouvoir apparaît d'ailleurs à Sozo-

---

1. *H.E.* I, 3, 2.　　　2. *H.E.* IV, 5, 1.　　　3. *H.E.* I, 3, 4.

4. Cf. *H.E.* IV, 5, 5. De même, à l'occasion de la découverte de la
Croix à Jérusalem, la désignation par miracles et songes de ce lieu où
était la Croix « montre que les choses divines n'ont besoin d'aucune
indication de la part des hommes, toutes les fois que Dieu lui-même a
décidé de les manifester » (II, 1, 4).

5. *H.E.* I, 1, 10.

6. Par exemple, c'est un témoignage pour la propagation du christianisme que la conversion du village natal de Sozomène (Béthéléa)
à la suite de la guérison miraculeuse d'Alaphion, possédé du démon,
par le moine Hilarion (V, 15, 5).

7. *H.E.* V, 21, 1.　　　8. *H.E.* V, 21, 6.

9. *H.E.* V, 21, 10.

10. *H.E.* V, 21, 10.

11. *H.E.* III, 14, 19.26 ; IV, 10, 1 ; 16, 12 ; etc.

mène comme « la suite naturelle d'une vie vertueuse[1] » et
il est l'apanage surtout des moines du désert et des évêques :
don de prophétie, don de chasser les démons, don de
guérison. Ainsi, « faisaient beaucoup de miracles » Apellès,
Apollos, Donat, Épiphane, Zénon et Ajax, Héllès[2]. Le
« don divin de prévoir » est attribué à Antoine, Macaire,
Pachôme, Arsace, Jean, Théonas et Bènos, ainsi qu'aux
évêques Athanase, Chrysostome et Épiphane[3]. Pulchérie
elle-même est l'objet de la bienveillance divine[4]. Ce don
de prophétie, Sozomène l'oppose évidemment aux pratiques de magie des « philosophes » païens irrités des progrès
du christianisme et cherchant à conserver leurs préroga-
tives en ce domaine[5]. Quant au don miraculeux de guérir
ou de chasser les démons, il est le privilège de presque tous
les hommes saints ; c'est le miracle qui frappe le plus l'imagination des foules et se révèle le moyen le plus efficace pour
convertir les païens. Il concerne soit la guérison de maladies
ou d'incommodités physiques : Eutychianos, Apollonios,
Hilarion, Jean, Or, Copred, Moyse, l'évêque Donat[6],
soit la guérison de maladies mentales et de posses-
sions : Paphnuce, Hilarion, Arsace, Or, Apellès, Macaire,

1. *H.E.* VI, 18, 5.

2. Apellès : VI, 28, 7 ; Apollos : VI, 29, 2 ; Donat : VII, 26, 1 et 5 ;
Épiphane : VII, 28, 1 ; Zénon et Ajax : VII, 28, 8 ; Héllès : VI, 28, 5.

3. Antoine : I, 13, 7 et VI, 5, 6 ; Macaire : III, 14, 2 ; Pachôme :
III, 14, 16 ; Arsace : IV, 16, 12 ; Jean : VI, 28, 1 et VII, 22, 7 ; Théonas
et Bènos : VI, 28, 3 ; Athanase : IV, 10, 1 ; Chrysostome et Épiphane :
VIII, 15.

4. *H.E.* IX, 3, 1.

5. Ainsi la prédiction de ces philosophes au sujet de la succession
de Valens formulée à l'aide de toutes sortes d'instruments oraculaires
tourna-t-elle à leur confusion (VI, 35, 3). Symptomatique aussi du
triomphe chrétien aux yeux de Sozomène est le silence de l'Apollon
de Daphné rendu muet par la présence de la châsse du martyr Babylas
transférée dans un oratoire proche du temple oraculaire (VI, 19, 13).

6. Eutychianos : I, 14, 19 ; Apollonios : III, 14, 19 ; Hilarion :
III, 14, 26 ; Jean : VI, 28, 1 et 29, 8 ; Or : VI, 28, 2 ; Copred : VI, 28, 4 ;
Moyse : VI, 29, 25 ; Donat : VII, 26, 1.

Moyse[1] ; Macaire, dit-on, alla même jusqu'à ressusciter un mort[2] — c) enfin, Dieu se manifeste de façon plus directe encore par sa *Providence* ; elle agit sur les âmes, animant l'intelligence et la volonté des hommes, sous la forme d'anges qui les assistent[3], de visions envoyées en songes[4] qui sont comme le reflet du débat intérieur où la volonté humaine est éclairée miraculeusement par l'Esprit Saint.

Cette longue énumération de faits miraculeux dénote-t-elle chez l'historien que prétend être Sozomène un manque de sens critique ? Le procédé est traditionnel chez les apologistes pour qui le miracle est la preuve irréfutable de la volonté de Dieu, et on ne peut faire grief à Sozomène de sacrifier volontiers à ce rite. Il y apporte d'ailleurs une touche assez personnelle. Ainsi, le geste de Julien qui, sur le point de mourir, lance vers le ciel un peu de sang puisé à sa blessure comme s'il avait les yeux fixés sur l'apparition miraculeuse du Christ, suscite-t-il ce commentaire prudent : « Que Julien, sur le point de mourir, ait vu le Christ, comme il arrive à l'âme, quand désormais elle va se séparer du corps, d'être capable de voir des choses plus divines que ne le peut l'homme, cela, je ne puis le dire, mais je n'ose pas non plus le repousser comme un songe...[5] » La réserve

1. Paphnuce : I, 10, 1 ; Hilarion : III, 14, 26 ; Arsace : IV, 16, 12 ; Or : VI, 28, 2 ; Apellès : VI, 28, 7 ; Macaire : VI, 29, 12 ; Moyse : VI, 29, 19.

2. *H.E.* III, 14, 2.

3. « La Divinité assistait l'empereur en son zèle et lui confirmait, par des épiphanies, que ces maisons de prières dans la ville étaient saintes » (II, 3, 8). Voir : l'ange de Piammon (VI, 29, 11), celui de Théodose (V, 20, 4), de Pachôme (II, 3, 19), de Marc (VI, 29, 11), etc.

4. Vision envoyée à Constantin (I, 3, 1) ; apparition de saint Thyrse à Pulchérie (IV, 2, 7), du prophète Zacharie à Caterneros (IX, 7, 2) ; vision envoyée à Constantin pour fonder la ville de Constantinople (II, 3, 3), à Julien au moment de sa mort (VI, 2, 12), au philosophe Didyme (VI, 2, 6), etc.

5. *H.E.* VI, 2, 12. — Pour la comparaison des merveilleux chrétien et païen, voir par ex. M. MESLIN, « Le merveilleux comme langage politique chez Ammien Marcellin », *Mélanges Seston*, Paris 1974, p. 353-363.

ainsi formulée est preuve de lucidité, comme si l'écrivain émettait un doute sur le caractère extra-humain du fait rapporté, songe, vision, apparition, qu'on peut tout aussi bien expliquer par des causes toutes naturelles. D'autre part, Sozomène semble établir une distinction entre le miracle — auquel il croit comme à un signe divin — et les circonstances dont il est entouré : l'historien les relate parfois avec une complaisance qui fait penser au bon Hérodote contant des histoires merveilleuses ; l'événement miraculeux ou édifiant sollicite chez Sozomène non seulement sa foi de chrétien, mais aussi ses qualités de conteur ; il affectionne l'anecdote curieuse, insolite, qui satisfait un public dont la sensibilité religieuse s'accompagne souvent du besoin de rêve et d'irrationnel. C'est le cas pour les « portraits » des ermites, sortes de contes moraux, et plus encore pour les récits relatifs à la découverte des reliques des martyrs, conçus comme des drames à épisodes[1]. En particulier, quand il raconte la découverte des restes des quarante martyrs — longue digression hors sujet dont il prie le lecteur de bien vouloir l'excuser —, il sacrifie à la fois à la mode de son temps pour les reliques et à une certaine vanité d'auteur en contant un fait dont il a été le témoin.

Regards sur le christianisme au IVe siècle   Peu rompu aux discussions théologiques, Sozomène est pourtant très attentif à la vie du christianisme, c'est-à-dire aux diverses manifestations de la foi. Ses réflexions, qui témoignent certes de plus de curiosité que de profondeur, concernent quatre domaines.

---

1. Cf. la découverte des fragments de la Croix (II, 1), le transfert des restes de Paul et Mélèce (VII, 10), la découverte de la tête de Jean-Baptiste (VII, 21), des restes de Habacuc et Michée (VII, 29), des prophètes Zacharie et Étienne (IX, 17), des quarante martyrs (IX, 2).

1) L'intérêt porté à la liturgie et aux innovations cultuelles est dû sans doute à l'importance des débats qu'elles ont suscités au cours de ce siècle où tant de conciles ont essayé de fixer les rites autant que la doctrine. De son enquête Sozomène a surtout retenu la diversité des cérémonies du culte, soumises aux traditions locales, diversité qu'il ne considère pas comme une faiblesse, mais plutôt comme une preuve de vitalité ; il a observé ces coutumes à Rome, à Alexandrie, à Constantinople, en Libye, en Phénicie et « dans bien des villes et des villages »[1], et elles sont relatives aux diacres[2], aux chants, prières, ouvrages de piété utilisés par les fidèles et le clergé[3], aux différentes façons dont se fait la lecture de l'Évangile, à la longueur du Carême, au jour de l'assemblée du culte (ici le samedi, ailleurs le dimanche)[4], à l'emplacement réservé aux pénitents pendant l'office[5], au baptême[6], à la fête de Pâques diversement célébrée chez les novatiens, les sabbatiens, les montanistes, et à laquelle il consacre tout un chapitre[7]. « Ces coutumes, conclut-il, les gens qui en ont été nourris ne jugent ni pieux ni tolérable de les enfreindre, par respect pour ceux qui les ont établies[8] » ; il approuve donc implicitement la latitude laissée à chaque peuple pour exprimer sa foi dès lors que celle-ci n'est pas mise en cause. L'idée qu'une unification de tous ces usages serait peut-être pro-

1. *H.E.* VII, 19, 12. Si certaines de ces traditions sont également citées par Socrate (VII, 19, 7 et 8), qui semble témoigner de la même compréhension que Sozomène — tous deux sont des laïcs et des juristes —, la plupart relèvent de l'observation personnelle de Sozomène.

2. *H.E.* VII, 19, 3.

3. *H.E.* VII, 19, 9. Telle l'Apocalypse de Paul, ouvrage très lu par les moines de son temps, qui fut découvert sous le règne de Théodose I dans des circonstances qu'il relate lui-même (VII, 19, 11).

4. *H.E.* VII, 19, 6-8.

5. *H.E.* VII, 16, 5.

6. *H.E.* VI, 26.

7. *H.E.* VII, 18.

8. *H.E.* VII, 19, 12.

fitable à l'expression d'une foi « catholique » ne semble pas effleurer son esprit.

2) Le monachisme apparaît à Sozomène comme le fait spirituel le plus marquant du ive siècle ; après s'être justifié d'en introduire l'étude dans une histoire de l'Église[1], il analyse remarquablement les origines du mouvement : le besoin de recueillement, de méditation, de vie secrète loin des hommes[2], le renoncement aux appétits sensuels en réaction contre le laxisme contemporain[3], l'appel mystique et l' « adoration par la pureté de l'âme »[4]. Au cours de trois longs développements, aux livres I, III et VI, il décrit l'existence de ces moines et le rayonnement qu'ils exercèrent sur les populations de tout le pourtour méditerranéen oriental[5]. La sagesse de ces ermites, leur « philosophie » (ce terme désigne la vie d'ascèse), est présentée comme l'idéal le plus élevé que peut réaliser un chrétien : mettre sa vie en conformité avec ses convictions en pratiquant les vertus monacales qui tirent l'homme vers le haut, abstinence, tempérance, oubli de soi, mépris du corps, bonté, charité, amour mystique de Dieu[6]. Dans la confusion du siècle, les intrigues et les compromissions, ces hommes de prière sont le symbole de la foi vivante[7].

3) Cette prédilection pour le havre de sérénité qu'offre la vie érémitique justifie les réflexions critiques de l'historien sur les persécutions et l'intolérance. Quand il parle des

1. *H.E.* I, 1, 18.
2. *H.E.* I, 12, 10.
3. *H.E.* I, 11, 7-8.
4. *H.E.* I, 12, 4.
5. Moines de Palestine, Libye, Syrie, Arabie, (I, 13, 1), d'Égypte (III, 14), d'Édesse (VI, 34), de Perse (VI, 33), de Cœlésyrie (VI, 34).
6. Cf. *H.E.* I, 12, 1-8, l'éloge de la vie monastique et surtout de la haute valeur spirituelle et morale de cette « ' philosophie ' descendue de Dieu chez les hommes ».
7. Ils sont le levain du christianisme, les moines étant les plus sûrs propagateurs de la foi par la seule vertu de leur exemple (cf. VI, 27, 10).

circonstances qui ont entouré la christianisation du monde païen, Sozomène approuve les méthodes pacifiques ; il loue Constantin de n'avoir pas fait appel à la force pour imposer le christianisme aux païens[1] et il blâme l'évêque d'Apamée, Marcellus, qui, « persuadé qu'il n'y avait pas d'autre moyen de convertir les gens de leur première religion, renversa les temples de la ville et des villages et, avec une bande de gladiateurs, entreprit de détruire le temple d'Aulôn[2] ». Il critique sévèrement l'évêque d'Alexandrie, Georges, qui persécutait païens et chrétiens orthodoxes[3], et condamne Eudoxius, responsable d'une persécution « presque pareille à celles qu'on avait vues auparavant sous les empereurs païens » et d'autant plus honteuse que « persécuteurs et persécutés étaient issus de l'Église »[4]. Cette violence, au IVe siècle, est moins une atteinte à la personne physique qu'au droit des gens et à la dignité de l'homme, elle n'en est aux yeux de Sozomène que plus répréhensible[5]. En revanche — et tout n'est qu'une question de nuance —, il approuve les procédés qui relèvent de la persuasion : par exemple la politique de Constantin qui consiste à « faire perdre aux païens le goût des pratiques religieuses » par un mélange de crainte et de promesses, et à les amener d'eux-mêmes à se ranger à la religion du prince au fur et à mesure que leurs temples tombent en désaffection[6] ; ou encore la politique de Théodose qui, « pour détruire l'habitude acquise qui entraînait les sujets aux cérémonies traditionnelles et aux lieux de culte », interdit l'accès aux temples et les démolit[7].

1. *H.E.* II, 5, 2 : « L'empereur ne fit pas appel à la troupe. »
2. *H.E.* VII, 15, 3. L'assassinat de ce personnage par les païens suscite la réprobation de Sozomène, non pas son indignation.
3. *H.E.* IV, 30.
4. *H.E.* IV, 26, 4.
5. *H.E.* IV, 26, 4.
6. *H.E.* II, 5.
7. *H.E.* VII, 20, 2.

4) Enfin et surtout, Sozomène est un des premiers historiens de l'Église à nous donner un large aperçu sur la diffusion de la religion chrétienne chez les Barbares[1] et sur le
mouvement d'évangélisation qui se dessine dans la première moitié du IVe siècle, en concordance avec la naissance
du monachisme : « Il serait bon de rapporter, écrit Sozomène, autant que je pourrai y atteindre, les faits relatifs
à notre religion chez les Perses et les Barbares[2]. » Le pano-
rama qu'il brosse de la propagation du christianisme dans
le monde barbare a nécessité une documentation étendue
qui dénote une curiosité d'esprit toujours en éveil et la
volonté de donner au terme *catholon* son sens d'universalité.
Ces pays barbares forment la ceinture de l'Empire romain :
l'historien part du sud de l'Égypte, de l' « Inde », où
Frumentius porte la bonne nouvelle[3], il traverse l'Arabie
« à gauche de l'Égypte quand on remonte le Nil[4] », habitée
par les Sarrazins dont il évoque les origines et les coutumes,
puis il passe chez les Arméniens[5], les Ibères « qui habitent
à l'intérieur de l'Arménie vers le nord[6] », c'est-à-dire dans
la Géorgie actuelle, puis les Perses[7], les Goths[8] dans la
région de l'Ukraine au bord de la mer Noire, les Scythes
enfin, dont la métropole Tomi est « une grande ville prospère
sise au bord de la mer, ayant à sa gauche ce qu'on nomme
le Pont-Euxin[9] ». Pour terminer ce tour des frontières une

1. « Un des premiers », avec Socrate, mais à la suite de Rufin.
2. *H.E.* I, 1, 18.
3. Et plus précisément d'une région située dans l'intérieur par rapport à l'Inde citérieure (τοὺς ἔνδον τῶν καθ'ἡμᾶς Ἰνδῶν, II, 24, 1),
probablement le royaume d'Axoum. Voir note complémentaire 2,
p. 387.
4. *H.E.* VI, 38.
5. *H.E.* II, 8.
6. *H.E.* II, 7.
7. *H.E.* II, 8.
8. *H.E.* II, 6 et VI, 37. — Les Goths : convertis par Ulfila, passés
à l'arianisme en 340, attaqués par les Huns en 375, vainqueurs de
Valens en 378.
9. *H.E.* VI, 21, 3.

rapide incursion en Occident conduit chez les Celtes et les
« Gaulois près de l'Océan », qui participaient depuis longtemps déjà à la foi chrétienne[1].

Comment s'est effectuée cette diffusion du christianisme
chez les Barbares ? Il serait anachronique de parler de
mission d'évangélisation, car les textes de Sozomène ne
suggèrent pas un plan concerté de la hiérarchie pour implan-
ter moines, prêtres et clercs dans ces pays, et l'on ne peut
accorder à ces témoins du Christ le titre de « missionnaires »
au sens moderne du terme, car leur action ne paraît pas
avoir été réellement organisée. Un passage d'Eusèbe de
Césarée pourrait laisser croire à l'existence d'un esprit
missionnaire dès le IIe siècle : « En ce temps-là beaucoup
de chrétiens quittant leur patrie allaient remplir la mission
d'évangélistes, avec l'ambition de prêcher à ceux qui n'en
avaient encore rien entendu la parole de la foi... Ils se
contentaient de poser les fondements de la foi dans quelques
pays étrangers, puis ils établissaient d'autres pasteurs et
leurs confiaient le soin de cultiver ceux qu'ils venaient
d'amener à croire[2]. » En fait, ces lignes sont une interprétation idéalisée de la prédication évangélique dans le temps
de la première succession des apôtres qui ne correspond pas
à la réalité du IVe siècle. Sozomène, avec raison, attache
beaucoup plus d'importance aux circonstances politiques
et économiques qui ont placé les chrétiens en contact avec
les Barbares, et aux effets communicatifs des exemples
de vie d'ascèse. Le cas de Frumentius, cependant, est original : parti visiter l' « Inde », fait prisonnier par les indigènes, il évangélisa le pays, puis, relâché, rendit compte
à Athanase qui fit de lui un évêque « afin d'accroître la

1. *H.E.* II, 6, 1. Sur ce sujet, voir : E. A. THOMPSON, « Christianity
and the Northern Barbarians », ap. MOMIGLIANO, *Paganism and
Christianity*, Essay III, p. 56-78.
2. Cf. EUSÈBE, *H.E.* III, 37, 2-4 et note de G. BARDY *ad loc.* (*SC* 31,
Paris 1952, p. 151).

religion dans ce pays »[1] ; ainsi la conversion des « Indiens »
s'est-elle faite en deux étapes : d'abord une initiative individuelle due aux circonstances, puis, à cette occasion, une
sorte de mission d'évangélisation.

Les causes qui ont permis la diffusion du christianisme
chez les Barbares sont les guerres successives, sur le pourtour de l'Empire, entre les Romains et les différentes peuplades en mouvement de migration ; la religion a pénétré
dans ces régions par les captifs chrétiens : « Comme ils
guérissaient les malades de chez les Barbares et purifiaient
les possédés par le seul nom du Christ et l'invocation du
Fils de Dieu, qu'en outre ils menaient avec sagesse une vie
irréprochable et s'élevaient par leurs vertus au-dessus du
blâme, les Barbares, ayant admiré ces hommes pour leur
vie et leurs actions miraculeuses, comprirent qu'ils seraient
avisés et qu'ils se rendraient Dieu propice, s'ils imitaient
ces hommes qui leur avaient paru meilleurs et s'ils adoraient
la Divinité comme eux. Ils se donnaient donc des prêtres
comme guides de la conduite à tenir, ils étaient ainsi
instruits et baptisés et suivaient les services religieux en
conséquence[2]. » C'est ainsi que la conversion des Perses est
due, entre autres raisons, aux échanges de relations entre
l'Osrhoène et les Romains, qui permirent aux Perses
païens de prendre contact avec les saints hommes qui
étaient chez les Arméniens et de « faire l'expérience de leur
vertu »[3]. De même les Sarracènes (Sarrazins) d'Arabie
septentrionale, « peu avant le règne de Valens, participaient
à la foi chrétienne par le contact avec les prêtres et les
moines proches d'eux qui menaient la vie d'ascèse dans les
déserts voisins et qui brillaient par leurs vertus et leurs

1. *H.E.* II, 24.
2. *H.E.* II, 6, 3.
3. *H.E.* II, 8-14. Cf. VI, 34, 7 : « Dieu leur a donné très longue vie
pour faire progresser la religion, car ils attiraient en général les Syriens
et un très grand nombre de Perses et de Sarrazins à leur religion et leur
faisaient quitter le paganisme. »

miracles[1] ». La tribu de la reine Mavia, en particulier, fut
convertie par le moine Moyse qui jouissait d'un grand prestige chez les Barbares au point que la reine ne consentit
à la conversion de sa tribu, vers 374, qu'à la condition
qu'on le nommât évêque des Saracènes[2]. C'est grâce au
rôle de moines ariens aussi que l'hérésie a pu se développer
dans certaines peuplades, qui, « admirant l'excellence de leur
conduite, croyaient que leur foi était correcte[3] ». L'évangélisation des Goths, toutefois, a des origines plus politiques :
d'abord orthodoxes, ils sont passés à l'arianisme, et Sozomène attribue la responsabilité de cette défection à
l'évêque Ulfila et au militaire Fritigern, payant une dette
de reconnaissance à l'empereur Valens[4]. Les circonstances
de la diffusion du christianisme en pays barbare sont donc
perçues avec assez d'objectivité, somme toute, par Sozomène ; de son enquête il ressort que le ralliement des tribus
païennes à la religion s'est effectué soit par calcul, soit par
mimétisme, soit aussi par conviction et, le plus souvent
peut-être, dans des sentiments complexes où se mêlaient
ces divers mobiles.

**Sozomène
et les hérésies**

La position la plus originale de
Sozomène concerne les hérésies
et en particulier l'arianisme. Il
n'aborde pas le problème en théologien et éprouve de la
difficulté à saisir toutes les nuances qu'apportent les sectes
à l'interprétation du dogme : « Quant à moi, il ne m'est pas
facile de comprendre ni de paraphraser de telles théories[5]. »

1. *H.E.* VI, 38, 14.
2. *H.E.* VI, 38, 9. Sur Mavia, cf. F. Thelamon, p. 130-136 (« Mau-
via, reine des Saracènes »).
3. *H.E.* VI, 27, 10.
4. *H.E.* VI, 37, 6-10. Voir R. Gryson, Introd. à l'éd. des *Scolies
ariennes sur le concile d'Aquilée*, *SC* 267, Paris 1980, p. 165 s.
5. « Ce qu'opinent sur Dieu Apollinaire et Eunome, que l'observent
d'après ce qui a été dit ceux que cela intéresse. Et si l'on a décidé de
se donner de la peine pour une connaissance exacte de ces matières,

C'est en historien des événements qu'il relate les conflits qui ont secoué l'Église, avec le double souci de rétablir la vérité orthodoxe malmenée dans les récits des historiens et des théologiens qui l'ont précédé[1], mais aussi de s'en tenir aux faits, sans incursion dans les problèmes de fond[2] ; ce qui explique peut-être l'absence de passion dont il fait preuve à l'égard des déviations dogmatiques. Certes cette objectivité est relative ; ses sympathies et ses antipathies sont évidentes, et souvent des événements favorables aux antinicéens sont passés sous silence alors que leurs échecs sont complaisamment soulignés[3]. Sozomène a tendance aussi, pour expliquer quelques insuffisances humaines, à invoquer l'intervention de la Providence ; ainsi le triomphe de Constantin est-il attribué à un « secours divin » grâce auquel il parvint à « défaire l'ennemi sur terre et sur mer »[4] ; c'est le « secours de Dieu » qui fit accéder au pontificat suprême Athanase, « élu par surprise contrairement à l'avis commun »[5] ; c'est Dieu qui permit la mort de Félix, mettant un terme à une situation absurde créée par la sottise des hommes[6] ; l'élection de Nectaire, toute illégale qu'elle ait

---

qu'on en fasse principalement la recherche d'après ce qui a été écrit ou par eux-mêmes ou par d'autres sur eux, car, quant à moi... » (VI, 27, 7). Et : « Voilà ce que j'ai écrit d'après ce que j'ai appris, pour qu'on sache en bref les causes des divisions entre les eunoméens. Parcourir en détail toutes les discussions soulevées pour ce motif serait trop longue tâche et pour moi difficile, car je n'ai pas l'expérience en ces sortes de disputes » (VII, 17, 8).

1. Cf. *H.E.* I, 1, 17.
2. « Ce n'est pas mon propos et cela ne convient pas à l'histoire dont la tâche est de raconter seulement les faits » (III, 15, 10).
3. Favorable aux empereurs qui « pensent bien » (Constantin, Théodose) ou aux évêques orthodoxes (Athanase, Chrysostome), il est souvent perfide à l'égard des ariens : l'empereur Valens et les évêques Mélèce (I, 24), Marcel d'Ancyre (II, 33), Macédonius (III, 3), Photin (IV, 6), Aèce (IV, 12), etc.
4. *H.E.* I, 7, 4-5.
5. *H.E.* II, 17, 4-5.
6. *H.E.* IV, 15.

été, se voit justifiée par la volonté divine[1] ; la pluie de
grêlons qui suivit l'exil de Chrysostome et la mort de
l'impératrice sont des signes évidents de la colère de Dieu[2] ;
les tremblements de terre sont présentés comme des manifestations de l'ire de Dieu quand ils ne sont pas pris au
sérieux par Valens, persécuteur des orthodoxes[3], mais
comme de simples phénomènes naturels quand ils se produisent sous Constance, considéré comme un empereur
orthodoxe[4] ; les persécutions dont sont victimes les païens
sont admises comme des pressions exercées légitimement
en vue d'amener à la vraie foi[5], elles deviennent intolérables
quand un évêque arien en est l'auteur sur des orthodoxes[6].

   Mais ces faiblesses ne doivent pas faire oublier la prudence qui caractérise les prises de position de Sozomène ;
il ne manifeste aucune hostilité à l'égard des hérésies
contemporaines, que, très souvent, il se contente de citer
sans commentaire : sont ainsi seulement mentionnées,
entre autres, les hérésies des novatiens[7], des valentiniens[8],
des marcionites[9], des encratites[10], des manichéens[11], des
sabbatiens[12], des lucifériens[13], des montanistes dont il
évoque les usages particuliers[14]. Est-ce objectivité ou crainte
de s'aventurer sur un terrain qu'il connaît mal ? En tout
cas, jamais il ne se laisse aller à des outrances, et il dénonce

1. *H.E.* VII, 8.
2. *H.E.* VIII, 27.
3. *H.E.* VI, 10.
4. *H.E.* IV, 16.
5. *H.E.* VII, 20, 2.
6. *H.E.* IV, 30.
7. *H.E.* I, 14, 9 ; II, 32, 11 ; VII, 18, 1 ; VIII, 24, 2.
8. *H.E.* II, 32, 1.
9. *H.E.* II, 32, 1.
10. *H.E.* V, 11, 4.
11. *H.E.* VII, 1, 1 ; VIII, 24, 2.
12. *H.E.* VII, 18, 1.
13. *H.E.* III, 15, 6.
14. *H.E.* VII, 18, 12 et 19, 3.

les hérésiarques comme des adversaires dont l'esprit a été
égaré par l'ambition, l'intérêt ou la sottise, non comme des
êtres diaboliques, ainsi qu'Eusèbe les représente souvent[1].
Un mot d'éloge même vient parfois se glisser sous sa plume,
au hasard d'un portrait brièvement esquissé ; il s'adresse
à l'homme, non à l'hérésie qu'il professe, mais Sozomène
a conscience du caractère insolite de son attitude puisqu'il
va jusqu'à s'en excuser auprès de ses lecteurs : « Qu'on ne
prenne pas à mal que j'aie loué certains hommes qui furent
ou fondateurs ou partisans des hérésies susdites. Je
m'accorde à dire qu'ils furent dignes d'admiration pour
leur facilité de parole et leur habileté dans les discours[2]. »
Julien l'apostat lui-même, qui pourtant fut l'objet de tant
d'invectives de la part des chrétiens et qui avait été la
cause de grands malheurs pour les ancêtres de Sozomène,
est attaqué vigoureusement, mais sans haine ; ce n'est
pas un tyran, mais un empereur païen qui, en bon politique,
s'en est pris pour combattre le christianisme moins aux
personnes dans leur corps qu'aux institutions et aux
idées[3].

L'arianisme   L'étude de la crise arienne qui a
été la motivation principale de
l'*Histoire ecclésiastique* est conduite avec beaucoup de
sérieux, et sur certains points Sozomène est la seule source

---

1. Par exemple à propos de Valentin : « Sa méchanceté sournoise
pareille à celle d'un serpent qui se tapit dans un trou » (EUSÈBE,
H.E. IV, 11, 3) ; ou encore : « De Ménandre sortit, semblable à un
serpent à deux têtes et à deux queues, une puissance qui produisit
les chefs des deux hérésies, Saturnin et Basilide » (*ibid.* IV, 7, 3) ; etc.

2. *H.E.* III, 15, 10.

3. Sozomène le déplore pour le christianisme qui en a pâti, mais il
ne s'indigne pas ; il montre comment Julien a cherché à amener « les
sujets à changer volontairement de religion » par la ruse, la persuasion,
non par la force ; il évite de les contraindre ouvertement « de peur de
paraître agir en tyran » (V, 17, 1). — Cf. THELAMON, p. 281 s.

dont nous disposions[1] ; en particulier, pour la période qui s'étend du premier concile de Sirmium (351) jusqu'au concile de Constantinople (382), il interprète avec habileté les documents dont il dispose — ceux sans doute de Sabinos[2] —, et livre de nombreux textes originaux, comme la lettre de Georges de Laodicée aux évêques d'Orient sur les difficultés de l'Église d'Antioche devant les tentatives d'Eunome, la lettre de Constance aux Antiochiens, la lettre aux Romains concernant la codirection de la chrétienté romaine assurée par Félix et Libère[3]. Pour le concile de Séleucie il cite ses sources, les Actes de ce concile rédigés par les notaires[4]. Nous lui devons aussi les lettres des deux synodes favorables à Arius, celui de Nicomédie et celui de Césarée de Palestine[5] ; c'est Sozomène aussi qui semble le mieux informé sur les origines d'Arius[6].

Le portrait d'Arius est brossé à larges traits, sans agressivité ni indulgence ; l'hérésiarque est décrit surtout comme un ambitieux de médiocre envergure, dialecticien habile à l'esprit faux : simple prêtre d'Alexandrie, il s'était fait remarquer par son intérêt pour les problèmes de doctrine ; d'abord partisan de Mélétios, il l'avait abandonné et avait été ordonné diacre par Pierre, évêque d'Alexandrie. Mais, au dire de Sozomène, cette renonciation n'avait été qu'une feinte pour accéder au diaconat, car, sitôt devenu diacre, il s'opposait à son évêque et attaquait « les mesures de ce dernier contre Mélétios ». A la mort de Pierre, Arius, se séparant à nouveau de Mélétios, obtenait la prêtrise

1. Cf. BARDY, p. 70, « Les origines de l'arianisme et le concile de Nicée » : « Sozomène est peut-être pour cette période l'historien le mieux renseigné et le plus exact. »

2. Cf. P. BATTIFOL, « Sozomène et Sabinos », *Byzantinische Zeitschrift* 7 (1898), p. 265-284 ; SCHOO, p. 95-134.

3. *H.E.* IV, 13-15.

4. *H.E.* IV, 22, 28.

5. *H.E.* I, 15, 10 et 12.

6. Cf. BARDY, p. 71, n. 4 (« Les origines de l'arianisme et le concile de Nicée »).

et l' « estime même d'Alexandre, successeur de Pierre à Alexandrie ». Cette autorité lui permettait alors de déployer efficacement ses talents de dialecticien pour développer ses idées subversives[1]. Tel est l'homme, et le rappel par Sozomène de ces revirements successifs fait apparaître chez Arius un théologien inconsistant et un arriviste ; toutefois l'historien ne l'accable pas et n'en fait pas un homme de combat fanatique, réservant ce reproche à ses sectateurs qui défendent ses idées avec plus de hargne que lui[2]. De même, la profession de foi de rétractation réclamée par Constantin à Arius pour permettre son retour d'exil est assortie d'un bref commentaire prudent, et il n'est pas affirmé, mais seulement suggéré, que la rédaction en est peut-être « artificieuse »[3]. Quant à la mort d'Arius, survenue au dire de ses adversaires dans des circonstances assez sordides, le récit en est relativement objectif : Sozomène se contente de reprendre la relation d'Athanase, mentionnant simplement quelques-unes des interprétations données à cette fin soudaine, qu'il avait recueillies sans doute par tradition orale[4].

La doctrine, exposée dans ses données essentielles, est jugée avec sévérité[5] : « Il allait jusqu'à oser déclarer à l'église une chose que personne encore n'avait jamais dite, que le Fils de Dieu avait été tiré du néant, qu'il y avait un temps où il n'était pas, que par son libre arbitre il était capable de mal comme de bien, qu'il était une créature et un ouvrage créé, et bien d'autres choses qu'il est normal

1. *H.E.* I, 15, 1-3.
2. *H.E.* II, 16 s.
3. *H.E.* II, 27, 11.
4. *H.E.* II, 30, 6. Le récit d'Athanase est vraisemblable, malgré les doutes exprimés par STEIN-PALANQUE (p. 469, note 72) ; les récits de plus en plus circonstanciés qui parurent par la suite sont dus sans doute à l'imagination de propagandistes orthodoxes. Cf. à ce sujet A. LEROY-MOLINGHEN, « La mort d'Arius », *Byzantion* 38 (1968), p. 105-111. Voir aussi F. THELAMON, p. 446-452.
5. *H.E.* I, 15, 3.

de dire quand on se fonde sur ces principes et qu'on se
laisse aller à des discussions et à tout scruter point par
point. » Si Sozomène condamne ces « propos étranges », il
en dénonce surtout le caractère provocant et tourne en
dérision l'obstination de leur auteur à s'enfoncer dans
l'erreur par une manie de la controverse érigée en système ;
ce jeu de l'esprit, à l'en croire, n'a aucun fondement théologique sérieux et n'est que la manifestation d'un « goût
excessif pour la discussion ».

Mais le jugement le plus intéressant que porte Sozomène
concerne la crise arienne elle-même et ses développements.
On peut mettre à son crédit d'avoir tenté de dépassionner
le débat et d'avoir laissé entendre que le point de départ
de l'hérésie d'Arius était la réflexion d'un esprit curieux[1],
l'interrogation d'un intellectuel plutôt que le doute d'un
théologien. Sozomène est le seul historien à rapporter la
joute contradictoire organisée par Alexandre, l'évêque
d'Arius, au cours de laquelle Arius et ses adversaires purent
exposer leurs idées sous l'arbitrage de leur évêque. Cette
explication en champ clos semble prouver qu'aux yeux
d'Alexandre le différend pouvait être résolu « plutôt par
la persuasion que par la force »[2] et que, par conséquent,
il n'aurait pas dû déborder le cadre d'une chapelle. D'ailleurs Alexandre balança longtemps dans l'espoir d'une
solution acceptable pour tous, avant de prendre parti contre
Arius ; c'est dire que sur le plan théologique la vérité
n'était pas évidente. La dramatisation de la crise est
portée par Sozomène au compte de jalousies, de rivalités
de personnes, de maladresses de la part d'adversaires
d'Arius, comme Alexandre, qui indisposa Eusèbe et en fit
un défenseur de l'hérésie[3], et aussi au compte de l'habileté

1. *H.E.* I, 15, 1 : « ... enquête sur des problèmes qu'on n'avait pas
auparavant soumis à l'examen ».

2. *H.E.* I, 15, 4 s.

3. *H.E.* I, 15, 10 : « Eusèbe s'irritait, se jugeant outragé, et n'en
devint que plus ardent à soutenir la doctrine d'Arius. »

des partisans d'Arius sachant exploiter des amitiés ou des inimitiés[1] et se posant en victimes de l'arbitraire[2]. Le refus d'obéissance d'Arius[3], d'une part, l'exploitation, d'autre part, que certains firent d'une doctrine où ils croyaient découvrir des résonances connues, transformèrent cette querelle philosophique en hérésie, obligeant Alexandre à excommunier Arius[4]. Le « prêtre d'Alexandrie » semble avoir agi comme un apprenti sorcier, déclenchant une bataille dont la stratégie lui échappait[5] ; ainsi présentée, l'affaire apparaît parfois comme une machination des uns pour se glisser à la place des autres[6].

Ce point de vue, qu'inspire une observation sans indulgence de la nature humaine, n'est pas absolument inexact ; il est loin, évidemment, de refléter la complexité et la réalité du problème. On ne peut nier que le contexte religieux de la crise et les raisons profondes de la rapide diffusion de l'arianisme en Orient aient été mal perçus par Sozomène. Ravalant la question du « consubstantiel » à une querelle de mots, donnant des idées d'Arius un résumé un

1. *H.E.* I, 15, 8 : « Les partisans d'Arius se dirent qu'il était nécessaire de gagner à l'avance la faveur des évêques de chaque ville et ils leur envoient des messagers... Cette entreprise ne leur fut pas d'un mince profit. »
2. *H.E.* I, 15, 7 : « Ils les prenaient en pitié comme victimes d'une injustice et chassés de l'Église à la légère. »
3. *H.E.* I, 15, 6. Sozomène n'accable pas Arius, il dit simplement : Alexandre « ne le persuada pas ».
4. Sozomène insiste sur l'hésitation d'Alexandre (I, 15, 5-6), sur la pression exercée sur l'évêque par les adversaires d'Arius (I, 15, 4), sur la décision autoritaire d'Alexandre dictée par l'effroi devant la propagation rapide des erreurs d'Arius (I, 15, 6).
5. *H.E.* I, 15, 9-10 : « Le zèle s'enflamma plus encore d'un côté et de l'autre, et la querelle, comme il arrive, reprit plus forte. »
6. Cf. *H.E.* I, 17, 7 : « Beaucoup des évêques alors rassemblés (à Nicée) et des clercs de leur suite, habiles dans les disputes dialectiques et bien formés dans ces sortes de méthode de discussion, se distinguèrent et se firent ainsi connaître de l'empereur et de sa cour. » Cf. aussi II, 23.

peu caricatural, il n'a pas cherché à comprendre la pensée
qui sous-tend la thèse arienne et dont on peut faire remonter
l'origine aux subordinationistes, à certains apologistes du
IIe siècle et à Lucien d'Antioche. Les mobiles humains
— qu'on ne peut nier — ne doivent faire oublier ni le débat
idéologique ni la qualité de certains partisans d'Arius ; la
doctrine arienne trouvait un accueil favorable chez tous
les évêques influencés par les idées de Lucien d'Antioche[1] ;
eux aussi s'étaient posé les mêmes questions, avaient
éprouvé les mêmes doutes qu'Arius, et leur ralliement à
l'arianisme naissant n'avait pas eu pour unique cause
leur intérêt temporel. Cela, Sozomène ne le dit pas ; il n'a
pas lu l'ouvrage doctrinal d'Arius, la *Thalie*[2], il ne cite
pas la lettre d'Eusèbe de Césarée reprochant à Alexandre
d'avoir dénaturé la pensée d'Arius et accordant à ce dernier
le bénéfice de la sincérité dans une recherche un peu minu-
tieuse sur le dogme[3]. La crise arienne est donc, à l'en croire,
un épiphénomène douloureux dont l'Église aurait peut-être
pu faire l'économie sans les intrigues de quelques ambitieux
ou de quelques fanatiques ; l'historien a retenu de ce drame
les péripéties et les conflits d'hommes, mais il en a dissi-
mulé les motivations. En procédant de la sorte, a-t-il agi
volontairement, c'est-à-dire avec l'intention de minimiser
l'impact spirituel de l'innovation arienne sur le peuple
fidèle ? ou involontairement, c'est-à-dire par ignorance ou
par incapacité à la comprendre ? Il est bien difficile de le
dire ; toutefois le récit de Sozomène suggère au lecteur deux

---

1. Une lettre d'Arius citée par ÉPIPHANE (*haer.* 69, 6) et THÉODO-
RET (*H.E.* I, 5) donne les noms des 7 évêques favorables à sa doctrine,
ceux de Nicomédie, Césarée, Lydda, Béryte, Laodicée, Anazarbe,
et tous les « orientaux ». Cf. BARDY, p. 73 (« Les origines de l'arianisme et le concile de Nicée »).

2. Du moins le prétend-il ; cf. *H.E.* I, 21, 3 : « J'ai entendu dire
— car je ne l'ai pas lu — que le style de ce livre est relâché. »

3. Citée dans les Actes du second concile de Nicée en 787 (éd. Mansi,
XIII, c. 317 ; cf. BARDY, p. 74, n. 3).

conclusions qui découvrent peut-être sa conviction sur le
rôle et la responsabilité d'Arius dans la crise religieuse du
IVe siècle : — d'abord la faute d'Arius a été moins d'avoir
conçu des idées « étranges »[1] que d'avoir refusé de les
abandonner quand son évêque le lui a demandé ; c'est
péché d'orgueil plus qu'erreur de doctrine. Sozomène
admet en effet qu'il y a ambiguïté sur les termes en litige
et ne condamne pas sur le fond la position d'Arius ; il
prend même soin d'évoquer à plusieurs reprises les hésita-
tions des évêques à se prononcer en sa faveur ou contre lui[2] ;
— en second lieu, les conséquences de la querelle, consi-
dérables, sont hors de proportion avec son origine : il faut
en imputer la responsabilité moins à l'initiateur lui-même
qu'aux protagonistes des deux bords qui ont envenimé le
débat et fait dégénérer en conflit religieux une « jonglerie
de mots »[3]. Aussi n'est-ce pas par hasard que Sozomène
choisit de citer par deux fois des lettres de Constantin
où l'empereur fait preuve d'une grande pondération. Dans
sa lettre à Alexandre et Arius, Constantin conseillait aux
deux adversaires de conclure la paix : « Il y a des problèmes
qu'il ne faut pas scruter ni se mettre en tête ou, si on les a
conçus, qu'il faut livrer au silence puisqu'il est possible de
ne pas se séparer, même si l'on est en désaccord sur un
détail du dogme[4]. » Sozomène donne plus de force encore à
cette réflexion de Constantin en citant un autre texte de
même inspiration qu'il emprunte à la lettre de l'empereur
à Hosius de Cordoue : « Touchant la divine Providence, il
est nécessaire de n'avoir qu'une seule et même foi ; quant
aux précisions rigoureuses sur ces sortes de questions,
même si l'on n'aboutit pas au même avis, il convient de les

1. *H.E.* I, 15, 3.
2. *H.E.* I, 15, 6.
3. Cf. *H.E.* III, 13, 2 : « esprit de querelle, jonglerie de mots »,
dit-il, auxquels il félicite l'Église d'Occident d'avoir échappé.
4. *H.E.* I, 16, 2 ; cf. I, 15, 3, où Sozomène condamne sans réserve
ceux qui se laissent aller à tout scruter point par point ».

garder secrètement en son esprit[1]. » Apparemment, c'est
là le fond de sa pensée : bienheureuse ambiguïté, semble-t-il
dire, qui laisse à chaque chrétien sa liberté de conscience
dans la foi.

S'il relate assez fidèlement, en historien de l'Église et
avec une perspective de plus d'un siècle, les remous causés
par les théories d'Arius dans la chrétienté, Sozomène ne
dissimule guère sa réprobation d'observateur laïc — quelles
que soient ses convictions religieuses — pour les déplo-
rables conflits humains que suscitent les idéologies. Son
attitude, mélange de conservatisme qui se retranche derrière l'autorité des conciles, et de libéralisme tolérant, préfigure assez bien la prudence orientale dans l'ensemble du
débat qui par la suite opposera l'Église d'Orient à celle
d'Occident.

Bernard GRILLET.

---

1. *H.E.* I, 16, 3. Au sujet de cette lettre, rapportée par EUSÈBE
(*Vita Constantini*, 2, 69), voir le jugement de BARDY, p. 78, et la note 1.

CHAPITRE III

SOZOMÈNE ET SOCRATE

On ne saurait terminer une présentation d'ensemble de l'historien Sozomène sans poser le problème de ses rapports avec son prédécesseur Socrate. On ne trouve pas, sauf erreur, dans la littérature antique deux œuvres presque contemporaines qui présentent des similitudes aussi nombreuses, aussi étroites et même des coïncidences aussi littérales. Il est établi et unanimement admis que c'est Sozomène qui a utilisé l'œuvre de Socrate[1]. Or il l'a fait sans jamais nommer son prédécesseur, sans reconnaître au moins une part de ce qu'il lui devait. Pour porter un jugement sur la valeur de son ouvrage, à la limite pour reconnaître en lui un travail personnel, original, donc respectable, il est indispensable de le comparer avec celui de Socrate. Si un parallèle complet entre ces deux œuvres de vastes dimensions n'est pas possible ici, il semble en revanche opportun d'ébaucher au moins cette comparaison à propos des deux premiers livres de Sozomène et du premier livre de Socrate, ne serait-ce que pour compléter et préciser les réponses déjà proposées par les critiques qui ont abordé ce problème. Car on ne peut pas restreindre, comme ils l'ont fait, la question complexe de la relation historiographique entre Sozomène et Socrate à un simple

---

1. Cf. VALOIS, ap. *PG* 67, c. 24-25 ; SCHOO, p. 18-26 ; ELTESTER, c. 1240-1248 ; J. BIDEZ, dans l'introduction de son éd. du *GCS*, p. XLV ; CHESNUT, p. 197.

problème de « sources ». C'est la construction de l'histoire, l'ensemble de la méthode, la destination ou, plus concrètement, le public de chacun des deux ouvrages qu'il nous faut maintenant considérer.

La construction de l'histoire « J'ai jugé bon de diviser l'ouvrage en neuf parties. Le premier et le second tomes contiendront les événements relatifs aux Églises sous Constantin...[1] » Cette déclaration du Prologue suscite déjà une question : pourquoi, si la matière embrassée par les deux premiers livres est une, Sozomène l'a-t-il présentée en deux livres, à la différence de Socrate qui l'avait rassemblée toute entière dans son premier livre ? Ce n'est pas seulement parce que Sozomène a enrichi la matière[2] ou parce qu'il lui a donné un traitement plus détaillé[3], si bien qu'elle ne pouvait plus tenir dans les limites d'un seul livre. Une raison de sens et une raison littéraire ont joué un rôle plus déterminant.

Pour toute histoire ecclésiastique prenant comme point de départ la fondation de l'Empire chrétien, la mort du fondateur, Constantin, était la première coupure. Normale et même obligatoire, cette coupure n'avait donc aucune signification particulière. Socrate s'en était contenté. Mais Sozomène a ménagé une autre coupure qui, elle, est significative : le livre I se conclut par la fin du concile de Nicée[4].

1. Dédicace, 19.
2. Sozomène a ajouté les lois de Constantin en faveur du christianisme (I, 8 et 9), les chapitres sur le monachisme (I, 10-14) et sur la persécution des chrétiens en Perse (II, 8-15). En revanche, on ne trouve pas chez lui l'équivalent du chapitre 22 du livre I de SOCRATE sur Manès et les origines de l'hérésie manichéenne.
3. Voyez I, 13 (la vie du moine Antoine) ; II, 4 (la purification du lieu-dit du chêne de Mambré) ; II, 17, 6-10 (l'épisode du « jeu de l'évêque »).
4. La transition est bien marquée en II, 1, 1 : « Le concile de Nicée se termina donc de la sorte, et chacun des évêques rentra chez lui. L'empereur de son côté... ».

Il se présente ainsi comme le récit du progrès de l'Église, dû à l'action de Constantin, mais aussi des confesseurs de la foi et des « pères et instigateurs » du monachisme[1], progrès consolidé définitivement, pouvait-on croire, par l'affirmation unanime, sous l'inspiration divine, de l'orthodoxie. A ce mouvement général du premier livre, mouvement uniformément ascendant, s'oppose celui du second. Il a beau se terminer par les funérailles glorieuses du fondateur de l'Empire chrétien, il n'en est pas moins celui de la remise en cause de la foi de Nicée. Il rapporte comment l'unité de l'Église s'est trouvée compromise pour longtemps, comment l'empereur a peu à peu glissé du côté de l'hérésie arienne. Ascension régulière jusqu'au concile de Nicée, déclin ensuite, tant pour l'Église que pour celui qui se voulait son serviteur et son soutien, telle est la représentation, différente de celle de Socrate, que Sozomène s'est faite de l'histoire de l'Église sous Constantin et qu'il a manifestée, en conservant la discrétion requise, par la division de son récit en deux livres.

A l'intérieur de chacun de ces deux livres, il a choisi une composition par « blocs » ou « séquences » de chapitres, affectés du signe positif ou négatif selon l'influence que les événements avaient exercée d'après lui sur le développement et sur l'unité de l'Église. Le premier livre est d'une construction très simple. La séquence initiale, positive, regroupe tous les actes, politiques et législatifs, de Constantin en faveur de l'Église, que couronnent également ses martyrs et ses moines (chap. 1-14). Une rupture brutale, les débuts de l'arianisme, risque d'amorcer une évolution négative (chap. 15-16). Mais la piété de l'empereur et l'unanimité des Pères de Nicée conjurent immédiatement le danger (chap. 17-24). Moins simple et plus recherchée est la construction du second livre. En son début pourtant, elle reproduit celle du premier livre : elle célèbre l'accrois-

1. *H.E.* I, 1, 18.

sement de l'Église grâce à l'action de Constantin et de sa
mère Hélène, accroissement qui ne tarde pas à faire franchir
au christianisme les limites de l'Empire romain (chap. 1-
15). Mais la contestation du symbole et des décisions de
Nicée par Eusèbe de Nicomédie et ses alliés provoque la
division de l'Église, désormais tiraillée entre les orthodoxes
et les ariens (chap. 16-23). Amené par là au pôle négatif, le
récit ne peut retrouver le pôle positif que par l'insertion,
à cette place, d'un chapitre unique qui fait l'historique de
l'expansion chrétienne en « Inde » (chap. 24). Une raison
« structurelle » a pris le pas sur la logique normale du récit :
pour pouvoir jouer le rôle de pivot dans la composition, ce
chapitre a été détaché de l'ensemble plus vaste — expansion du christianisme au-delà de l'Empire — dont il faisait
naturellement partie. Cet artifice de composition permet la
poursuite régulière des oppositions de sens entre les
séquences. Les chapitres suivants (25-33) rapportent en
effet les conflits de plus en plus graves qui ont ébranlé
l'Église aux conciles d'Antioche, de Césarée, de Tyr, de
Jérusalem et de Constantinople, sans que la mort même
d'Arius puisse y mettre un terme. Bien que l'hérésie
continue, le livre s'achève, comme il se doit, par une
conclusion en apparence optimiste (chap. 34), où le fondateur de l'Empire chrétien apparaît à nouveau comme
l'adversaire des hérésies et le champion du christianisme,
rôle dans lequel il était représenté dans la première séquence
du livre I. On voit que, sans exclure la construction « circulaire » de l'ensemble des deux livres, la structure à cinq
termes, plus complexe et plus artistique, du second livre se
distingue fortement de la structure simple, à trois termes,
du premier. Les séquences positives et négatives y alternent
régulièrement. Autour de la troisième, véritable axe de
symétrie, se répondent la première séquence (mérites de
Constantin et d'Hélène) et la cinquième (mérites de
Constantin), la seconde (remise en cause des décisions de
Nicée) et la quatrième (multiplication des conciles dominés

par les ariens jusqu'au premier exil d'Athanase). Mais cette construction « en dents de scie » n'est pas gratuite. Elle correspond à une vision du progrès de l'Église, inéluctable parce que voulu par Dieu, mais retardé, sinon contrarié, par les divisions et les faiblesses des hommes.

En se distinguant ainsi de l'ordre auquel Socrate s'en était tenu, Sozomène a obéi à des raisons littéraires qui coïncident avec les impératifs d'une persuasion efficace. Socrate avait suivi un ordre approximativement chronologique dans lequel l'insertion systématique des « pièces » (lettres de l'empereur, des évêques, des conciles, des tenants de l'hérésie) introduit une discontinuité préjudiciable à la persuasion. De telles ruptures, trop fréquentes et trop longues, ne lui permettent pas d'entraîner progressivement le lecteur vers l'interprétation choisie. Au moins dans son premier livre, Socrate ne réussit qu'imparfaitement à combiner deux ordres assez différents : celui de la chronologie, propre à l'histoire, et celui de la persuasion qui tient plutôt de la controverse et du genre judiciaire. Chez lui, la citation textuelle et *in extenso* du document, souvent même de deux ou de plusieurs documents accumulés[1], prend le pas sur le récit historique, qui peut, en comparaison, paraître insuffisamment étoffé et explicite. Au lieu d'étayer la thèse, le recours massif aux documents risque de la rendre plus difficile à percevoir et à suivre pour les lecteurs.

Très précieux assurément par sa richesse « documentaire », plus précieux même, sous ce rapport, que le récit de Sozomène pour les historiens modernes, le récit de Socrate n'est pas au même degré que celui de son successeur un discours historique personnel et maîtrisé, exprimant

---

1. SOCRATE, *H.E.* I, 9 : lettres de Constantin à l'Église d'Alexandrie (*PG* 67, 84-88) ; aux évêques et aux provinciaux (88-89) ; aux Églises (89-93) ; à Eusèbe (93-96) ; à Eusèbe encore (96) ; à Macaire (96-97). Cette accumulation de documents était probablement destinée à donner une idée du zèle religieux de Constantin et de son désir d'assurer la paix à l'Église. Mais cela n'est pas dit et n'apparaît pas nettement.

fermement une thèse par le choix d'une construction appropriée. C'est ce que Sozomène lui-même laisse entendre dans sa déclaration liminaire d'où toute polémique n'est pas absente : « J'ai souvent eu en pensée d'introduire le texte même de ces documents dans mon ouvrage [entendez : comme l'ont fait mes prédécesseurs et plus particulièrement Socrate], mais j'ai jugé meilleur, pour ne pas alourdir l'exposé, d'en rapporter brièvement le sens... » (I, 1, 14). S'il a résumé les documents[1], si même, ce qu'il ne dit pas, il en a éliminé plusieurs[2], c'est moins par souci de ne pas accabler le lecteur que par une juste conscience de la place et du rôle du document dans le véritable récit historique. Cette place et ce rôle doivent rester subordonnés dans un ouvrage qui veut pouvoir se réclamer de la « grande histoire ». Le point de vue est ici celui d'un *écrivain* qui tient à rester maître de son ouvrage et à ne pas laisser les documents « parler à sa place »[3]. En les ramenant à leur fonction, qui est d'appuyer une thèse d'ensemble ou une argumentation particulière, Sozomène se réserve la possibilité d'imposer à son histoire une construction personnelle qui ne se confonde pas avec un enchaînement sans art de « pièces », et qui exprime, avec discrétion mais fermeté, son interprétation de l'histoire de l'Église sous Constantin. Ce caractère personnel et volontaire de la construction, cette

1. G. Downey (« Perspective », p. 65) fait justement remarquer que Sozomène *résume* les documents fournis par Socrate et cite *in extenso* les documents que Socrate ne donne pas. Double façon de se distinguer de son prédécesseur !

2. Sozomène élimine la longue lettre d'Alexandre aux évêques d'Égypte (Socrate, I, 6) parce qu'il s'y trouve une réfutation en règle, avec preuves scripturaires à l'appui, des propositions téméraires d'Arius ; et la lettre d'Eusèbe aux fidèles de Césarée auxquels il explique la formule de foi (Socrate, I, 8, *PG* 67, c. 69-77).

3. Un siècle et demi plus tard, Évagre ira encore beaucoup plus loin dans ce sens en réunissant les documents dans un volume séparé (qui est perdu) ; trop loin, car le récit, privé de ces pièces, est trop rapide et paraît superficiel (cf. Downey, « Perspective », p. 66-67).

forme souveraine imprimée par l'esprit — et la thèse — de l'historien aux documents bruts, marquent sans aucun doute un retour à une historiographie classique, inspirée à dix siècles de distance par le modèle thucydidéen[1], et simultanément un pas en retrait, volontaire, par rapport aux innovations hardies de l'historiographie chrétienne de modèle eusébien[2]. Ce pas en retrait dénote déjà que l'ouvrage de Sozomène répondait à la demande d'un public qui n'était pas exactement celui de Socrate.

La méthode historique — Reconnaissable à la construction d'ensemble de l'histoire, ce retour à la tradition classique se traduit aussi par plusieurs traits plus particuliers de la méthode de Sozomène, telle du moins qu'elle nous apparaît dans ses deux premiers livres. Et d'abord par un dédain affiché pour la chronologie exacte, qui était pourtant l'un des principaux soucis de la première historiographie chrétienne jusqu'à Eusèbe. Sozomène a systématiquement effacé les dates données par Socrate, y compris les plus importantes

---

1. Cf. non seulement l'exposé méthodologique de I, 1, 11-17, mais, en II, 19, 1, la distinction entre la vraie cause (τὸ μὲν ἀληθές) et le prétexte invoqué (πρόφασιν δέ). Mais Sozomène, à la différence de Thucydide, n'introduit pas de discours recomposés. Son retour à la tradition classique ne franchit pas certaines limites. Sur ce point, il reste fidèle à Eusèbe. Noter que le modèle thucydidéen est encore présent chez Évagre qui rapporte, en IV, 29, une peste selon la fameuse description de la peste d'Athènes (cf. Downey, « Perspective », p. 67).

2. Cf. Eltester, c. 1243 : « Il est clair que Sozomène s'efforce sérieusement de se dégager du genre de l' ' histoire ecclésiastique ' au sens d'un pur rassemblement de la matière, comme Eusèbe l'avait établie, et d'écrire une Histoire d'après les modèles des auteurs classiques » ; et dans le même sens J. Bidez, dans l'introd. de son éd., p. lxiv : « Sozomène a obtenu un résultat qui n'est pas méprisable en introduisant les règles de la théorie historiographique dans le genre de l' ' histoire ecclésiastique ', sans pourtant renoncer tout à fait à la forme ' frappée ' par Eusèbe. »

comme celle de l'ouverture du concile de Nicée[1]. Il compose par « blocs » qui excèdent largement les limites chronologiques du règne de Constantin : la persécution des chrétiens de Perse venait de commencer à la mort de Constantin ; cela n'empêche pas Sozomène de la rapporter, pour lui donner tout son sens et toute sa portée dans l'histoire de l'Église, jusqu'à son terme, au-delà de 378 ! Non seulemenr il ne parvient pas à voir plus clair que Socrate dans la chronologie effectivement compliquée des successions épiscopales à Antioche à partir de la déposition d'Eustathe[2], mais il brouille d'autres dates plus faciles à établir et il va même jusqu'à confondre par deux fois le pape Silvestre et son successeur Jules[3].

Ce dédain des « minuties chronologiques » est d'autant plus frappant que Sozomène était à même de faire usage des dates précises fournies par les documents, lettres, lois et édits qu'il utilise. S'il ne l'a pas fait, c'est parce qu'il revalorise les deux sources classiques de la vérité historique que sont l' « autopsie » et les témoignages oraux[4], au détri-

1. Socrate donne des dates au chapitre 2 (mort de Constance I ; victoire de Constantin sur Maxence), au chapitre 13 (jour de la réunion du concile de Nicée), au chapitre 28 (date du concile de Tyr), au chapitre 37 (trentième anniversaire du règne de Constantin), au chapitre 38 (date de nomination des trois Césars), au chapitre 40 (date de la mort de Constantin et durée de son règne).

2. *H.E.* II, 19 ; voir notre note au § 6, fondée sur Cavallera, p. 41, 47 et 328.

3. *H.E.* I, 2, 1 (erreur sur Romanos) ; II, 15 (la lettre de Constantin est présentée comme postérieure à la persécution des chrétiens) ; II, 21, 8 (voir la note *ad loc.*) ; II, 25, 2 (date du concile de Césarée). Les papes Silvestre et Jules sont confondus en I, 17, 2 et II, 20, 1.

4. Outre la déclaration de principe en I, 1, 13, voir la référence à des sources orales en I, 14, 4 (traditions des moines d'Égypte), en II, 1, 11 (à propos de l'invention de la Croix), en II, 3, 9-12 (miracles du Michaélion certifiés par l'*autopatheia* de Sozomène et les témoignages d'Aquilinus et de Probianus), en II, 21, 8 (à propos de l'exil d'Eusèbe et de Théognios). Sur les problèmes de la documentation dans l'historiographie antique, consulter l'article très synthétique de

ment des sources écrites dont l'utilisation massive avait
été l'une des grandes innovations eusébiennes. Dans le
même sens d'une réaction laïque va le refus aristocratique
du détail et de la narration circonstanciée[1]. Ce refus
conduit l'historien à renvoyer les lecteurs intéressés à des
ouvrages plus spécialisés pour de plus amples informations.
Il n'est pas sans intérêt de constater que ces ouvrages
traités ainsi avec une certaine désinvolture ne sont autres
que les Vies des moines et les recueils des canons conciliaires[2] ! C'est bien le signe d'une sécularisation de l'histoire
ecclésiastique, l'indice d'un retour à l'esprit élitiste qui
affecte de préférer le général au particulier et au technique,
qui, en l'occurrence, n'est autre que le clérical.

Si Sozomène manifeste de tels choix, c'est assurément
pour se distinguer de son prédécesseur, chronologiste assez
précis, utilisateur généreux et même intempérant de
documents écrits et par là auteur d'une histoire moins
laïque, plus cléricale que la sienne. Mais la méthode de
Sozomène n'est pas la somme de choix particuliers et
opportunistes qui prendraient systématiquement à rebours
ceux de Socrate. Il n'est de méthode cohérente que globale.
Celle de Sozomène correspond aux tendances réelles de son
esprit et aux intentions générales de son œuvre. La moindre
de ces intentions n'était pas de conquérir l'audience d'un
public favorable ou déjà gagné à une conception de
l'histoire plus classique que celle que venait d'illustrer
Socrate. La certitude de pouvoir compter sur l'accord de

A. D. MOMIGLIANO, *Studies in Historiography*, Londres 1966, p. 211-
220 (« Historiography on written tradition and historiography on
oral tradition »), notamment p. 217.

1. *H.E.* II, 5, 9 (« Il n'est pas facile de tout raconter en détail ») ;
II, 14, 4-5 (« Autant qu'il est possible de le dire en résumé »).

2. *H.E.* I, 14, 11 (« Si l'on veut avoir une connaissance plus détaillée
à leur sujet, qu'on cherche et l'on découvrira leurs vies, qui, pour la
plupart, ont été mises par écrit ») ; I, 23, 5 (« Mais ces canons circulent
en beaucoup d'ouvrages et il est aisé de les lire si l'on en a envie »).

ce public, d'être compris et approuvé par lui contribue à expliquer le comportement de Sozomène face à l'œuvre de son prédécesseur. Comportement que certains modernes jugent surprenant, d'autres mêmes scandaleux en faisant valoir que Sozomène a « pillé » Socrate sans le nommer, mais que les contemporains de notre historien *ne pouvaient pas* juger comme tel : sans quoi Sozomène ne s'y serait pas risqué ou du moins son œuvre, considérée par le public comme injustifiée, eût encouru la sanction de l'oubli.

Il ne suffit pas en l'occurrence, pour « excuser » Sozomène, de dissoudre son cas particulier dans un constat beaucoup plus général : il ne se serait pas comporté autrement que « beaucoup de Grecs qui plagient sans honte et sans fin »[1]. Il est plus juste de noter que dans la conception classique de l'historiographie que Sozomène a faite sienne et que son public approuvait au moins partiellement, l'originalité de la documentation compte beaucoup moins qu'aux yeux des modernes. La portée didactique ou exemplaire et surtout la valeur littéraire de l'histoire sont au moins aussi importantes[2]. Tite-Live, l'un des historiographes les plus représentatifs de cette tradition classique, le laisse clairement entendre dans sa Préface. Pour qu'un historien s'autorise — et soit autorisé par le public — à reprendre un sujet déjà traité par un ou plusieurs prédécesseurs immédiats et contemporains, il suffit qu'il s'estime en mesure « d'apporter dans le domaine des faits une documentation plus sûre ou de surpasser par le talent littéraire la maladresse des anciens[3] ». Ainsi, aux yeux des adeptes de cette tradition,

1. Cf. CHESNUT, p. 197, rappelant l'extrait de Porphyre utilisé par EUSÈBE, *P.E.* X, 3.
2. ELTESTER, c. 1244 : « A la façon de l'ancienne historiographie rhétorique, Sozomène a entrepris non pas proprement de surpasser, par le contenu, la matière objective de son prédécesseur, mais de la couler dans une forme nouvelle, plus élégante. L'idée moderne de la propriété intellectuelle n'existait pas pour lui. »
3. TITE-LIVE, *Praef.*, 2.

l'une *ou* l'autre de ces convictions était censée, à elle seule, justifier la *retractatio*.

Sozomène était pleinement convaincu de pouvoir remplacer l'ouvrage de Socrate par la forme nouvelle qu'il donnerait à la matière. Et il devait d'autant moins s'interdire de puiser dans la documentation de son prédécesseur qu'elle n'était pas, au sens strict, la propriété personnelle de ce dernier. Socrate l'avait puisée, à de rares exceptions près, qu'il souligne, dans le domaine public de l'information constitué par les œuvres d'Eusèbe, de Rufin, de Palladios, d'Athanase et par des documents (lois et lettres impériales, collections orthodoxes et ariennes), qui, appartenant à tous, n'étaient la propriété de personne. En utilisant sans timidité et même, selon les modernes, sans scrupule la documentation réunie par Socrate, Sozomène faisait comme Tite-Live face aux annalistes et à Polybe, comme Tacite face à Pline l'Ancien. Socrate lui aussi avait très largement utilisé les œuvres de ses prédécesseurs immédiats, Eusèbe, Rufin, Gélase[1]. Cependant, tout en faisant valoir à l'occasion la supériorité de son information[2], il avait reconnu ce qu'il leur devait en les citant assez régulièrement en référence[3]. Sozomène ne l'a pas fait parce que se servir de ses devanciers sans le dire faisait partie de la tradition classique qu'il s'efforce de retrouver, tandis que Socrate, à la suite d'Eusèbe, en était resté éloigné.

Au demeurant, Sozomène est revenu personnellement pour les contrôler aux sources utilisées par son prédéces-

---

1. J. BIDEZ, dans l'introd. de son éd., p. XLVI.

2. SOCRATE, *H.E.* I, 1 (supériorité sur Eusèbe) ; II, 1 (supériorité sur Rufin).

3. SOCRATE cite nommément Eusèbe en I, 7 (« la lettre complète se trouve dans l'ouvrage d'Eusèbe sur la vie de Constantin »), en I, 8 (« voilà ce qu'écrit Eusèbe sur ceux qui se réunirent là »), en I, 8 encore (« voilà ce que nous a transmis sur ce sujet Eusèbe en propres termes »)... Il renvoie à Rufin en I, 12 (« j'ai trouvé cela dans l'ouvrage d'un prêtre nommé Rufin »), en I, 15 (« Rufin rapporte que »), en I, 19 (« Tout cela, Rufin dit le tenir d'Édésius »), etc.

seur[1]. Il a modifié des données, rectifié des erreurs de
Socrate[2]. Quand ce dernier lui offrait l'occasion d'ajouter
un complément de son cru, il l'a saisie[3]. Surtout, il s'est
montré capable de recourir lui-même de façon indépendante
à des sources de première main dans des chapitres qui
comptent parmi les mieux documentés des deux premiers
livres : le récit de la persécution exercée pendant plus d'un
demi-siècle contre les chrétiens sur toute l'étendue de
l'Empire perse (II, 8-15). Comme il l'indique avec une insistance qui dénote la fierté, il a directement puisé dans les
Actes syriens, perses et osrhoéniens des martyrs[4]. De fait,

---

1. Sur ce point, l'accord est total : cf. ELTESTER, c. 1247 (« Sozomène n'a pas donné une copie commode de l'ouvrage de son prédécesseur. Son travail repose sur le matériel documentaire considérable
qu'il utilise indépendamment de Socrate ») ; BIDEZ, introd., p. XLVII
(« Sozomène s'est fait un principe de remonter au-delà de Socrate
à la plupart des garants connus de ce dernier, pour exécuter en quelque
sorte une seconde fois le travail... ») ; DOWNEY, « Perspective », p. 64
(« il fait un effort pour vérifier l'information de Socrate et pour corriger
et compléter le récit de son prédécesseur quand c'est nécessaire ») ;
CHESNUT, p. 197.

2. Cf. J. BIDEZ, dans son introd., p. LVI, qui fait remarquer que
Sozomène en I, 21, 2 rectifie une erreur commise par Socrate en I, 8
(en fait, les cinq évêques *ont signé* le symbole de Nicée) et qu'il utilise
un document, sans doute le recueil de Sabinos, d'une manière personnelle, puisqu'il remplace, avec raison, dans la liste des cinq évêques,
le nom de Théonas, donné par Socrate, par celui de Patrophilus.

3. Sozomène est seul à citer un fragment d'Apollinaire de Laodicée
en II, 17, 2-4, en faveur d'Athanase. Il précise que ce fut la belle-mère
de Constantin qui dénonça à ce dernier le « scandale » de la panégyrie
du chêne de Mambré (II, 4, 6). Il complète l'énumération des œuvres
d'art que Constantin fit transporter à Constantinople (II, 5, 4 ;
opposer SOCRATE, I, 16). Alors que SOCRATE s'était contenté de renvoyer pour la vie d'Antoine à l'ouvrage d'Athanase (I, 21), Sozomène
donne en I, 13 un résumé assez détaillé de cet ouvrage. ELTESTER
a fait remarquer que dans le cas d'emprunts communs à l'*Histoire
ecclésiastique* de Rufin, Sozomène donne volontiers des extraits plus
complets que ceux de Socrate (par ex. RUFIN, X, 15 ; SOCRATE, I, 15 ;
SOZOMÈNE, II, 17, 6-10) : voir c. 1245.

4. *H.E.* II, 14, 3 et 5. Pour le détail de l'utilisation que Sozomène

il n'était pas facile de réunir et d'organiser en un récit
historique les données tirées d'un grand nombre de Passions dédiées chacune à un martyr, Siméon bar Sabbā'é,
l'évêque de Séleucie Ctésiphon (II, 9-10) ou l'évêque d'Adiabène Akepsimas (II, 13), ou à plusieurs prêtres, diacres,
vierges consacrées ou dignitaires perses. Fort lucidement,
Sozomène reconnaît les lacunes et les incertitudes numé-
riques de telles sources, souvent populaires ou portées à
l'exagération édifiante. Même s'il n'a pas pu les traiter avec
l'esprit critique et le doigté qui sont de règle aujourd'hui
pour utiliser les sources hagiographiques, il a eu le mérite de
les rechercher, de retenir les meilleures — les modernes
reconnaissent la valeur historique de ces documents, dont
des versions grecques et syriaques nous sont parvenues[1] —
et d'être, en les organisant, le seul historien grec du Ve siècle
à fournir le récit d'événements aussi importants pour
l'histoire de l'Église que pour celle des rapports politiques
entre Rome et la Perse.

Naturellement, ces chapitres fondés sur une documentation personnelle offrent la meilleure occasion de saisir aussi
le caractère original des interprétations de Sozomène. En
effet, c'est *au terme* seulement du récit de l'interminable
série des martyres qui se prolongea au-delà de 378 (II, 15),
qu'il cite la lettre adressée par Constantin à Sapor en faveur
des chrétiens de Perse. Or cette lettre, par sa maladresse
— elle faisait voir dans les chrétiens de Perse des protégés
de Rome et les désignait à l'autorité soupçonneuse du
monarque sassanide comme des traîtres en puissance —,
fut en fait *à l'origine* de la grande persécution[2]. Cet ordre
apologétique, bien différent de l'ordre chronologique et

a faite des Actes des martyrs, voir Schoo, p. 77-80, et P. Devos,
« Sozomène et les Actes syriaques de S. Syméon bar Sabbā'é », *Anal.
Boll.* 84 (1966), p. 443-456.

1. Pour les textes, voir Delehaye, p. 478-557. Sur leur valeur
historique, cf. Labourt, p. 55.

2. Voir Palanque, p. 492-493.

dont le bénéficiaire est Constantin, fait partie d'une démonstration d'ensemble visant à disculper l'empereur de certaines imputations portées contre lui par les païens[1]. Dans cette apologie, l'omission, le demi-silence, l'expression vague permettent de faire l'économie des précisions qui seraient gênantes. Sozomène se garde de souligner que c'est Constantin lui-même qui, manquant doublement à sa *foi*, fit assassiner Licinius dans la retraite qu'il lui avait garantie, qu'il n'épargna pas non plus Martinianus, le maître des offices que Licinius avait, juste avant sa défaite, élevé à l'augustat, ni même le jeune Licinius, fils du « tyran », mais aussi de Constantia, la sœur bien-aimée de l'empereur (I, 7, 5) ! Il présente d'une manière anodine et optimiste la confiscation des biens des temples (II, 5, 2). Enfin, il omet de spécifier, en II, 34, 1, que Constantin avait, au moins primitivement, l'intention de léguer son pouvoir à ses trois fils *et* à ses deux neveux : il peut ainsi passer complètement sous silence le « massacre des princes » qui ensanglanta la succession du premier empereur chrétien. Rien, dans les lignes ultimes du livre II, ne laisse entrevoir que, contrairement aux dispositions testamentaires de Constantin qui avait voulu se présenter, après sa mort, comme le treizième Apôtre, le *larnax* du fondateur de l'Empire chrétien dut être transporté par les soins de son fils et successeur dans un mausolée situé *en dehors* de l'Église des Apôtres[2].

Plus nette encore est la volonté apologétique quand la pureté de la conversion de Constantin au christianisme est en cause. Car la question est, au sens propre, capitale.

1. Downey, « Perspective », p. 65, remarque d'une manière générale que Sozomène porte plus d'intérêt que Socrate à la réfutation des attaques et des prétentions païennes. Au milieu du vᵉ siècle, cette polémique n'a rien d'anachronique : un siècle et demi plus tard, Évagre ferraille encore contre les historiens païens en I, 11 et nommément contre Zosime en III, 40.

2. *H.E.* II, 34, 5 et notre note (*infra*, p. 384, n. 1) fondée sur G. Dagron, p. 401-409.

Sozomène prend la peine de reproduire, pour mieux la réfuter, la version hostile diffusée par les païens, en particulier par Eunape dont est tributaire le récit de Zosime (II, 29) : Constantin aurait d'abord tenté de se faire absoudre de l'exécution de son fils Crispus et de son épouse Fausta en recourant à des prêtres païens et au philosophe néo-platonicien Sopatros[1]. Rebuté par ces derniers, il se serait, en désespoir de cause, retourné vers des prêtres chrétiens dont la religion, fort laxiste, lui garantissait la rémission de tels crimes. Sozomène réfute cette calomnie par une argumentation d'une fermeté tout à fait remarquable (I, 5, 2-5), qui est naturellement absente du récit de Socrate, puisque ce dernier ne fait pas même mention de la version païenne de la conversion de Constantin. Fait exceptionnel chez notre historien, cette argumentation part d'une base chronologique : la mort de Crispus (en 326) est bien postérieure aux lois de Constantin — et de Crispus — en faveur du christianisme. A cette raison d'antériorité déjà contraignante, Sozomène enchaîne un argument de vraisemblance : à la date véritable de la conversion de Constantin, date antérieure à la bataille du pont Milvius (312), Sopatros qui résidait en *Orient* ne pouvait pas, vu la situation de guerre qui interdisait tout voyage, être consulté directement par Constantin, que les hostilités déchaînées par Maxence retenait en *Occident*. Et comme si cette argumentation « spatio-temporelle » n'était pas encore suffisante à ses yeux — elle laisse la possibilité d'une consultation par lettre —, il la conclut par une « concession » qu'il retourne élégamment contre les païens, vaincus sur leur propre terrain, celui de la religion et de la mythologie[2]. On le voit à l'importance extraordinaire qu'il donne à la défense de Constantin : Sozomène va plus loin

1. Cf. *H.E.* I, 5, 1 et notes *ad loc.*
2. Un demi-siècle plus tard, Zosime s'efforcera à son tour de contredire Sozomène sur l'oracle annonçant la grandeur de Byzance : opposer Sozomène II, 3 et Zosime, II, 36-37. Cf. Scavone, p. 62.

que Socrate dans le rôle déterminant qu'il prête aux empereurs orthodoxes dans l'avancement de l'Église. Cela est
encore un élément de la « laïcisation » de l'histoire ecclésiastique que nous avons déjà relevée chez lui[1].

Il vaut la peine de le souligner : cette dialectique serrée,
illustration de la « méthode apodictique » propre à la grande
histoire, prend appui sur ces documents entre tous dignes
de confiance que sont les textes de lois. De la vérité que
Sozomène veut établir, « témoignent aujourd'hui encore les
dates annexées à ces lois et les noms des législateurs »
(I, 5, 2). Or, pour être particulièrement net, ce cas n'est pas
isolé. Systématiquement et avec une insistance que l'on
peut même trouver monotone, la faveur et la protection
que Constantin a accordées au christianisme et à l'Église
sont *prouvées* par la référence à ses lois et à ses édits. C'est
surtout vrai dans les chapitres 8 et 9 du livre I, où l'on
peut relever une dizaine de références à des lois précises
qui nous sont également connues par le *Code Théodosien*[2].
Le livre II lui aussi s'achève sur les lois portées par Constantin contre les hérétiques dans les dernières années de son
règne[3]. Même si, dans ce dernier cas, Sozomène a trouvé le
texte de ces lois chez Eusèbe (*Vie de Constantin*, 3, 65-66),
il n'en reste pas moins qu'il a cherché et réussi à donner
une couleur — et une valeur — juridique à sa documenta-

---

1. Opposer à l'attitude de Sozomène la déclaration de SOCRATE en
I, 18 : « Je n'ai pas l'intention d'énumérer les actions de l'empereur...
Les hauts faits de l'empereur constituant un autre sujet, je l'abandonne à d'autres... » Pour la comparaison des deux historiens sur ce
point, voir DOWNEY, « Perspective », p. 65.

2. Voir I, 8, 1 (emprunt à la *Vita Constantini*) ; 8, 6 (= *Code Théodosien*, XV, 12, 1) ; 8, 10 (= *Code Théodosien*, II, 8, 1) ; 8, 14 (= *Code
Théodosien*, IX, 24, 1 ; IX, 8, 1 ; IX, 9, 1) ; 9, 3 (= *Code Théodosien*,
VIII, 16, 1) ; 9, 5 (= *Code Théodosien*, XVI, 2, 2) ; *ibidem* (= *Const.
Sirmond.* 1) ; 9, 6 (= *Code Théodosien*, IV, 7, 1). Le chapitre 5 comporte
également une référence à des lois du *Code Théodosien* : rapprocher
Sozomène, I, 52, et *Code Théodosien*, XVI, 2, 2 ; XVI, 2, 4 ; XVI, 2, 5.

3. *H.E.* II, 32, 2.

tion. Cette coloration juridique équilibre la coloration cléricale des lettres épiscopales et synodales également présentes chez lui.

A-t-il voulu ainsi, une fois de plus, se distinguer de Socrate qui, dans son premier livre au moins, n'utilise guère ce genre de documents « laïques »[1] ? Sans doute, mais des raisons plus positives ont joué. Sozomène considère, à juste titre, les textes de lois, officiels et datés, comme plus objectifs, plus probants que d'autres documents, en particulier les lettres, subjectives et partisanes. De plus, étant avocat et juriste, il possède en ce domaine une compétence professionnelle sur laquelle il peut s'appuyer pour convaincre ses lecteurs : il est familier du droit romain classique, comme le montre l'allusion aux dispositions et à la finalité de la *lex Iulia de maritandis ordinibus*[2], et même du droit archaïque, puisqu'il peut invoquer, comme un précédent de la faveur témoignée par Constantin aux vierges et aux continents, le privilège juridique des Vestales autorisées à tester sans la moindre réserve dès l'âge de six ans[3] ; il se prévaut aussi d'une fréquentation habituelle des « dépôts d'archives des affranchissements » (I, 9, 7). Mais la principale raison est à chercher dans la forte empreinte marquée par le droit et par l'esprit juridique sur l'époque où il a composé son œuvre. Ne parlons pas de

---

1. Dans son premier livre, Socrate ne fait référence qu'à deux lois, l'une de Licinius (chap. 3), l'autre de Constantin (chap. 18) contre la prostitution sacrée pratiquée à Hiérapolis.

2. *H.E.* I, 9, 1-2 : « Il y avait chez les Romains une ancienne loi qui empêchait les non mariés, à partir de vingt-cinq ans, de jouir des mêmes droits que les mariés ; entre autres choses, elle empêchait que jouissent d'aucun héritage ceux qui n'étaient pas les plus proches et elle infligeait comme amende aux proches sans enfants la moitié des biens légués. Les anciens Romains avaient institué cette loi dans la pensée que... » (loi d'Auguste en 18 avant J.C.).

3. *H.E.* I, 9, 4 : « C'est à cause de cela que les anciens Romains avaient fixé par loi que les vierges Vestales, même âgées de seulement six ans, auraient libre droit de tester. » Cf. *infra*, p. 152, n. 1.

la vogue universelle des études juridiques, déjà victorieuses
des études littéraires au ive siècle, dont témoignent Socrate,
Sozomène, tous deux *scholasticoi* et historiens, Zosime lui
aussi, « avocat du fisc », Évagre encore à la fin du vie siècle.
Il suffit de rappeler l'intense activité juridique qui mobilisa
pendant dix ans non seulement les neuf « commissaires »
officiellement nommés par Théodose, mais aussi tous les
hommes compétents auxquels l'empereur leur commanda
de faire appel[1]. Activité qui aboutit à la publication du
Code Théodosien en 438 et à son entrée en vigueur officielle,
le 1er janvier 439, cinq ans seulement avant la composition
du Prologue de Sozomène ! De cette grande œuvre, de ce
monument du droit romain chrétien, l'empereur Théodose II, qui en avait pris l'initiative, pouvait être justement
fier. Non seulement la publication toute récente du *Code*
imprégnait encore les esprits, les rendait réceptifs à toute
preuve qui en était tirée et s'en réclamait ; mais cette compilation fournissait à un historien une mine de documents
aussi riche que commode à exploiter grâce à son classement
systématique par matières[2]. Enfin l'utilisation du *Code
Théodosien* par un historien n'était pas pour déplaire à
l'empereur : le pieux Théodose pouvait y voir une sorte de
justification supérieure, d'ordre intellectuel et religieux,
d'une entreprise commandée à l'origine par des considé-
rations d'ordre pratique. L'usage régulier et systématique
du matériel documentaire mis par Théodose à la disposi-
tion des historiens et notamment des historiens de l'Église
était pour Sozomène un moyen indirect et subtil de faire
sa cour à l'empereur, de prolonger ingénieusement dans le
corps de l'ouvrage l'éloge qu'il lui avait adressé dans la
Dédicace[3].

1. STEIN-PALANQUE, p. 285-287.
2. Ce qui concerne la religion est, pour l'essentiel, regroupé dans
le livre XVI.
3. Dans la Dédicace, Sozomène exalte surtout la piété de Théodose

Ainsi, la situation de Socrate et de Sozomène en face de l'œuvre majeure de leur époque qu'est le *Code Théodosien* est toute différente, en dépit du très bref espace de temps qui sépare la rédaction — ou la publication — de leurs œuvres respectives[1]. Promulgué *après* la publication de l'une, celle de Socrate, mais *avant* la publication de l'autre, celle de Sozomène, le *Code Théodosien* établit entre ces deux *Histoires ecclésiastiques*, écrites pourtant toutes deux par des juristes faisant partie du même milieu constantinopolitain et à quelques années de distance, un clivage important. Par sa richesse en documents, l'œuvre de Socrate a pu apporter une aide aux responsables de la compilation officielle[2]. Celle de Sozomène, au contraire, n'a pas manqué de trouver cette aide précisément dans le *Code* une fois publié. Une justification nouvelle du projet de Sozomène apparaît. Non seulement, pour reprendre les formules liviennes, il se faisait fort de « surpasser par son talent littéraire la maladresse » de son précédesseur, mais il pouvait aussi faire état d'un enrichissement — d'un renouvellement même — considérable de la documentation. Grâce à la publication du *Code Théodosien*, il pouvait aussi se dire en mesure « d'apporter dans le domaine des faits une documentation plus sûre ». Il y a sans doute plus de fierté que de

---

(§§ 3, 15, 18). Mais il est important de noter qu'au § 3, il reconnaît à Théodose la possession de la vertu chrétienne d'*eusébeia*, mais aussi d'une vertu qui peut être philosophique, païenne ou laïque, celle de *philanthrôpia*, si vantée au siècle précédent par l'orateur Thémistios !

1. Le Prologue de Sozomène est postérieur à 443, date du voyage de Théodose à Héraclée du Pont mentionné au § 13. L'ouvrage de Socrate n'a pas pu être publié avant 439 puisqu'il se termine par le récit des événements qui ont marqué le dix-septième consulat de Théodose.

2. C'est l'intéressante, mais peut-être hasardeuse, hypothèse de CHESNUT, p. 168-169, qui se fonde sur le fait que l'un des neuf « commissaires » se nommait Théodore : ce personnage se confondrait avec le dédicataire de l'ouvrage de SOCRATE (*H.E.* II, 1 ; VI, pr. ; VII, 48`

timidité dans sa déclaration de principe en I, 8, 14 : « Il est
nécessaire de parcourir... les lois établies en vue d'honorer
et d'organiser notre religion, *car c'est là une partie de
l'histoire ecclésiastique.* » Entendez bien : « une partie que
n'a pas traitée mon prédécesseur » !

**Sozomène
et son public**

A plusieurs reprises déjà, nous
avons éprouvé la nécessité de carac-
tériser le public de Sozomène. En
effet, les destinataires d'un ouvrage ne jouent pas, dans la
construction de cet ouvrage, un rôle moins important que
l'auteur lui-même. Ce dernier modèle son œuvre en fonction de son auditoire tel qu'il se le représente. Mais comme
il ne saurait non plus écrire pour un public foncièrement
différent et complètement séparé de lui-même, en tentant
de cerner le public de Sozomène, c'est en même temps le
portrait de l'historien que nous aborderons.

Il est frappant de constater la contradiction des critiques
entre eux sur le problème du « public » de Sozomène et,
plus précisément, sur le niveau social et culturel qu'il faut
lui supposer. Pour les uns, Sozomène aurait écrit pour un
public populaire, peu cultivé, sinon dénué de toute instruction. Pour les autres, qui voient plus juste à notre avis, son
public est d'un niveau social et culturel assez élevé[1]. Les
arguments des uns et des autres restant bien souvent
— hélas ! — implicites, il est bon de se demander ici quels
sont ceux que peuvent invoquer les partisans de la première hypothèse. Seraient-ils tirés du style de l'ouvrage ?
de son contenu ? des déclarations de l'historien ? Dans la

---

1. Opposer F. Paschoud, *Cinq études sur Zosime*, Paris 1975,
p. 212 : « Le public populaire de Zosime est aussi celui de Socrate et de
Sozomène », et Eltester, c. 1243 : « Sozomène, qui dédie son livre à
l'empereur régnant, cherche son public dans les cercles les plus élevés,
moins parmi le clergé que parmi les laïcs, qui, comme l'auteur, aiment
mieux laisser les questions dogmatiques aux professionnels. »

très importante déclaration méthodologique de I, 1, 11-20,
Sozomène s'exprime bien avec une certaine modestie en
mettant en parallèle ses capacités personnelles d'historien
avec l'immensité et la majesté du sujet de son ouvrage :
« Il serait absurde que... je ne forçasse pas mon talent pour
écrire une histoire de l'Église. Je suis persuadé en effet que,
pour un sujet qui n'est pas l'œuvre des hommes, il n'est
pas difficile à Dieu de me faire paraître, contrairement à
l'attente, un historien » (I, 1, 11-12). Mais de telles déclarations sont convenues et traditionnelles[1]. Ce qui frappe
même, au contraire, c'est la confiance assez extraordinaire
de Sozomène en la réussite *deo iuuante*. Rien chez lui qui
ressemble aux protestations répétées de Socrate. Ce dernier assure « ne pas se soucier de la noblesse de l'expression », se contenter « d'un style humble et terre à terre » et,
surtout, s'adresser à des lecteurs dépourvus en majorité
de culture[2]. Du reste, le signe irréfutable de l'ambition de
Sozomène en la matière n'est-il pas la dédicace de son
ouvrage à l'empereur lui-même ? Ce dernier est présenté,
par modestie obligée ou par politique, comme le censeur de
l'œuvre. Mais, en fait, il est considéré comme son premier
lecteur, un lecteur qui saura récompenser l'auteur par
l'hommage de son attention et aussi par l'octroi de
récompenses plus concrètes[3] !

Le contenu de l'ouvrage suppose-t-il davantage que
Sozomène s'adresse à un public qui serait populaire, au

---

1. Sur ce *locus humilitatis propriae*, voir E. R. Curtius, *La littérature européenne et le Moyen Age latin*, éd. franç., Paris 1956 (trad.
J. Bréjoux), notamment les pages 103-106, *excusatio propter infirmi-
tatem*, et la page 111, « topique de la conclusion ».

2. Socrate, *H.E.* I, 1 (*PG* 67, c. 33) ; III, 1 (c. 368) ; VI, pr.
(c. 657). Voyez également VII, 28 (c. 800-801) : condamnation du
style fleuri de Philippe de Sidé.

3. Chesnut, p. 194, insiste sur les motivations — recherche de
l'honneur, du prestige, des profits matériels — qui ont pu inspirer
Sozomène et sur l'existence à Constantinople d'une société disposée
à conférer ces avantages à un ouvrage comme le sien.

moins par la crédulité dont l'historien lui demande de faire preuve ? En effet, en voyant dans l'éloge des moines une composante importante de l'histoire ecclésiastique, Sozomène a donné libre accès au merveilleux dans le récit historique[1]. Dans l'introduction de l'élément irrationnel, il s'est même montré plus généreux que Socrate chez lequel on chercherait en vain le rapport détaillé des exploits ascétiques et des actes miraculeux de Paul le Simple ou de l'égyptien Amoun, que Sozomène est allé puiser dans l'*Histoire Lausiaque* et l'*Histoire des moines d'Égypte*. Pourtant, il lui arrive aussi de rester en retrait par rapport au merveilleux admis par Socrate[2]. Sur ce point, il semble bien que l'admiration reconnaissante que Sozomène vouait personnellement aux moines est entrée en conflit avec son rationalisme d'homme cultivé ou plutôt avec la crainte que le récit des « miracles » des moines ne se heurte au scepticisme, à l'ironie de certains — qui n'étaient pas la majorité — de ses lecteurs. Quoi qu'il en soit, la croyance au miracle sous ses différentes formes — songes prémonitoires, visions, apparitions, prophéties, guérisons « paradoxales » — et, plus généralement encore, le goût pour le merveilleux étaient, au ive et au ve siècles, trop bien partagés, y compris dans les cercles les plus cultivés, même païens, pour qu'on puisse tirer argument dans le sens négatif de cette « crédulité » du public[3].

1. La conséquence directe de la déclaration de I, 1, 18-19 est le merveilleux qui emplit les chapitres 11-14 du livre I, consacrés aux moines.
2. Ainsi en I, 11, 4-5, Sozomène, rapportant l'histoire d'Irène, fille de Spyridon, reste en retrait par rapport à Socrate, I, 12 (*PG* 67, c. 105) : ce dernier dit qu'elle ressuscita, Sozomène dit, suivant Rufin, *H.E.* I (X), 5, qu'elle répondit du tombeau à la question de son père.
3. En I, 18, 7, Sozomène affirme la supériorité des miracles chrétiens sur ceux dont se prévalent les païens, en l'occurrence ceux de Julien le Chaldéen. A. Momigliano, « L'età del trapasso fra storiografia antica e storiografia medievale (350-550 d.C.) », *Rivista storica italiana* 81 (1969), p. 286-303, écrit à la page 296 : « C'est la notion même

Quant au style de Sozomène, est-il « humble et terre à terre » comme celui dont Socrate prétend au moins se contenter pour rester au niveau de ses lecteurs ? Relève-t-il aussi du *genus humile*, quand la grande histoire se réclame du style moyen, sinon même du style sublime ? Malheureusement, nous ne disposons pas, à l'heure actuelle, d'une étude précise et complète du style de Sozomène, pas plus du reste que du style de Socrate[1]. En tout cas, le niveau du style de Sozomène doit s'apprécier par rapport à celui de son prédécesseur. Et, de ce point de vue, le jugement du patriarche Photius — dont les lectures étaient immenses et la sensibilité aux « degrés » du style formée par les canons de la littérature byzantine auxquels obéissait précisément Sozomène — reste important en faveur de ce dernier[2]. Il nous paraît confirmé, pour les deux premiers livres, par la présence de plusieurs longs morceaux de style très soigné. La Dédicace se distingue par la surabondance des beautés et des ornements (citations, proverbes, allusions tant à la Bible qu'aux œuvres païennes, usage très étendu et varié des procédés de la *sunkrisis*), qui sont de règle dans le panégyrique. L'éloge des vertus des moines se déploie sur un rythme binaire, soutenu par les antithèses et les parallélismes, selon le modèle classique de l'arétalogie[3]. L'imi-

---

de véracité qui est bouleversée par la flatterie des puissants, mais surtout par l'intrusion du merveilleux, non seulement dans les Vies des saints, mais même dans les œuvres païennes : Ammien accueille la divination et la magie à pleines mains... » A l'exemple d'Ammien ajoutons celui de Zosime : SCAVONE, p. 58 (' Zosimus' miracle mentality ').

1. Étude de détail sur les clausules par G. Ch. HANSEN, « Prosarhythmus bei den Kirchenhistorikern Sozomenos und Socrates », *Byzantinoslavica* (Prague) 26 (1965), p. 82-93. Nous regrettons de n'avoir pas pu accéder à la Dissertation dactylographiée de G. Ch. HANSEN, *Studien zu dem Kirchenhistoriker Sozomenus*, Berlin 1960.

2. PHOTIUS, *Bibliothèque*, cod. 30.

3. *H.E.* I, 12, 6 : ...οὔτε... οὔτε... ἀεί... ; 12, 2-4 : Μόνη... μόνα... ; etc.

tation de l'*ekphrasis* hellénistique perce dans la description
détaillée, pittoresque... et superflue de la foire du Térébinthe qui se tenait aux alentours du fameux chêne de
Mambré[1]. Émule de Rufin, Sozomène est un conteur d'anecdotes, dans la veine d'Hérodote, plus doué et plus habile
que Socrate[2]. Cependant, plus que le niveau général du style
et même que la qualité de certains morceaux d'apparat,
c'est le souci et l'art de la composition, tels que nous les
avons vus se marquer dans la construction de chaque livre,
qui nous paraissent attester que l'historien, formé lui-même
aux finesses de la rhétorique, destinait son œuvre à un
public capable de percevoir sa recherche et de l'apprécier
à sa valeur[3].

Les lecteurs de Sozomène possédaient aussi une culture
historique qui les mettait à même d'approuver le retour
de l'historien à la tradition inaugurée par Thucydide. C'est
en pensant à des lecteurs de goût et de culture aristocra-
tiques que Sozomène profère un jugement dédaigneux sur
le style « relâché » de la *Thalie*, l'œuvre la plus populaire
d'Arius, et qu'inversement, il multiplie les références au
fonds de la culture la plus classique, notamment à la
mythologie, à l'histoire, aux anecdotes, à la littérature
païennes[4]. De telles références n'ont pas normalement leur

1. *H.E.* II, 4. Natif de Palestine, Sozomène a connu cette « panégyrie » par l' « autopsie ».
2. Comparer les récits du « jeu de l'évêque » chez SOCRATE, I, 15
et chez Sozomène, II, 17 (cf. RUFIN, *H.E.* I [X], 15), du combat entre
le « confesseur » et le philosophe païen chez SOCRATE, I, 8 et Sozomène,
I, 18 (RUFIN, *H.E.* I [X], 3).
3. Bien que Sozomène soit, comme Socrate, juriste de profession, il
semble que sa première formation, sans doute acquise dans la célèbre
école de Gaza, ait été différente, littéraire et rhétorique : cf. DOWNEY,
« Perspective », p. 64, renvoyant à son article, « Christian schools ». —
Voir *supra*, p. 18 s.
4. Sur la *Thalie*, voir *H.E.* I, 21, 3 : « J'ai entendu dire — car je ne
l'ai pas lu — que le style de ce livre est relâché, et qu'il ressemble à
l'allure libre des chants de Sotadès. » Pour les références à la culture
profane, voir la Dédicace, §§ 5-6 (Homère et les Crétois, les Aleuades

place dans une histoire ecclésiastique et l'on n'en trouve pas trace dans le premier livre de Socrate ! Chez Sozomène au contraire, les citations bibliques sont loin d'avoir entièrement chassé les citations homériques[1]. Il y a plus : le livre I commence par la citation silencieuse du début de la *Cyropédie*. Même si l'on peut hésiter sur le sens exact à donner à l'invocation d'un patronage aussi classique que celui de Xénophon à l'initiale d'une histoire ecclésiastique, il ne peut s'agir d'une simple rencontre : à Cyrus, type païen du *basileus* idéal, Sozomène veut-il comparer victorieusement les modèles des empereurs chrétiens, Constantin, Théodose le Grand et son digne descendant Théodose II ? Veut-il annoncer que son ouvrage sera, par l'importance donnée à l'action et aux vertus *exemplaires* des empereurs orthodoxes, une sorte de *Cyropédie* chrétienne ? Ainsi, la culture que Sozomène déploie comme un instrument de communication et même de communion avec son public nous apparaît sinon comme plus profonde, du moins comme plus large, plus accueillante, plus mêlée aussi que celle de Socrate qui se veut purement et exclusivement chrétienne.

L'une des raisons en est que le public qu'il cherche à toucher est à la fois plus large aussi et plus cultivé que celui de Socrate. Il n'est pas exclusivement constitué de clercs, ni même de chrétiens. Il comporte aussi une forte proportion de laïcs et parmi eux d'*hellènes*, pour lesquels, en dépit d'un vernis chrétien, la culture reste la véritable religion. Sozomène laisse entendre plusieurs fois l'existence d'un tel public. Assurément, c'est à des hellènes, férus de sujets

---

et Simonide, Denys de Sicile et Platon, Philippe de Macédoine et Théopompe, Septime Sévère et Oppien) et § 14 (Alexandre), I, 5, 4 (purification d'Héraclès), I, 6, 4-5 (retour des Argonautes et fondation d'Émona), II, 5, 4 (la statue de Pan consacrée par Pausanias), II, 24, 2 (voyages de Platon, d'Empédocle, de Démocrite).

1. Voir dans la Dédicace, au § 10, la citation du *Livre de la Sagesse*, 7, 20, et aux §§ 12 et 15 les citations d'*Odyssée*, 7, 116 et d'*Iliade*, 1, 160. Ajouter en I, 8, 3 la citation d'*Iliade*, 8, 102.

et d'érudition mythologiques, que s'adressent, avec le
succès dont il est lui-même en quête, les auteurs contemporains qu'il vise en I, 1, 11 : « ... le sanglier de Calydon, le
taureau de Marathon et autres faits du même genre, par
les campagnes ou dans les villes, réels ou inventés, ont joui
d'une faveur telle qu'un grand nombre d'auteurs les plus
réputés chez les Grecs ont travaillé sur ces sujets. » Ce sont
eux, en tout cas une partie d'entre eux, qu'il espère sinon
convertir, du moins intéresser par une histoire ecclésiastique de conception nouvelle, plus ouverte sur le « siècle ».
S'il ne reproduit pas *in extenso* le symbole de Nicée,
document pourtant indispensable dans une histoire chrétienne, c'est, dit-il, que « des amis pieux et compétents »
lui ont fait valoir « que les seuls initiés et initiateurs ont le
droit de dire et d'entendre ces choses » ; et avec une modestie
apparente il ajoute : « Il n'est pas invraisemblable en effet
que ce livre soit lu aussi de certains des non initiés. »
Sous la litote οὐ γὰρ ἀπεικὸς se lit la certitude que son
ouvrage touchera aussi des païens, des hésitants ou des
indifférents qu'englobent les mots τῶν ἀμυήτων[1]. Une polémique aussi argumentée que celle que Sozomène a dirigée
contre l'interprétation calomnieuse de la conversion de
Constantin (I, 5) ne se comprend que si elle vise à désarmer
chez les non chrétiens englobés dans le public des préven-
tions contre le christianisme. C'est aussi à des sceptiques,
qui font partie du public potentiel, qu'il veut prouver
l'origine divine de la religion chrétienne « par le caractère
paradoxal de ce qui arriva en ' Inde ' » (II, 24, 1).

Un épisode particulier, celui précisément des aventures de
Frumentius, l'évangélisateur de l'« Inde », rapporté à la
fois par Socrate (I, 19) et par Sozomène (II, 24), permettra
de mesurer la différence que creusent entre les deux historiens non pas leurs cultures respectives qui devaient être
assez comparables, mais la culture différente que chacun

1. *H.E.* I, 20, 3.

d'eux prête au public qu'il s'est choisi. Cet épisode, tous deux l'ont emprunté à l'*Histoire ecclésiastique* de Rufin. Mais Socrate, en chrétien ne s'intéressant qu'à l'évangélisation de ce lointain pays, se limite aux informations strictement nécessaires pour comprendre le début des pérégrinations du philosophe Mérope et de ses compagnons Édésius et Frumentius : il note seulement que Mérope suivit l'exemple récent de Métrodore. Patronage impur, trop impur aux yeux de Sozomène pour être à l'origine d'une si noble entreprise[1] ! Aussi notre historien choisit-il une autre voie, que lui recommandent à la fois son zèle d'apologiste *et* sa culture : soucieux de la gloire du christianisme, mais aussi de faire briller ses propres connaissances, même si elles sont empruntées à des recueils comme celui de Diogène Laërce et témoignent de quelque approximation, il enchaîne à la mention du philosophe Mérope une digression érudite et tournée à la gloire de l'hellénisme. Elle exalte le goût de l'enquête scientifique et géographique, qui a, depuis toujours, caractérisé les philosophes grecs, qu'ils s'appellent Platon, Empédocle ou Démocrite, au lieu de vilipender leur « curiosité », comme ne manqueraient pas de le faire des moines ou des chrétiens austères. Sensible lui-même à ce que cette digression a de profane et de « séculier », Sozomène « christianise » la description des ravages produits par l'éruption des volcans de Sicile par une référence biblique à la destruction de Sodome (II, 24, 2). Référence tardive et bien sèche, si on la compare à la description précédente, fort détaillée et inspirée par la même curiosité qui guidait les philosophes d'autrefois !

Un tel passage contribue à nous révéler une personnalité complexe. Fervent admirateur de la simplicité des moines,

---

1. Sur Métrodore, prétendu philosophe et authentique charlatan, qui est souvent présenté comme le responsable, par ses prétentions et par ses mensonges, du déclenchement des hostilités entre Constantin et les Perses, voir aussi AMMIEN MARCELLIN, 25, 4, 23, RUFIN, *H.E.* I, 9 et CÉDRÉNUS, t. I, p. 516-517 (éd. Bekker, Bonn 1838).

de cette ignorance volontaire qu'il déclare être la suprême sagesse, Sozomène reste pourtant attaché à la « polymathie » que condamnent ses propres maîtres (I, 12, 1). Mais ce chapitre nous renvoie également l'image d'un public complexe lui aussi, chrétien par la foi, hellène par la culture, et même composite, englobant des chrétiens convaincus ou tièdes et des païens, militants ou sceptiques. Public mondain en tout cas et, à une époque où la ville se modelait étroitement sur la Cour, public de cour au sens large, prenant exemple à la fois sur la piété dévote et ascétique de Théodose et sur la culture plus souriante et plus séduisante de l'impératrice Athénaïs-Eudocie, néophyte convaincue certes, mais fille de rhéteur aussi, athénienne de naissance, auteur de poésies sacrées et profanes, et qui osa citer Homère au cours d'un pèlerinage aux Lieux saints[1]. Un tel public était propre à assurer le succès d'une œuvre d'inspiration chrétienne et orthodoxe[2], mais ouverte, tolérante, exempte de tout fanatisme[3], politiquement sage et bien propre à illustrer ce « nouvel âge d'or théodosien[4] » qu'aspiraient à fonder, dans les années 440, l'empereur, son inspiratrice Eudocie et leur tout-puissant préfet, l'hellène — et futur évêque ! — Cyrus de Panopolis[5]. Dans

1. Sur l'impératrice Eudocie, voir OSTROGORSKY, p. 82, et STEIN-PALANQUE, p. 281-282.

2. Toutefois, il ne nous semble pas vraisemblable que Sozomène ait pu chercher — et trouver — une justification suffisante de son entreprise dans le fait que Socrate était peut-être déjà considéré comme un novatien (cf. la remarque de J. BIDEZ dans l'introd. à son éd., p. LV, portant sur Sozomène, VII, 18, 8).

3. Une telle attitude devait être très appréciée par l'autorité impériale, qui venait de se trouver mêlée, bien contre son gré, à la querelle entre le patriarche de Constantinople Nestorius et le redoutable Cyrille d'Alexandrie (concile d'Éphèse en 431) et qui commençait à être confrontée à un conflit plus redoutable encore, par les progrès de l'hérésie monophysite (concile d'Éphèse en 449).

4. Selon l'expression de CHESNUT, p. 195.

5. Sur Cyrus de Panopolis, voir STEIN-PALANQUE, p. 293 et 295-296 : Grec d'Égypte, poète comme son compatriote Nonnos, pénétré

son domaine et pour son compte, l'*Histoire ecclésiastique*
de Sozomène réalisait la coexistence du présent chrétien et
de la tradition hellénique d'une manière plus harmonieuse
et plus complète que ne l'avait fait l'œuvre de Socrate,
ressentie, après seulement quelques années, comme irrémé-
diablement *anachronique*[1].

Guy SABBAH.

---

de l'idéal de culture rhétorique, il fut préfet de Constantinople
depuis 435, puis il cumula cette charge avec celle de préfet du prétoire
d'Orient en 439. Les années de sa plus grande faveur vont de 439 à
441. En 441, il fut relevé de ses fonctions sous l'inculpation de paganisme, devint évêque avant de se voir aussi dépouillé de cette charge.
Malheureusement pour Sozomène, son œuvre, rédigée au moment de
la plus grande faveur d'Eudocie et de Cyrus de Panopolis, ne fut
achevée et complètement publiée qu'après 443, au moment de la
réaction dévote à la tête de laquelle se trouvaient la « vierge » Pulchérie, sœur de l'empereur, et l'eunuque Chrysaphius. La tentative de
Sozomène pour préserver son œuvre en la plaçant sous le patronage du
seul Théodose, auquel il prête les vertus de piété qui étaient effectivement les siennes *et* la culture et la philanthropie qui étaient plutôt
celles de l'impératrice disgrâciée, ne réussit que partiellement : la
censure qu'il n'avait demandée que pour mieux l'éviter n'épargna
pas son dernier livre !

1. Globalement judicieuse, la remarque de É. PATLAGEAN, dans
Pauvreté économique et pauvreté sociale à Byzance (4e-7e siècles),
Paris-La Haye, 1977, p. 23 : « Après le 4e siècle, la distinction entre
tradition antique et tradition chrétienne perd de sa force, en ce sens
que les auteurs qui se veulent fidèles, culturellement et politiquement,
aux antiques valeurs de la cité, sont dans le fait chrétiens... Cette
complexité intellectuelle est particulièrement marquée dans le domaine
de l'historiographie... », s'applique toutefois beaucoup mieux à Sozomène qu'à Socrate.

NOTES BIBLIOGRAPHIQUES

Cette liste comprend essentiellement les titres d'ouvrages et d'articles qui sont cités plusieurs fois et d'une manière abrégée.

ASSEMANI = ASSEMANI (E.), *Acta sanctorum martyrum orientalium et occidentalium* (texte syriaque et version latine), t. I, Rome 1748.

BARDY (G.), art. « Sozomène », *DTC* 14, 2 (1941), c. 2469-2471.

BARDY voir FLICHE-MARTIN.

BARDY (G.), « Les origines des écoles monastiques en Orient », *Mélanges J. de Ghellinck*, Gembloux 1951, t. I, p. 293-309.

BIDEZ (J.), « La tradition manuscrite de Sozomène », *TU* 32, 2b (Leipzig 1908), p. 1-35 et 81-92.

BRÉHIER, « L'enseignement à Byzance » = BRÉHIER (L.), « L'enseignement classique et l'enseignement religieux à Byzance », *Revue d'histoire et de philosophie religieuses* 21 (1941), p. 34-69.

CAVALLERA = CAVALLERA (F.), *Le schisme d'Antioche (IVe-Ve siècle)*, Paris 1905.

CHESTNUT = CHESTNUT (G.), *The first christian Histories. Eusebius, Socrates, Sozomen, Theodoret and Evagrius*, Paris 1966.

COLLINET = COLLINET (P.), *Histoire de l'École de droit de Beyrouth*, Paris 1925.

DAGRON = DAGRON (G.), *Naissance d'une capitale. Constantinople et ses institutions de 330 à 451*, Paris 1974.

DANIÉLOU-MARROU = DANIÉLOU (J.) - MARROU (H.-I.), *Nouvelle histoire de l'Église. I. Des origines à saint Grégoire le Grand*, Paris 1963.

DELEHAYE = DELEHAYE (H.), *Les versions grecques des Actes des martyrs persans sous Sapor II, Patrol. Orient.*, t. II, fasc. 4, n⁰ 9, 1905, réimpr. Turnhout 1971.

DOWNEY, « Christian schools » = DOWNEY (G.), « The christian schools of Palestine, a chapter in literary history », *Harvard Library Bull.* 12 (1958), p. 297-319.

DOWNEY, *Gaza* = DOWNEY (G.), *Gaza in the early sixth century*, Norman 1963.

DOWNEY, « Perspective » = DOWNEY (G.), « The perspective of the early Church Historians », *Greek, Roman and Byz. Studies* 6 (1965), p. 57-70.

ELTESTER = ELTESTER (W.), art. « Sozomenos 2. », *PW* III A1 (1927), c. 1240-1248.

FLICHE (A.) - MARTIN (V.), *Histoire générale de l'Église depuis les origines jusqu'à nos jours* : t. 2 *De la fin du II*e *siècle à la paix constantinienne*, par J. LEBRETON et J. ZEILLER, Paris 1935 ; t. 3 *De la paix constantinienne à la mort de Théodose*, par J.-R. PALANQUE, G. BARDY et P. DE LABRIOLLE, Paris 1950.

GAUDEMET = GAUDEMET (J.), *L'Église dans l'Empire romain (IV*e*-V*e *siècles)*, Paris 1958.

GRIMAL = GRIMAL (P.), *Dictionnaire de la mythologie grecque et romaine*, Paris 1951.

HEFELE-LECLERCQ = HEFELE (C. J. H.) - LECLERCQ (H.-L.), *Histoire des conciles*, Paris, t. I : 1907 ; t. II : 1908.

JANIN, *Géographie* = JANIN (R.), *La géographie ecclésiastique de l'Empire byzantin*, t. III *(Les églises et les monastères)*, Paris 1969.

JONES = JONES (A. H. M.), *The later Roman Empire, 284-602. A social economic and administrative survey*, 3 vol., Oxford 1964.

JONES (A. H. M.), MARTINDALE (J. R.), MORRIS (J.), *The Prosopography of the Later Roman Empire*, I : *a.d. 260-395*, Cambridge 1971.

LABOURT = LABOURT (J.), *Le christianisme dans l'Empire perse sous la dynastie sassanide (224-632)*, Paris 1904.

LABRIOLLE voir FLICHE-MARTIN.

Lexikon f. Theol. = *Lexikon für Theologie und Kirche*, 11 vol., Fribourg 1957-1967.

MARROU = MARROU (H.-I.), *Histoire de l'éducation dans l'Antiquité*, Paris 1965[6].

MARTINDALE (J. R.), *The Prosopography of the Later Roman Empire*, II : *a.d. 395-527*, Cambridge 1980.

MOHRMANN (C.), *Vite dei Santi dal III al VI secolo*, 4 vol., Milan 1974-1975 : I *Vita di Antonio*, texte cr. et comm. de G. J. M. Bartelink, trad. de P. Citati et S. Lilla ; II *Palladio, La Storia Lausiaca*, texte cr. et comm. de G. J. M. Bartelink, trad. de M. Barchiesi ; IV *Vita di Ilarione*, intr. de C. Mohrmann, texte cr. et comm. de

A. A. R. Bastiaensen et J. W. Smit, trad. de L. Carali et C. Moreschini.

MOMIGLIANO, *Paganism and Christianity* = MOMIGLIANO (A.) et alii, *The conflict between Paganism and Christianity in the fourth century*, Oxford 1963.

OPITZ = OPITZ (H. G.), *Athanasius Werke*, III, 1 : *Urkunden zur Geschichte des arianischen Streites 318-328*, Berlin-Leipzig 1935.

OSTROGORSKY = OSTROGORSKY (G.), *Histoire de l'État byzantin ;* éd. française par J. GOUILLARD, Paris 1956.

PALANQUE voir FLICHE-MARTIN.

PIETRI (C.), *Roma Christiana. Recherches sur l'Église de Rome, son organisation, sa politique, son idéologie de Miltiade à Sixte III (311-440)*, 2 vol., Paris 1976.

PIGANIOL = PIGANIOL (A.), *L'Empire chrétien (325-395)*, 2e éd. mise à jour par A. CHASTAGNOL, Paris 1972.

P.L.R.E., I voir JONES-MARTINDALE-MORRIS.

P.L.R.E., II voir MARTINDALE.

ROSCHER = ROSCHER (W. H.), *Ausführliches Lexikon der griechischen und römischen Mythologie*, 10 vol., Leipzig 1884-1924.

SCAVONE = SCAVONE (D. C.), « Zosimus and his historical Models », *Greek, Roman and Byz. Studies* 11 (1970), p. 57-67.

SCHOO = SCHOO (G.), *Die Quellen des Kirchenhistorikers Sozomenos*, Berlin 1911, réimpr. 1973.

SCHWARTZ, *Gesamm. Schriften :* SCHWARTZ (E.), *Gesammelte Schriften*, III : *Zur Geschichte des Athanasius*, Berlin 1959.

SEECK, *Regesten* = SEECK (O.), *Regesten der Kaiser und Päpste (311-476 p.C.)*, Stuttgart 1919.

STEIN-PALANQUE = STEIN (E.), *Histoire du Bas-Empire*, t. I, *De l'État romain à l'État byzantin (284-476)* ; éd. française par J.-R. PALANQUE, 2 vol., Paris 1959.

THELAMON = THELAMON (F.), *Païens et chrétiens au IVe siècle. L'apport de l'« Histoire ecclésiastique » de Rufin d'Aquilée*, Paris 1981*.

ZEILLER voir FLICHE-MARTIN.

* Notre manuscrit était terminé à la publication de cet ouvrage : nous regrettons de n'avoir pas pu toujours l'utiliser pleinement ; nous y renvoyons le lecteur soucieux d'une information complémentaire.

ΣΑΛΑΜΑΝΟΥ ΕΡΜΕΙΟΥ ΣΩΖΟΜΕΝΟΥ
ΣΧΟΛΑΣΤΙΚΟΥ ΛΟΓΟΣ ΠΡΟΣ ΤΟΝ
ΑΥΤΟΚΡΑΤΟΡΑ ΘΕΟΔΟΣΙΟΝ ΚΑΙ ΥΠΟΘΕΣΙΣ
ΤΗΣ ΕΚΚΛΗΣΙΑΣΤΙΚΗΣ ΙΣΤΟΡΙΑΣ

PG 67
col. 844
Bidez
p. 1

845

1 Φασὶ τῶν πάλαι αὐτοκρατόρων ἐπιμελές τι χρῆμα γενέσθαι τοῖς μὲν φιλοκόσμοις ἁλουργίδα καὶ στέφανον καὶ τὰ τούτοις παραπλήσια, τοῖς δ᾽ αὖ τὰ περὶ λόγους σπουδάσασι μυθώδη τινὰ ποίησιν ἢ σύγγραμμα θέλγειν δυνάμενον, τοῖς δὲ τὰ περὶ πόλεμον ἀσκοῦσι βέλος εὐστόχως ἀφεῖναι καὶ θῆρα βαλεῖν ἢ δόρυ ἀκοντίζειν ἢ εἰς ἵππον ἄλλεσθαι· **2** προσήγγελλον δὲ ἑαυτοὺς τοῖς βασιλείοις ἕκαστος ἐπιτηδεύων ὃ τῷ κρατοῦντι φίλον ἐτύγχανεν, ὁ μὲν δυσπόριστον ψηφῖδα προσφέρων, ἕτερος δὲ λαμπροτέραν βαφὴν ἁλουργίδος ὑποτιθέμενος, ὁ δὲ ποίημα ἢ σύγγραμμα προσφωνῶν, ἄλλος δὲ εὔζωνον καὶ ξένον περὶ τὰ ὅπλα τρόπον εἰσηγούμενος· μέγιστον δὲ καὶ βασιλικὸν ἐνομίζετο ταυτησὶ τῆς δημώδους ἀρετῆς μόριον ἓν κεκτῆσθαι τὸν πάντων ἡγούμενον, εὐσεβείας δέ, τοῦ ἀληθοῦς κόσμου τῆς βασιλείας, οὐδενὶ τοσοῦτος λόγος ἐγένετο. **3** Σὺ δέ, ὦ κράτιστε βασιλεῦ Θεοδόσιε, συλλήβδην εἰπεῖν πᾶσαν ἐπήσκησας ἀρετὴν διὰ θεοῦ, ἁλουργίδα δὲ καὶ στέφανον πρὸς τοὺς θεωμένους σύμβολον τῆς ἀξίας περικείμενος, ἔνδοθεν ἀεὶ τὸν ἀληθῆ κόσμον τῆς βασιλείας ἠμφίεσαι, τὴν εὐσέβειαν καὶ τὴν φιλανθρωπίαν.

1. Sur la personnalité, en fait assez faible et influençable, et le long règne (408-450) de l'empereur Théodose II, défenseur de l'orthodoxie contre les hérésies nestorienne (concile d'Éphèse en 431) et monophysite (concile d'Éphèse en 449), fondateur de l'université de Constantinople et responsable de la publication du *Code Théodosien* en 438,

DE SALAMINIUS HERMIAS SOZOMÈNE
LE SCHOLASTIQUE
DÉDICACE A L'EMPEREUR THÉODOSE
ET SUJET DE L'*HISTOIRE ECCLÉSIASTIQUE*

1 On dit que, parmi les empereurs d'antan, chacun avait un objet préféré : pour les amis de la parure c'était la robe de pourpre, la couronne et autres ornements pareils, pour les amis des lettres c'était quelque poème mythologique ou un écrit d'histoire capable de charmer, et pour ceux qui pratiquaient l'art de la guerre c'était de lancer adroitement le trait, de frapper la proie, de darder la javeline, ou de sauter à cheval. **2** Quiconque pratiquait l'art qui se trouvait plaire au prince se faisait annoncer au palais, l'un apportant une pierre précieuse rare, un autre offrant une robe de pourpre d'une teinture plus brillante, un autre récitant un poème ou un écrit, un autre proposant un stratagème militaire bien combiné et nouveau. Il était tenu pour capital et royal que le chef suprême possédât une partie au moins de cette vertu commune, mais de la piété, qui est le véritable ornement de la royauté, nul ne tenait si grand compte. **3** Toi en revanche, très puissant empereur Théodose[1], pour le dire d'un mot, tu possèdes grâce à Dieu toute vertu. Portant une robe de pourpre et une couronne comme symbole de ta dignité pour ceux qui te voient, tu es continuellement revêtu au-dedans de la vraie parure de la royauté, la piété et la philanthropie. De là vient qu'à tout coup, poètes, histo-

voir notamment OSTROGORSKY, p. 82-84 et STEIN-PALANQUE, p. 281-286 ; 294-298.

2 Ὅθεν ἑκάστοτε | ποιηταὶ καὶ συγγραφεῖς καὶ τῶν σῶν ὑπάρχων οἱ πλείους καὶ τῶν λοιπῶν ὑπηκόων περὶ σὲ καὶ τὰς σὰς πράξεις πονοῦσιν. 4 Ἀγωνοθέτης δὲ καὶ λόγων κριτὴς προκαθήμενος, οὐ κομψῇ τινι φωνῇ καὶ σχήματι κλέπτῃ τὴν ἀκρίβειαν, ἀλλ᾽ εἰλικρινῶς βραβεύεις, λέξιν οἰκείαν σκοπῶν τῇ προθέσει τοῦ πράγματος καὶ σχῆμα λόγου καὶ μέρη καὶ τάξιν καὶ ἁρμονίαν καὶ φράσιν καὶ συνθήκην καὶ ἐπιχειρήματα καὶ νοῦν καὶ ἱστορίαν· 5 ἀμείβῃ δὲ τοὺς λέγοντας τῇ τε κρίσει τῇ σῇ καὶ τοῖς κρότοις καὶ χρυσαῖς εἰκόσιν <καὶ> ἀναθέσει ἀνδριάντων καὶ δώροις καὶ τιμαῖς παντοδαπαῖς. Οἷον δὲ σαυτὸν περὶ τοὺς λέγοντας παρέχεις, οὐ τοιοῦτοι Κρητῶν οἱ πάλαι ἐγένοντο περὶ τὸν ἀοίδιμον ἐκεῖνον Ὅμηρον, ἢ Ἀλευάδαι περὶ Σιμωνίδην,

848 ἢ Διονύσιος ὁ Σικελίας τύραννος περὶ Πλάτωνα τὸν Σωκράτους ἑταῖρον, ἢ Φίλιππος ὁ Μακεδὼν περὶ Θεόπομπον τὸν συγγραφέα, ἢ Σευῆρος ὁ Καῖσαρ περὶ Ὀππιανόν, τὸν ἐν τοῖς μέτροις τῶν ἰχθύων τὰ γένη καὶ τὴν φύσιν καὶ τὴν θήραν ἀφηγησάμενον· 6 Κρῆτες μὲν γὰρ ἐν χιλίοις νομίσμασιν Ὅμηρον ἀμειψάμενοι τῆς εὐεπείας, ὡς ἀνυπέρβλητον φιλοτιμίαν αὐχοῦντες, ἐν στήλῃ δημοσίᾳ τὴν δωρεὰν ἀνεγράψαντο· Ἀλευάδαι δὲ καὶ Διονύσιος καὶ Φίλιππος οὐκ ἂν στεγανώτεροι Κρητῶν ἐγένοντο, τῶν ἐπὶ πολιτείᾳ ἀτύφῳ καὶ φιλοσόφῳ

1. Les Aleuades, rois de Thessalie, qui étaient les trois fils d'Aleua, appelèrent Xerxès en Grèce (Hérod. 7, 6 ; 7, 172 ; 9, 58) : cf. l'article « Aleuadai », PW I, 1 (1893), c. 1372-1374 (Toepffer). Simonide de Céos (vers 556-467) fut accueilli par eux à Larissa : cf. art. « Simonides 2. », PW III A1 (1927), c. 186-197 (J. Geffcken). L'un des Aleuades, Thorax, fut également l'hôte et l'ami de Pindare (Pyth. X, 5).

2. Il peut s'agir ici aussi bien de Denys l'Ancien, tyran de Syracuse de 405 à 367, que de son fils et successeur Denys le Jeune, tyran de 367 à 344, puisque Platon fit au moins trois séjours en Sicile, l'un sous Denys l'Ancien, à l'appel de Dion et avant la fondation de l'Académie, les deux autres, en 367 et 361, sous Denys le Jeune.

3. Théopompe (378-323), disciple d'Isocrate et, avec Éphore, principal représentant de « l'histoire éloquente », avait fait, dans ses Histoires philippiques, un panégyrique outrancier et intéressé de Philippe, au jugement sévère de Polybe (8, 9-11 ; 12, 25 f ; 16, 12).

riens, et la plupart de tes lieutenants et de tes sujets se
donnent de la peine pour te glorifier, toi et tes actes.
4 Occupant le premier rang comme arbitre et juge des
discours, tu ne laisses pas surprendre ta perspicacité par
quelque élégance de la langue et de la forme, mais tu juges
lucidement, examinant l'accord du style avec le sujet de
l'ouvrage, la forme du discours, les parties, l'ordre, la
cohérence, l'expression, la composition, les arguments, le
sens et l'enquête. 5 D'autre part tu récompenses les
auteurs par ton jugement et tes applaudissements et par
des images d'or et l'offrande de statues, et par des présents
et honneurs de toute sorte. Tu ne te conduis pas non plus
à l'égard des auteurs comme l'ont fait les Crétois d'autrefois
à l'égard de l'illustre Homère, ou les Aleuades à l'égard de
Simonide[1], ou Denys le tyran de Sicile[2] à l'égard de Platon
le disciple de Socrate, ou Philippe de Macédoine à l'égard
de l'historien Théopompe[3], ou l'empereur Sévère à l'égard
d'Oppien[4] qui décrivit en vers les espèces de poissons, leur
nature et leur pêche. Les Crétois, après avoir gratifié
Homère de mille pièces de monnaie pour son éloquence,
tout fiers d'une libéralité insurpassable, firent graver ce
don sur une stèle publique. 6 Quant aux Aleuades, à Denys
et à Philippe, ils n'auraient pas été plus discrets que les
Crétois, ce peuple qui se vante de son comportement
modeste et philosophique, mais eussent vite imité leur

Voir les fragments conservés de son œuvre et les *testimonia* dans
F. Jacoby (*Fr. Gr. Hist.* II, B, 1, p. 526-617) et l'art. « Theopompos 9. »,
PW V A2 (1934), c. 2176-2223 (R. LAQUEUR), notamment c. 2205-
2219 pour les *Philippica*.

4. Sur ce poète grec, auteur d'*Halieutica* en cinq livres, contemporain de Septime Sévère, empereur de 193 à 211, voir l'art. « Oppia-
nos 1. », *PW* XVIII, 1 (1939), c. 698-703 (R. KEYDELL), où sont émises
des réserves sur la véracité de l'anecdote rapportée par Sozomène, et
W. von CHRIST, *Geschichte der griechischen Literatur*, 6ᵉ éd. revue par
W. SCHMID-STÄHLIN, t. II, Munich 1924, p. 679-681 : ce serait Cara-
calla, le successeur de Septime Sévère, qui aurait honoré chacun des
vers d'Oppien d'une pièce d'or.

σεμνυνομένων, ἀλλὰ τάχος ἂν τὴν ἐκείνων στήλην ἐμιμήσαντο,
εἰ μὴ κατόπιν ἦσαν τῇ δωρεᾷ· Σευῆρος δὲ μετρίας ποιήσεως
χρυσοῦν κατὰ στίχον Ὀππιανῷ δωρησάμενος, οὕτω τῇ
φιλοτιμίᾳ κατέπληξεν, ὡς χρυσᾶ ἔπη τὰ Ὀππιανοῦ εἰσέτι
νῦν παρὰ τοῖς πολλοῖς ὀνομάζεσθαι. 7 Ταῦτα τῶν πάλαι
φιλομαθῶν καὶ φιλολόγων τὰ δῶρα. Σὺ δέ, ὦ βασιλεῦ,
οὐδενὶ τῶν πώποτε ὑπερβολὴν κατέλιπες ἐν ταῖς περὶ τοὺς
λόγους φιλοτιμίαις· καί μοι δοκεῖς οὐκ ἀπεικότως τοῦτο
ποιεῖν. Πάντας γὰρ νικῆσαι ταῖς ἀρεταῖς σπουδάζων, εἰς
ἐπίδοσιν ἄγεις τὰ σὰ καθότι τῶν πάλαι κατωρθωμένων
Ἕλλησί τε καὶ Ῥωμαίοις τὴν ἱστορίαν ἠκρίβωσας. 8 Φασὶ
δέ σε μεθ' ἡμέραν μὲν τὰ περὶ τὰ ὅπλα καὶ τὸ σῶμα ἀσκεῖν
καὶ τὰ τῶν ἀρχομένων διατάττειν πράγματα, δικάζοντά τε
καὶ ἃ χρὴ γράφοντα, ἰδίᾳ τε καὶ κοινῇ τὰ πρακτέα διασκο-
3 ποῦντα· νύκτωρ δὲ τὰς βίβλους περι|έπειν. Διακονεῖν δέ
σοι λόγος πρὸς τὴν τούτων εἴδησιν λύχνον ἐκ μηχανῆς τινος
αὐτομάτως τῇ θρυαλλίδι ἐπιχέοντα τὸ ἔλαιον, ὡς ἂν μηδὲ
εἷς τῶν περὶ τὰ βασίλεια ἐν τοῖς σοῖς πόνοις ταλαιπωρεῖν
ἀναγκάζηται καὶ τὴν φύσιν βιάζηται πρὸς τὸν ὕπνον μαχό-
μενος· 9 οὕτω τις φιλάνθρωπος καὶ πρᾶος καὶ πρὸς τοὺς
πέλας καὶ πρὸς πάντας ὑπάρχεις, τὸν οὐράνιον βασιλέα τὸν
σὸν προστάτην μιμούμενος, ᾧ φίλον ἐστὶν ἐπὶ δικαίους καὶ
ἀδίκους ὕειν καὶ τὸν ἥλιον ἀνατέλλειν καὶ τἆλλα ἀφθόνως
παρέχειν. 10 Ὑπὸ γοῦν πολυμαθείας, ὡς εἰκός, ἀκούω σε
καὶ λίθων εἰδέναι φύσεις καὶ δυνάμεις ῥιζῶν καὶ ἐνεργείας
ἰαμάτων, οὐχ ἧττον ἢ Σολομὼν ὁ Δαβὶδ ὁ σοφώτατος.
Μᾶλλον δὲ κἀκείνου πλεονεκτεῖς ταῖς ἀρεταῖς· 11 ὁ μὲν
γὰρ δοῦλος γενόμενος τῶν ἡδονῶν οὐ μέχρι τέλους τὴν εὐσέβειαν διεφύλαξε τὴν αἰτίαν τῶν ἀγαθῶν καὶ τῆς σοφίας
αὐτῷ γενομένην· σὺ δέ, ὦ κράτιστε, τὸν ἐγκρατῆ λογισμὸν
849 ἀντιτάξας τῇ ῥᾳστώνῃ, εἰκότως νομίζῃ μὴ μόνον ἀνθρώπων

1. Citation du *Livre de la Sagesse*, 7, 20 : « c'est Lui qui m'a donné
une science infaillible... pour me faire connaître la nature des animaux
et les instincts des fauves..., les différentes espèces des plantes et les
vertus des racines·» (trad. A. Tricot).

stèle, s'ils n'avaient pas été en arrière en fait de gratifi-
cation. Sévère de son côté, qui avait accordé à Oppien
une pièce d'or par vers de son poème médiocre, frappa
tant les esprits par sa générosité qu'aujourd'hui encore les
vers d'Oppien sont dits chez la plupart « vers d'or ». 7 Tels
ont été les présents des anciens amis des disciplines libé-
rales et des lettres. Mais toi, prince, tu ne t'es laissé dépasser
par aucun de ceux qui furent jamais, quant aux libéralités
à l'égard des lettres. Et il me semble que tu agis ainsi non
sans bonne raison. Car dans ton zèle à vaincre tous en
vertus, tu fais croître tes qualités en homme qui a pris une
connaissance exacte des hauts faits accomplis par les Grecs
et les Romains. 8 On dit en effet que si, le jour, tu t'exerces
aux armes et à la culture physique et que tu administres
les affaires de tes sujets, rendant la justice, édictant les
décrets nécessaires, examinant les mesures à prendre,
relatives aux particuliers et à l'État, la nuit en revanche,
tu portes ton attention aux livres. On dit qu'une lampe te
sert pour leur lecture, qui, par un certain mécanisme,
imbibe automatiquement la mèche d'huile, en sorte que,
durant tes fatigues, nul des serviteurs du palais ne soit
obligé de veiller et de forcer la nature en luttant contre le
sommeil. 9 Telles sont ton humanité et ta douceur à l'égard
et des gens à ton service et de tous ; en cela tu imites ton
patron le Roi de l'univers, qui se plaît à faire pleuvoir et
à faire luire le soleil sur les justes et les injustes et à fournir
abondamment tout le reste. 10 Quoi qu'il en soit, j'entends
dire qu'en vertu de ton amour du savoir, tu connais même
— il fallait s'y attendre — les natures des pierres et les
vertus des plantes et les effets des remèdes, non moins que
Salomon, le très sage fils de David[1]. Ou plutôt tu l'em-
portes sur lui en talents. 11 Car il devint l'esclave de ses
passions et ainsi ne garda pas jusqu'à la fin la piété qui
avait été pour lui la cause de ses qualités et de sa sagesse.
Tandis que toi, souverain prince, comme tu as opposé à la
mollesse le principe de la tempérance, tu es à bon droit

αὐτοκράτωρ εἶναι, ἀλλὰ καὶ τῶν παθῶν τῆς ψυχῆς καὶ τοῦ σώματος.

12 Εἰ δὲ δεῖ καὶ ταῦτα λέγειν, πυνθάνομαί σε καὶ παντὸς ὄψου καὶ ποτοῦ τὴν ἐπιθυμίαν νικᾶν, καὶ μήτε σῦκα γλυκερά, ποιητικῶς εἰπεῖν, μήτ' ἄλλο τι τῶν ὡραίων ἑλεῖν σε δύνασθαι, πλὴν ὅσον ἐπιψαῦσαι καὶ μόνον ἀπογεύσασθαι, πρότερον εὐλογήσαντα τὸν πάντων δημιουργόν. Δίψους δὲ καὶ πνίγους καὶ ῥίγους κρατεῖν ἐθισθεὶς ἐν ταῖς καθ' ἡμέραν ἀσκήσεσι, φύσιν ἔχειν νομίζῃ τὴν ἐγκράτειαν. 13 Πρώην γέ τοι τὴν ἐν Πόντῳ πόλιν Ἡρακλέος ἐπώνυμον σπεύδων ἰδεῖν καὶ ἐγεῖραι τῷ χρόνῳ κάμνουσαν, ὥρᾳ θέρους τὴν διὰ Βιθυνῶν ᾔεις ὁδόν. Τοῦ δὲ ἡλίου σφόδρα φλέγοντος περὶ μέσην ἡμέραν ἰδὼν σέ τις τῶν δορυφόρων ἱδρῶτι πολλῷ καὶ κονιορτῷ πεφυρμένον, ὡς δὴ χαριούμενος φθάσας προσεκόμισέ σοι φιάλην εὖ μάλα λαμπρῶς πρὸς τὰς ἀκτῖνας ἀντιστίλβουσαν, ἡδύν αὐτῇ τινα πότον ἐμβαλὼν καὶ ψυχρὸν ὕδωρ ἐπιχέας. Σὺ δέ, ὦ κράτιστε, προσδεξάμενος ἐπήνεσας μὲν τῆς προθυμίας τὸν ἄνδρα καὶ δῆλος ἦσθα μετ' οὐ πολὺ τοῦτον φιλοτιμίᾳ
4 βασιλικῇ καλῶς ποιήσων, πάντων δὲ τῶν στρατιωτῶν | πρός τὴν φιάλην κεχηνότων καὶ μακαριούντων ὃς πίεται, πάλιν αὐτῷ, ὦ γενναῖε, τὸ ποτὸν ἀπέδωκας καὶ ὅπῃ φίλον αὐτῷ κεχρῆσθαι ἐκέλευσας. 14 Ὥστε μοι δοκεῖ εἰκότως ταῖς σαῖς ἀρεταῖς νενικῆσθαι καὶ Ἀλέξανδρον τὸν Φιλίππου· ᾧ λέγεται παρὰ τῶν τὰ ἐκείνου θαυμαζόντων δι' ἀνύδρου τόπου βαδίζοντι μετὰ τῶν Μακεδόνων ἐπιμελῆ στρατιώτην ὕδωρ εὑρόντα ἀρύσασθαι καὶ προσκομίσαι· τὸν δὲ μὴ πιεῖν, ἀλλ' ἐκχέαι τὸ πόμα.

15 Συνελόντα οὖν εἰπεῖν, τῶν πρὸ σοῦ βασιλέων βασιλεύ-

---

1. Citation tirée de la description de la demeure et du jardin d'Alkinoos chez HOMÈRE, Odyssée, 7, 116.

2. Sur Heracleia Pontica (de nos jours Ereğli), en Bithynie, colonie de Mégare et des Béotiens, fondée au VIᵉ s., détruite pendant la troisième guerre contre Mithridate, port très actif pour la pêche au thon (AELIAN. hist.an., 15, 5), voir l'art. « Heracleia 19. », PW VIII, 1 (1912), c. 433-434 (K. RUGE).

3. L'anecdote est rapportée par ARRIEN, Anab. 6, 26, 2-3 : « Quand ils

réputé comme le maître absolu non seulement des hommes, mais encore des passions de l'âme et du corps.

12 S'il faut même parler de ces détails, j'apprends que tu surmontes le désir de toute friandise et de toute boisson, et que ni, pour parler en poète, les figues ne te sont douces[1], ni tu ne consens à prendre aucun autre des fruits de saison, sauf pour y toucher du bout des doigts et les goûter seulement, non sans avoir béni d'abord le Créateur universel. Accoutumé à supporter la soif, la chaleur étouffante et le froid en tes exercices quotidiens, tu passes pour t'être fait de la tempérance une seconde nature. **13** Récemment en tout cas, comme tu allais voir Héraclée du Pont[2] pour chercher à la restaurer alors qu'elle était ruinée par l'âge, en la saison d'été tu traversais la Bithynie. Le soleil brûlait excessivement et, vers le milieu du jour, un de tes gardes du corps te vit trempé de sueur et souillé de poussière. Pour te faire plaisir, il se hâta de t'apporter un gobelet qui scintillait avec éclat aux rayons du soleil, dans lequel il avait versé un liquide sucré en y mêlant de l'eau froide. Alors toi, souverain prince, tu pris la coupe, tu louas sans doute l'homme pour son zèle et l'on vit bien que tu le récompenserais sans tarder par un don royal, mais, comme tous les soldats béaient d'admiration devant cette coupe et félicitaient celui qui allait y boire, tu lui rendis, noble prince, la boisson et l'invitas à en user comme il lui plairait. **14** Aussi, ai-je raison de penser que tu as vaincu par tes vertus Alexandre même, fils de Philippe. Ceux qui admirent ses exploits racontent que, comme il marchait avec les Macédoniens par un désert tout sec, un soldat attentionné, ayant découvert de l'eau, la puisa et la lui apporta : lui cependant ne la but pas, mais répandit la boisson[3].

15 Pour le dire d'un mot, on peut t'appeler proprement,

furent tout près, ils versèrent l'eau dans un casque et la présentèrent au roi ; celui-ci la prit, remercia ceux qui l'avaient apportée et, l'ayant prise, à la vue de tous il la répandit. »

τερόν σε κυρίως καλεῖν ἔστι κατὰ τὸν Ὅμηρον· τοὺς μὲν γὰρ
οὐδὲν οἷον ἄγασθαι κεκτημένους παρειλήφαμεν, τοὺς δὲ ἐπὶ ἑνὶ
μόλις ἢ δύο τὴν βασιλείαν σεμνύναντας· σὺ δέ, ὦ κράτιστε,
πάσας ὁμοῦ συλλαβὼν τὰς ἀρετάς, πάντας ὑπερεβάλου εὐσεβείᾳ
καὶ φιλανθρωπίᾳ καὶ ἀνδρείᾳ καὶ σωφροσύνῃ καὶ δικαιοσύνῃ
καὶ φιλοτιμίᾳ καὶ μεγαλοψυχίᾳ βασιλικῇ πρεπούσῃ ἀξίᾳ.
16 Ἀναίμακτον δὲ καὶ καθαρὰν φόνου πάντων τῶν πώποτε
γενομένων μόνην τὴν σὴν ἡγεμονίαν ὁ πᾶς αἰὼν αὐχεῖ.
Ἡδονῇ δὲ τὰ σπουδαῖα τοὺς ὑπηκόους κελεύεις παιδεύεσθαι,
εὐνοίᾳ τε καὶ αἰδοῖ τὴν περὶ σὲ σπουδὴν καὶ τὰ κοινὰ ἐνδεί-
κνυσθαι.

17 Ὥστε μοι πάντων ἕνεκεν ἀναγκαῖον καταφαίνεται
ἐκκλησιαστικὴν ἱστορίαν συγγράφοντι, σοὶ προσφωνῆσαι.
Τίνι γὰρ μᾶλλον οἰκειότερον τοῦτο ποιήσω, πολλῶν καὶ
θεσπεσίων ἀνδρῶν ἀρετὴν ἀφηγεῖσθαι μέλλων καὶ τὰ συμβάντα περὶ τὴν καθόλου ἐκκλησίαν, ὅσοις τε ἐχθροῖς ὑπαντή-
852 σασα εἰς τοὺς σοὺς καὶ τῶν σῶν πατέρων λιμένας κατῆρεν.
18 Ἄγε οὖν, ὦ πάντα εἰδὼς καὶ πᾶσαν ἀρετὴν ἔχων καὶ
μάλιστα τὴν εὐσέβειαν, ἣν ἀρχὴν εἶναι σοφίας θεῖός ἐστι
λόγος, δέχου παρ' ἐμοῦ ταύτην τὴν γραφὴν καὶ ἐξέτασον,
καὶ τὰς τῆς σῆς ἀκριβείας προσθέσεις τε καὶ ἀφαιρέσεις
προσαγαγὼν τοῖς σοῖς πόνοις κάθαρον· πάντως γὰρ ὅπῃ ἂν
σοὶ φίλον δοκῇ, ταύτῃ καὶ τοῖς ἐντυγχάνουσι χρήσιμον καὶ
λαμπρὸν φανεῖται οὐδ' ἐπιθήσει τις δάκτυλον τῇ δοκιμασίᾳ
τῇ σῇ.

19 Πρόεισι δέ μοι ἡ γραφὴ ἀπὸ τῆς Κρίσπου καὶ Κωνσταντίνου τῶν Καισάρων τρίτης ὑπατείας μέχρι τῆς ἑπτακαι-
5 δεκάτης τῆς σῆς. Ἔδοξε δέ μοι | καλῶς ἔχειν εἰς ἐννέα μέρη
τὴν πᾶσαν πραγματείαν διελεῖν. Περιέξει δὲ ὁ πρῶτος καὶ
δεύτερος τόμος τὰ ἐπὶ Κωνσταντίνου συμβάντα ταῖς ἐκκλη-
σίαις· ὁ δὲ τρίτος καὶ τέταρτος τὰ ἐπὶ τῶν αὐτοῦ παίδων·

---

1. La parole est mise dans la bouche d'Agamemnon, dans *Iliade*,
1, 160.

avec Homère, plus royal que les rois qui t'ont précédé[1].
Nous avons appris en effet que les uns n'ont rien possédé
qui fût tel qu'on l'admire et que les autres n'ont honoré
la royauté que moyennant une vertu à peine ou deux. Mais
toi, souverain prince, tu as rassemblé à la fois toutes les
vertus, tu les as surpassés tous par la piété, la philanthropie, le courage, la modération, la justice, la libéralité
et la grandeur d'âme qui convient à ton rang royal. **16** Tout
l'univers chante que, de tous les règnes qui furent jamais,
le tien seul est pur de sang et de meurtre. C'est par le plaisir
que tu veux que tes sujets soient éduqués dans les bonnes
actions, c'est par la bienveillance et le respect que tu les
invites à manifester leur zèle pour toi et pour l'État.

17 Aussi, en raison de tout cela, me paraît-il nécessaire,
à moi qui écris une histoire ecclésiastique, de te la dédier.
A qui donc serait-il plus convenable que je le fisse, puisque
je vais décrire la vertu de beaucoup d'hommes remplis de
Dieu et les événements relatifs à l'Église universelle, et
montrer comment, en butte à tant d'ennemis, elle a fini
par aborder à ton port et à celui de tes pères ? **18** Eh bien
donc, toi qui es instruit en toutes choses, qui possèdes toute
vertu et principalement la piété, que l'oracle divin nomme
le commencement de la sagesse *(Ps. 110, 10)*, reçois de
moi cet écrit, examine-le et, y ajoutant les additions et
retranchements que t'inspire ton esprit exact, purifie-le
par tes soins. De toute manière, c'est par où il t'aura plu
qu'il paraîtra aussi utile et valable aux yeux des lecteurs,
et nul n'ajoutera la largeur d'un doigt au jugement que
tu auras porté.

19 Mon écrit progresse depuis le troisième consulat des
Césars Crispus et Constantin *(324)* jusqu'à ton dix-
septième consulat *(439)*. J'ai jugé bon de diviser tout
l'ouvrage en neuf parties. Le premier et le second tomes
contiendront les événements relatifs aux Églises sous
Constantin *(324 - 22 mai 337)*. Le troisième et le quatrième
les événements sous ses fils *(337-361)*. Le cinquième et

ὁ δὲ πέμπτος καὶ ἕκτος τὰ ἐπὶ Ἰουλιανοῦ τοῦ ἀνεψιοῦ τῶν παίδων τοῦ μεγάλου Κωνσταντίνου, καὶ Ἰοβιανοῦ, καὶ προσέτι Οὐαλεντινιανοῦ καὶ Οὐάλεντος. 20 Ὁ δὲ ἕβδομος καὶ ὄγδοος ἡμῖν δηλώσει τόμος τὰ ἐπὶ Γρατιανοῦ καὶ Οὐαλεντινιανοῦ τῶν ἀδελφῶν, μέχρι τῆς ἀναρρήσεως Θεοδοσίου τοῦ θεσπεσίου σου πάππου, ἐσότε δὴ ὁ ὑμέτερος, κράτιστε βασιλεῦ, ἀοίδιμος πατὴρ Ἀρκάδιος τὴν πατρῴαν ἡγεμονίαν διαδεξάμενος ἅμα τῷ εὐσεβεστάτῳ σου θείῳ Ὀνωρίῳ τὴν Ῥωμαίων οἰκουμένην ἰθύνειν ἔλαχε. 21 Τὸ δὲ ἔννατον βιβλίον ἀνατέθεικα τῇ φιλοχρίστῳ καὶ εὐαγεστάτῃ ὑμῶν κορυφῇ, ἣν εἰσαεὶ φυλάττοι θεὸς ἐν ἀκλονήτοις εὐθυμίαις, κατευμεγεθοῦσαν ἐχθρῶν καὶ πάντας ἔχουσαν ὑπὸ πόδας καὶ εἰς παῖδας παίδων παραπέμπουσαν τὴν εὐσεβῆ βασιλείαν, κατανεύοντος τοῦ Χριστοῦ· δι' οὗ καὶ μεθ' οὗ τῷ θεῷ καὶ πατρὶ ἡ δόξα σὺν τῷ ἁγίῳ πνεύματι εἰς τοὺς αἰῶνας, ἀμήν.

le sixième les événements sous Julien, le cousin germain des fils du grand Constantin *(361-363)*, sous Jovien *(27 juin 363 - 16 févr. 364)*, et encore sous Valentinien *(364-375)* et Valens *(364-378)*. **20** Les tomes septième et huitième nous montreront les faits sous les frères Gratien *(375-383)* et Valentinien jusqu'à la proclamation de l'admirable Théodose ton aïeul *(19 janv. 379)*, jusqu'à ce que, souverain prince, votre illustre père Arcadius, ayant reçu en héritage le pouvoir paternel *(17 janv. 395)*, eût obtenu de régir l'Empire romain en même temps que ton pieux oncle Honorius. **21** J'ai consacré enfin le neuvième livre à votre très sainte Sublimité amie du Christ *(depuis 408)*, que Dieu veuille conserver pour toujours dans un contentement sans trouble, l'emportant sur les ennemis et les tenant tous sous vos pieds, et transmettant votre pieux règne aux fils de vos fils[1], avec l'agrément du Christ. Par lequel et avec lequel gloire soit à Dieu le Père avec le Saint Esprit pour les siècles. Amen.

---

1. En fait, Théodose ne laissa pas d'enfant mâle à sa mort, le 28 juillet 450, et sa sœur Pulchérie, la seule descendante de Théodose le Grand, choisit comme Auguste et comme époux un officier énergique, Marcien, qui fut proclamé empereur le 25 août 450 : cf. STEIN-PALANQUE, p. 311.

Α'. Τὸ προοίμιον τῆς βίβλου, ἐν ᾧ διαπορεῖ περὶ τοῦ Ἰουδαϊκοῦ ἔθνους, καὶ μνεία τῶν πρώτως ἀρξαμένων ἀρχῆθεν τῆς τοιαύτης πραγματείας, καὶ ὅπως καὶ ἐκ ποίων τὴν Ἱστορίαν ἠρανίσατο· καὶ ὡς τῆς ἀληθείας φροντίσει, καὶ ἄλλα τινὰ ἡ Ἱστορία περιέξει.

Β'. Τίνες ἦσαν ἐπίσκοποι τῶν μεγάλων πόλεων, τοῦ μεγάλου Κωνσταντίνου βασιλεύσαντος, καὶ ὅπως ἡ μὲν ἄχρι Λιβύης διὰ Λικίννιον περιεσκεμμένως ἐχριστιάνιζεν· ἡ δὲ ἑσπέρα διὰ τὸν Κωνσταντῖνον μετ' ἐλευθερίας τὸν Χριστιανισμὸν ἐπαρρησιάζετο.

Γ'. Ὅτι τοῦ σταυροῦ ὄψει, καὶ τῇ τοῦ Χριστοῦ ἐμφανείᾳ, εἰς τὸ χριστιανίζειν ἐλήλυθεν ὁ Κωνσταντῖνος, διδαχθεὶς καὶ παρὰ τῶν ἡμετέρων τὸ εὐσεβές.

Δ'. Ὅτι τὸ τοῦ σταυροῦ σημεῖον ἀφηγεῖσθαι τοῦ πολέμου ἐθέσπισε· καὶ διήγησις παράδοξος περὶ τῶν τὸ σημεῖον φερόντων τὸ σταυρικόν.

Ε'. Ἀντίρρησις πρὸς τοὺς λέγοντας χριστιανίσαι τὸν Κωνσταντῖνον διὰ τὸν φόνον τοῦ υἱοῦ αὐτοῦ Κρίσπου.

ϛ'. Ὅτι καὶ ὁ τοῦ Κωνσταντίνου πατὴρ παρεχώρει τὸ τοῦ Χριστοῦ πλατύνεσθαι ὄνομα· ὁ δὲ μέγας Κωνσταντῖνος πανταχοῦ διαδραμεῖν παρεσκεύασε.

Ζ'. Περὶ τῆς διαφορᾶς μεταξὺ Κωνσταντίνου καὶ Λικιννίου τοῦ γαμβροῦ αὐτοῦ, διὰ τοὺς χριστιανούς, καὶ ὡς κατὰ κράτος νικηθεὶς Λικίννιος διεφθάρη.

Η'. Κατάλογος τῶν χρηστῶν ὅσα Κωνσταντῖνος διεπράξατο, ἔν τε ἐλευθερίᾳ Χριστιανῶν καὶ ναῶν οἰκοδομαῖς καὶ ἄλλων κοινωφελῶν πραγμάτων.

---

1. L'édition de Valois (xviie s.), reprise par Migne dans sa *Patrologie* (*PG* 67), fait précéder chaque chapitre de titres grecs. Selon lui, l'auteur en est anonyme (*PG* 67, p. 15-16). Quelle que soit leur

VOICI CE QUE CONTIENT
LE LIVRE I DE *L'HISTOIRE ECCLÉSIASTIQUE*[1]

---

origine, nous avons jugé bon de les reproduire — sans uniformiser l'orthographe des noms propres —, car ils donnent au lecteur d'utiles points de repère pour suivre ce récit.

Θ΄. Ὅτι καὶ νόμον ἔθετο ὁ Κωνσταντῖνος συντελεῖν τοῖς παρθενίαν ἀσκοῦσι καὶ κληρικοῖς.

Ι΄. Περὶ τῶν ἔτι τῷ βίῳ περιόντων μεγάλων ὁμολογητῶν.

ΙΑ΄. Διήγησις περὶ τοῦ ἁγίου Σπυρίδωνος καὶ περὶ τῆς αὐτοῦ μετριοφροσύνης καὶ καταστάσεως.

ΙΒ΄. Περὶ τῆς τῶν μοναχῶν πολιτείας· ὅθεν ἤρξατο καὶ τίνας ἔσχεν ἀρχηγούς.

ΙΓ΄. Περὶ τοῦ μεγάλου Ἀντωνίου καὶ τοῦ ἁγίου Παύλου τοῦ Ἁπλοῦ.

ΙΔ΄. Περὶ τοῦ ἁγίου Ἀμοῦν καὶ Εὐτυχιανοῦ τοῦ ἐν τῷ Ὀλύμπῳ.

ΙΕ΄. Περὶ τῆς Ἀρείου αἱρέσεως καὶ ὅθεν ἤρξατο καὶ τίνας διέλαβε· καὶ περὶ τῆς μεταξὺ τῶν ἐπισκόπων δι᾽ αὐτὸν ἀναφθείσης ἔριδος.

Ιϛ΄. Ὡς ἀκούσας ὁ Κωνσταντῖνος περὶ τῆς διαμάχης τῶν ἐπισκόπων καὶ τῆς τοῦ Πάσχα ἀνωμάλου ἑορτῆς μεγάλως ἐδυσχέρανε καὶ πέμπει Ὅσιον τὸν Ἱσπάνον Κουδρούβης ἐπίσκοπον εἰς Ἀλεξάνδρειαν διαλῦσαι τὴν στάσιν τοῖς ἐπισκόποις καὶ τὸ ζήτημα καταστῆσαι τοῦ Πάσχα.

ΙΖ΄. Περὶ τῆς ἐν Νικαίᾳ ἀθροισθείσης συνόδου δι᾽ Ἄρειον.

ΙΗ΄. Περὶ τῶν πιστευσάντων δύο φιλοσόφων ἐξ ἁπλότητος τῶν διαλεχθέντων τούτοις δύο γερόντων.

ΙΘ΄. Ὅτι τῆς συνόδου ἀθροισθείσης πρὸς αὐτοὺς ὁ βασιλεὺς δημηγορίαν ἐξεῖπεν.

Κ΄. Ὅπως ἀκροασάμενος τῶν μερῶν ἀμφοτέρων ὁ βασιλεὺς τοὺς περὶ Ἄρειον καταδικάσας ἐξωστράκισε.

ΚΑ΄. Περὶ τῶν ἃ ἐκύρωσεν ἡ Ἀρείου σύνοδος καὶ ὡς κατεδίκασε τοὺς περὶ Ἄρειον καὶ τὰ συγγράμματα αὐτοῦ κατέκαυσε· καὶ περὶ τῶν μὴ θελησάντων συμφωνῆσαι τῇ συνόδῳ ἀρχιερέων καὶ περὶ τῆς καταστάσεως τοῦ Πάσχα.

ΚΒ΄. Ὅτι καὶ Ἀκέσιον τὸν τῶν Νουατιανῶν ἐπίσκοπον εἰς τὴν πρώτην σύνοδον ὁ βασιλεὺς μετεκαλέσατο.

ΚΓ΄. Περὶ τῶν κανόνων οὓς ἡ σύνοδος ἔθετο· καὶ ὡς Παφνούτιός τις ὁμολογητὴς διεκώλυσε τὴν σύνοδον, βουλομένην θεῖναι κανόνα παρθενίαν ἀσκεῖν πάντας τοὺς ἱερωσύνῃ τιμᾶσθαι μέλλοντας.

ΚΔ΄. Περὶ τῶν κατὰ Μελίτιον ὅπως ἀρίστως τὰ κατ᾽ αὐτὸν ἡ ἁγία διῴκησε σύνοδος.

ΚΕ΄. Ὅτι δημοτελῆ τράπεζαν ὁ βασιλεὺς τῇ συνόδῳ ἐποίησε συγκαλέσας τούτους εἰς Κωνσταντινούπολιν καὶ δώροις τιμήσας· καὶ ὅπως πάντας ὁμονοεῖν παρεκάλεσε καὶ πρὸς Ἀλεξάνδρειαν καὶ ἁπανταχοῦ τὰ δεδογμένα τῇ θείᾳ συνόδῳ ἐξέπεμψεν.

ΣΑΛΑΜΙΝΙΟΥ ΕΡΜΕΙΟΥ ΣΩΖΟΜΕΝΟΥ
ΕΚΚΛΗΣΙΑΣΤΙΚΗΣ ΙΣΤΟΡΙΑΣ

ΤΟΜΟΣ ΠΡΩΤΟΣ

1

PG 67
col. 853
Bidez
p. 6

1 Ἔννοια μοί ποτε ἐγένετο, τί δὴ ἄρα τοῖς μὲν ἄλλοις
ἀνθρώποις ἑτοιμοτέρα συνέβη ἡ περὶ τὸν θεὸν λόγον πίστις,
856 Ἑβραίοις δὲ δύσπιστος καίτοι τὰ θεῖα πρεσβεύειν ἐξ ἀρχῆς
παρειληφόσι καὶ τὰ περὶ τῆς παρουσίας τοῦ Χριστοῦ, ὅπως
ἔσται, πρὶν γένηται μαθοῦσι διὰ τῶν προφητῶν. **2** Ἀβραὰμ
μὲν γὰρ αὐτοῖς ἀρχηγὸς τοῦ γένους καὶ τῆς περιτομῆς
γενόμενος αὐτόπτης καὶ ἑστιάτωρ ἠξίωται εἶναι τοῦ υἱοῦ
τοῦ θεοῦ. Ἰσαὰκ δὲ ὁ τούτου παῖς τῇ μιμήσει τετίμηται τῆς
ἐπὶ τοῦ σταυροῦ θυσίας, δέσμιος παρὰ τοῦ πατρὸς τῷ βωμῷ
προσαχθείς, ᾗ συνέβη καὶ τὸ τοῦ Χριστοῦ γενέσθαι πάθος,
ὥς φασιν οἱ τὰς ἱερὰς ἀκριβοῦντες γραφάς. **3** Ἰακὼβ δὲ τὴν
ἐπ᾽ αὐτῷ νῦν οὖσαν προσδοκίαν τῶν ἐθνῶν καὶ τὸν καιρὸν
καθ᾽ ὃν ἦλθε προεμήνυσεν, ἡνίκα, φησίν, ἐκλείψουσιν οἱ
ἡγούμενοι τῶν Ἑβραίων ἐκ τοῦ γένους Ἰούδα τοῦ φυλάρχου·
ὑπεδήλου δὲ τὴν ἡγεμονίαν Ἡρῴδου, ὃς Ἰδουμαῖος ὢν ἐκ
πατρὸς τὸ γένος, Ἀράβιος δὲ κατὰ μητέρα, ἐπετράπη τὸ
τῶν Ἰουδαίων ἔθνος ὑπὸ τῆς συγκλήτου Ῥωμαίων καὶ

---

1. Citation de Xénophon, *Cyropédie*, 1, 1, 1 : Ἔννοιά ποθ᾽ ἡμῖν
ἐγένετο.

DE SALAMINIUS HERMIAS SOZOMÈNE
HISTOIRE ECCLÉSIASTIQUE

LIVRE I

Chapitre 1

*Prélude de l'ouvrage, où il est question du peuple juif ;
rappel de ceux qui, avant Sozomène, ont entrepris
de traiter un tel sujet depuis les origines ;
méthode et sources utilisées pour composer l'Histoire ;
son souci de la vérité ; autres faits qu'embrassera l'Histoire.*

1 Il m'est arrivé un jour de me demander pourquoi[1], quand les autres hommes ont été prompts à croire au Verbe Dieu, seuls les Juifs sont restés incrédules, bien qu'ils eussent reçu en tradition de révérer dès le principe les choses divines et qu'ils eussent appris par les prophètes, avant l'événement, ce qu'il en serait de la venue du Christ. **2** Abraham, qui fut pour eux la cause première de leur race et de la circoncision, fut jugé digne de voir de ses yeux et d'accueillir le fils de Dieu. Isaac son fils a reçu l'honneur d'imiter le sacrifice de la croix, puisqu'il fut conduit lié à l'autel par son père, en la façon dont se fit aussi la passion du Christ, comme le rapportent ceux qui connaissent bien les saintes Écritures. **3** Jacob a prédit l'attente, aujourd'hui accomplie, des nations à l'égard du Christ et le moment où il vint, « lorsque, dit-il, les chefs des Hébreux disparaîtront de la race de Juda, le chef de tribu » *(Gen. 49, 10)* ; il faisait allusion au règne d'Hérode qui, Iduméen par son père, Arabe par sa mère, reçut en charge le peuple juif de la part du Sénat romain et d'Au-

Αὐγούστου Καίσαρος. 4 Καὶ τῶν ἄλλων δὲ προφητῶν οἱ μὲν
τὴν Χριστοῦ γέννησιν προεκήρυξαν καὶ τὴν ἄφραστον ἐκείνην
κύησιν καὶ μητέρα μετὰ τοκετὸν παρθένον μείνασαν καὶ
γένος καὶ πατρίδα, οἱ δὲ τὰς θείας αὐτοῦ καὶ παραδόξους
7 πράξεις, ἄλλοι | δὲ τὸ πάθος καὶ τὴν ἐκ νεκρῶν ἀνάστασιν
καὶ τὴν εἰς οὐρανοὺς ἄνοδον καὶ τὸ ἐπὶ ἑκάστῳ συμβὰν
προεσήμαναν. Ἀλλὰ ταῦτα μὲν εἴ τῳ ἠγνόηται, οὐ χαλεπὸν
εἰδέναι ταῖς ἱεραῖς ἐντυγχάνοντι βίβλοις. 5 Καὶ Ἰώσηπος
δὲ ὁ Ματθίου ὁ ἱερεύς, ἀνὴρ παρά τε Ἰουδαίοις ἐπιδοξότατος
γενόμενος, ἔτι δὲ καὶ παρὰ Ῥωμαίοις, ἀξιόχρεως ἂν εἴη
μάρτυς τῆς περὶ τοῦ Χριστοῦ ἀληθείας. Ἄνδρα μὲν γὰρ αὐτὸν
ἀποκαλεῖν ὀκνεῖ ὡς παραδόξων ἔργων ποιητὴν καὶ διδάσκαλον
λόγων ἀληθῶν, Χριστὸν δὲ περιφανῶς ὀνομάζει· καὶ τῷ
σταυρῷ καταδικασθῆναι καὶ τριταῖον ζῶντα φανῆναι καὶ
ἄλλα μυρία θαυμάσια περὶ αὐτοῦ προειρῆσθαι τοῖς θείοις
προφήταις οὐκ ἀγνοεῖ. Πολλοὺς δὲ ὄντας οὓς ἐπηγάγετο
Ἕλληνάς τε καὶ Ἰουδαίους ἐπιμεῖναι ἀγαπῶντας αὐτὸν μαρτυρεῖ, καὶ τὸ ἀπ’ αὐτοῦ ὠνομασμένον μὴ ἐπιλεῖψαι φῦλον.
6 Καί μοι δοκεῖ ταῦτα ἱστορῶν μονονουχὶ βοᾶν ἀναλόγως
τοῖς ἔργοις θεὸν εἶναι τὸν Χριστόν· ὑπὸ δὲ τοῦ παραδόξου
πράγματος καταπλαγεὶς ὠδίπως μέσος παρέδραμε, μηδὲν
τοῖς εἰς αὐτὸν πιστεύσασιν ἐπισκήψας, μᾶλλον δὲ καὶ συνθέ-
μενος. Ταῦτά μοι λογιζομένῳ θαυμαστὸν εἰκότως κατεφαίνετο μὴ τοὺς Ἑβραίους φθάσαι καὶ πρὸ τῶν ἄλλων ἀνθρώπων
εἰς Χριστιανισμὸν μεταβαλεῖν. 7 Εἰ γὰρ καὶ Σίβυλλα καὶ

---

1. Hérode I le Grand, roi des Juifs de 40 avant J.C. à 4 après.
En fait, c’est le triumvir Antoine qui le fit reconnaître par le Sénat
comme roi des Juifs, allié et ami du peuple romain. Après Actium (31),
Hérode se rallia à Octave qui lui confirma son pouvoir.

2. Cette rapide caractérisation de Flavius Josèphe (37-100 après
J.-C.), pharisien, organisateur de la guerre juive en 66, puis rallié à
l’Empire, historien (*La guerre juive*, *Les Antiquités judaïques*, etc.),
paraît empruntée à EUSÈBE DE CÉSARÉE, *H.E.* III, 9, 1. Dans la
phrase suivante, Sozomène utilise aussi de fort près EUSÈBE, *H.E.*
I, 11, 7, qui se montre très affirmatif sur la valeur du témoignage de
Josèphe, le fameux *testimonium Flauianum* ; cf. A. PELLETIER,

guste[1]. **4** Et parmi les autres prophètes, les uns ont prédit
la naissance du Christ, cette conception ineffable, la mère
restée vierge après l'enfantement, et la race et la patrie
du Christ, d'autres ont prédit ses actes divins et miraculeux, d'autres ont indiqué à l'avance la passion, la
résurrection des morts, la montée au ciel et tout ce qui
a accompagné chacun de ces faits. Mais tout cela, si on
l'ignore, il est facile d'apprendre à le connaître en lisant
les saints Livres. **5** Au surplus Josèphe le prêtre[2], fils de
Matthieu, un homme qui acquit grande réputation chez
les Juifs et aussi chez les Romains, pourrait bien être un
témoin sûr de la vérité sur le Christ. Il hésite à l'appeler
un simple homme à cause du caractère miraculeux de ses
actes et de la vérité de ses doctrines, et il le nomme ouvertement Christ ; il n'ignore pas qu'il fut condamné à la
croix, qu'il apparut vivant le troisième jour et qu'une
foule d'autres traits merveilleux furent prédits à son sujet
par les saints prophètes. Il témoigne qu'un grand nombre
de païens et de Juifs que le Christ s'était acquis, ont persévéré dans son amour, et que la race nommée d'après son
nom n'avait pas disparu. **6** Or il me semble qu'en racontant
cette histoire, c'est tout juste s'il ne s'écrie pas, en se réfé-
rant à ses actes, que le Christ est Dieu. Cependant, frappé
de stupeur par le merveilleux événement, il l'a effleuré en
passant sans prendre parti, sans d'ailleurs nulle accusation
contre ceux qui ont cru dans le Christ, plutôt même en
étant d'accord avec eux. Tandis que je me faisais ces
réflexions, il me paraissait[3] à bon droit étrange que les
Juifs n'eussent pas précédé même les autres hommes, dans
la conversion au christianisme. **7** Car, bien que et la Sibylle

---

« L'originalité du témoignage de Flavius Josèphe sur Jésus »,
Rech.Sc.Rel. 52, 2 (1964), p. 177-203.

3. Il y a l'imparfait κατεφαίνετο parce que l'auteur se situe au
moment où il se livrait à ces réflexions ; cf. Ἔννοιά μοί ποτε ἐγένετο,
au début du chapitre (A.-J. F).

χρησμοί τινες τῶν ἐπὶ τῷ Χριστῷ συμβεβηκότων τὸ μέλλον
προεμήνυσαν, οὐ παρὰ τοῦτο δήπου πᾶσιν Ἕλλησιν δυσπισ-
τίαν ἐγκαλεῖν ἔστιν. Ὀλίγοι γάρ, οἳ παιδείᾳ διαφέρειν ἐδό-
κουν, τὰς τοιαύτας ᾔδεσαν προφητείας, ἐμμέτρους τε ὡς

857   ἐπὶ τὸ πολὺ οὔσας καὶ σεμνοτέραις <ἢ> πρὸς δῆμον λέξεσι
πεφρασμένας. 8 Ἦν δὲ ἄρα, ὡς ἐμοὶ δοκεῖ, τῆς ἄνωθεν
προμηθείας ἐπὶ συμφωνίᾳ τῶν ἐσομένων μὴ μόνον ἰδίοις προφήταις ἐνηχῆσαι τὸ μέλλον, ἀλλὰ καὶ ὀθνείοις ἐκ μέρους,
ὥσπερ εἴ τις μελοποιὸς διὰ χρείαν παραξένου μέλους τὰς
περιττὰς τῶν χορδῶν ἐπιδράμοι τῷ πλήκτρῳ ἢ ταῖς οὔσαις
ἑτέρας προσθείη.

Ὡς μὲν οὖν Ἑβραῖοι πλείοσι καὶ σαφεστέραις προφητείαις
χρησάμενοι περὶ τῆς παρουσίας Χριστοῦ κατόπιν Ἑλλήνων
8   ἐγένοντο περὶ τὴν εἰς αὐτὸν | πίστιν, ἀπόχρη τοσοῦτον
εἰπεῖν. 9 Οὐ μὴν οὐδ᾽ οὕτω παράλογον δόξειε διὰ τῶν ἄλλων
ἐθνῶν εἰς τὰ μάλιστα τὴν ἐκκλησίαν ἐπιδοῦναι, πρῶτον μὲν
καθότι φιλεῖ ὁ θεὸς τὰς ἐκ παραδόξου μεταβάσεις βραβεύειν
ἐπὶ τοῖς θείοις καὶ μεγίστοις πράγμασιν· ἔπειτα δὲ οὐ ταῖς
τυχούσαις ἀρεταῖς τῶν ἐξ ἀρχῆς προστάντων αὐτῆς οἰκονομη-
θεῖσαν ἔστιν εὑρεῖν τὴν θρησκείαν. 10 Εἰ γὰρ καὶ γλῶσσαν
πρὸς φράσιν ἢ κάλλος λέξεως ἠκονημένην οὐκ εἶχον οὐδὲ

---

1. Cette expression vise d'abord les *Oracula Sibyllina* (éd. J. Geffcken, *GCS* 8, 1902, réimpr. 1967), compilation constituée à la fin de
l'époque romaine, mais présentant aussi des morceaux prophétiques
ou diatribiques plus anciens (iie-iiie siècles). Sur leur utilisation par
Lactance, qui assimile Sibylles judéo-chrétiennes et Sibylles classiques,
mais aussi par Eusèbe et Constantin lui-même, voir M.-L. GUILLAU-
MIN, « L'exploitation des *Oracles Sibyllins* par Lactance et par le
Discours à l'Assemblée des Saints », dans *Lactance et son temps*, Paris
1978, p. 185-200. Par les mots « certains oracles », Sozomène pourrait
désigner plus particulièrement la 4e Églogue ; d'après LACTANCE,
Virgile y a transmis l'enseignement de la Sibylle de Cumes (*inst.* 7,
24, 12) : cf. M.-L. GUILLAUMIN, *art. cit.*, p. 191.

2. Le μελοποιός est le poète lyrique, à la fois compositeur (du texte
et de la musique) et interprète. Sur les « cordes supplémentaires »
(περιτταί), M. Daniel PAQUETTE, Directeur du Département d'Éduca-

et certains oracles[1] aient prédit l'avenir quant aux événements de la vie du Christ, il ne faut pas pour cela, je suppose, accuser d'incrédulité tous les païens. Ce n'est en effet
qu'un petit nombre, ceux qui semblaient l'emporter en
instruction, qui ont connu ces sortes de prophéties, lesquelles sont le plus souvent en vers et exprimées dans un
langage trop élevé pour le peuple. **8** Il appartenait, me
semble-t-il, à la Providence divine, pour le bon accord des
générations futures, de ne pas proclamer seulement l'avenir par ses prophètes propres, mais aussi en partie par des
prophètes étrangers, tout comme un poète lyrique qui,
pour exécuter un chant extraordinaire, parcourrait avec
le plectre les cordes supplémentaires ou ajouterait d'autres
cordes à celles qui existent[2].

Sur le fait donc que les Juifs, bien qu'ayant joui de
beaucoup de prophéties très claires sur la venue du Christ,
sont restés en arrière des païens touchant la foi au Christ,
en voilà assez dit. **9** Cependant il pourrait ne pas paraître
en vérité si extraordinaire que l'Église se soit accrue
surtout parmi les autres peuples, tout d'abord parce qu'il
plaît à Dieu, dans le cas des choses divines et des choses
les plus importantes, de décider les changements contrairement à l'attente générale ; ensuite, il est facile de le voir,
ce n'est pas de vertus communes qu'ont été doués ceux qui
dès le début ont présidé à ce nouveau culte et l'ont organisé.
10 En effet, quoiqu'ils n'eussent pas eu une langue bien
aiguisée pour l'expression et les beautés du style et qu'ils

tion musicale et Musicologie de l'Université Lyon 2, me communique
aimablement la précision suivante : dans le système d'attache des
cordes de la cithare il semble qu'il y ait eu place pour des cordes
supplémentaires, comme le prouve, entre autres documents, un cratère
du IVe siècle (Musée de Varsovie, no 138485), sur lequel on peut
compter 8 cordes seulement, alors qu'on distingue assez nettement
10 ou 12 fléchettes d'attache. Ces cordes permettaient à l'artiste de
moduler, c'est-à-dire de changer de mode, quand il désirait donner à
son chant plus de vigueur (B. Grillet).

λέξεσιν ἢ γραμμικαῖς ἀποδείξεσι τοὺς ἐντυγχάνοντας ἔπειθον,
οὐ παρὰ τοῦτο χεῖρον αὐτοῖς ἐπράχθη τὸ σπουδαζόμενον·
ἀλλ᾽ ἀποδυόμενοι τὰς οὐσίας καὶ τῶν οἰκείων ἀμελοῦντες,
ἀνασκολοπιζόμενοί τε καὶ ὡς ἐν ἀλλοτρίοις σώμασι τὰς
πολλὰς καὶ χαλεπὰς βασάνους δεχόμενοι καὶ μήτε τῶν
κατὰ πόλιν δήμων καὶ ἀρχόντων ταῖς κολακείαις ὑπαγό-
μενοι μήτε ταῖς ἀπειλαῖς ἐκπληττόμενοι δῆλον πᾶσιν ἐποίησαν
ὡς ὑπὲρ μεγίστων ἄθλων τὸν ἀγῶνα τοῦτον ὑπομένουσιν·
ὥστε οὐδὲ πειθοῦς ἔδει λόγων, ἀκονιτὶ τῶν πραγμάτων κατ᾽
οἴκους καὶ πόλεις πιστεύειν βιαζομένων ἃ μὴ πρότερον
ἀκηκόασι.

11 Τοσαύτης οὖν θείας καὶ παραδόξου μεταβολῆς τῇ
οἰκουμένῃ συμβάσης, ὡς καὶ τῆς προτέρας θρησκείας καὶ
τῶν πατρίων νόμων ἀμελῆσαι, ἢ δεινὸν ἂν εἴη τὸν μὲν ἐν
Καλυδῶνι κάπρον καὶ τὸν ἐν Μαραθῶνι ταῦρον καὶ ἄλλα
τοιαῦτα κατὰ χώρας ἢ πόλεις γενόμενα ἢ μυθευόμενα τοσαύτης
ἀξιωθῆναι σπουδῆς, ὡς πολλοὺς τῶν παρ᾽ Ἕλλησιν εὐδοκι-
μωτάτων συγγραφέων περὶ ταῦτα πονῆσαι, φύσεως εὖ
ἔχοντας γράφειν, ἐμὲ δὲ μὴ τὴν φύσιν βιάσασθαι καὶ ἐκκλησιαστικὴν ἱστορίαν συγγράψαι. 12 Πέπεισμαι γάρ, ὡς
ὑποθέσεως οὐκ ἐξ ἀνθρώπων δημιουργηθείσης παραδόξως
ἀναφανῆναί με συγγραφέα οὐκ ἄπορον τῷ θεῷ. Ὡρμήθην
δὲ τὰ μὲν πρῶτα ἀπ᾽ ἀρχῆς ταύτην συγγράψαι τὴν πραγματείαν. Λογισάμενος δὲ ὡς καὶ ἄλλοι ταύτης ἐπειράθησαν
μέχρι τῶν κατ᾽ αὐτοὺς χρόνων, Κλήμης τε καὶ Ἡγήσιππος,
860   ἄνδρες σοφώτατοι, τῇ τῶν ἀποστόλων διαδοχῇ παρακολου-
θήσαντες, καὶ Ἀφρικανὸς ὁ συγγραφεὺς καὶ Εὐσέβιος ὁ
ἐπίκλην Παμφίλου, ἀνὴρ τῶν θείων γραφῶν καὶ τῶν παρ᾽
Ἕλλησι ποιητῶν καὶ συγγραφέων πολυμαθέστατος ἵστωρ,

---

1. Sozomène réunit deux fables, souvent présentes chez les poètes
classiques mais qui, à l'en croire, n'avaient pas encore perdu toute
faveur en plein ve siècle chrétien. Calydon, ville d'Étolie proche de
Corinthe, était connue pour son temple d'Artémis : c'est cette déesse
qui, irritée contre le roi de la cité, lança contre elle un sanglier qui
fut abattu par Méléagre. Quant au taureau qui dévastait la plaine de
Marathon, il fut capturé par Thésée sur l'injonction de Médée :

n'eussent pas persuadé les lecteurs par des fleurs de style ou des démonstrations géométriques, ce n'est pas une raison pour qu'ils aient moins bien réussi dans leur tâche : c'est en se dépouillant de leurs biens, en se montrant insouciants de leur famille, en se laissant empaler et en subissant comme en des corps étrangers nombre de terribles supplices, en ne se laissant ni séduire par les flatteries des populations urbaines et des magistrats ni effrayer par leurs menaces qu'ils ont rendu évident pour tous qu'ils soutenaient leur combat pour des récompenses suprêmes. En sorte qu'ils n'avaient même pas besoin de persuader par la parole, les faits mêmes contraignant sans contestation, dans les maisons et les villes, à croire ce qu'on n'avait pas entendu auparavant.

11 Puisqu'un si grand changement divin et extraordinaire s'est produit pour le monde, au point qu'on ne se soucie plus et de l'ancien culte et des coutumes traditionnelles, il serait certes absurde, quand le sanglier de Calydon, le taureau de Marathon[1] et autres faits du même genre, par les campagnes ou dans les villes, réels ou inventés, ont joui d'une faveur telle qu'un grand nombre d'auteurs les plus réputés chez les Grecs ont travaillé sur ces sujets, avec tout leur talent pour écrire, il serait absurde que moi, en revanche, je ne forçasse pas mon talent pour rédiger une histoire de l'Église. **12** Je suis persuadé en effet que, pour un sujet qui n'est pas l'œuvre des hommes, il n'est pas difficile à Dieu de me faire paraître, contrairement à l'attente, un historien. J'avais entrepris tout d'abord d'écrire cette histoire depuis les origines. Mais ayant réfléchi que d'autres s'y sont essayés jusqu'à leur époque — Clément et Hégésippe, hommes très sages, qui ont été témoins de la succession des Apôtres, et l'historien Julius Africanus, et Eusèbe dit « de Pamphile », homme tout à fait au courant des saintes Écritures et des poètes et

cf. H. Steuding, art. « Theseus. Der marathonische Stier », ap., Roscher, V, c. 686-690, et Grimal, p. 452.

ὅσα μὲν τῶν εἰς ἡμᾶς ἐλθόντων ταῖς ἐκκλησίαις συνέβη μετὰ
τὴν εἰς οὐρανοὺς ἄνοδον τοῦ Χριστοῦ μέχρι τῆς Λικινίου
καθαιρέσεως, ἐπιτεμόμενος ἐπραγματευσάμην ἐν βιβλίοις
δύο, 13 νῦν δέ, σὺν θεῷ φάναι, τὰ μετὰ ταῦτα διεξελθεῖν
9 | πειράσομαι. Μεμνήσομαι δὲ πραγμάτων οἷς παρέτυχον καὶ
παρὰ τῶν εἰδότων ἢ θεασαμένων ἀκήκοα, κατὰ τὴν ἡμετέραν
καὶ πρὸ ἡμῶν γενεάν. Τῶν δὲ περαιτέρω τὴν κατάληψιν
ἐθήρασα ἀπὸ τῶν τεθέντων νόμων διὰ τὴν θρησκείαν καὶ
τῶν κατὰ καιροὺς συνόδων καὶ νεωτερισμῶν καὶ βασιλικῶν
καὶ ἱερατικῶν ἐπιστολῶν, ὧν αἱ μὲν εἰσέτι νῦν ἐν τοῖς βασιλείοις καὶ ταῖς ἐκκλησίαις σῴζονται, αἱ δὲ σποράδην παρὰ τοῖς
φιλολόγοις φέρονται. 14 Τούτων δὲ τὰ ῥητὰ περιλαβεῖν τῇ
γραφῇ πολλάκις ἐννοηθεὶς ἄμεινον ἐδοκίμασα διὰ τὸν ὄγκον
τῆς πραγματείας τὴν ἐν αὐτοῖς διάνοιαν συντόμως ἀπαγγεῖλαι,
πλὴν εἰ μή τι τῶν ἀμφιλόγων εὑρήσομεν, ἐφ' ὧν διάφορός
ἐστι τοῖς πολλοῖς δόξα· τηνικαῦτα γὰρ εἰ εὐπορήσω τινὸς
γραφῆς, παραθήσομαι ταύτην εἰς ἀπόδειξιν τῆς ἀληθείας.
15 Ἵνα δὲ μή τις ἀγνοίᾳ τῶν ὄντων καταψηφίσηται
ψεῦδος τῆς πραγματείας, ἐναντίαις ἴσως ἐντυχὼν γραφαῖς,
ἰστέον, ὡς προφάσει τῶν Ἀρείου δογμάτων καὶ τῶν ὕστερον

1. Sozomène cite ses grands prédécesseurs dans l'ordre chronologique. Clément de Rome, dont on conserve la « Lettre à la communauté chrétienne de Corinthe » (vers 96), est bien l'un des authentiques
« Pères apostoliques » ; mais il est fort possible que Sozomène fasse
ici allusion aux « Pseudo-clémentines » (voir les références données
par B. Altaner, *Patrologie*, Fribourg-Bâle-Vienne 1978[8], p. 134-135).
Il est moins sûr qu'Hégésippe (vers 115-185) ait été, lui aussi, « témoin
de la succession des Apôtres » : ses *Mémoires*, œuvre de controverse
antignostique, contenaient néanmoins de nombreux renseignements
sur l'histoire de l'Église (voir les références d'Altaner, *op. cit.*,
p. 109-110). Julius Africanus, mort après 240, est l'auteur de la première chronique universelle chrétienne. Eusèbe est l'auteur de la
Chronique et surtout de l'*Histoire ecclésiastique*, dont Sozomène,
après Socrate, prend précisément la suite. En se faisant appeler « de
Pamphile », Eusèbe voulait témoigner sa reconnaissance à son maître
Pamphile, prêtre de Césarée, décapité en 310, lors de la grande persécution (cf. A. Puech, *Histoire de la littérature grecque chrétienne*,
Paris 1930, t. 3, p. 169-170, et plus récemment T. D. Barnes, *Eusebius
and Constantine*, Harvard 1982, p. 94 s).

historiens grecs[1] —, après avoir résumé en deux livres tout ce qui, à notre connaissance, est arrivé aux Églises depuis l'ascension du Christ jusqu'au renversement de Licinius *(18 sept. 324)*[2], **13** à présent, avec l'aide de Dieu, je m'efforcerai de rapporter ce qui a suivi. Je mentionnerai les événements auxquels j'ai assisté ou que j'ai appris des gens au courant et témoins des choses, dans ma génération[3] et celle qui l'a précédée. Quant aux événements plus reculés, j'en ai poursuivi l'enquête d'après les lois qui ont été édictées pour notre religion, d'après les conciles de temps en temps réunis, d'après les innovations apportées au dogme et les lettres des empereurs et des pontifes, dont les unes sont conservées jusqu'à ce jour dans les palais impériaux et les églises, et dont les autres se rencontrent çà et là chez les amis des lettres. **14** J'ai souvent eu en pensée d'introduire le texte même de ces documents dans mon ouvrage, mais j'ai jugé meilleur, pour ne pas alourdir l'exposé, d'en rapporter brièvement le sens, à moins que nous n'y trouvions des points disputés, sur lesquels les opinions de la plupart divergent : en ces cas-là, si je mets la main sur quelque écrit, je le présenterai pour manifester la vérité.

15 Afin que nul, par ignorance de la réalité, ne convainque de mensonge mon traité, pour avoir lu peut-être des écrits contraires, il faut savoir que, à l'occasion des doctrines d'Arius[4] et des hérésies nées plus tard, les chefs des

2. Allusion à un premier ouvrage (perdu) qui devait être un *compendium* de l'histoire de l'Église entre les dates indiquées (A.-J. F.).

3. Sozomène écrit après 439 et avant 450 (A.-J. F.).

4. Première mention de l'hérésiarque, né à Alexandrie vers 280, excommunié au concile de Nicée en 325, mort à Constantinople en 336, dont la doctrine, en niant la divinité du Verbe, provoqua une crise très grave, dogmatique et religieuse, mais aussi sociale et politique, qui se prolongea de 323 à 381 : voir *Histoire de l'Église* (FLICHE et MARTIN), t. 3, notamment, pour la période couverte par les livres I et II de Sozomène, les p. 69-129 ; pour une vue plus synthétique,

ἀναφυέντων διαφερόμενοι πρὸς ἀλλήλους οἱ τῶν ἐκκλησιῶν
ἄρχοντες ἕκαστοι περὶ ὧν ἐσπούδαζον πρὸς τοὺς ὁμοδόξους
ἔγραφον, καὶ καθ' ἑαυτοὺς συνιστάμενοι κατὰ συνόδους
ἐψηφίζοντο ἅπερ ἠβούλοντο, καὶ τῶν τἀναντία δοξαζόντων
πολλάκις ἐρήμην κατεδίκαζον, καὶ τοὺς κατὰ καιρὸν βασιλέας
καὶ τοὺς ἀμφ' αὐτοὺς δυναμένους περιέποντες ὡς εἶχον
δυνάμεως ἔπειθον καὶ ὁμόφρονας αὐτοῖς κατεσκεύαζον, εἰς
861 ἀπόδειξίν τε τοῦ δόξαι σέβειν ὀρθῶς οἱ μὲν τοῖς, οἱ δὲ ἐκείνοις
προστιθέμενοι συναγωγὴν ἐποιήσαντο τῶν ὑπὲρ τῆς οἰκείας
αἱρέσεως φερομένων ἐπιστολῶν καὶ τὰς ἐναντίας παρέλιπον.
16 Ὃ δὴ σκολιὰν ἡμῖν λίαν κατεσκεύασε τὴν εὕρεσιν τῶν
περὶ ταῦτα συμβάντων. Ἐπεὶ δὲ μάλιστα τῆς ἀληθείας
ἐπιμελεῖσθαι χρεὼν διὰ τὸ τῆς ἱστορίας ἀκίβδηλον, ἀναγκαῖον
ἐφάνη μοι, ὡς οἷόν τε ἦν, πολυπραγμονῆσαι καὶ τὰς τοιαύτας
γραφάς.

Εἰ τοίνυν καὶ στάσεις ἐκκλησιαστικῶν πρὸς ἑαυτοὺς περὶ
προεδρίας ἢ προτιμήσεως τῆς οἰκείας αἱρέσεως διεξέλθω,
μή τῳ φορτικὸν ἢ ἐθελοκάκου προαιρέσεως εἶναι δόξῃ
τοιαῦτά με ἱστορεῖν. 17 Πρῶτον μὲν γάρ, ὡς εἴρηται,
πάντα δεύτερα ποιεῖσθαι τῆς ἀληθείας τόν συγγραφέα
10 προσῆκεν· | ἔπειτα δὲ τὸ δόγμα τῆς καθόλου ἐκκλησίας
γνησιώτατον ὅτι μάλιστα φανεῖται πολλάκις μὲν ταῖς ἐπιβουλαῖς τῶν ἐναντία δοξαζόντων δοκιμασθέν, οἷα δὲ θειόθεν τὸ
κρατεῖν λαχὸν αὖθις εἰς τὴν οἰκείαν ἐπανελθὸν δύναμιν καὶ
πάσας τὰς ἐκκλησίας καὶ τὰ πλήθη πρὸς τὴν οἰκείαν ἀλήθειαν
ἐπισπασάμενον.

18 Βουλευομένῳ δέ μοι, εἰ ὧν ἔγνων μόνα προσῆκεν
ἀναγράψαι τὰ γενόμενα περὶ τὴν ἐκκλησίαν ἀνὰ τὴν Ῥωμαίων
ἀρχήν, ἔδοξεν εὖ ἔχειν, ἐφ' ὅσον ἐφικέσθαι δυνήσομαι, καὶ
τὰ παρὰ Πέρσαις καὶ βαρβάροις συμβάντα ἐπὶ τῇ θρησκείᾳ

DANIÉLOU-MARROU, p. 290-308 (« Arius et le concile de Nicée. Les
péripéties de la crise arienne »).

1. Parmi les « collections de lettres » dont parle Sozomène, il faut
sans doute compter le recueil de tendance arienne dû à Sabinos, dit
συναγωγή, et un recueil orthodoxe qui a de grandes chances d'être

diverses Églises, en dispute les uns avec les autres, écrivaient des lettres à ceux de leur parti sur les points qui leur tenaient à cœur ; se rassemblant en conciles, ils émettaient les votes de leur choix, et souvent ils condamnaient par défaut les tenants des opinions contraires ; entourant de prévenances les empereurs du moment et les puissants de leur suite, ils cherchaient à les persuader de leur mieux et à se les concilier, et pour démontrer leur orthodoxie, prenant parti les uns pour ceux-ci et les autres pour ceux-là, ils ont formé des collections des lettres en circulation pour la défense de leur propre secte et ont passé sous silence les lettres contraires ; **16** ce qui a rendu pour nous tout à fait tortueuse la découverte de ce qui s'est vraiment passé touchant ces faits. Mais puisqu'il faut se soucier principalement de la vérité pour que soit honnête l'histoire, il m'a paru nécessaire, autant que je le pouvais, de m'occuper aussi avec soin de ces sortes de documents[1].

Si donc je rapporte aussi des querelles d'hommes d'Église entre eux sur la primauté ou sur la prérogative qu'ils réclamaient pour leur propre secte, qu'on ne croie pas que je le fasse pour être importun ou par désir de nuire. **17** Tout d'abord, comme j'ai dit, tout doit, pour l'historien, passer après la vérité. Ensuite, la doctrine de l'Église universelle apparaîtra dans la plus grande pureté possible, puisqu'elle aura été plusieurs fois mise à l'épreuve par les machinations de ses adversaires et que, Dieu lui accordant la victoire, elle est revenue à sa puissance première et a attiré à sa vérité première toutes les Églises et toutes les masses.

18 Alors que je délibérais s'il convenait de décrire seulement les événements connus de moi, touchant l'Église, dans l'Empire romain, il m'est apparu qu'il serait bon de rapporter aussi, autant que je pourrais y atteindre, les faits relatifs à notre religion chez les Perses et les Barbares, et qu'il ne serait pas déplacé, dans une histoire ecclésias-

le *Synodikon* d'Athanase : cf. ELTESTER, art. « Sozomenos », c. 1245 (« sources perdues »).

ἱστορῆσαι, οὐκ ἀνοίκειον δὲ εἶναι τῆς ἐκκλησιαστικῆς
ἱστορίας ἐν τῇδε τῇ πραγματείᾳ διεξελθεῖν καὶ τίνες ποτὲ
ἦσαν οἱ ὥσπερ πατέρες καὶ εἰσηγηταὶ γενόμενοι τῶν καλουμένων μοναχῶν καὶ οἱ μετ' αὐτοὺς κατὰ διαδοχὰς ὧν ἴσμεν
ἢ ἀκηκόαμεν εὐδοκιμήσαντες. 19 Οὔτε γὰρ ἀχάριστοι
δόξομεν εἶναι πρὸς αὐτοὺς ἀμνηστίᾳ παραδεδωκότες τὴν
αὐτῶν ἀρετήν, οὔτε ἀπείρως ἔχειν τῆς κατὰ τοῦτο ἱστορίας,
μετὰ τοῦ καὶ τοῖς προηρημένοις ὧδε φιλοσοφεῖν ὑπόδειγμα
καταλιπεῖν ἀγωγῆς, ᾗ χρώμενοι μακαριωτάτου καὶ εὐδαί-
μονος μεθέξουσι τέλους. 20 Ἀλλὰ ταῦτα μὲν προϊὼν ὁ
λόγος ὡς οἷόν τε παραφυλάξει. Τρέπομαι δὲ ἤδη ἐπὶ τὴν
ἀφήγησιν τῶν πραγμάτων, συνεργὸν καὶ ἵλεων τὸν θεὸν
ἐπικαλεσάμενος. Ἕξει δὲ τὴν ἀρχὴν ἡ παροῦσα γραφὴ ἐνθένδε.

2

864 1 Κρίσπου καὶ Κωνσταντίνου τῶν Καισάρων ὑπατευόντων
ἡγεῖτο μὲν τῆς Ῥωμαίων ἐκκλησίας Σίλβεστρος, τῆς δὲ
Ἀλεξανδρέων Ἀλέξανδρος καὶ Μακάριος τῆς Ἱεροσολύμων. Τῆς δὲ Ἀντιοχέων τῶν πρὸς τῷ Ὀρόντῃ μετὰ

1. Disons une fois pour toutes que les termes φιλοσοφεῖν, φιλοσοφία,
qui reviennent constamment chez Sozomène, désignent, chez lui
comme chez beaucoup d'autres, la vie d'ascèse dans l'état monastique
(A.-J. F.). — Voir A.-M. MALINGREY, « Philosophia », Paris 1961,
p. 284 en particulier.

2. Le fils aîné de Constantin, Crispus, né en 305, César en 317
(P.L.R.E., I, p. 233), déjà consul en 318 et 321, et son second fils et
homonyme, Constantin II, né en 316, César en 317 (P.L.R.E., I,
p. 223), consul en 320 et 321. Cf. P. M. BRUUN (ouvrage cité infra,
p. 135, n. 6), p. 39-42.

3. Sur cet évêque qui succéda à Miltiade, voir la notice « Silvester »
de H. U. INSTINSKY, dans le Lexikon f. Theol. 9 (1964), c. 757-758.
Si, soumis à l'autorité de Constantin, il joua un rôle politique assez
effacé (d'après PIETRI, Roma Christiana I, p. 168 s.), il contribua
néanmoins à la transformation de la Rome païenne en une Rome
chrétienne par la construction de grandes basiliques (cf. DANIÉLOU-
MARROU, p. 293).

tique, de raconter aussi dans cet ouvrage, quels ont été
en quelque sorte les pères et les instigateurs de ceux que
l'on appelle moines, et ceux qui après eux, successivement,
ont joui d'un grand renom, dont nous avons connaissance
de science certaine ou par ouï-dire. **19** Ainsi en effet, nous
ne paraîtrons ni ingrats à leur égard en livrant leur vertu à
l'oubli, ni ignorants de l'information relative à ce point ;
en outre, nous laisserons aussi à ceux qui ont choisi ce
genre de vie philosophique[1] un modèle de conduite, par
laquelle, s'ils en usent, ils participeront à la fin la plus
pleine de félicité et de bonheur. **20** Mais tout cela, le discours en son progrès veillera à le noter, autant qu'il est
possible. Désormais je me tourne vers le récit des faits,
ayant invoqué Dieu pour qu'il m'aide et me soit propice.
A partir d'ici donc commence ma narration.

Chapitre 2

Les évêques des grandes cités
sous le règne de Constantin le Grand ;
l'Orient jusqu'à la Libye célèbre le culte chrétien
avec prudence à cause de Licinius ;
mais l'Occident, grâce à Constantin, professe en toute liberté
la foi chrétienne.

1 Les Césars Crispus et Constantin étant consuls *(324)*[2],
le chef de l'Église de Rome était Silvestre *(314-335)*[3], celui
de l'Église d'Alexandrie Alexandre[4], celui de l'Église de
Jérusalem Macaire[5]. De l'Église d'Antioche sur l'Oronte,

4. Sur le successeur de l'évêque Pierre, martyr en 311, mort lui-
même en 328 et remplacé par Athanase, le grand adversaire de l'arianisme, voir P.-Th. Camelot, « Alexandros », *Lexikon f. Theol.* 1 (1957),
c. 313.

5. Il fut évêque de Jérusalem de 313 à 334. C'est au cours de son
épiscopat qu'eut lieu l'invention de la Croix et que furent dressés les
plans de la basilique du Saint-Sépulcre : cf. *Lexikon f. Theol.* 6 (1961),
c. 1311 (G. Garitte).

Ῥωμανὸν οὔπω τις ἐπετέτραπτο, τῶν διωγμῶν, ὡς εἰκός,
μὴ συγχωρούντων γενέσθαι τὴν χειροτονίαν. 2 Οὐκ εἰς
μακρὰν δὲ οἱ εἰς Νίκαιαν συνεληλυθότες, θαυμάσαντες τοῦ
βίου καὶ τῶν λόγων Εὐστάθιον, ἄξιον ἐδοκίμασαν τοῦ ἀποστο-
λικοῦ θρόνου ἡγεῖσθαι, καὶ ἐπίσκοπον ὄντα τῆς γείτονος
Βεροίας εἰς Ἀντιόχειαν μετέστησαν. Τῶν δὲ Χριστιανῶν οἱ
μὲν πρὸς ἕω μέχρι τῶν ὁμόρων Αἰγυπτίοις Λιβύων οὐκ
11 ἐθάρρουν τότε εἰς τὸ φανερὸν ἐκκλησιάζειν | μεταβαλομένου
Λικινίου τῆς πρὸς αὐτοὺς εὐνοίας· οἱ δὲ ἀνὰ τὴν δύσιν Ἕλληνές
τε καὶ Μακεδόνες καὶ Ἰλλυριοὶ ἀδεῶς ἐθρήσκευον διὰ Κωνσταντῖνον, ὃς ἡγεῖτο τῶν τῇδε Ῥωμαίων.

3

865   1 Τούτῳ γὰρ πολλὰ μὲν καὶ ἄλλα συγκυρῆσαι παρειλήφαμεν, οἷς ἐπείσθη τὸ τῶν Χριστιανῶν δόγμα πρεσβεύειν,
μάλιστα δὲ τὴν φανεῖσαν αὐτῷ θεοσημείαν. Ἡνίκα γὰρ
ἐπιστρατεῦσαι Μαξεντίῳ ἐβεβούλευτο, οἷά γε εἰκὸς ἠπόρει
καθ᾽ ἑαυτὸν, ὅπως ἄρα τὰ τῆς μάχης ἀποβήσεται καὶ τίς
αὐτῷ βοηθὸς ἔσται. Ἐν τοιαύταις δὲ φροντίσι γενόμενος
ὄναρ εἶδε τὸ τοῦ σταυροῦ σημεῖον ἐν τῷ οὐρανῷ σελαγίζον.
Τεθηπότι δὲ αὐτῷ πρὸς τὴν ὄψιν παραστάντες θεῖοι ἄγγελοι·
« Ὦ Κωνσταντῖνε, ἔφησαν, ἐν τούτῳ νίκα. » 2 Λέγεται

1. Sur ce point, comme l'a déjà constaté VALOIS dans ses *annotationes* (*PG* 67, c. 863, n. 19), Sozomène se trompe, en considérant
comme un évêque le diacre Romanos qui fut un célèbre martyr
d'Antioche, d'après Eusèbe. En réalité, Eustathe succéda à Philogone
qui eut à montrer sa fermeté lors de la persécution de Licinius de 321
à 323.

2. Sur cet anti-origéniste déclaré, appelé au siège d'Antioche au
cours du concile de Nicée ou quelques mois auparavant, défenseur
acharné du « consubstantiel » nicéen, déposé par le concile d'Antioche
en 330, voir *Lexikon f. Theol.* 3 (1959), c. 1202-1203 (A. van ROEY).

3. En fait, Constantin n'avait autorité que sur les Illyriens, depuis la
fin de la première guerre contre Licinius, en 314.

nul encore, après Romanos, n'avait reçu la charge[1], les
persécutions, semble-t-il, ne permettant pas qu'il y eût eu
élection. **2** Peu de temps après, les Pères rassemblés à Nicée,
en admiration devant la vie et la doctrine d'Eustathe[2],
le jugèrent digne de diriger le siège apostolique et, alors
qu'il était évêque de la voisine Bérée *(Alep)*, ils le firent
passer à Antioche. Parmi les chrétiens, ceux d'Orient jusqu'aux Libyens limitrophes à l'Égypte n'osaient pas alors
célébrer ouvertement le culte, Licinius s'étant détourné de
sa première faveur à leur égard. Mais ceux de l'Occident,
Grecs, Macédoniens et Illyriens[3] célébraient sans crainte,
grâce à Constantin qui gouvernait les Romains de ce
côté-là.

Chapitre 3

*Par la vision de la Croix et l'apparition du Christ
Constantin est amené à la religion chrétienne,
après s'être fait enseigner par nos prêtres la vraie foi.*

1 Selon la tradition il lui arriva bien des choses qui le
persuadèrent de favoriser la doctrine des chrétiens, mais
ce fut surtout le signe divin qui lui apparut. En effet après
avoir pris la décision de combattre contre Maxence[4], il
doutait en lui-même, comme il est naturel, de l'issue de
la bataille et se demandait qui lui viendrait en aide. En
ces soucis il vit en songe le signe de la croix qui brillait au
ciel. Comme il était saisi de stupeur à cette vue, de saints
anges, s'étant tenus près de lui, lui dirent : « Constantin,
sois victorieux par ce signe. » **2** On dit même que le Christ

---

4. Le combat décisif eut lieu le 28 octobre 312 aux *Saxa Rubra*
(on l'appelle également bataille du Pont Milvius), sur la rive droite
du Tibre, en amont de Rome (cf. STEIN-PALANQUE, p. 90). Au cours
de ce combat, les soldats de Constantin portaient déjà le monogramme
du Christ peint sur leurs boucliers (*ibid.*, p. 96).

δὲ καὶ αὐτὸν τὸν Χριστὸν ἐπιφανέντα αὐτῷ δεῖξαι τοῦ σταυροῦ
τὸ σύμβολον καὶ παρακελεύσασθαι ἐοικὸς τούτῳ ποιῆσαι καὶ
ἐν τοῖς πολέμοις ἔχειν ἐπίκουρον καὶ νίκης ποριστικόν.
Εὐσέβιός γε μὴν ὁ Παμφίλου αὐτοῦ φήσαντος ἐνωμότως τοῦ
βασιλέως ἀκηκοέναι ἰσχυρίζεται, ὡς ἀμφὶ μεσημβρίαν ἤδη
τοῦ ἡλίου ἀποκλίναντος σταυροῦ τρόπαιον ἐκ φωτὸς συνεστὼς
καὶ γραφὴν συνημμένην αὐτῷ « τούτῳ νίκα » λέγουσαν ἐν
τῷ οὐρανῷ ἐθεάσατο αὐτός τε καὶ οἱ σὺν αὐτῷ στρατιῶται.
3 Πορευομένῳ γάρ πη σὺν τῷ στρατεύματι κατὰ τὴν ὁδοιπο-
ρίαν τόδε τὸ θαῦμα ἐπεγένετο, λογιζομένῳ δὲ αὐτῷ ὅ τι
εἴη νὺξ ἐπῆλθε. Καθεύδοντί τε τὸν Χριστὸν ὀφθῆναι σὺν τῷ
φανέντι ἐν οὐρανῷ σημείῳ καὶ παρακελεύσασθαι μίμημα
ποιήσασθαι τούτου καὶ ἀλεξήματι κεχρῆσθαι ἐν ταῖς πρὸς
τοὺς πολεμίους μάχαις. 4 Ἐπεὶ δὲ λοιπὸν ἑρμηνέως οὐδὲν
ἔδει, ἀλλὰ περιφανῶς ἐδείχθη τῷ βασιλεῖ, ἢ χρὴ περὶ θεοῦ
νομίζειν, ἅμα ἡμέρᾳ συγκαλέσας τοὺς ἱερέας τοῦ Χριστοῦ
περὶ τοῦ δόγματος ἐπυνθάνετο. Οἱ δὲ τὰς ἱερὰς βίβλους
προϊσχόμενοι τὰ περὶ τοῦ Χριστοῦ ἐξηγοῦντο· καὶ πρὶν
γενέσθαι, σαφῆ τὴν ἐπὶ τούτοις πρόρρησιν ἐκ τῶν προφητῶν
ἀπέδειξαν. Τὸ δὲ φανὲν αὐτῷ σημεῖον σύμβολον εἶναι ἔλεγον
τῆς κατὰ τοῦ ᾅδου νίκης, ἣν εἰς ἀνθρώπους ἐλθὼν κατώρθωσε τῷ σταυρωθῆναι καὶ ἀποθανεῖν καὶ τριταῖος ἀναβιῶναι.
12 5 Κατὰ τοῦτο γὰρ ἔφασαν | ἐλπίζειν μετὰ τὴν ἀπαλλαγὴν
τῆς ἐνταῦθα βιοτῆς πρὸς τῷ τέλει τοῦ παρόντος αἰῶνος
ἀνίστασθαι πάντας ἀνθρώπους καὶ ἀθανάτους ἔσεσθαι, τοὺς
μὲν ἐπὶ ἀμοιβαῖς ὧν εὖ ἐβίωσαν ἐν τούτοις τοῖς πράγμασιν,
τοὺς δὲ ἐπὶ τιμωρίαις ὧν κακῶς ἔδρασαν· εἶναι μέντοι καὶ
τοῖς ἐνταῦθα πλημμελήσασιν ἀφορμὴν σωτηρίας καὶ καθαρμὸν
ἁμαρτημάτων, ἀμυήτοις μὲν μύησιν κατὰ τὸν νόμον τῆς

---

1. A propos de l'apparition miraculeuse du *signum* de la Croix à
Constantin, Sozomène suit la traduction d'Eusèbe par Rufin
(*H.E.* IX, 9, 1-3). Mais c'est le récit de la *Vita Constantini* d'Eusèbe
(1, 27-29) que Rufin a introduit dans l'*Histoire ecclésiastique*. Toutefois
le texte essentiel est celui de Lactance, *mort. pers.* 44, 5 (voir le commentaire de J. Moreau dans son éd., *SC* 39, Paris 1954, t. II, p. 433-
436, mais aussi la réfutation d'H.-I. Marrou, «Autour du monogramme
constantinien », *Mélanges Gilson*, Toronto-Paris 1959, p. 403-410).

en personne lui apparut, lui montra le symbole de la Croix,
et lui recommanda d'en faire une imitation et de l'avoir
dans les guerres comme un secours qui amènerait la victoire. Eusèbe « de Pamphile » en tout cas affirme avoir
entendu l'empereur lui-même dire sous la foi du serment
que, dans l'après-midi, le soleil déjà déclinant, il avait vu
dans le ciel, lui et les soldats avec lui, le trophée de la Croix,
composé de lumière, et une inscription attachée à la Croix
avec ces mots : « Sois victorieux par ceci. » **3** Alors en effet
qu'il s'avançait quelque part avec son armée, ce prodige
eut lieu durant la marche, et, tandis qu'il se demandait
ce que c'était, la nuit survint. Durant son sommeil le Christ
lui apparut avec le symbole qui s'était montré au ciel et
lui recommanda d'en faire une imitation et d'en user comme
d'un secours dans les batailles contre les ennemis[1]. **4** Comme
désormais il n'avait plus besoin d'interprète, mais qu'il
avait été clairement montré à l'empereur ce qu'il fallait
croire au sujet de Dieu, le jour venu il fit venir des prêtres
du Christ et se mit à les interroger sur leur doctrine. Ils lui
présentèrent les livres Saints, lui expliquèrent tout ce qui
concerne le Christ et lui démontrèrent qu'avant que
ces événements se fussent accomplis, claire avait été la
prédiction à leur sujet de la part des prophètes. Quant au
signe qui lui était apparu, c'était, disaient-ils, le symbole
de la victoire sur l'Hadès, victoire que le Christ avait rem-
portée une fois venu chez les hommes par sa crucifixion,
sa mort et sa résurrection le troisième jour. **5** De fait,
disaient-ils, grâce à cela, ils avaient espoir qu'après le
départ de cette vie mortelle, à la fin du siècle présent, tous
les hommes ressusciteraient et deviendraient immortels,
les uns pour être récompensés de leur bonne conduite en
cette vie-ci, les autres pour être châtiés de leurs mauvaises
actions ; il y avait néanmoins, même pour les fautes d'ici-
bas, une occasion de salut et une purification des péchés :
pour les non initiés l'initiation selon la règle de l'Église,

ἐκκλησίας, τοῖς δὲ μεμυημένοις τὸ μὴ πάλιν ἁμαρτεῖν.
6 Ἐπεὶ δὲ τοῦτο παντελῶς ὀλίγων καὶ θείων ἀνδρῶν ἔστι
κατορθῶσαι, ἐδίδασκον δεύτερον καθαρμὸν τετάχθαι ἐκ μετανοίας. Φιλάνθρωπον γὰρ ὄντα τὸν θεὸν συγγνώμην νέμειν
868 τοῖς ἐπταικόσιν, εἰ μεταμεληθῶσι καὶ ἔργοις ἀγαθοῖς τὴν
μεταμέλειαν βεβαιώσωσι.

4

1 Τοιαῦτα τῶν ἱερέων ὑφηγουμένων θαυμάσας τὰς περὶ
τοῦ Χριστοῦ προφητείας ὁ βασιλεὺς ἐκέλευσεν ἄνδρας ἐπι-
στήμονας χρυσῷ καὶ λίθοις τιμίοις εἰς σταυροῦ σύμβολον
μετασκευάσαι τὸ παρὰ Ῥωμαίοις καλούμενον λάβωρον.
Σημεῖον δὲ τοῦτο πολεμικὸν τῶν ἄλλων τιμιώτερον, καθότι
ἀεὶ τοῦ βασιλέως ἡγεῖσθαι καὶ προσκυνεῖσθαι νενόμιστο παρὰ
τῶν στρατιωτῶν. 2 Ἡ μάλιστα οἶμαι Κωνσταντῖνον τὸ
ἐπισημότατον σύμβολον τῆς Ῥωμαίων ἀρχῆς εἰς Χριστοῦ
σημεῖον μεταβαλεῖν, ὥστε τῇ συνεχεῖ θέα καὶ θεραπεία
ἀπεθισθῆναι τῶν πατρίων τοὺς ἀρχομένους, μόνον δὲ τοῦτον
ἡγεῖσθαι θεόν, ὃν καὶ βασιλεὺς σέβει καὶ ἡγεμόνι καὶ συμμάχῳ
χρῆται κατὰ τῶν πολεμίων. Ἀεὶ γὰρ τοῦτο τὸ σημεῖον προὔ-
βάλλετο τῶν οἰκείων ταγμάτων· 3 καὶ ταῖς καμνούσαις
φάλαγξιν ἐν ταῖς μάχαις παρεῖναι ἐκέλευε, φανεροὺς τάξας
τῶν δορυφόρων περὶ τοῦτο πονεῖν, οἷς ἔργον ἦν ἕκαστον
ἀμοιβαίως ἐπὶ τῶν ὤμων φέρειν τὸ σημεῖον καὶ περιιέναι
τὰς τάξεις. Λέγεται γοῦν ποτε τὸν τοῦτο φέροντα ἀθρόον

---

1. Manifestement, comme le montrent les phrases suivantes, Sozomène entend ici par labarum non ce qui fut proprement le labarum
de Constantin après sa conversion, mais, d'une façon générale, l'étendard qu'on portait en avant de l'empereur avant sa conversion
(A.-J. F.). Le Thesaurus Linguae Latinae (VII, 2, c. 761, Fleury)
distingue, pour ce mot, un sens originel (le uexillum de Constantin
après la vision de la Croix) et un sens dérivé plus général (transfertur
ad alia uexilla) et, tout en constatant que l'origine du mot est douteuse,
suggère une origine gauloise.

pour les initiés le fait de ne plus pécher. **6** Et comme il n'est possible qu'à un tout petit nombre d'hommes saints de réussir sur ce point, ils enseignaient qu'il a été établi une seconde purification par le repentir. Car Dieu aime les hommes et il accorde le pardon aux pécheurs, à la condition qu'ils se repentent et confirment leur repentance par de bonnes œuvres.

Chapitre 4

Constantin fait porter au devant du combat le signe de la Croix;
récit miraculeux concernant ceux qui portent
le signe de la Croix.

1 Après cette instruction des prêtres, dans l'admiration des prophéties relatives au Christ, l'empereur ordonna à des artisans habiles de changer en une image de la Croix ornée d'or et de pierres précieuses l'étendard que les Romains nomment labarum[1]. C'est un étendard de guerre plus honoré que tous autres, parce que, selon la coutume, il précédait toujours l'empereur et qu'il était adoré par les soldats. **2** C'est principalement pour cela, je pense, que Constantin changea ce symbole le plus en vue du pouvoir de Rome dans le signe du Christ, en sorte que, par la vue continuelle de cette image et les honneurs qu'on lui rendait, les sujets se désaccoutumassent des traditions ancestrales et reconnussent comme seul Dieu celui que l'empereur révérait et qu'il prenait comme chef et allié contre les ennemis. **3** De fait cet étendard était toujours porté en avant de la garde personnelle du prince. Et il avait ordonné que, dans les batailles, il fût montré aux phalanges qui étaient en difficulté : il avait chargé certains de ses gardes, bien visibles, de veiller à la chose, leur tâche étant de porter cet étendard, chacun à son tour, sur les épaules et de parcourir les rangs. On raconte en tout cas qu'un

13 ἐπιδραμόντων τῶν πολεμίων δείσαντα ἑτέρῳ παραδοῦναι | καὶ
ἑαυτὸν τῆς μάχης ὑπεξαγαγεῖν, ἤδη δὲ τῶν βελῶν ἔξω
γενόμενον ἐξαπίνης πεσεῖν βληθέντα καιρίαν· τὸν δὲ παραλα-
βόντα τὸ θεῖον σύμβολον ἄτρωτον διαμεῖναι πολλῶν ἐπ'
αὐτῷ τοξευόντων. 4 Παραδόξως γάρ πως ὡς ὑπὸ θείας
δυνάμεως ἰθυνόμενα τὰ βέλη τῶν πολεμίων τῷ σημείῳ
προσεπήγνυντο, τοῦ δὲ φέροντος καὶ μέσου τῶν κινδύνων
ὄντος ἀφίπταντο. Λέγεται δὲ μήτε ἄλλον πώποτε τούτῳ τῷ
σημείῳ διακονούμενον, οἷά γε εἰκὸς ἐν πολέμῳ στρατιώτην,
σκαιᾷ περιπεσεῖν συμφορᾷ καὶ τραυματίαν ἢ αἰχμάλωτον
γενέσθαι.

5

1 Οὐκ ἀγνοῶ δέ, ὡς Ἕλληνες λέγουσι Κωνσταντῖνον
870 ἀνελόντα τινὰς τῶν ἐγγυτάτω γένους καὶ τῷ θανάτῳ Κρίσπου
τοῦ ἑαυτοῦ παιδὸς συμπράξαντα μεταμεληθῆναι καὶ περὶ
καθαρμοῦ κοινώσασθαι Σωπάτρῳ τῷ φιλοσόφῳ κατ' ἐκεῖνο
καιροῦ προεστῶτι τῆς Πλωτίνου διαδοχῆς· τὸν δὲ ἀποφήνασθαι μηδένα καθαρμὸν εἶναι τῶν τοιούτων ἁμαρτημάτων·
ἀδημονοῦντα δὲ τὸν βασιλέα ἐπὶ τῇ ἀπαγορεύσει περιτυχεῖν
ἐπισκόποις, οἳ μετανοίᾳ καὶ βαπτίσματι ὑπέσχοντο πάσης

1. Cette « version païenne » de la conversion de Constantin est
représentée par ZOSIME, II, 29. Plus précisément sur le double
« drame dynastique » de l'exécution de Crispus (août-septembre 326
à Pola en Istrie) et de Fausta (septembre-octobre 326 à Rome), voir
P. GUTHRIE, « The execution of Crispus », *Phoenix* 20 (1966), p. 325-
331 ; F. PASCHOUD, « Zosime 2, 29 et la version païenne de la conversion de Constantin », *Cinq études sur Zosime*, Paris 1975, p. 24-62
(notamment p. 25 pour la bibliographie et p. 29-32 pour la comparaison
des textes de Sozomène et de Zosime) ; J. ROUGÉ, « Fausta, femme de
Constantin : criminelle ou victime », *Cahiers d'Histoire* 25, 1 (1980)
p. 3-17.

2. Sopatros d'Apamée fut l'élève et le successeur de Jamblique. Il
présida à la dédicace solennelle de Constantinople, le 11 mai 330
(cf. PIGANIOL, p. 54). Sa faveur avait fait des jaloux. Il fut accusé

jour, l'ennemi ayant fait une attaque soudaine, le porteur, pris de crainte, avait passé l'étendard à un autre et s'était retiré du combat, mais qu'à peine il s'était mis hors de la portée des traits, il avait été frappé d'un coup mortel ; en revanche, le nouveau porteur du divin symbole était resté sans blessure bien que nombreux fussent les archers qui le visaient. 4 D'une façon miraculeuse en effet, comme lancées tout droit par une force divine, les flèches ennemies se fixaient sur l'étendard, tandis qu'elles se détournaient du porteur qui pourtant était au beau milieu des périls. On dit en outre que jamais aucun autre servant de cet étendard n'a succombé à un sort funeste, ou n'a été blessé ou fait prisonnier, toutes choses auxquelles le soldat est naturellement exposé à la guerre.

Chapitre 5

Réfutation de ceux qui prétendent
que Constantin a embrassé la religion chrétienne
à cause du meurtre de son fils Crispus.

1 Je n'ignore pas ce que racontent les païens[1]. Après avoir tué certains de ses plus proches et contribué à la mort de son fils Crispus *(326)*, Constantin se serait repenti et serait entré en communication, pour une purification, avec le philosophe Sopatros qui présidait alors à l'école de Plotin[2]. Celui-ci lui aurait dit qu'il n'y avait aucune purification pour de tels crimes. L'âme inquiète de ce refus, l'empereur aurait rencontré alors par hasard des évêques, qui lui auraient promis de le purifier de toute faute par le repentir et le baptême : l'empereur, enchanté de ce qu'ils

d'avoir enchaîné les vents par des artifices magiques et d'avoir empêché ainsi le ravitaillement de Constantinople. Il fut décapité et sa chute fut suivie de la persécution des néo-platoniciens (*ibid.*, p. 57).

αὐτὸν ἁμαρτίας καθαίρειν, ἡσθῆναί τε τούτοις κατὰ σκοπὸν
εἰρηκόσι καὶ θαυμάσαι τὸ δόγμα καὶ Χριστιανὸν γενέσθαι
καὶ τοὺς ἀρχομένους ἐπὶ τοῦτο ἀγαγεῖν. 2 Ἐμοὶ δὲ δοκεῖ
ταῦτα πεπλάσθαι τοῖς σπουδάζουσι τὴν Χριστιανῶν θρησκείαν
κακηγορεῖν. Κρίσπος μὲν γάρ, δι' ὅν φασι Κωνσταντῖνον
καθαρμοῦ δεηθῆναι, τῷ εἰκοστῷ ἔτει ἐτελεύτησε τῆς τοῦ
πατρὸς ἡγεμονίας, ἔτι περιὼν πολλοὺς σὺν αὐτῷ θέμενος
νόμους ὑπὲρ Χριστιανῶν, ἅτε δὴ κατὰ τὸ δεύτερον σχῆμα
τῆς βασιλείας τετιμημένος καὶ Καῖσαρ ὤν, ὡς εἰσέτι νῦν
μαρτυροῦσιν οἱ τοῖς νόμοις ὑποτεταγμένοι χρόνοι καὶ τῶν
νομοθετῶν αἱ προσηγορίαι. Σώπατρον δὲ πρῶτον μὲν οὐκ
εἰκὸς ἦν εἰς ὁμιλίαν ἐλθεῖν Κωνσταντίνῳ μόνης τῆς πρὸς τῷ
ὠκεανῷ καὶ τῷ Ῥήνῳ μοίρας ἡγουμένῳ. 3 Διὰ γὰρ τὴν
πρὸς Μαξέντιον διαφορὰν ἐπὶ τῆς Ἰταλίας διάγοντα ἐστασίαζε
τὰ Ῥωμαίων· καὶ οὐκ εὐπετὲς ἦν τότε ἐπιδημεῖν Γαλάταις
καὶ Βρεττανοῖς καὶ τοῖς τῇδε κατοικοῦσι, παρ' οἷς συνωμολόγηται τῆς τῶν Χριστιανῶν θρησκείας μετασχεῖν Κωνσταν-
14 τῖνον, πρὶν ἐπὶ Μαξέντιον στρατεῦσαι | καὶ παρελθεῖν ἐπὶ
Ῥώμην καὶ Ἰταλούς. Καὶ μάρτυρες τούτου πάλιν οἱ χρόνοι
καὶ οἱ νόμοι οὓς ὑπὲρ τῆς θρησκείας ἔθετο. 4 Εἰ δὲ καὶ
ῥαδίως ὠδίπως συγχωρήσομεν ἐντυχεῖν Σωπάτρῳ τὸν βασιλέα
ἢ δι' ἐπιστολῆς αὐτοῦ πυθέσθαι περὶ ὧν ἠβούλετο, οὐ δήπου
πιθανὸν ἦν τὸν φιλόσοφον ἀγνοεῖν, ὡς Ἡρακλῆς ὁ Ἀλκμήνης
Ἀθήνησιν ἐκαθάρθη μετὰ τὴν τεκνοκτονίαν τοῖς Δήμητρος
μυστηρίοις καὶ μετὰ τὸν Ἰφίτου φόνον, ὃν ξένον τε ὄντα καὶ
φίλον ἀδίκως ἀνεῖλεν. 5 Ὡς μὲν οὖν οἱ Ἕλληνες τῶν τοιούτων

---

1. *Code Théodosien*, XVI, 2, 4 (3 juillet 321) : « Que chacun ait
licence de laisser en mourant au très saint et vénérable concile de
l'Église catholique ce qu'il voudra de ses biens. Que leurs volontés
ne soient pas vaines. Il n'y a rien que l'on doive plus aux hommes que
la liberté du stylet de leur suprême volonté, après laquelle ils ne pourront plus désormais rien vouloir d'autre, et le pouvoir de décider ce
sur quoi ils ne pourront plus revenir » (trad. J. Rougé). Voir aussi
XVI, 2, 2 (21 octobre 319) ; XVI, 2, 5 (25 mai 323). [La date du 25 mai
pour la dernière loi pose problème par suite de la présence de l'empereur à Sirmium ; SEECK, *Regesten*, a proposé de la transférer au

eussent parlé conformément à son but, aurait admiré leur
doctrine, serait devenu chrétien et aurait amené ses sujets
à ce culte. 2 Il me semble à moi que tout cela a été inventé
par ceux qui cherchent à diffamer la religion chrétienne.
Crispus en effet, à cause duquel, disent-ils, Constantin
avait besoin d'une purification, mourut la vingtième année
du règne de son père, après avoir, étant encore en vie,
édicté avec son père bien des lois en faveur des chrétiens[1],
en tant qu'il était honoré du second rang dans l'Empire
et qu'il était César, comme en témoignent aujourd'hui
encore les dates annexées à ces lois et les noms des législateurs. Quant à Sopatros, tout d'abord il n'y a pas apparence qu'il se soit entretenu avec Constantin quand celui-ci
ne régentait que la partie proche de l'Océan et du Rhin.
3 Car, du fait de la dispute avec Maxence, qui occupait
l'Italie, Rome était alors en révolution. Et il n'était pas
facile de se rendre à ce moment en Gaule et en Bretagne
et chez les habitants de ces pays : or c'est là, tous en
conviennent, que Constantin a participé d'abord à la religion chrétienne, avant de partir en guerre contre Maxence
et d'arriver à Rome et en Italie. De cela aussi témoignent
les dates et les lois qu'il a édictées en faveur de notre religion. 4 Et même si nous accordons aisément, de quelque
façon, que l'empereur ait rencontré Sopatros ou l'ait interrogé par lettre sur ses intentions, il n'est pas croyable, je
suppose, que ce philosophe ait ignoré qu'Héraclès, fils
d'Alcmène, fut purifié à Athènes aux mystères de Déméter
après le massacre de ses enfants et le meurtre d'Iphitos,
qu'il tua criminellement alors qu'Iphitos était son hôte
et son ami[2]. 5 Donc, que les païens promettaient des puri-

---

25 décembre de la même année et d'y voir une mesure destinée à
annuler les mesures antichrétiennes de Licinius ; mais alors, pourquoi
est-elle adressée au vicaire de la ville de Rome ? J. R.].

2. Il existe plusieurs versions du meurtre d'Iphitos : ou bien Héraclès aurait tué à la fois Eurytos, roi d'Œchalie, et ses quatre fils, dont
Iphitos ; ou bien Héraclès aurait refusé de rendre à Iphitos des bœufs

872 πλημμελημάτων καθαρμοὺς ἐπηγγέλλοντο, ἀπόχρη τὰ εἰρημένα καὶ ψεῦδος κατηγορεῖ τῶν ἐναντία ἀποφήνασθαι Σώπατρον πλασαμένων. Οὐ γὰρ ἂν εἴποιμι ταῦτα ἠγνοηκέναι τὸν
ἐπισημότατον τότε παρ᾽ Ἕλλησιν ἐπὶ παιδεύσει γεγενημένον.

6

1 Αἱ δὲ κατὰ τὴν ἀρχομένην ὑπὸ Κωνσταντίνου ἐκκλησίαι
καταθυμίως ἔπραττον καὶ ὁσημέραι ἐπεδίδουν εὔνου καὶ
ὁμόφρονος βασιλέως εὐεργεσιῶν ἀξιούμεναι· ταύτας δὲ καὶ
ἄλλως πρὸ τούτου διωγμῶν καὶ ταραχῆς ἀπειράτους τὸ
θεῖον ἐφύλαξε. Διωκομένων γὰρ τῶν ἀνὰ τὴν ἄλλην οἰκουμένην ἐκκλησιῶν μόνος Κωνστάντιος ὁ Κωνσταντίνου πατὴρ
ἀδεῶς θρησκεύειν συνεχώρησε τοῖς Χριστιανοῖς. Ἀμέλει
τοιόνδε τι θαυμαστὸν καὶ συγγραφῆς ἄξιον ἔγνων εἰργάσθαι
αὐτῷ. 2 Δοκιμάσαι θέλων τίνες τῶν ἐν τοῖς βασιλείοις
Χριστιανῶν ἄνδρες εἰσὶ καλοὶ καὶ ἀγαθοί, συγκαλέσας πάντας
προηγόρευσεν, εἰ μὲν ἕλοιντο θύειν καὶ θρησκεύειν ὁμοίως,
ἀμφ᾽ αὐτὸν εἶναι καὶ ἐπὶ τῆς αὐτῆς μένειν ἀξίας· εἰ δὲ παραι-
τήσαιντο, ἐξιέναι τῶν βασιλείων χάριν ἔχοντας ὅτι μὴ καὶ
τιμωρίας προσώφλησαν. 3 Ἐπεὶ δὲ εἰς ἑκάτερον διεκρίθησαν,
οἱ μὲν τὴν θρησκείαν προδόντες, οἱ δὲ τῶν παρόντων τὰ θεῖα
προτιμήσαντες, ἔγνω φίλοις καὶ συμβούλοις χρῆσθαι τοῖς
περὶ τὸ κρεῖττον πιστοῖς διαμείνασι· τοὺς δὲ ὡς ἀνάνδρους

---

ou des juments volés et l'aurait tué ; ou bien encore Héraclès, devenu
fou, aurait précipité Iphitos du haut des murs de Tirynthe : cf. GRI-
MAL, p. 37 et L. WENIGER, ap. ROSCHER, II, 1, c. 311.

1. Constance I, gendre et César de Maximien, qui lui confia la
Gaule et la Bretagne, fut un adepte de la religion solaire, donc partisan
du monothéisme. Il se montra modéré dans l'application de l'édit de
persécution de 303, peut-être sous l'influence de sa femme Hélène :
cf. LACT., mort. pers., 8, 7 (avec le commentaire de J. MOREAU dans
son éd., SC 39, t. II, p. 254) et 15, 7. Il fut Auguste de 305 à sa mort
en 306. Voir STEIN, p. 68 et 78 s., ainsi que P.L.R.E., I, p. 227.

fications pour de telles fautes, ce que je viens de dire suffit
à le prouver et convainc de mensonge ceux qui ont inventé
que Sopatros déclara le contraire. Car je me refuse à dire
que l'homme le plus illustre alors chez les païens pour sa
culture ait ignoré ces faits.

Chapitre 6

Le père de Constantin permettait
que le nom du Christ fût propagé ;
Constantin le Grand, lui, fait en sorte
qu'il soit répandu par toute la terre.

1 Dans la partie de l'Empire régentée par Constantin les
Églises étaient dans une situation favorable et s'accrois-
saient chaque jour, bénéficiant de la libéralité d'un prince
bienveillant et en accord de sentiment avec elles. La Divinité, d'ailleurs, les avait, dès avant ce temps, préservées
de persécutions et de trouble. Car, alors qu'étaient per-
sécutées les Églises dans le reste de l'Empire, seul Constance,
père de Constantin, avait permis aux chrétiens de célébrer
sans crainte leur culte[1]. Voici par exemple, une chose
admirable et digne d'être narrée que je sais qu'il accomplit.
2 Voulant savoir par une mise à l'épreuve lesquels, parmi
les chrétiens au palais, étaient gens de vrai mérite, il les
manda tous et leur dit que, s'ils choisissaient de sacrifier et
de suivre ses propres rites, ils demeureraient auprès de lui et
garderaient leur rang, mais que s'ils refusaient, ils sorti-
raient du palais, et devraient être reconnaissants de n'avoir
pas en outre subi encore un châtiment. **3** Quand on eut
accompli la division en deux groupes, d'un côté les traîtres
à leur religion, de l'autre ceux qui préféraient le soin de Dieu
à leur fortune présente, Constance décida de prendre pour
amis et conseillers ceux qui étaient restés fidèles à la Divi-

καὶ κοβάλους ἀπεστράφη καὶ τῆς πρὸς ἑαυτὸν ὁμιλίας
ἀπεώσατο, λογισάμενος μήποτε ἔσεσθαι περὶ βασιλέα εὔνους
τοὺς ὧδε ἑτοίμους θεοῦ προδότας γεγενημένους. Ἐντεῦθεν
εἰκότως ἔτι Κωνσταντίου περιόντος οὐκ ἐδόκει παράνομον
χριστιανίζειν τοῖς Ἰταλῶν ἐπέκεινα Γαλάταις τε καὶ Βρετ-
15 τανοῖς καὶ ὅσοι περὶ τὸ Πυρηναῖον ὄρος | οἰκοῦσι μέχρι τοῦ
πρὸς ἑσπέραν ὠκεανοῦ. 4 Ἐπεὶ δὲ καὶ Κωνσταντῖνος τὴν
αὐτὴν ἀρχὴν διεδέξατο, μᾶλλον διεφάνη τὰ τῆς ἐκκλησίας
πράγματα. Μαξεντίου τε γὰρ τοῦ Ἑρκουλίου παιδὸς ἀναι-
ρεθέντος καὶ τῆς αὐτοῦ μοίρας εἰς Κωνσταντῖνον μεταπε-
σούσης λοιπὸν ἀδεῶς ἐθρήσκευον ὅσοι τε περὶ τὸν Θύβριν
ποταμὸν ᾤκουν καὶ τὸν Ἠριδανόν, ὃν Πάδον οἱ ἐπιχώριοι
καλοῦσι, καὶ τὸν Ἄκυλιν· εἰς ὃν λόγος καθελκυσθῆναι τὴν
Ἀργὼ καὶ πρὸς τὸ Τυρρηνῶν διασωθῆναι πέλαγος. 5 Οἱ γὰρ
873 Ἀργοναῦται τὸν Αἰήτην φεύγοντες οὐ τὸν αὐτὸν πλοῦν ἐν
τῇ ἐπανόδῳ ἐποιήσαντο. Περαιωθέντες δὲ τὴν ὑπὲρ Σκύθας
θάλασσαν διὰ τῶν τῇδε ποταμῶν ἀφίκοντο εἰς Ἰταλῶν ὅρια,
καὶ χειμάσαντες ἐνταῦθα πόλιν ἔκτισαν Ἤμωνα προσαγορευομένην. Τοῦ δὲ θέρους ἐπικαταλαβόντος, συμπρα-
ξάντων αὐτοῖς τῶν ἐπιχωρίων, ἀμφὶ τοὺς τετρακοσίους
σταδίους ὑπὸ μηχανῆς ἕλκοντες τὴν Ἀργὼ διὰ γῆς ἐπὶ τὸν
Ἄκυλιν ποταμὸν ἤγαγον, ὃς τῷ Ἠριδανῷ συμβάλλει· Ἠρι-
δανὸς δὲ εἰς τὴν κατὰ Ἰταλοὺς θάλασσαν τὰς ἐκβολὰς ἔχει.
6 Μετὰ δὲ τὴν περὶ Κιβάλας μάχην Δαρδάνιοί τε καὶ

---

1. En fait, l'Espagne avait été attribuée à Maximien : voir Lact.,
mort. pers., 8, 3 confirmé par les témoignages numismatiques (cf. le
commentaire de J. Moreau, ed. cit., p. 251-252).

2. Sozomène désigne ainsi, par son surnom religieux, l'empereur
Maximien (Auguste de 286 à 305, puis de 306 à 310), collègue de Dio-
clétien qui était lui-même Jovius. Le fils de Maximien et d'Eutropia,
Maxence, fut empereur de 306 à 312.

3. Sur cette tradition relative au retour des Argonautes, cf. p. ex.
Engelmann, ap. Roscher, I, 1, c. 536-537. Également, sur la fondation d'Émona en Pannonie, ibid., c. 524 (A.-J. F.).

4. Aéétès est le père de Médée : cf. Grimal, p. 48.

5. Laybach (Ljubljana) en Yougoslavie (A.-J. F.). — Émona fut

nité ; les autres, il les éloigna comme lâches et gens de rien, et les chassa de sa présence ; il estimait que ne seraient jamais dans de bonnes dispositions à l'égard du prince ceux qui avaient si promptement trahi leur Dieu. De ce jour, à bon droit, tant que Constance fut en vie, célébrer le culte chrétien ne sembla plus illégal aux populations d'au-delà de l'Italie, Gaulois, Bretons et tous ceux qui habitent des Pyrénées jusqu'à l'Océan occidental[1]. 4 Quand Constantin à son tour eut reçu en succession le même pouvoir, les affaires de l'Église brillèrent davantage. Car, une fois tué Maxence fils d'Herculius[2], sa portion de l'Empire étant tombée entre les mains de Constantin, désormais célébraient le culte sans crainte les riverains du Tibre, de l'Éridan, que les indigènes nomment Pô, et de la rivière Aquilis : c'est à cette rivière que, dit-on, fut tiré le navire Argo et qu'il échappa ainsi aux dangers de la mer Tyrrhénienne[3]. 5 Car les Argonautes, quand ils fuirent Aéétès[4], ne suivirent pas la même route au retour. Après avoir traversé la mer d'au-delà de la Scythie, ils prirent les fleuves de ce pays et arrivèrent jusqu'aux frontières des Italiques. Ayant passé là l'hiver, ils y fondèrent la ville nommée Émona[5]. L'été venu, avec l'aide des indigènes, ils tirèrent par une machine l'Argo à travers la terre, sur une distance d'environ quatre cents stades, et l'amenèrent jusqu'à la rivière Aquilis, qui est un affluent de l'Éridan ; l'Éridan, lui, a son embouchure sur la mer Italienne.

6 Après la bataille de Cibalae[6], les Dardaniens[7], les

assiégée par Maxime et délivrée par Théodose en 388. Alaric y établit son camp en 408 : cf. *PW* V, 2 (1905), c. 2504-2506 (PATSCH).

6. Défaite de Licinius le 8 octobre 316. Cf. P. M. BRUUN, *Constantine and Licinius, A.D. 313-337*, ap. C. H. V. SUTHERLAND et R. A. G. CARSON, *The Roman Imperial Coinage*, VII, Londres 1966, p. 66 et 483.

7. La Dardanie, située au nord de la Macédoine, est une province créée par Dioclétien (capitale Naïssus, aujourd'hui Niš).

Μακεδόνες καὶ ὅσοι περὶ τὸν Ἴστρον οἰκοῦσιν, ἥ τε καλου-
μένη Ἑλλὰς καὶ πᾶν τὸ Ἰλλυριῶν ἔθνος ὑπὸ Κωνσταντῖνον
ἐγένοντο.

7

1 Λικίνιος δὲ μετὰ τὴν ἐνθάδε τροπήν, πρότερον τὰ Χριστιανῶν πρεσβεύων, μετεβάλετο τὴν γνώμην καὶ πολλοὺς τότε
τῶν ἐπὶ τῇ ἰδίᾳ ἀρχῇ ἱερέων ἐκάκωσε, πολλοὺς δὲ καὶ τῶν
ἄλλων καὶ μάλιστα τοῦ στρατιωτικοῦ πλήθους. Σφόδρα γὰρ
ἀπηχθάνετο πρὸς τοὺς Χριστιανοὺς διὰ τὴν πρὸς Κωνσταντῖνον διαφοράν, οἰόμενος αὐτὸν λυπήσειν ταῖς δυσπραγίαις
τῆς θρησκείας, ἅμα δὲ καὶ τὰς ἐκκλησίας ὑπολαμβάνων
εὔχεσθαι καὶ σπουδάζειν ὑπ' αὐτοῦ μόνου βασιλεύεσθαι.
2 Πρὸς τούτοις δέ, οἷα φιλεῖ γίνεσθαι, πάλιν εἰς μάχην
καθίστασθαι μέλλων Κωνσταντίνῳ, τοῦ προσδοκωμένου πολέμου πρόνοιαν ἐποιεῖτο διά τε σφαγίων καὶ μαντειῶν, καὶ
ὑπαχθεὶς τισιν ὑπισχνουμένοις αὐτῷ κρατήσειν εἰς Ἑλλη-
16 νισμὸν ἐτράπη. **3** Ἀμέλει τοι καὶ Ἕλληνές φασιν | αὐτὸν
875 τότε ἀποπειραθῆναι τοῦ ἐν Μιλήτῳ μαντείου τοῦ Διδυμαίου
Ἀπόλλωνος· ἐρομένῳ δὲ αὐτῷ περὶ τοῦ πολέμου χρῆσαι τὸ
δαιμόνιον τουτουσὶ τοὺς Ὁμηρικοὺς στίχους·

> Ὦ γέρον, ἦ μάλα δή σε νέοι τείρουσι μαχηταί,
> Σή τε βίη λέλυται, χαλεπὸν δέ σε γῆρας ἱκάνει.

1. Licinius s'associa à « l'édit de Milan », qui est plutôt un *mandatum*
circulaire, en 313 (cf. STEIN-PALANQUE, p. 92). Quelques années plus
tard (avant 320 ?), s'apercevant des dangers que présentait l'union de
l'Église et de l'État, il interdit les synodes et les immixtions du clergé
dans les affaires de l'Empire ; les chrétiens furent écartés de la Cour,
puis de l'armée et de l'administration (*ibid.*, p. 103). M. Jean ROUGÉ
nous apporte la précision suivante : « En général, on considère qu'il
y eut des mesures restrictives au libre exercice du christianisme, mais

Macédoniens, les riverains de l'Istros *(Danube)*, ce qu'on nomme la Grèce et tout le peuple des Illyriens, tombèrent sous la coupe de Constantin.

Chapitre 7

Le différend entre Constantin et Licinius,
son beau-frère, à cause des chrétiens ;
complète défaite et meurtre de Licinius.

1 Après le revers en Occident, Licinius, favorable d'abord aux chrétiens, changea ensuite de dispositions[1] et mit à mal beaucoup des évêques qui étaient alors dans son gouvernement propre, et beaucoup aussi des laïcs et surtout de l'armée. Car il était en grande haine contre les chrétiens à cause de son différend avec Constantin ; il estimait qu'il le chagrinerait en traitant mal notre religion, et en même temps il soupçonnait que les Églises priaient et faisaient des vœux pour n'être gouvernées que par Constantin. **2** Outre cela, ainsi qu'il arrive d'ordinaire, comme il était sur le point de reprendre la lutte contre Constantin, il cherchait à prévoir l'issue de la guerre future par des sacrifices et des consultations d'oracles et, poussé par certains qui lui promettaient la victoire, il se tourna vers le paganisme. **3** Les païens en tout cas disent qu'à ce moment il consulta l'oracle d'Apollon Didyméen à Milet. Comme il interrogeait sur la guerre, le dieu avait rendu son oracle par ce vers d'Homère *(Il., 8, 102 s.)*[2] :

Ah ! vieillard, les jeunes combattants te donnent bien du mal.
Ta vigueur est brisée, la fâcheuse vieillesse t'accompagne.

---

que les actes de persécution sont des actes locaux à imputer aux autorités faisant du zèle. »
2. Traduction P. Mazon (A.-J. F.).

4 Ἐκ πολλῶν μὲν οὖν καὶ ἄλλων ἔδοξέ μοι τὸ δόγμα τῶν
Χριστιανῶν θεοῦ προνοίᾳ συνίστασθαι καὶ εἰς τοσαύτην
παρελθεῖν ἐπίδοσιν, οὐχ ἥκιστα δὲ ἐκ τῶν τότε γενομένων.
Μέλλοντι γὰρ ἤδη Λικινίῳ διώκειν πάσας τὰς ὑπ' αὐτὸν
ἐκκλησίας συνίσταται ὁ ἐν Βιθυνίᾳ πόλεμος, ὃν τελευταῖον
ἐπολέμησαν πρὸς ἀλλήλους αὐτός τε καὶ Κωνσταντῖνος.
5 Τοσαύτη δὲ θείᾳ ῥοπῇ ἐχρήσατο Κωνσταντῖνος, ὡς κατὰ
γῆν καὶ κατὰ θάλασσαν κρατῆσαι τῶν ἐναντίων, ἀποβαλόντα
δὲ Λικίνιον τὸ πεζὸν καὶ τὸ ναυτικὸν ἑαυτὸν ἐν Νικομηδείᾳ
προδοῦναι καὶ ἰδιώτην ἐπί τινα χρόνον διαγαγεῖν ἐν Θεσ-
σαλονίκῃ κἀκεῖσε ἀναιρεθῆναι, ἄνδρα τὰ πρῶτα τῆς ἡγεμονίας ἐν πολέμοις καὶ τοῖς ἄλλοις εὐδοκιμώτατον γενόμενον
καὶ τῷ γάμῳ τῆς ἀδελφῆς Κωνσταντίνου τετιμημένον, εἰς
τοῦτο δὲ καταστάντα τέλους.

8

1 Κωνσταντῖνος δέ, εἰς μόνον αὐτὸν πάσης τῆς Ῥωμαίων
ἀρχῆς περιστάσης, γράμματι δημοσίῳ προηγόρευσε τοῖς ἀνὰ
τὴν ἕω ὑπηκόοις τὴν Χριστιανῶν σέβειν θρησκείαν καὶ τὸ

1. Bataille du 18 septembre 324 près de Chrysopolis (Skutari) en
Bithynie : cf. STEIN, op. cit., p. 105 (A.-J. F.). Cf. ZOSIME, II, 28, et les
notes détaillées de F. PASCHOUD à son éd., Coll. des Univ. de France,
Paris 1971, p. 215-219.

2. En 325, à une date incertaine (A.-J. F.), avec Martinianus, son
magister officiorum, qu'il avait nommé Auguste, et, ce que Sozomène
se garde bien de préciser, sur l'ordre de Constantin qui leur avait
pourtant promis la vie sauve (cf. STEIN, op. cit., p. 105). Cf. ZOSIME,
II, 28, et la note de F. PASCHOUD ad. loc., ed. cit., p. 101.

3. Constantia, que Licinius épousa à Milan en 313. Tout en condamnant la politique religieuse de Licinius, Sozomène ne cache pas entièrement les qualités de l'homme et de l'empereur (cf. STEIN-PALANQUE,
p. 96).

4. Pour le texte de cet édit, voir EUSÈBE, Vita Constantini, 2, 24-42,
chez lequel Sozomène l'a sans doute puisé. D'après J.-R. PALANQUE,

4 C'est pour bien des raisons, me semble-t-il, que la religion chrétienne, par la Providence de Dieu, s'est organisée et est parvenue à un si grand accroissement, mais principalement à cause des événements survenus alors. Licinius était sur le point désormais de persécuter toutes les Églises qui dépendaient de lui quand eut lieu la rencontre en Bithynie, qui est la dernière où luttèrent ensemble Licinius et Constantin[1]. **5** Constantin jouit d'un secours divin si considérable qu'il défit l'ennemi sur terre et sur mer ; ayant perdu son infanterie et sa flotte, Licinius se livra à son adversaire à Nicomédie et, après avoir vécu quelque temps en homme privé à Thessalonique, il y fut assassiné[2]. Il avait été un homme qui, aux premiers temps de son règne, s'était illustré dans la guerre et les autres activités, qui avait été honoré du mariage de la sœur de Constantin[3], avant d'aboutir à cette triste fin.

Chapitre 8

*Liste des heureuses réalisations de Constantin
concernant la liberté des chrétiens et la construction des églises ;
autres mesures prises dans l'intérêt général.*

1 Constantin, quand tout l'Empire romain eut passé entre ses seules mains, fit proclamer par un édit public[4] aux sujets de l'Orient de suivre les pratiques de la religion chrétienne, de rendre attentivement culte à la Divinité

p. 58, il ne s'agit pas seulement d'un « édit de liquidation », mais « l'empereur y ordonne... qu'on délivre les fidèles condamnés aux charges curiales, à la relégation, aux travaux publics, à la servitude, qu'on remette l'héritage des martyrs à leurs parents..., qu'on rende aux communautés chrétiennes leurs biens confisqués ». L'édit fut affiché à Césarée « pour les provinciaux de Palestine ».

θεῖον ἐπιμελῶς θεραπεύειν, θεῖον δὲ νοεῖν μόνον ὃ καὶ ὄντως
ἐστὶ καὶ διαρκῆ κατὰ παντὸς τοῦ χρόνου τὴν δύναμιν ἔχει.
Τάδε μὲν γὰρ σπουδάζουσιν ἄφθονα πάντα τὰ ἀγαθὰ φιλεῖν
προσγίνεσθαι, καὶ ἅπερ ἂν ἐγχειρῶσιν, μετὰ χρηστῶν ἐλπί-
δων ἀπαντᾶν· τοῖς δὲ περὶ τὸ κρεῖττον ἁμαρτάνουσιν κοινῇ
καὶ ἰδίᾳ ἐν πολέμοις τε καὶ εἰρήνῃ πάντα δυσχερῆ συμβαίνειν.
2 Χάριν τε ὁμολογῶν, οὐ κομπάζων λέγειν ἰσχυρίζετο, ὡς
17 ἐπιτήδειον ὑπηρέτην ἀξιώσας αὐτὸν εἶναι ὁ θεὸς τῆς | αὐτοῦ
βουλήσεως ἀπὸ τῆς πρὸς Βρεττανοὺς θαλάσσης μέχρι τῶν
ἑῴων χωρίων προήγαγεν, ὅπως ἡ Χριστιανῶν αὐξηθείη
θρησκεία καὶ οἱ θεραπείας θεοῦ ἕνεκεν καρτερικοὶ διαμεί-
ναντες ἐν ὁμολογίαις ἢ μαρτυρίαις ἐπιφανέστεροι ταῖς τιμαῖς
ἀναδειχθῶσι. 3 Τοιαῦτα ἀναγορεύσας καὶ ἄλλα μυρία διεξελ-
θών, δι' ὧν ᾤετο τὸ ὑπήκοον πρὸς τὴν θρησκείαν ἐπάγεσθαι,
ἄκυρα εἶναι ἐψηφίσατο τὰ κατὰ τῆς θρησκείας δόξαντα ἢ
πεπραγμένα ἐπὶ τῶν διωξάντων τὴν ἐκκλησίαν· ἄφεσίν τε
πάντας ἔχειν ἐνομοθέτησεν, ὅσοι διὰ τὴν εἰς Χριστὸν ὁμολογίαν κατεδικάσθησαν μετοικεῖν ἢ ἐν νήσοις ἢ ἀλλαχόσε
877 παρὰ γνώμην διατρίβειν ἢ μετάλλοις ἐμπονεῖν ἢ δημοσίοις
ἔργοις ἢ γυναικείοις ἢ λινυφίοις ὑπηρετεῖν ἢ βουλευτηρίοις
συναριθμεῖσθαι μὴ βουλευταὶ ὄντες πρότερον· ἀτίμοις δὲ
γενομένοις τὴν ἀτιμίαν ἔλυσε· 4 τοῖς δὲ στρατείας τινὸς
ἀφαιρεθεῖσιν ἐν γνώμῃ εἴασεν ἢ ἐφ' οὗπερ ἦσαν σχήματος
εἶναι, ἢ μετὰ ἀφέσεως ἐντίμου ἐλευθέραν ἄγειν σχολήν.
Ἐπεὶ δὲ πάντας εἰς τὴν προτέραν ἐλευθερίαν καὶ τὰς συνή-
θεις τιμὰς ἀνεκαλέσατο, καὶ τὰς οὐσίας αὐτοῖς ἀπέδωκεν.
Εἰ δέ τινες θάνατον καταδικασθέντες τῶν ὄντων ἀφηρέθησαν, προσέταξε τοῖς ἐγγυτέρω γένους διαφέρειν τοὺς

---

1. Sur les nombreuses raisons qu'avaient les curiales, ou décurions,
de fuir les charges écrasantes que leur imposait le gouvernement
impérial (perception des impôts, entretien de la poste, liturgies muni-
cipales...) et de chercher un abri dans le Sénat, le fonctionnariat, plus
rarement l'armée ou l'Église, voir JONES, t. 2, p. 748-749 (analyse
fondée sur LIBANIOS, or. XXV, 43 et les Codes).
2. Constantin accorde à ces hommes qui ont reçu une *ignominiosa
missio* d'être réintégrés dans les droits que leur aurait donnés une
honesta missio.

et de ne tenir pour vraie Divinité que celle qui l'est réellement et qui détient constamment la puissance pour toute
la durée du temps. Quand on met son zèle à cela, disait-il,
tous les biens viennent d'ordinaire en surabondance et,
quoi qu'on entreprenne, on a bon espoir de le réaliser ;
mais pour ceux qui prêchent contre la Divinité, tout ce
qu'ils font, dans leur vie publique ou privée, dans la guerre
ou dans la paix, tourne mal. **2** Professant de la reconnaissance et non par forfanterie, il déclarait avec assurance
que Dieu l'avait jugé digne d'être un serviteur approprié
de son vouloir et qu'il l'avait à cause de cela poussé en
avant de la mer de Bretagne aux pays d'Orient, pour que
la religion chrétienne s'accrût et que ceux qui à cause du
service de Dieu étaient demeurés constants dans les
confessions ou les martyres fussent illustrés par les honneurs
qu'on leur rendait. **3** Après avoir fait cette proclamation
et passé en revue une foule d'autres mesures par lesquelles
il pensait amener les sujets à notre religion, il décréta
qu'étaient sans valeur les décisions ou les actes portés
contre notre religion du temps des persécuteurs de l'Église.
Il proclama par loi une absolution générale pour tous ceux
qui, à cause de leur confession dans le Christ, avaient été
condamnés à s'exiler, ou à vivre malgré eux dans des îles
ou ailleurs, ou à peiner dans les mines ou à d'autres travaux
publics, ou à servir dans les ateliers de femmes ou les fabri-
ques de toile de lin, ou à être mis au nombre des curiales[1],
alors qu'ils ne l'étaient pas auparavant ; en outre, pour
tous ceux qui avaient été notés d'infamie, il supprima ce
déshonneur. **4** A ceux qui avaient été privés de leur rang
militaire il laissa à leur choix ou de reprendre le rang qu'ils
avaient ou, moyennant un licenciement honorable[2], de
vivre librement dans le loisir. Quand il les eut ramenés
tous à leur liberté première et à leurs honneurs accoutumés,
il leur rendit aussi leurs biens. Si certains, condamnés à
mort, avaient eu leurs biens confisqués, il ordonna que ces
héritages appartiendraient aux plus proches parents, que

κλήρους, μηδενὸς δὲ τούτων ὄντος τὴν καθέκαστον ἐπιχώ-
ριον ἐκκλησίαν κληρονομεῖν, εἴτε δὲ ἰδιώτης εἴτε τὸ δημόσιον ἐκ τοιαύτης οὐσίας ἔχοι τι, ἀποδιδόναι. Τῶν δὲ παρὰ
τοῦ ταμείου πριαμένων ἢ δωρεὰν λαβόντων εἰς τὸν δυνατὸν
καὶ πρέποντα τρόπον προνοεῖν ὑπέσχετο.

5 Τάδε μέν, ὡς εἴρηται, τῷ βασιλεῖ ἔδοξε καὶ νόμῳ
ἐκυρώθη, ἀμελλητί τε τοῦ προσήκοντος τέλους ἐτύγχανε.
Χριστιανοὶ δὲ ὡς ἐπίπαν τὰς Ῥωμαίων ἀρχὰς ἐπετρόπευον·
καὶ τοῦ λοιποῦ θύειν ἀπείρητο πᾶσιν ἢ μαντείαις καὶ τελε-
ταῖς κεχρῆσθαι ἢ ξόανα ἀνατιθέναι ἢ Ἑλληνικὰς ἄγειν
ἑορτάς. Πολλὰ δὲ καὶ τῶν κατὰ πόλεις ἐθῶν ἠμείβετο τῆς
18 ἀρχαιότητος· ἀμέλει τοι παρὰ | μὲν Αἰγυπτίοις οὐκέτι εἰς
τοὺς εἰωθότας Ἑλληνικοὺς ναούς, εἰς δὲ τὰς ἐκκλησίας ἐξ
ἐκείνου προσφέρεται ὁ πῆχυς, ᾧ σημαίνεται τῶν τοῦ Νείλου
ὑδάτων ἡ ἐπίδοσις· 6 παρὰ δὲ Ῥωμαίοις τότε πρῶτον ἡ τῶν
μονομάχων ἐκωλύθη θέα· παρὰ δὲ Φοίνιξιν, οἳ τὸν Λίβανον
καὶ τὴν Ἡλιούπολιν οἰκοῦσιν, οὐκέτι θέμις ἦν ἐκπορνεύεσθαι

---

1. Sur ce point Sozomène outrepasse la vérité, car une autre lettre
« aux Orientaux », citée par EUSÈBE, *Vita Constantini*, 2, 48-60,
garantit la liberté de conscience et de culte également aux païens
(cf. PALANQUE, p. 59).

2. Interrogé sur ce point, M. Jean LECLANT, professeur à la Sor-
bonne, a bien voulu m'écrire (17/12/73) que les coudées votives étaient
effectivement utilisées dans les temples. Sur le transport dans les
églises, cf. RUFIN, *H.E.* II (XI), 30 [« Mais pour que Dieu montrât
que ce n'était pas Sérapis qui est bien postérieur au Nil, mais lui qui...,
l'inondation fut, à la suite de cela, si importante que, de mémoire
d'homme, on ne se souvenait pas qu'elle eût jamais été pareille auparavant. Pour cette raison, il fut établi que la coudée, c'est-à-dire
l'instrument qui sert à mesurer l'eau, qu'ils appellent πῆχυς, serait
désormais déposée dans l'église du Seigneur des eaux » — trad.
F. Thélamon]. Pour Rufin, cela se serait produit sous Théodose, après
la prise du Sérapéum par les chrétiens (A.-J. F.). — A. SCHLOTT-
SCHWAB, *Die Ausmasse Ägyptens nach Altägyptischen Texten* (*Ägypten
und Altes Testament*, Bd. 3), Wiesbaden 1981, p. 59, fait mention de
coudée votive à propos des temples de Karnak, de Touna el Gebel
(étudiés respectivement par A.-P. Zivie et S. Gabra), d'Héliopolis et
de Sais : voir la bibliographie en avant-propos de l'ouvrage. Voir aussi

s'il n'y avait pas de proche, c'est chaque Église locale qui
hériterait, et de rendre tout ce qu'un homme privé ou le
fisc pouvait posséder de telle sorte de propriété. Et il promit de pourvoir en la manière possible et convenable à
ceux qui avaient acheté au Trésor un bien confisqué ou
l'avaient reçu en don.

5 Telles sont les mesures qui, comme j'ai dit, furent
décidées par l'empereur et sanctionnées par la loi, et
elles furent mises sans retard à exécution. Des chrétiens
occupaient en majorité les magistratures des Romains ;
il était désormais interdit à tous d'offrir des sacrifices, de
recourir ou aux oracles ou aux initiations ou de consacrer
des statues aux dieux ou de célébrer les fêtes païennes[1].
Beaucoup aussi des coutumes dans les villes perdaient leur
caractère ancestral. Par exemple en Égypte, depuis ce
moment, ce n'est plus dans les temples païens habituels,
mais dans les églises, qu'on apporte la coudée par laquelle
est indiquée la croissance des eaux du Nil[2] ; 6 chez les
Romains, c'est alors pour la première fois que fut interdit
le spectacle des gladiateurs[3] ; chez les Phéniciens qui
habitent le Liban et Héliopolis *(Baalbek)*, il ne fut plus
permis de faire se prostituer les vierges[4] avant leur union

W. Helck, « Masse und Gewichte », *Lexikon der Ägyptologie*, III, 8
(Wiesbaden 1980), c. 1200 s.

3. Cf. *Code Théodosien*, XV, 12, 1 (loi du 1er octobre 325, adressée
au préfet du prétoire Maxime, affichée à Beyrouth) : « Les spectacles
sanglants sont malséants dans la paix civile et la tranquillité intérieure. C'est pourquoi nous interdisons formellement les gladiateurs...).
Au reste, les combats de gladiateurs continuèrent au-delà même de la
fin du ive siècle : cf. G. Ville, « Les jeux de gladiateurs dans l'Empire
chrétien », *Mélanges de l'École française de Rome*, t. LXXII (1960),
p. 273-335.

4. Après les « prostituées sacrées » du temple d'Ashtart à Babylone,
« c'est dans les grands sanctuaires de Phénicie, de Syrie, d'Asie
Mineure, à Hiérapolis, à Aphaca, dans les deux Comana que les hiéro-
dules des deux sexes prennent une énorme importance et sont une
conséquence forcée de l'organisation du sacerdoce » (cf. *Dictionnaire
des Antiquités* de Daremberg et Saglio, art. « Hieroduli », III, 1,

τὰς παρθένους πρὶν τοῖς ἀνδράσι συνελθεῖν, οἷς νόμῳ γάμου
συνοικεῖν εἰώθασι μετὰ τὴν πρώτην πεῖραν τῆς ἀθεμίτου
μίξεως. 7 Τῶν δὲ εὐκτηρίων οἴκων οἱ μὲν ἀρκούντως μεγέθους ἔχοντες ἐπανωρθοῦντο, οἱ δὲ εἰς ἐπίδοσιν ὕψους καὶ
πλάτους λαμπρῶς ἐπεσκευάζοντο, ἑτέρωθι δὲ τὴν ἀρχὴν μὴ
ὄντες ἐκ θεμελίων ἐδημιουργοῦντο. Τὰ δὲ χρήματα ἐκ τῶν
βασιλικῶν θησαυρῶν ἐχορήγει ὁ βασιλεὺς γράψας τοῖς κατὰ
880 πόλιν ἐπισκόποις καὶ τοῖς ἡγουμένοις τῶν ἐθνῶν, τοῖς μὲν
ἐπιτάττειν ὅ τι βούλοιντο, τοὺς δὲ πειθαρχεῖν καὶ σπουδαίως
ὑπηρετεῖσθαι τοῖς ἱερεῦσιν. 8 Εὐημερούσης δὲ αὐτῷ τῆς
ἀρχῆς συνεπεδίδου ἡ θρησκεία. Ἐπὶ τοσοῦτον δὲ καὶ μετὰ τὸν
πρὸς Λικίνιον πόλεμον ἐπιτευκτικὸς ἐγένετο ἐν ταῖς κατὰ
τῶν ἀλλοφύλων μάχαις, ὡς καὶ Σαυρομάτων κρατῆσαι καὶ
τῶν καλουμένων Γότθων καὶ τὸ τελευταῖον ἐν μέρει χάριτος
σπείσασθαι πρὸς αὐτούς. 9 Τοῦτο δὲ τὸ ἔθνος ᾤκει μὲν τότε
πέραν τοῦ Ἴστρου ποταμοῦ, μαχιμώτατον δὲ τυγχάνον καὶ
πλήθει καὶ μεγέθει σωμάτων ἐν ὅπλοις ἀεὶ παρεσκευασμένον
τῶν μὲν ἄλλων βαρβάρων ἐκράτει, μόνους δὲ Ῥωμαίους
ἀνταγωνιστὰς εἶχεν. Οὐχ ἥκιστα δὲ λέγεται καὶ τοῦτον τὸν
πόλεμον ἐπιδεῖξαι Κωνσταντίνῳ διὰ σημείων καὶ ὀνειράτων
ὅσης θειόθεν ἠξίωτο προνοίας. Κρατήσας δὲ πάντων τῶν ἐπ'
αὐτοῦ συμβάντων πολέμων καθάπερ ἀντιφιλοτιμούμενος τὸν
Χριστὸν ἠμείβετο τῇ περὶ τὴν θρησκείαν σπουδῇ, ταύτην
μόνην πρεσβεύειν καὶ σωτήριον ἡγεῖσθαι τοὺς ἀρχομένους

---

p. 171, notamment p. 173 ; et l'art. « Hieroduloi » dans *PW* VIII, 2
(1913), c. 1459-1468 [H. Hepding]). L'existence de ces vierges-
prostituées dont Sozomène se scandalise s'explique par la nécessité
de célébrer l'union sacrée du dieu et de la déesse, pour renouveler la
vie humaine, animale et végétale.

1. Eusèbe nous a conservé l'une de ces lettres, celle que Constantin
lui adressa personnellement, dans la *Vita Constantini*, 2, 46. Ces
lettres furent complétées, dès l'année qui suivit la victoire sur Licinius,
par « l'institution d'un véritable budget du culte chrétien » (Palanque,
p. 59) : cf. Sozomène, *H.E.* V, 5, 2-4.

2. Cf. Stein-Palanque, p. 129 : « Les troupes impériales... battirent
les Goths si complètement que ceux-ci se soumirent à l'empereur. On
conclut avec eux un *foedus*, en vertu duquel ils reçurent des Romains

avec les hommes dont elles partagent alors la demeure en mariage légitime après l'expérience antécédente d'une union illégale. **7** Parmi les lieux de prières, ceux qui étaient de grandeur suffisante furent restaurés, d'autres furent magnifiquement agrandis quant à la hauteur et à la largeur, et ailleurs, où dès le principe il n'y en avait pas, on en bâtit depuis les fondements. L'empereur, sur le trésor impérial, fournissait de l'argent, après avoir écrit aux évêques de chaque ville[1] et aux gouverneurs de provinces, à ceux-là d'ordonner leurs dépenses à leur gré, à ceux-ci d'obéir aux évêques et de se mettre avec zèle à leur service. **8** Comme l'Empire était en prospérité pour Constantin, notre religion faisait aussi des progrès. Au surplus, après la guerre contre Licinius, tout avait si bien réussi dans les batailles contre les Barbares que l'empereur s'était rendu maître des Sarmates et de ceux qu'on nomme Goths et qu'enfin, comme leur accordant une faveur, il avait conclu un *foedus* avec ces derniers[2]. **9** Cette peuplade habitait alors au-delà du Danube et, comme elle était très propre à la guerre et par le nombre et par la taille de ses hommes, toujours prête sous les armes, elle l'emportait sur les autres Barbares et n'avait de rivaux que les Romains. C'est principalement, dit-on, cette guerre qui montra à Constantin par des prodiges et des songes de quel soin providentiel il jouissait de la part de Dieu. Vainqueur dans toutes les guerres qui eurent lieu sous son règne, comme pour ne pas être en reste avec le Christ, il le remerciait par son zèle pour notre religion, exhortant ses sujets à ne la pra-

---

chaque année des vivres et aussi de l'argent, en échange de quoi ils s'engageaient à monter la garde à la frontière du Danube et à fournir des troupes auxiliaires pour les guerres de l'empereur (332). Peu après, des hostilités ouvertes contre l'Empire par la principale tribu des Sarmates, les Argaragantes, purent être étouffées dans l'œuf » (A.-J. F.). Sozomène peut également englober dans cet éloge les succès remportés sur les Sarmates et les Goths en 322 et 323, au moment même de la guerre contre Licinius (cf. STEIN-PALANQUE, p. 104).

προτρέπων. **10** Ἐκ δὲ τῆς οὔσης ὑποφόρου γῆς καθ' ἑκάστην πόλιν ἐξελὼν τοῦ δημοσίου ῥητὸν τέλος ταῖς κατὰ τόπον ἐκκλησίαις καὶ κλήροις ἀπένειμε καὶ τὴν δωρεὰν κυρίαν εἰς τὸν ἄπαντα χρόνον εἶναι ἐνομοθέτησε. Προσεθίζων δὲ τοὺς
19 στρατιώτας | ὁμοίως αὐτῷ τὸν θεὸν σέβειν, τὰ τούτων ὅπλα τῷ συμβόλῳ τοῦ σταυροῦ κατεσήμαινε καὶ ἐν τοῖς βασιλείοις εὐκτήριον οἶκον κατεσκεύασε καὶ σκηνὴν εἰς ἐκκλησίαν εἰκασμένην περιέφερεν, ἡνίκα πολεμίοις ἐπεστράτευεν, ὥστε μηδὲ ἐν ἐρημίᾳ διάγοντα αὐτὸν ἢ τὴν στρατιὰν ἱεροῦ οἴκου ἀμοιρεῖν, ἐν ᾧ δέοι τὸν θεὸν ὑμνεῖν καὶ προσεύχεσθαι καὶ μυστηρίων μετέχειν. **11** Συνείποντο γὰρ καὶ ἱερεῖς καὶ διάκονοι τῇ σκηνῇ προσεδρεύοντες, οἳ κατὰ τὸν νόμον τῆς ἐκκλησίας τὴν περὶ ταῦτα τάξιν ἐπλήρουν. Ἐξ ἐκείνου δὲ καὶ τὰ Ῥωμαίων τάγματα, ἃ νῦν ἀριθμοὺς καλοῦσιν, ἕκαστον ἰδίαν σκηνὴν κατεσκευάσατο καὶ ἱερέας καὶ διακόνους ἀπονε-
881 νεμημένους εἶχε. Τὴν δὲ κυριακὴν καλουμένην ἡμέραν, ἣν Ἑβραῖοι πρώτην ὀνομάζουσιν, Ἕλληνες δὲ ἡλίῳ ἀνατιθέασι, καὶ τὴν πρὸ τῆς ἑβδόμης ἐνομοθέτησε δικαστηρίων καὶ τῶν ἄλλων πραγμάτων σχολὴν ἄγειν πάντας καὶ εὐχαῖς καὶ λιταῖς τὸ θεῖον θεραπεύειν. **12** Ἐτίμα δὲ τὴν κυριακὴν ὡς ἐν ταύτῃ τοῦ Χριστοῦ ἀναστάντος ἐκ νεκρῶν, τὴν δὲ ἑτέραν ὡς ἐν αὐτῇ σταυρωθέντος· πάνυ γὰρ πολὺ σέβας εἶχε τοῦ θείου σταυροῦ ἔκ τε τῶν ὑπαρξάντων αὐτῷ τῇ ἐνθένδε ῥοπῇ ἐν ταῖς κατὰ τῶν ἐναντίων μάχαις καὶ ἐκ τῆς συμβάσης αὐτῷ περὶ τούτου θεοσημείας. **13** Ἀμέλει τοι πρότερον νενομισμένην Ῥωμαίοις τὴν τοῦ σταυροῦ τιμωρίαν νόμῳ

---

1. Ce terme, équivalent de « troupes », est déjà employé au iv⁰ siècle, pour désigner des corps de troupes d'importance variée : cf. Амм., 14, 7, 19 ; 29, 3, 7. Au vi⁰ siècle, il désigne des troupes d'élite : cf. Jones, t. 2, p. 610.

2. Cf. *Code Théodosien*, II, 8, 1 (8 juillet 321) : « De même qu'il apparaissait tout à fait inconvenant que le jour du Soleil, consacré par sa vénération, soit occupé par des procès et des disputes coupables qui opposent les parties les unes aux autres ; de même... » (trad. J. Rougé).

3. En 314 encore, donc après sa « conversion » provoquée par l'apparition de la Croix avant la bataille du Pont Milvius, Constantin ordonnait de mettre en croix *(affigere patibulo)* les esclaves ou les affranchis

tiquer qu'elle seule et à la tenir pour salutaire. **10** De la terre imposable en chaque ville il retira au fisc une certaine somme fixe qu'il distribua aux Églises et clergés locaux et il établit par loi que ce don était valable pour toute la durée du temps. Accoutumant les soldats à révérer Dieu en sa manière, il fit mettre le symbole de la Croix sur leurs étendards, fit bâtir un oratoire au palais et, quand il partait en expédition de guerre, il promenait partout une tente disposée en forme d'église, en sorte que, même en des lieux perdus, ni lui ni l'armée ne fussent en manque d'une maison sacrée, dans laquelle on dût chanter des hymnes à Dieu et prier et participer aux mystères. **11** Des prêtres en effet et des diacres l'accompagnaient qui étaient de service en cette tente et y accomplissaient les offices selon la règle de l'Église. De ce moment aussi les corps de troupes des Romains, qu'on nomme aujourd'hui *numeri*[1], se bâtirent chacun une tente propre, avec des prêtres et des diacres qui leur étaient assignés. Quant au jour appelé jour du Seigneur, que les Juifs nomment le premier de la semaine et que les païens consacrent au soleil, et au septième jour, il fixa par loi qu'il y aurait alors universellement vacance de tribunaux et autres affaires[2], et qu'on y rendrait culte à la Divinité par des prières et des supplications. **12** Il honorait le jour du Seigneur comme étant le jour où le Christ était ressuscité des morts, le septième jour comme le jour où il avait été crucifié ; de fait, il avait une singulière vénération pour la sainte Croix, en vertu de ce qui lui était arrivé par l'appui de la Croix dans ses combats contre ses adversaires et de la vision divine qu'il avait eue de la Croix. **13** C'est ainsi qu'il supprima par une loi, de l'usage des tribunaux, le supplice de la croix[3] jusqu'alors

qui dénonçaient leur maître. Aurélius Victor *(Caes.*, 41*)*, confirme qu'à une date ultérieure, il abolit ce supplice qui ne fut plus pratiqué que très exceptionnellement (cf. *Dictionnaire des Antiquités* de Darem-berg et Saglio, I, 2, p. 1574, art. « crux »).

ἀνεῖλε τῆς χρήσεως τῶν δικαστηρίων· πλαττομένῳ τε ἐν
νομίσμασι καὶ ἐν εἰκόσι γραφομένῳ ἐκέλευσεν ἀεὶ συγγρά-
φεσθαι καὶ συντυποῦσθαι τοῦτο τὸ θεῖον σύμβολον. Καὶ
μαρτυροῦσιν εἰσέτι νῦν εἰκόνες αὐτοῦ ἐπὶ τούτου οὖσαι τοῦ
σχήματος.

Καὶ ἐν ἅπασι μέν, νομοθετῶν δὲ μάλιστα, ἐσπούδαζε θεραπεύειν τὸ θεῖον. 14 Φαίνεται γοῦν τὰς ἀκολάστους καὶ κατε-
βλακευμένας μίξεις, πρὸ τούτου μὴ κωλυομένας, ἐπανορ-
θώσας, ὡς ἐξ αὐτῶν συνιδεῖν ἔστι τῶν περὶ τούτων κειμένων
νόμων, εἴ τῳ τοῦτο ἐπιμελὲς τυγχάνει. Νυνὶ γὰρ περὶ τὸ
τέλειον* τοῦτο πονεῖν οὐκ εὔκαιρον εἶναί μοι δοκεῖ. Τὰ δὲ
ἐπὶ τιμῇ καὶ συστάσει τῆς θρησκείας νενομοθετημένα πρὸς
τοῖς εἰρημένοις διεξελθεῖν ἀναγκαῖον μέρος ὄντα τῆς ἐκκλησιαστικῆς ἱστορίας. Ἄρξομαι δὲ ἐντεῦθεν.

---

*τέλειον Rougé : τέλος Bidez.

---

1. Il doit s'agir des lois punissant les auteurs d'un rapt et même
leur victime, si elle est consentante (Code Théodosien, IX, 24, 1 :
1er avril 320 [corrigé en 326 par SEECK, Regesten, p. 61]), la fornication
du tuteur et de sa pupille (ibid., IX, 8, 1 : 4 avril 326), l'adultère d'une
femme avec son esclave (ibid., IX, 9, 1 : 29 mai 329), le concubinat
(Code Justinien, V, 26, 1 : 14 juin 326) : voir PALANQUE, p. 62.

2. A.-J. Festugière admet le texte de Bidez περὶ τὸ τέλος τοῦτο
(T : τέλειον b, sc. l'accord de B et C) en acceptant la suggestion du
même (avec point d'interrogation) qu'il s'agirait du chrysargyre : « cet
impôt ne frappait pas seulement les commerçants, mais aussi les filles
de joie et les jeunes prostitués : cf. O. SEECK, art. « Collatio lustralis »,
PW IV, 1 (1900), c. 370-376, en particulier 370, 30-35 » [A.-J. F.]. Il
est difficile d'admettre cette leçon, car la mention de l'impôt du chrysargyre serait sans rapport avec le contexte. Sozomène parlant des
décisions de Constantin concernant les prostituées invite le lecteur
intéressé par la question à se reporter aux lois édictées à ce sujet, et
qu'il ne juge pas souhaitable d'étudier pour l'instant. Selon l'avis de

habituel chez les Romains ; et à son effigie qu'on repré-
sentait sur les monnaies et qu'on gravait sur les médailles
il ordonna que fussent toujours adjointes la gravure et
l'empreinte de ce divin symbole. En témoignent aujour-
d'hui encore les médailles de Constantin, qui portent cette
figure.

C'est en toutes choses, mais surtout par sa législation que
l'empereur était zélé à révérer la Divinité. **14** Il apparaît
en tout cas comme ayant corrigé les unions impudiques et
dissolues, auparavant non interdites, ainsi qu'on peut le
voir d'après les lois mêmes qu'il institua sur ce point[1],
s'il est quelqu'un que cela intéresse. Pour l'instant en effet
il ne me paraît pas opportun de traiter à fond de ce sujet[2].
En revanche il est nécessaire de parcourir, outre ce qui
a été dit, les lois établies en vue d'honorer et d'organiser
notre religion, car c'est là une partie de l'histoire ecclésiastique. Je commencerai donc par là.

Jean Rougé : « Bidez a abusivement corrigé τέλειον en τέλος sous
prétexte qu'il lui a semblé anormal que Sozomène n'évoque pas la
politique financière de Constantin, et, se fondant sur le célèbre passage
de Zosime (II, 38) attribuant la paternité du chrysargyre à Constantin, il en a déduit que ce τέλος était le chrysargyre. Mais même en
acceptant τέλος, il faudrait comprendre « politique fiscale » plutôt
qu'un impôt déterminé, d'autant qu'il n'est nullement sûr que les
accusations de Zosime soient fondées (j'ai même essayé de montrer
qu'elles ne l'étaient pas). » Il semble donc préférable de conserver
τέλειον, bien que la construction πονεῖν τοῦτο (« traiter ce sujet »)
soit peu correcte, et que l'interprétation πονεῖν περὶ τὸ τέλειον τοῦτο :
« traiter à fond ce sujet » soit hardie. Valois adopte le texte περὶ τὸ
τέλειον τοῦτο ποιεῖν (« traiter cela à fond »), qui est grammaticale-
ment plus correct ; mais il n'en est pas satisfait, car il propose de
lire : ἐπὶ τὸ τέλειον περὶ τοῦτο πονεῖν (*PG* 67, c. 882 B, n. 37)
(B. Grillet).

9

20 | **1** Νόμος ἦν Ῥωμαίοις παλαιὸς ἀπὸ εἴκοσι καὶ πέντε ἐτῶν
884   τῶν ἴσων ἀξιοῦσθαι κωλύων τοὺς ἀγάμους τοῖς μὴ τοιούτοις,
περὶ ἄλλα τε πολλὰ καὶ τὸ μηδὲν κερδαίνειν ἐκ διαθήκης τοὺς
μὴ γένει ἐγγυτάτω προσήκοντας, τοὺς δὲ ἄπαιδας ζημιῶν τὸ
ἥμισυ τῶν καταλελειμμένων. **2** Ἔθεντο δὲ τοῦτον οἱ πάλαι
Ῥωμαῖοι, πολυάνθρωπον ἔσεσθαι τὴν Ῥώμην καὶ τὴν
ὑπήκοον οἰόμενοι, καθότι οὐ πρὸ πολλοῦ τοῦ νόμου ἔτυχον
ἀποβαλόντες τὰ σώματα ἐν ἐμφυλίοις πολέμοις. **3** Ὁρῶν
οὖν ὁ βασιλεὺς παρὰ τοῦτο χεῖρον πράττοντας τοὺς παρθενίαν
καὶ ἀπαιδίαν διὰ θεὸν ἀσκοῦντας εὔηθες ἐνόμισεν ἐξ ἐπιμε-
λείας καὶ σπουδῆς ἀνθρώπων δύνασθαι τὸ τούτων γένος
αὔξειν, τῆς φύσεως ἀεὶ κατὰ τὴν ἄνωθεν ἐπιμέτρησιν φθορὰν
καὶ αὔξησιν δεχομένης. Καὶ νόμον τῷ δήμῳ προσεφώνησεν,
ὥστε ἐπίσης πάντων τῶν ὁμοίων ἀπολαύειν τοὺς ἀγάμους
καὶ ἄπαιδας· οὐ μὴν ἀλλὰ καὶ πλέον ἔχειν ἐνομοθέτησε τοὺς
<ἐν> ἐγκρατείᾳ καὶ παρθενίᾳ βιοῦντας, ἄδειαν αὐτοῖς δοὺς
ἄρρεσί τε καὶ θηλείαις καὶ ἀνήβοις οὖσι διατίθεσθαι παρὰ τὸ
κοινῇ κρατοῦν ἐν τῇ Ῥωμαίων πολιτείᾳ. **4** Περὶ πάντων

---

1. La loi d'Auguste *(Lex Iulia de maritandis ordinibus)* de l'année
18 avant J.-C., frappant d'incapacité légale les célibataires.

2. *Code Théodosien*, VIII, 16, 1 (édictée à Sardique le 31 janv. 320,
affichée à Rome le 1er avril 320), *De infirmandis poenis caelibatus et
orbitatis lex unica*) : « Que ceux qui, en vertu de l'ancien droit, étaient
astreints en tant que célibataires soient libérés des terreurs suspendues
sur leur tête et qu'ils vivent de la même manière que si, par une
convention matrimoniale, ils étaient comptés au nombre des gens
mariés ; que tous aient la même capacité d'acquérir ce que chacun
veut acquérir... » (trad. J. Rougé). [La traduction du mot *orbitas*
pose un problème : s'agit-il des personnes « sans enfant » ou des
« veufs » ? Il est à remarquer que GAUDEMET, utilisant cette loi,
traduit à la p. 198 par « veuvage » et à la p. 517 par « homme sans

Chapitre 9

*Loi promulguée par Constantin
en faveur de ceux qui pratiquent
la virginité et en faveur des clercs.*

1 Il y avait chez les Romains une ancienne loi[1] qui empêchait les non mariés, à partir de vingt-cinq ans, de jouir des mêmes droits que les mariés ; entre autres choses, elle empêchait que jouissent d'aucun héritage ceux qui n'étaient pas les plus proches et elle infligeait comme amende aux proches sans enfants la moitié des biens légués. **2** Les anciens Romains avaient institué cette loi dans la pensée que Rome et ses sujets s'accroîtraient en hommes, vu que, peu de temps avant cette loi, ils avaient perdu beaucoup de peuple dans les guerres civiles. **3** L'empereur, donc, voyant que cela était préjudiciable aux personnes qui pratiquaient la virginité et restaient sans enfants à cause de Dieu, jugea qu'il était absurde de penser que le genre humain pût s'accroître par la sollicitude et le zèle des hommes, alors que la Nature reçoit sans cesse perte et augmentation selon la mesure fixée par le Ciel. Dès lors il fit connaître au peuple par une loi[2] que les gens non mariés et sans enfants jouiraient à égalité de tous les mêmes droits que les autres. Il établit même comme loi que seraient avantagés ceux qui vivent dans la continence et la virginité, leur donnant, hommes et femmes, même encore impubères, libre droit de tester, contrairement à la coutume généralement régnante dans l'État romain. **4** Il estima en effet que devaient avoir bon juge-

enfant » ! Les lois d'Auguste portant aussi bien contre les célibataires que contre les veufs et les gens sans enfants, il est difficile d'opter, même si la *Vita Constantini* traduit par *apaidia*. J.R.].

γὰρ εὖ βουλεύεσθαι ᾠήθη, οἷς ἔργον ἀεὶ τὸ θεῖον θεραπεύειν
καὶ φιλοσοφίαν ἀσκεῖν· ἐπεὶ τούτου χάριν καὶ οἱ πάλαι
Ῥωμαῖοι ἀδεῶς διατίθεσθαι τὰς Ἑστιάδας παρθένους καὶ
ἐξαετεῖς οὔσας ἐνομοθέτησαν.

Τεκμήριον δὲ κἀκεῖνο μέγιστον τῆς τοῦ βασιλέως περὶ τὴν
θρησκείαν αἰδοῦς. 5 Τοὺς μὲν γὰρ πανταχῇ κληρικοὺς θέσει
νόμου ἀτελεῖς ἀνῆκε, τῶν δὲ ἐπισκόπων ἐπικαλεῖσθαι τὴν
κρίσιν ἐπέτρεψε τοῖς δικαζομένοις, ἢν βούλωνται τοὺς πολιτικοὺς ἄρχοντας παραιτεῖσθαι· κυρίαν δὲ εἶναι τὴν αὐτῶν
ψῆφον καὶ κρείττω τῆς τῶν ἄλλων δικαστῶν ὡσανεὶ παρὰ τοῦ
βασιλέως ἐξενεχθεῖσαν, εἰς ἔργον δὲ τὰ κρινόμενα ἄγειν τοὺς
ἄρχοντας καὶ τοὺς διακονουμένους αὐτοῖς στρατιώτας· ἀμε-
τατρέπτους τε εἶναι τῶν συνόδων τοὺς ὅρους.

21 | 6 Εἰς τοῦτο δέ με προελθόντα γραφῆς ἄξιον μὴ παρα-
λιπεῖν τὰ νενομοθετημένα ἐπ᾽ ὠφελείᾳ τῶν ἐν ταῖς ἐκκλησίαις
ἐλευθερουμένων. Ὑπὸ γὰρ ἀκριβείας νόμων καὶ ἀκόντων

---

1. Pour entrer dans le collège des Vestales, l'âge minimum était de
6 ans, l'âge maximum de 10 ans. En contrepartie de leurs rigoureuses
obligations, les vestales jouissaient du même statut juridique que les
pontifes et les flamines : elles n'étaient pas soumises à la puissance
paternelle, étaient admises à témoigner en justice sans prêter serment ;
elles disposaient de leur fortune et *pouvaient tester sans restriction
d'aucune sorte* (Cf. *Dictionnaire des Antiquités* de DAREMBERG et
SAGLIO, V, p. 752-760, notamment p. 758).

2. *Code Théodosien*, XVI, 2, 2 (21 octobre 313) et Eusèbe, *H.E.*
X, 7, 2. Consulter GAUDEMET, aux pages 176-179, notamment p. 176 :
« La première mesure (de Constantin), et la plus libérale, résulte d'une
constitution du 21 octobre 313 dispensant les clercs de tous les *munera*
afin qu'ils puissent se consacrer pleinement à leurs obligations ecclésiastiques. Mais il est probable que Constantin avait déjà accordé
cette immunité auparavant, peut-être dès la fin de 312. Une constitution du 31 octobre 313 montre que l'immunité était déjà relativement
ancienne puisqu'elle dénonce les hérétiques qui soumettent les clercs
à des charges publiques contrairement aux privilèges qui leur avaient
été accordés » (*Code Théodosien*, XVI, 2, 1, référence donnée dans la
note 1 de la page 177).

3. *Code Théodosien*, I, 27, 1 (23 juin 318) et *Const. Sirmond.* 1 (5 mai
333). Sur l'*audientia episcopalis*, voir GAUDEMET, p. 231-232, avec
bibliographie.

ment sur toutes choses des hommes dont la tâche continuelle était de servir Dieu et de pratiquer la vie philosophique ; aussi bien c'est à cause de cela que les anciens
Romains avaient fixé par loi que les vierges vestales,
même âgées de seulement six ans, auraient libre droit de
tester[1].

Voici encore une très grande preuve de la révérence de
l'empereur à l'égard de notre religion. 5 Il établit par une
loi que les clercs en tout lieu seraient libres d'impôt[2], et
il permit à ceux qui étaient en procès d'invoquer le jugement des évêques [3] dans le cas où ils voudraient refuser
celui des magistrats civils : la décision des évêques aurait
autorité et l'emporterait sur celle des autres juges, comme
si elle avait été portée par l'empereur, et les magistrats,
ainsi que les soldats à leur service, devraient mettre à
exécution les choses jugées ; en outre les décisions des
conciles seraient irrévocables.

6 Parvenu à ce point de mon ouvrage, il me paraît bon
de ne pas omettre ce qui fut légiféré dans l'intérêt des
esclaves affranchis dans les églises[4]. Vu la rigueur des lois,

---

4. *Code Théodosien*, IV, 7, 1 *(De manumissionibus in ecclesia)*, du
18 avril 321 : « Ceux qui, dans une intention pieuse, ont accordé dans le
sein de l'Église à leurs esclaves chéris une liberté méritée, doivent
être considérés comme ayant donné cette liberté avec une force légale
identique à celle en vertu de laquelle, une fois les formalités accomplies, on avait coutume d'accorder la citoyenneté romaine ; mais il
nous a paru bon de n'accorder cette faveur qu'à ceux qui ont affranchi
en présence des évêques ». Cf. GAUDEMET, p. 566-567 : « Il serait
difficile de refuser à l'influence (de l'Église) l'introduction dans le
droit du Bas-Empire de l'affranchissement *in ecclesia*. On en a discuté
l'origine. Sous la forme qu'il revêt au Bas-Empire, il implique une
participation des clercs et une cérémonie à l'église. Peut-être n'est-ce
qu'une forme chrétienne de l'affranchissement *inter amicos*. Mais
celui-ci ne conféra pendant longtemps qu'une situation inférieure,
dite latinité junienne. L'affranchissement *in ecclesia* au contraire
donne, depuis sa reconnaissance officielle par Constantin, une liberté
aussi complète que les anciennes formes solennelles du vieux droit
quiritaire. »

τῶν κεκτημένων πολλῆς δυσχερείας οὔσης περὶ τὴν κτῆσιν
τῆς ἀμείνονος ἐλευθερίας, ἣν πολιτείαν Ῥωμαίων καλοῦσι,
885 τρεῖς ἔθετο νόμους ψηφισάμενος πάντας τοὺς ἐν ταῖς ἐκκλησίαις ἐλευθερουμένους ὑπὸ μάρτυσι τοῖς ἱερεῦσι πολιτείας
Ῥωμαϊκῆς ἀξιοῦσθαι. 7 Ταύτης τῆς εὐσεβοῦς ἐφευρέσεως
εἰσέτι νῦν ὁ χρόνος φέρει τὸν ἔλεγχον, ἔθους κρατοῦντος τοὺς
περὶ τούτου νόμους προγράφεσθαι ἐν τοῖς γραμματείοις τῶν
ἐλευθεριῶν.

Ὁ μὲν δὴ Κωνσταντῖνος τοιαῦτα ἐνομοθέτει καὶ διὰ πάντων
ἐσπούδαζε τὴν θρησκείαν γεραίρειν· ἣν δὲ καὶ καθ᾽ ἑαυτὴν
εὐκλεὴς διὰ τὴν ἀρετὴν τῶν τότε μετιόντων αὐτήν.

10

1 Ἄλλοι τε γὰρ πολλοὶ καὶ ἀγαθοὶ Χριστιανῶν ἦσαν τότε,
ἔναγχός τε τῶν διωγμῶν πεπαυμένων εἰσέτι πλεῖστοι τῶν
ὁμολογητῶν τῷ βίῳ περιόντες τὰς ἐκκλησίας ἐσέμνυνον, ὡς
ὁ Ὅσιος ὁ Κουρδούβης ἐπίσκοπος καὶ Ἀμφίων ὁ Ἐπιφανείας
τῆς Κιλίκων καὶ Μάξιμος ὁ μετὰ Μακάριον τὴν Ἱεροσολύμων ἐκκλησίαν ἐπιτραπεὶς καὶ Παφνούτιος ὁ ἐξ Αἰγύπτου,

1. Hosius (ou Ossius ou encore Osius), né vers 257, mort en 358.
Évêque de Cordoue depuis 295, il participa au concile d'Elvire (300)
et fut martyr lors de la persécution de 303. A partir de 313, il fut le
« conseiller ecclésiastique » de Constantin, présida, avec les délégués
romains, le concile de Nicée (325), contribuant fortement à y faire
adopter la formule de l'homoousios. Il résista longtemps aux pressions
de Constance II en faveur de l'arianisme, encourut l'exil en 356 et,
centenaire, finit par prêter son autorité à un synode arien, celui de
Sirmium en 357, dominé par les évêques Ursace et Valens (STEIN-
PALANQUE, p. 106, 135 et 153 ; cf. V. C. DE CLERCQ, art. « Ossius »,
Lexikon f. Theol. 7 [1962], c. 1269-1270).

2. Prit part aux conciles d'Ancyre (314), Néocésarée (314) et
Nicée (325). Adversaire d'Arius, il est recommandé par ATHANASE
pour l'orthodoxie de ses écrits (Ep. ad episc. Aegypti et Libyae,
PG 25, c. 557 A). Malgré les témoignages des auteurs anciens, il n'est
pas sûr qu'il doive être identifié au successeur d'Eusèbe de Nicomédie

en effet, et malgré le vœu des maîtres, il était très difficile
de faire acquérir aux affranchis la liberté complète, qu'on
appelle droit de citoyen romain. L'empereur donc établit
trois lois, décidant que tous ceux qui auraient été affranchis
dans les églises avec pour témoins les prêtres jouiraient
du droit de citoyen romain. **7** De cette pieuse mesure le
temps porte aujourd'hui encore la preuve, puisque l'habitude subsiste d'afficher les lois relatives à ce point dans les
dépôts d'archives des affranchissements.

Telles étaient donc les mesures législatives de Constantin
et c'est par tous moyens qu'il s'empressait d'honorer la
religion. Mais celle-ci était par elle-même en renom à
cause de la vertu de ceux qui alors la pratiquaient.

Chapitre 10

*Les grands confesseurs de la foi
qui étaient encore en vie à l'époque.*

1 De fait il y avait alors beaucoup de gens vertueux
parmi les chrétiens, et en particulier, les persécutions
venant à peine de s'achever, un très grand nombre de
confesseurs de la foi, encore en vie, mettaient en honneur
les Églises ; ainsi Hosius évêque de Cordoue[1], Amphion
évêque d'Épiphanéia en Cilicie[2], Maxime, qui, après
Macaire, avait reçu en charge l'Église de Jérusalem[3], et

(cf. *infra, H.E.* I, 21, 5 et la note *ad loc.*). Voir la notice « Amphion »,
dans *Lexikon f. Theol.* 1 (1957), c. 449 (J. P. Kirsch).

3. Durant la persécution de Maximin Daïa (empereur de 310 à 313),
il avait été mutilé et condamné aux travaux forcés dans les mines.
Ayant succédé à Macaire sur le siège de Jérusalem peu avant 335, il
participa au concile de Tyr, mais refusa d'y souscrire à la condamnation d'Athanase (335). Il refusa aussi de participer au concile arien
d'Antioche en 341. Il accueillit Athanase en 349, à son retour d'exil :
cf. G. Garitte, art. « Maximos », dans *Lexikon f. Theol.* 7 (1962), c. 210.

δι' οὗ φασι πλεῖστα θαυματουργῆσαι τὸ θεῖον, δαιμόνων τε
κρατεῖν καὶ ποικίλων παθημάτων ἰάσεις αὐτῷ χαρισάμενον.
2 Ἐγένοντο δὲ Παφνούτιος οὗτος καὶ Μάξιμος ὁ δηλωθεὶς
ἐξ ἐκείνων τῶν ὁμολογητῶν, οὓς Μαξιμῖνος ἐν τοῖς μετάλλοις ἐργάζεσθαι κατεδίκασε, τοὺς δεξιοὺς αὐτῶν ἐκκόψας
ὀφθαλμοὺς καὶ τὰς ἀριστερὰς ἀγκύλας ἀποτεμών.

11

1 Κατὰ τούτους δὲ γενέσθαι παρειλήφαμεν καὶ Σπυρίδωνα τὸν Τριμυθοῦντος τῆς Κύπρου ἐπίσκοπον, οὗ τὴν
ἀρετὴν ἐπιδεῖξαι τὴν ἔτι κρατοῦσαν περὶ αὐτοῦ φήμην
ἀρκεῖν ἡγοῦμαι. Τῶν δὲ δι' αὐτοῦ σὺν θείᾳ ῥοπῇ γενομένων
τὰ μὲν πλείω, ὥς γε εἰκός, οἱ ἐπιχώριοι ἴσασιν, ἐγὼ δὲ τὰ
22 εἰς ἡμᾶς ἐλθόντα | οὐκ ἀποκρύψομαι. Ἐγένετο γὰρ οὗτος
ἄγροικος, γαμετὴν καὶ παῖδας ἔχων, ἀλλ' οὐ παρὰ τοῦτο τὰ
θεῖα χείρων. 2 Φασὶ δέ ποτε νύκτωρ ἐλθεῖν κακούργους
ἄνδρας ἐπὶ τὴν αὐλὴν τῶν αὐτοῦ προβάτων καὶ κλέψαι ἐπι-
χειρήσαντας ἐξαπίνης γενέσθαι δεσμίους μηδενὸς δήσαντος·
ἅμα δὲ ἡμέρᾳ παραγενόμενον αὐτὸν πεπεδημένους εὑρεῖν
τούτους καὶ λῦσαι μὲν τῶν ἀοράτων δεσμῶν, μέμψασθαι δὲ
888 ὅτι ἐξὸν πεῖσαι καὶ λαβεῖν, ἅ γε ἐπεθύμουν, κλέψαι μᾶλλον

1. Condamné aux travaux des mines pendant les persécutions de
Maximin Daïa (308), il fut libéré vers 311 et se retira dans la vie
monastique sous la discipline d'Antoine. Il participa au concile de
Nicée (325), y faisant prévaloir son opinion grâce à son prestige de
confesseur (cf. *infra*, chap. 23). En 335, il participa au « conciliabule
de Tyr ». Évêque de Thébaïde en Égypte, sa patrie, il mourut vers 360 :
cf. O. VOLK, in *Lexikon f. Theol.* 8 (1963), c. 34, suivant RUFIN (*H.E.* I
[X], 4).
2. Maximin II Daïa, fils d'un berger thrace, officier brutal, nommé
César en 305 par son oncle Galère. Il se fit proclamer Auguste en 310
par ses troupes (STEIN-PALANQUE, p. 86). Il fut un ennemi acharné
des chrétiens, recommençant la persécution 6 mois à peine après l'édit
de tolérance de Galère, la prolongeant même lorsque ses collègues,
Constantin et Licinius, eurent adopté une attitude favorable aux
chrétiens. « Sa politique religieuse préfigure celle de Julien » (STEIN-

Paphnuce d'Égypte[1], par lequel, dit-on, la Divinité fit beaucoup de miracles, lui ayant accordé la grâce de maîtriser les démons et de guérir diverses maladies. **2** Ce Paphnuce et le susdit Maxime avaient été du nombre des confesseurs que Maximin[2] avait condamnés au travail des mines, après leur avoir arraché l'œil droit et coupé le jarret gauche.

Chapitre 11

Récit concernant Spyridon, sa modération et sa sérénité.

1 C'est dans le même temps que, comme nous l'avons appris, vécut Spyridon, l'évêque de Trimythonte à Chypre[3] : sa réputation, qui règne encore, suffit, je pense, à démontrer sa vertu. Parmi les miracles qu'avec l'aide de Dieu il accomplit, la plupart sont connus, comme il est naturel, des gens du pays, mais je ne veux pas cacher ceux qui sont venus à ma connaissance. C'était un paysan, qui avait femme et enfants, mais n'en était pas moins méritant quant au service de Dieu. **2** Voici ce qu'on raconte. Une nuit des malfaiteurs vinrent à sa bergerie et, comme ils essayaient de le voler, ils furent soudain liés sans que nul ne leur eût mis des liens. Le jour venu, il survint, les trouva liés, les délivra de ces liens invisibles et leur fit reproche d'autre part de ce que, alors qu'ils pouvaient le persuader et recevoir ce qu'ils désiraient, ils avaient préféré le voler et

PALANQUE, p. 88-89). Jugement plus balancé et sans doute plus équitable dans H. CASTRITIUS, *Studien zu Maximinus Daïa*, Kallmünz 1969.

3. Sur ce personnage, qui se signala par son ardeur combative au concile de Nicée, le témoignage de Sozomène dérive de celui de RUFIN (*H.E.* I [X], 5), de SOCRATE (*H.E.* I, 12, 2-7) et de THÉODORET (*Vita Spyridonis*), avec peut-être des informations orales : voir l'ouvrage de P. VAN DEN VEN, *La légende de saint Spyridon*, Louvain 1953, et l'article de B. KOTTER, in *Lexikon f. Theol.* 9 (1964), c. 991.

εἵλοντο καὶ ἐν νυκτὶ τοσοῦτον ταλαιπωρῆσαι. 3 Ὅμως δ'
οὖν αὐτοὺς ἐλεήσας, μᾶλλον δὲ πρὸς τὸν ἀμείνω βίον μετα-
τεθῆναι παιδεύων « ἄπιτε, ἔφη, τοῦτον τὸν κριὸν λαβόντες·
κεκμήκατε γὰρ ἀγρυπνοῦντες, καὶ δεῖ ὑμᾶς μὴ μεμφομένους
τοὺς πόνους ἐκ τῆς ἐμῆς αὐλῆς ἀπαλλάττεσθαι.»
4 Τοῦτο θαυμάσειε μὲν ἄν τις εἰκότως, οὐχ ἧττον δὲ κἀκεῖνο. Θυγατρὶ αὐτοῦ παρθένῳ Εἰρήνῃ τοὔνομα παρέθετό τι
τῶν γνωρίμων τις. Ἡ δὲ λαβοῦσα κατώρυξεν οἴκοι, ὅπως
ἐπιμελῶς φυλάττοιτο. Συμβὰν δὲ τὴν κόρην τελευτῆσαι μηδὲν
εἰποῦσαν, ἧκεν ὁ ἄνθρωπος τὴν παρακαταθήκην ἀπαιτῶν.
Ἀγνοοῦντος δὲ Σπυρίδωνος ὅ τι λέγοι, ἀναζητήσαντος δὲ
ὅμως κατὰ τὴν οἰκίαν καὶ μὴ εὑρόντος ἔκλαιε καὶ τὰς τρίχας
ἔτιλλε καὶ θανατιῶν δῆλος ἦν. 5 Κινηθεὶς δὲ πρὸς ἔλεον ὁ
Σπυρίδων ἦλθεν ἐπὶ τὸν τάφον καὶ ὀνομαστὶ τὴν παῖδα ἐκά-
λεσε. Τῆς δὲ ἀποκριναμένης ἤρετο περὶ τῆς παρακαταθήκης,
καὶ μαθὼν ἀνέστρεφε καὶ εὑρών, ἢ ἐσήμανεν, ἀπέδωκε τῷ
ἀνθρώπῳ.
Ἐπεὶ δὲ εἰς τοῦτο προήχθην λόγου, οὐκ ἄτοπον καὶ τοῦτο
προσθεῖναι. 6 Ἔθος ἦν τούτῳ τῷ Σπυρίδωνι τῶν γινομένων
αὐτῷ καρπῶν τοὺς μὲν πτωχοῖς διανέμειν, τοὺς δὲ προῖκα
δανείζειν τοῖς ἐθέλουσιν. Οὔτε δὲ διδοὺς οὔτε ἀπολαμβάνων
δι' ἑαυτοῦ παρεῖχεν ἢ ὑπεδέχετο, μόνον δὲ τὸ ταμιεῖον
23 ἐπιδεικνὺς | ἐπέτρεπε τοῖς προσιοῦσιν, ὅσου δέονται, κομί-
ζεσθαι καὶ πάλιν ἀποδιδόναι, ὅσον ᾔδεσαν κομισάμενοι.
Δανεισάμενος οὖν τις τοῦτον τὸν τρόπον ἧκεν ὡς ἀποδώσων.
Ἐπιτραπεὶς δὲ κατὰ τὸ ἔθος αὐτὸς καθ' ἑαυτὸν ἀποδοῦναι
τῷ ταμιείῳ τὰ δεδανεισμένα, πρὸς ἀδικίαν εἶδε· καὶ νομίσας
λανθάνειν οὐκ ἀπέδωκε τὸ χρέος, ἀλλ' ὑφελόμενος τοῦ
ὀφλήματος τὴν ἀπόδοσιν, ὡς ἀποτίσας ἀπῆλθε. 7 Τὸ δὲ ἄρα
οὐκ ἤμελλεν ἐπὶ πολὺ λήσειν. Μετὰ γάρ τινα χρόνον ὁ μὲν
πάλιν ἐδεῖτο δανείζεσθαι, ὁ δὲ πρὸς τὸ ταμιεῖον ἀπέπεμπεν

subir tant de misères la nuit. **3** Quoi qu'il en soit, ayant eu
pitié d'eux, ou plutôt pour les amener à une vie meilleure,
il leur dit : « Allez, emportez ce bélier. Vous vous êtes
fatigués à veiller, et il ne convient pas que vous quittiez ma
bergerie en vous faisant des reproches pour votre peine. »
4 On pourrait bien admirer à bon droit ce trait, mais non
moins aussi celui-ci. L'une de ses connaissances avait
remis un objet en dépôt à sa fille nommée Irène. Elle le
prit et l'enterra à la maison pour qu'il fût bien gardé. Or,
voilà que la jeune fille meurt sans avoir rien dit ; arrive
l'homme, réclamant son dépôt. Spyridon ne savait ce
qu'il voulait dire, pourtant il chercha dans toute la maison
et ne trouva rien. L'homme pleurait, s'arrachait les cheveux ; visiblement il avait envie de mourir. **5** Ému de
pitié, Spyridon alla à la tombe et appela sa fille par son
nom. Elle répondit, et il l'interrogea sur le dépôt. Elle
l'instruisit, il revint, trouva l'objet au lieu qu'elle avait
indiqué et le rendit à l'homme.

Puisque j'en suis venu là, il n'est pas mauvais que
j'ajoute encore ceci. **6** Ce Spyridon avait l'habitude de
distribuer aux pauvres une partie des fruits de sa terre
et de prêter gratuitement une autre partie à qui le voulait.
Ce n'est pas en personne que, pour donner ou reprendre,
il fournissait ou recevait ; il se bornait à montrer le grenier
et recommandait aux survenants d'emporter ce dont ils
avaient besoin, puis de rendre la quantité qu'ils savaient
avoir prise. Un homme qui avait emprunté dans ces
conditions vint donc un jour pour rendre ce qu'il avait pris.
Il reçut permission comme de coutume de remettre par
lui-même au grenier ce qu'il avait emprunté, mais il eut
l'idée d'une fraude. Pensant que la chose passerait ina-
perçue, il ne rendit pas son dû, mais omit la restitution de
la dette et s'en alla comme s'il s'était acquitté. **7** Cela pourtant ne devait pas rester longtemps caché. Car, après
quelque temps, l'homme demanda de nouveau à emprunter
et Spyridon l'envoya au grenier, lui donnant liberté de

ἐξουσίαν δοὺς αὐτὸν ἑαυτῷ παραμετρεῖν ὅσον βούλεται.
Κενὸν δὲ τὸν οἶκον ἰδὼν ἐμήνυσε τῷ Σπυρίδωνι. Ὁ δὲ πρὸς
αὐτόν· « Θαυμαστόν, ὦ ἄνθρωπε, ἔφη, πῶς σοὶ μόνῳ ἔδοξε
τὸ ταμιεῖον ἐπιλείπειν τὰ ἐπιτήδεια. Σκόπει οὖν κατὰ σαυτὸν
μὴ χρησάμενος ἄλλοτε τὰ πρῶτα οὐκ ἀπέδωκας· εἰ γὰρ μὴ
τοῦτό ἐστι, πάντως οὐκ ἀποτεύξῃ ὧν δέῃ, καὶ πάλιν ἴθι
θαρρῶν ὡς εὑρήσων. » Καὶ ὁ μὲν οὕτω φωραθεὶς κατεμή-
νυσε τὴν ἁμαρτίαν.

8 Ἄξιον δὲ τούτου τοῦ θείου ἀνδρὸς θαυμάσαι τὸ ἐμβριθὲς
καὶ τὴν ἀκρίβειαν τῆς ἐκκλησιαστικῆς τάξεως. Λέγεται γοῦν
χρόνῳ ὕστερον κατά τινα χρείαν εἰς ταὐτὸν συνελθεῖν τοὺς
ἐπισκόπους τῆς Κύπρου, εἶναι δὲ ἐν αὐτοῖς Σπυρίδωνα
889 τοῦτον καὶ Τριφύλλιον τὸν Λεδρῶν ἐπίσκοπον, ἄνδρα ἄλλως
τε ἐλλόγιμον καὶ διὰ νόμων ἄσκησιν πολὺν χρόνον ἐν τῇ
Βηρυτίων πόλει διατρίψαντα. 9 Συνάξεως δὲ ἐπιτελουμένης
ἐπιτραπεὶς Τριφύλλιος διδάξαι τὸ πλῆθος, ἐπεὶ τὸ ῥητὸν
ἐκεῖνο παράγειν εἰς μέσον ἐδέησε τό· « Ἄρόν σου τὸν κράββατον καὶ περιπάτει », σκίμποδα ἀντὶ τοῦ κραββάτου μετα-
βαλὼν τὸ ὄνομα εἶπε. Καὶ ὁ Σπυρίδων ἀγανακτήσας· « Οὐ
σύ γε, ἔφη, ἀμείνων τοῦ κράββατον εἰρηκότος, ὅτι ταῖς αὐτοῦ
λέξεσιν ἐπαισχύνῃ κεχρῆσθαι; » καὶ τοῦτο εἰπὼν ἀπεπήδησε
τοῦ ἱερατικοῦ θρόνου τοῦ δήμου ὁρῶντος, ταύτῃ γε μετριάζειν
παιδεύων τὸν τοῖς λόγοις ὠφρυωμένον. Ἱκανὸς γὰρ ἦν
24 ἐντρέπειν, | αἰδέσιμός τε ὢν καὶ ἐκ τῶν ἔργων ἐνδοξότατος,
ἅμα δὲ καὶ πρεσβύτερος τῇ ἡλικίᾳ τε καὶ ἱερωσύνῃ τυγχάνων.

10 Ὅπως δὲ διέκειτο περὶ τὰς δεξιώσεις τῶν ξένων,
ἐντεῦθεν ἰστέον. Ἤδη τῆς τεσσαρακοστῆς ἐνστάσης ἧκέ τις

---

1. Sur Lédraï, ville très ancienne, attestée au début du VIIᵉ siècle,
voir l'art. *ad loc.*, *PW* XII, 1 (1924), c. 1125-1127 (E. OBERHUMMER).
L'évêque Triphyllios est également nommé par JÉRÔME, *vir. ill.* 92
(Triphyllius Cypri Ledrensis siue Leucotheon episcopus).

2. Le mot synaxe peut désigner l'assemblée des fidèles ou la sainte
communion (= la conjonction avec Dieu). Il semble que Sozomène
emploie ici ce mot, comme le fait SOCRATE (*H.E.* V, 22), pour désigner
tout l'ensemble de l'office divin.

mesurer lui-même ce qu'il voulait. L'homme vit la pièce vide et vint avertir Spyridon. Celui-ci lui dit : « Il est étrange, mon ami, que le grenier ait paru manquer du nécessaire pour toi seul. Examine donc en toi-même si, ayant emprunté une autre fois, tu n'as pas rendu ta première dette. S'il en est autrement, à coup sûr tu ne manqueras pas d'obtenir ce qu'il te faut. Eh bien, retourne avec confiance et tu trouveras. » Et l'homme ainsi démasqué avoua sa faute.

8 Il est juste d'admirer aussi, dans ce saint homme, le sérieux et le respect scrupuleux des règles ecclésiastiques. Voici, en tout cas ce qu'on raconte : quelque temps plus tard, pour un certain motif, les évêques de Chypre se réunirent, et il y avait parmi eux ce Spyridon et Triphyllios, évêque de Lédraï[1], un homme réputé, entre autres raisons, parce qu'il s'était longtemps exercé à Beyrouth à la pratique des lois. **9** Au cours de la synaxe[2], Triphyllios fut chargé de prêcher au peuple. Or, alors que le texte scripturaire qu'il devait produire était « Prends ton grabat et marche » *(Jn 5, 8)*, il changea le mot et, au lieu de « grabat », dit « litière » ! Alors Spyridon en colère : « Te crois-tu donc, dit-il, meilleur que celui qui a dit 'grabat', de ce que tu rougis d'employer les mêmes expressions que lui ? » Sur ce, il bondit de son siège épiscopal à la vue du peuple, apprenant ainsi la modestie à cet homme qui faisait l'arrogant par les mots qu'il employait. Il avait en effet autorité pour faire des reproches[3], car c'était un homme respecté et très renommé pour ses actes, et en même temps il était plus âgé et plus ancien que Triphyllios dans l'épiscopat.

10 Comment d'autre part il se comportait quant à l'accueil de ses hôtes, il faut l'apprendre par ceci. Le Carême ayant déjà commencé, arriva chez lui un individu après une longue marche, en ces jours durant lesquels il

---

3. Ma traduction se fonde sur le sens très habituel de ἐντροπή « reproche » dans le grec tardif. Bidez (Index, *s.v.*) entend : « remplir de confusion » (« beschämen ») (A.-J. F.).

πρὸς αὐτὸν ἐξ ὁδοιπορίας, ἐν αἷς εἰώθει μετὰ τῶν οἰκείων
ἐπισυνάπτειν τὴν νηστείαν καὶ εἰς ῥητὴν ἡμέραν γεύεσθαι
ἄσιτος τὰς ἐν μέσῳ διαμένων· ἰδὼν δὲ τὸν ξένον μάλα κεκμη-
κότα· « Ἄγε δή, πρὸς τὴν θυγατέρα ἔφη, ὅπως τοῦ ἀνδρὸς
τοὺς πόδας νίψῃς καὶ φαγεῖν αὐτῷ παραθῇς. » Εἰπούσης δὲ
τῆς παρθένου μήτε ἄρτον εἶναι μήτε ἄλφιτα (περιττὴ γὰρ
ἦν ἡ τούτων παρασκευὴ διὰ τὴν νηστείαν), εὐξάμενος πρότερον καὶ συγγνώμην αἰτήσας ἐκέλευσε τῇ θυγατρὶ κρέα ὕεια,
ἅπερ ἔτυχεν ἐν τῇ οἰκίᾳ τεταριχευμένα, ἑψεῖν. 11 Ἐπεὶ δὲ
ἥψητο, καθίσας ἅμα αὐτῷ τὸν ξένον, παρατεθέντων τῶν
κρεῶν ἤσθιε καὶ τὸν ἄνδρα παρεκάλει αὐτὸν μιμεῖσθαι.
Παραιτούμενον δὲ καὶ Χριστιανὸν λέγοντα ἑαυτόν· « Ταύτῃ
μᾶλλον, ἔφη, οὐ παραιτητέον. Πάντα γὰρ καθαρὰ τοῖς καθα-
ροῖς ὁ θεῖος ἀπεφήνατο λόγος. » Τάδε μὲν περὶ Σπυρίδωνος.

12

892   1 Οὐχ ἥκιστα δὲ ἐπισημοτάτην τὴν ἐκκλησίαν ἔδειξαν καὶ
τὸ δόγμα ἀνέσχον ταῖς ἀρεταῖς τοῦ βίου οἱ τότε μετιόντες
τὴν μοναστικὴν πολιτείαν. Ὠφελιμώτατον γάρ τι χρῆμα
εἰς ἀνθρώπους ἐλθοῦσα παρὰ θεοῦ ἡ τοιαύτη φιλοσοφία
μαθημάτων μὲν πολλῶν καὶ διαλεκτικῆς τεχνολογίας ἀμελεῖ
ὡς περιέργου καὶ τὴν ἐν τοῖς ἀμείνοσι σχολὴν ἀφαιρουμένης
καὶ πρὸς τὸ βιοῦν ὀρθῶς οὐδὲν συλλαμβανομένης. 2 Μόνη δὲ
φυσικῇ καὶ ἀπεριέργῳ φρονήσει παιδεύει τὰ παντελῶς κακίαν
ἀναιροῦντα ἢ μείονα ἐργαζόμενα. Ἐν οὐδεμιᾷ δὲ τάξει ἀγαθῶν
τίθεται τὰ μεταξὺ κακίας καὶ ἀρετῆς ὄντα, μόνοις δὲ τοῖς
καλοῖς χαίρει. Καὶ τὸν ἀπεχόμενον τοῦ κακοῦ, μὴ δρῶντα δὲ
τὸ ἀγαθὸν φαῦλον νομίζει· οὐ γὰρ ἐπιδείκνυται ἀρετήν, ἀλλ᾽
ἀσκεῖ παρ᾽ οὐδὲν ποιουμένη τὴν πρὸς ἀνθρώπους δόξαν.

1. Par opposition aux sciences acquises tenues pour superflues
(A.-J. F.).

prolongeait d'habitude le jeûne avec les siens et ne mangeait qu'à un jour fixe, demeurant à jeun entre-temps. Voyant cet étranger très fatigué, il dit à sa fille : « Allons, lave les pieds de l'homme et sers-lui à manger. » La jeune fille lui dit qu'il n'y avait ni pain ni farine ; il était superflu en effet d'en préparer à cause du jeûne. Il pria alors, demanda pardon à Dieu et commanda à sa fille de cuire de la viande de porc, qui se trouvait être à la maison en salaison. **11** Quand ce fut cuit, il fit asseoir auprès de lui son hôte et, les viandes étant servies, il mangea et invita l'homme à l'imiter. Comme celui-ci refusait, disant qu'il était chrétien : « Raison de plus, dit-il, pour ne pas refuser. La sainte Écriture dit en effet : ' Tout est pur aux purs ' (*Tite 1, 15*). » Voilà ce qui concerne Spyridon.

Chapitre 12

La manière de vivre des moines ; son origine, ses instigateurs.

1 Les hommes qui surtout illustrèrent l'Église et soutinrent le dogme par les vertus de leur vie furent ceux qui alors pratiquaient la manière de vivre des moines. Descendu de Dieu chez les hommes comme une chose tout à fait utile, ce genre de vie philosophique se désintéresse de la polymathie et de l'art dialectique considérés comme superflus, enlevant le loisir qu'on peut consacrer à des occupations meilleures et ne contribuant en rien à la rectitude de la conduite. **2** C'est seulement par ce que dicte la nature en sa simplicité[1] que cette philosophie enseigne ce qui supprime entièrement le vice ou le modère. Elle ne tient nullement comme bien ce qui est entre le vice et la vertu, elle ne se satisfait que de ce qui est bon. Celui qui s'abstient du mal, mais ne fait pas le bien, elle le regarde comme défectueux ; car la vertu n'est pas pour elle une façade, c'est réellement qu'elle la pratique, tenant pour rien l'opi-

3 Ἀνδρείως δὲ μάλα ἀνθισταμένη τοῖς πάθεσι τῆς ψυχῆς
οὔτε ταῖς ἀνάγκαις τῆς φύσεως ὑπείκει οὔτε ταῖς τοῦ σώματος
ὑποκατακλίνεται ἀσθενείαις. Θείου δὲ νοῦ δύναμιν κεκτημένη
25 πρὸς τὸν δη|μιουργὸν τῶν ὅλων ἀποβλέπει ἀεὶ καὶ νύκτωρ
καὶ μεθ᾽ ἡμέραν αὐτὸν σέβει καὶ εὐχαῖς καὶ λιταῖς ἐξιλεοῦται.
4 Καθαρότητι δὲ ψυχῆς καὶ πολιτείᾳ πράξεων ἀγαθῶν εἰς τὸ
θρησκεύειν εὐαγῶς ἐρχομένη καθαρμῶν καὶ περιρραντηρίων
καὶ τῶν τοιούτων ὑπερορᾷ· μόνα γὰρ μιάσματα ἡγεῖται τὰ
ἁμαρτήματα. **5** Κρείττων δὲ οὖσα τῶν ἔξωθεν συμπιπτόντων
καί, ὡς εἰπεῖν, ἁπάντων δεσπόζουσα οὔτε ὑπὸ τῆς κατεχού-
σης τὸν βίον ἀταξίας ἢ ἀνάγκης τῆς προαιρέσεως μεθίσταται
οὔτε ὑβριζομένη ἀνιᾶται οὔτε κακῶς πάσχουσα ἀμύνεται
οὔτε νόσῳ ἢ ἐνδείᾳ ἐπιτηδείων πιεζομένη καταπίπτει. Μᾶλλον
δὲ ἐπὶ τούτοις σεμνύνεται, τὸ καρτερικὸν καὶ πρᾶον καὶ τὸ
ὀλίγων δεῖσθαι δι᾽ ὅλου τοῦ βίου ἀσκοῦσα καί, ὡς οἷόν τε
ἀνθρώπου φύσει, ἐγγυτάτω θεῷ γινομένη. **6** Ὡς ἐν παρόδῳ
δὲ τῇ παρούσῃ βιοτῇ κεχρημένη οὔτε περὶ κτῆσιν πραγμάτων
ἀσχολουμένη ἄγχεται οὔτε πέρα τῆς κατεπειγούσης χρείας
τῶν παρόντων προνοεῖ, ἀεὶ δὲ τὸ λιτὸν καὶ εὔζωνον τῆς
ἐνταῦθα κατασκευῆς ἐπαινοῦσα καραδοκεῖ τὴν ἐκεῖθεν μακα-
ριότητα καὶ συντέταται ἀεὶ πρὸς τὴν εὐδαίμονα λῆξιν.
7 Ἀναπνέουσα δὲ διὰ παντὸς τὴν εἰς τὸ θεῖον εὐλάβειαν
αἰσχρορρημοσύνης ἀηδίαν ἀποστρέφεται, μηδὲ μέχρι φωνῆς
ἀνεχομένη τούτων, ὧν τὰς πράξεις τῆς οἰκείας ἀγωγῆς
ἀφώρισεν. Ἐπὶ βραχύ τε συστέλλουσα τὴν χρείαν τῆς φύσεως
καὶ τὸ σῶμα συναναγκάζουσα τῶν μετρίων δεῖσθαι, σωφρο-
σύνη μὲν τῆς ἀκολασίας κρατεῖ, δικαιοσύνη δὲ τὴν ἀδικίαν
κολάζει καὶ ἀληθείᾳ τὸ ψεῦδος, καὶ εὐταξίᾳ τῶν ἐπὶ πᾶσι
μέτρων μεταλαγχάνει. **8** Ἐν ὁμονοίᾳ τε καὶ κοινωνίᾳ τῇ πρὸς

nion des hommes. **3** S'opposant résolument aux passions de l'âme, ni elle ne cède aux nécessités de la nature ni elle ne se laisse abattre par les maladies corporelles. En possession de la force de l'Esprit divin, elle regarde sans cesse vers le Créateur de l'univers, nuit et jour elle l'adore et elle se le rend propice par des prières et des supplications. **4** Se portant saintement à l'adoration par la pureté de l'âme et la pratique des bonnes actions, elle méprise les purifications matérielles, les aspersions d'eau lustrale et autres rites pareils ; car elle ne regarde comme souillures que les péchés. **5** Supérieure aux accidents extérieurs et pour ainsi dire maîtresse de tout, ni le désordre des choses humaines ni la nécessité ne la font renoncer à son dessein, ni, violentée, elle ne se chagrine, ni, si on l'attaque, elle ne se défend, ni, sous l'étreinte de la maladie ou du manque des choses nécessaires, elle ne succombe. Plutôt, elle se glorifie de ces malheurs, s'exerçant tout le long de la vie à la force, à la douceur, à la modération des désirs et, autant qu'il est possible à la nature humaine, se tenant tout près de Dieu. **6** Elle ne traite la vie présente que comme un passage, et dès lors ni ne se laisse étrangler par le souci du gain ni ne pourvoit au présent au-delà de la nécessité urgente ; toujours contente de ce qui, dans les conditions de vie d'ici-bas, est simple et sans embarras, elle n'a les yeux fixés que sur la félicité de l'autre vie et elle est toujours tendue vers la destinée bienheureuse. **7** Comme elle respire tout le temps la crainte révérentielle de Dieu, elle se détourne avec horreur de l'ignominie des propos indécents et elle ne souffre même pas l'approche, ne fût-ce que de la voix, de ceux dont elle a banni la conduite de sa propre manière de vivre. Réduisant à peu de chose les besoins de la nature et contraignant le corps à ne réclamer que la juste mesure, elle maîtrise par la chasteté l'incontinence, elle réprime par l'esprit de justice l'injustice et par la vérité le mensonge, et elle participe par le bon ordre à la modération en toutes choses. **8** Elle fonde sa conduite

τοὺς πέλας τὴν πολιτείαν καθίστησι· προνοητικὴ φίλων καὶ
ξένων ἐστὶ καὶ τὰ οἰκεῖα κοινὰ ποιεῖται τῶν δεομένων καὶ
τὰ πρόσφορα ἑκάστῳ συλλαμβάνεται, μήτε χαίροντας ἐνο-
χλοῦσα καὶ λυπουμένους παραμυθουμένη, καθόλου δὲ σπουδάζουσα καὶ πρὸς τὸ ὄντως ἀγαθὸν τὴν ἐπιμέλειαν τείνουσα
893 λόγοις σώφροσι καὶ σοφοῖς ἐννοήμασι καλλωπισμοῦ καὶ
κακηγορίας ἀμοίροις παιδεύει καὶ ὥσπερ φαρμάκοις τισὶν
ἰᾶται τοὺς ἀκούοντας, μετὰ τιμῆς καὶ αἰδοῦς τὰς διαλέξεις
ποιουμένη, καὶ ἔριδος καὶ τωθασμοῦ καὶ ὀργῆς ἐλευθέρα.
26 Λογικὴ γὰρ οὖσα παραιτεῖται | πᾶσαν ἀλόγιστον κίνησιν
καὶ καθάπαξ κρατεῖ τῶν παθῶν τοῦ σώματος καὶ τῆς ψυχῆς.

9 Ταύτης δὲ τῆς ἀρίστης φιλοσοφίας ἤρξατο μέν, ὥς τινες
λέγουσιν, Ἠλίας ὁ προφήτης καὶ Ἰωάννης ὁ βαπτιστής.
Φίλων δὲ ὁ Πυθαγόριος ἐν τοῖς κατ᾽ αὐτὸν χρόνοις ἱστορεῖ
τοὺς πανταχόθεν Ἑβραίων ἀρίστους εἴς τι χωρίον ὑπὲρ τὴν
Μαρίαν λίμνην ἐπὶ γεωλόφου κείμενον φιλοσοφεῖν. Οἴκησιν
δὲ αὐτῶν καὶ δίαιταν καὶ ἀγωγὴν τοιαύτην παρίστησιν, οἵαν
καὶ ἡμεῖς νῦν παρὰ τοῖς Αἰγυπτίων μοναχοῖς πολιτευομένην
ὁρῶμεν. **10** Γράφει γὰρ ἀρχομένους αὐτοὺς τοῦ φιλοσοφεῖν
ἐξίστασθαι τῶν ὄντων τοῖς προσήκουσι καὶ πράγμασι καὶ
ἐπιμιξίαις ἀπαγορεύοντας ἔξω τειχῶν ἐν μοναγρίοις καὶ
κήποις διατρίβειν, οἰκήματα δὲ αὐτοῖς εἶναι ἱερά, ἃ καλεῖται

---

1. Cette tradition est rapportée par JÉRÔME dans les premières
lignes de la *Vie de saint Paul ermite* : « Bien des gens se sont souvent
demandés lequel des moines avait été le premier à habiter le désert.
Certains, remontant assez loin, en attribuent l'initiative au bienheureux Élie et à Jean… » Jérôme rejette cette tradition et, se fondant
sur le témoignage de deux disciples d'Antoine, il fait de Paul de Thèbes,
contemporain de la grande persécution de Dèce et de Valérien (250-
258), l'initiateur de la vie érémitique.

2. Cf. EUSÈBE, *H.E.* II, 4, 3, en conclusion du portrait de Philon :
« On assure qu'il avait étudié la doctrine de Platon et de Pythagore
avec assez de zèle pour surpasser tous ses contemporains » (trad.
Bardy).

3. Sozomène se réfère ici, soit avec la médiation d'EUSÈBE, *H.E.*
II, 17, soit directement, à la description de la vie et du couvent des
Thérapeutes que donne PHILON dans son *De uita contemplatiua* (§ 22) :

sur le bon accord et la communion avec le prochain, elle
prend soin des amis et des hôtes, elle communique ses
biens propres aux indigents et elle procure à chacun le
nécessaire ; elle ne trouble pas la joie de ceux qui sont
heureux, elle console les affligés et, d'une façon générale,
pleine de zèle et tendant sa sollicitude vers le vrai bien,
elle éduque par de sages discours et des jugements prudents,
sans ornements recherchés ni médisance, et guérit les audi-
teurs comme par des remèdes, formulant ses entretiens
avec honneur et révérence, libre d'esprit de querelle, de
moquerie et de colère. Car, comme elle est spirituelle, elle
repousse tout mouvement déraisonnable et domine absolument sur les passions du corps et de l'âme.

9 Cette excellente philosophie a eu son commencement,
disent certains, avec le prophète Élie et Jean Baptiste[1].
De son côté Philon le pythagoricien[2] rapporte que, de son
temps, les meilleurs des Juifs venus de toute part menaient
la vie philosophique en un domaine sis sur une colline au
delà du lac Maréotide[3]. Il décrit leur logement, leur régime
et leur genre de vie, semblables à celui que nous voyons
aujourd'hui chez les moines d'Égypte. **10** Il écrit en effet
que lorsqu'ils entreprenaient de mener la vie philosophique,
ils abandonnaient leurs biens à leurs proches, qu'ils renon-
çaient aux affaires et au commerce des hommes et passaient
leur temps hors des villes dans des solitudes et des jardins,
qu'ils avaient des maisons sacrées, nommées monastères,

« Dans chaque groupe, les meilleurs sont envoyés en colonie, pour y
trouver comme leur patrie, dans un endroit très propice, qui se trouve
sur une colline de moyenne altitude au-dessus du lac Maréotis » (trad.
Miquel). Voir dans l'introduction de F. DAUMAS à son éd., *Œuvres
de Philon* 29, Paris 1964, les p. 22-66 consacrées aux Thérapeutes et,
particulièrement, aux p. 55-58, le parallèle entre Thérapeutes, contem-
platifs localisés près du lac Mariout, et Esséniens, actifs, beaucoup
mieux connus, établis principalement au bord de la mer Morte (Khir-
bet Qumran) : « Les deux mouvements sont issus peut-être d'un même
besoin intérieur de Juifs pieux... Mais ils sont distincts et assez pro-
fondément divergents. »

μοναστήρια, ἐν τούτοις δὲ μεμονωμένους σεμνὰ μυστήρια
ἐπιτελεῖν, ἐπιμελῶς δὲ ψαλμοῖς καὶ ὕμνοις τὸ θεῖον θερα-
πεύειν· καὶ πρὸ ἡλίου δύσεως μὴ ἀπογεύεσθαι τροφῆς, τοὺς
δὲ διὰ τριῶν ἡμερῶν καὶ πλειόνων· καὶ λοιπὸν ῥηταῖς ἡμέραις
χαμευνεῖν, καὶ οἴνου πάμπαν καὶ ἐναίμων ἀπέχεσθαι, ὄψον
δὲ αὐτοῖς εἶναι ἄρτον καὶ ἅλας καὶ ὕσσωπον καὶ ποτὸν
ὕδωρ· γυναῖκας δὲ αὐτοῖς συνεῖναι γηραλέας παρθένους δι'
ἔρωτα φιλοσοφίας ἑκουσίῳ γνώμῃ τὴν ἀγαμίαν ἀσκούσας.
11 Καὶ ὁ μὲν Φίλων ὧδέ πῃ ἱστορῶν ἔοικεν ὑποφαίνειν τοὺς
κατ' αὐτὸν ἐξ Ἑβραίων χριστιανίσαντας ἔτι Ἰουδαϊκώτερον
βιοῦντας καὶ τὰ ἐκείνων ἔθη φυλάττοντας. Παρ' ἄλλοις γὰρ
οὐκ ἔστιν εὑρεῖν ταύτην τοῦ βίου τὴν διαγωγήν. Ὅθεν
896 συμβάλλω ἐξ ἐκείνου παρ' Αἰγυπτίοις ἀκμάσαι ταυτηνὶ τὴν
φιλοσοφίαν. Ἄλλοι δέ φασιν αἰτίαν ταύτῃ παρασχεῖν τοὺς
κατὰ καιρὸν τῇ θρησκείᾳ συμβάντας διωγμούς. Ἐπεὶ γὰρ
φεύγοντες ἐν ὄρεσι καὶ νάπαις καὶ ἐρημίαις τὰς διατριβὰς
ἐποιοῦντο, ἐθάδες τοῦ βίου τούτου ἐγένοντο.

13

27 | **1** Ἀλλ' εἴτε Αἰγύπτιοι εἴτε ἄλλοι τινὲς ταύτης προΰ-
στησαν ἐξ ἀρχῆς τῆς φιλοσοφίας, ἐκεῖνο γοῦν παρὰ πᾶσι
συνωμολόγηται, ὡς εἰς ἄκρον ἀκριβείας καὶ τελειότητος
ἤθεσι καὶ γυμνασίοις τοῖς πρέπουσιν ἐξήσκησε ταυτηνὶ τοῦ
βίου τὴν διαγωγὴν Ἀντώνιος ὁ μέγας μοναχός· ὃν τηνικαῦτα
διαπρέποντα ἐν ταῖς κατ' Αἴγυπτον ἐρημίαις κατὰ κλέος

1. La mention de cette plante aromatique remonte également à
Philon, *De uita contemplatiua*, 81 : « La nourriture très sainte : du
pain levé avec pour condiment du sel mêlé d'hysope. »

2. Né vers 250, Antoine distribua ses biens avant de s'enterrer
pendant vingt ans dans une tombe égyptienne près d'Aphroditopolis.
Quand il fut sorti de cette tombe, il fut entouré de disciples (vers 305).
Au moment de la persécution de Maximin Daïa (vers 311), il revint
à Alexandrie pour porter secours aux chrétiens. Puis il gagna un désert
encore plus lointain. En 335, à la demande de l'évêque d'Alexandrie,
Athanase, il revint dans la métropole de l'Égypte pour y combattre
les ariens. Il regagna enfin sa retraite de la mer Rouge où il vécut

qu'isolés dans ces maisons ils célébraient de saints mystères et qu'ils honoraient avec soin la Divinité par des chants de psaumes et des hymnes. Ils ne prenaient pas de nourriture avant le coucher du soleil, certains ne mangeant que tous les trois jours ou à de plus longs intervalles. Au reste à certains jours fixes ils couchaient à terre et ils s'abstenaient entièrement de vin et de viandes, leur nourriture étant du pain, du sel, de l'hysope[1] et de l'eau froide. Des femmes étaient avec eux, des vieilles qui étaient restées vierges et qui, par amour de la philosophie, par une décision volontaire pratiquaient le célibat. 11 Il semble bien que par cette sorte de récit Philon fasse entrevoir les Juifs qui de son temps étaient devenus chrétiens, mais qui continuaient à vivre à la manière judaïque et conservaient les habitudes de leur race. Car on ne peut trouver ailleurs ce comportement de vie. D'où je conclus que c'est depuis ce moment que cette philosophie a fleuri en Égypte. Selon d'autres pourtant, ce sont les persécutions successives dont a été frappée notre religion, qui ont été la cause de ce genre de vie. Comme en effet, fuyant ces persécutions, les gens passaient leur temps dans les montagnes, les vallons et les déserts, ils s'accoutumèrent à cette façon de vivre.

Chapitre 13

Le grand Antoine et saint Paul le Simple.

1 Mais, que ce soient les Égyptiens ou d'autres qui aient été les maîtres, dès le principe, de cette philosophie, une chose en tout cas est sûre : partout on convient que c'est le grand moine Antoine[2] qui, par ses mœurs et les exercices appropriés, a poussé cette manière de vivre jusqu'au plus

encore vingt années : cf. la version antique anonyme de la *Vie d'Antoine* d'Athanase, dans le vol. 1 des *Vite dei Santi*, procurées par Chr. Mohrmann ; et la notice de A. Klaus in *Lexikon f. Theol.* 1 (1957), c. 667-668.

τῆς τοῦ ἀνδρὸς ἀρετῆς φίλον ἐποιήσατο Κωνσταντῖνος ὁ
βασιλεὺς καὶ γράμμασιν ἐτίμα καὶ περὶ ὧν ἐδεῖτο γράφειν
προὐτρέπετο. 2 Ἐγένετο δὲ οὗτος Αἰγύπτιος τῷ γένει τῶν
εὐπατριδῶν ἀπὸ Κομᾶ· κώμη δὲ αὕτη νομοῦ Ἡρακλείας τῆς
παρ' Αἰγυπτίοις Ἀρκάσι. Βούπαις δὲ καταλειφθεὶς ὀρφανὸς
τοὺς μὲν πατρῴους ἀγροὺς ἐδωρήσατο τοῖς κωμήταις, τὴν
δὲ ἄλλην οὐσίαν διαθεὶς τὸ τίμημα τοῖς πενομένοις διένειμε.
Σπουδαίου γὰρ εἶναι φιλοσόφου κατεῖδεν μὴ μόνον ἑαυτὸν
γυμνῶσαι χρημάτων, ἀλλὰ καὶ εἰς δέον ταῦτα ἀναλῶσαι.
3 Συγγενόμενος δὲ τοῖς κατ' αὐτὸν σπουδαίοις τὰς πάντων
ἐζήλωσεν ἀρετάς· δοκιμάσας δὲ τὸν ἀγαθὸν βίον ἡδὺν ἔσεσθαι
897 τῇ συνηθείᾳ καὶ χαλεπὸν ὄντα τὰ πρῶτα, τρόπους περινοῶν
συντονωτέρας ἀσκήσεως, καθ' ἡμέραν ἐπεδίδου τῇ ἐγκρατείᾳ,
καὶ ὡς ἀεὶ ἀρχόμενος ἀνενέου τὴν προθυμίαν, ταῖς μὲν ταλαι-
πωρίαις τοῦ σώματος τὰς ἡδονὰς κολάζων, θεοσόφῳ δὲ
προαιρέσει τοῖς πάθεσι τῆς ψυχῆς ἀντιταττόμενος. 4 Ἦν δὲ
αὐτῷ τροφὴ μόνος ἄρτος καὶ ἅλας, ὕδωρ δὲ ποτόν, καὶ
ἀρίστου καιρὸς δυόμενος ἥλιος. Πολλάκις δὲ δύο καὶ πλείους
ἡμέρας διέμενεν ἄσιτος. Ἠγρύπνει δὲ ἀεὶ μέν, ὡς εἰπεῖν,
ὁλοκλήρους νύκτας, καὶ εὐχόμενος τῆς ἡμέρας ἐφήπτετο· εἰ
δ' ἄρα καὶ ὕπνου ἐγεύσατο, ἐπὶ ῥιπὸς ἀκαριαῖον ἐκάθευδε.
Τὰ πολλὰ δὲ καὶ χαμαὶ κείμενος αὐτὴν μόνην τὴν γῆν στρω-
μνὴν ἐποιεῖτο. 5 Ἐλαίου τε τὴν ἀλοιφὴν καὶ λουτρῶν καὶ τῶν
παραπλησίων τὴν χρῆσιν παρῃτεῖτο, ὡς ὑγρότητι τὸ σύντονον
28 τοῦ σώματος | εἰς τὸ χαῦνον μεταβάλλουσαν. Φασὶ δὲ μηδὲ

1. C'est le sens, je suppose, de περὶ ὧν ἐδεῖτο γράφειν προὐτρέπετο.
Du reste Athanase et Rufin disent que Constantin sollicitait les
prières d'Antoine. ATHANASE, V. Ant. 81 (PG 26, 956 B) : ἔγραφον
(C. et ses fils) αὐτῷ ὡς πατρί, καὶ ηὔχοντο λαμβάνειν ἀντίγραφα ; ibid.
(957 A) : Κἀκεῖνοι (les mêmes) δεχόμενοι (les lettres d'Antoine) ἔχαιρον.
RUFIN, H.E. I (X), 8 : Ad Antonium quoque primum heremi habita-
torem uelut ad unum ex profetis litteras suppliciter mittit, uti pro se ac
liberis suis domino supplicaret (A.-J. F.).

2. Sozomène parle, par anachronisme, comme on parlait de son
temps. La province d'Arcadia est l'ancienne province d'Aegyptus
Herculia ou Heptanomia, renommée Arcadia d'après l'empereur
Arcadius (395-408). donc longtemps après la naissance d'Antoine.

haut point de la rigueur et de la perfection. Alors qu'il
brillait à cette époque dans les déserts d'Égypte, l'empereur Constantin, en raison de l'illustration de son mérite,
fit de lui son ami, l'honora de lettres et l'exhorta à lui
écrire sur les demandes qu'il lui faisait[1]. **2** Cet Antoine fut
un Égyptien d'une bonne famille de Komâ : c'est un village du nome d'Héraclée dans la province d'Arcadia en
Égypte[2]. Jeune garçon, laissé orphelin, il donna les champs
paternels aux gens de son village et, ayant vendu le reste
de ses biens, il en distribua le prix aux pauvres ; il avait
compris en effet qu'il est d'un vrai philosophe non seulement de se dépouiller de sa fortune, mais encore de la
dépenser comme il se doit. **3** S'étant joint aux ascètes de
son temps, il chercha à égaler leurs vertus à tous. Puis,
ayant jugé que la vie parfaite, même si elle est pénible au
début, devient douce par l'habitude, il imagina des méthodes d'ascèse plus rigoureuses, et chaque jour progressait
dans la continence et renouvelait son ardeur comme s'il
était toujours un débutant, châtiant par les peines volon-
taires les plaisirs du corps, s'opposant aux passions de
l'âme par une volonté pleine de sagesse divine. **4** Sa nourriture n'était que pain et sel, sa boisson de l'eau, et il ne
s'alimentait qu'au soleil couchant. Souvent il restait à
jeun deux jours et même plus. Il restait toujours en veille
pour ainsi dire les nuits entières, et c'est en prière qu'il
atteignait le jour ; et s'il lui arrivait parfois de goûter un
peu de sommeil, il dormait sur une natte très petite. Mais
le plus souvent c'est à même la terre, sur le sol nu, qu'il
faisait sa couche. **5** Il refusait de s'oindre d'huile et d'user
des bains et autres agréments semblables, estimant que
cet usage, par l'humidité, change la tension du corps en
flaccidité ; on dit qu'on ne le vit même jamais nu. Il ne

Cf. U. Wilcken, *Grundzüge und Chrestomathie der Papyruskunde*
(L. Mitteis - U. Wilcken), Leipzig-Berlin 1912, I (Hist. Teil), 1
(Grundzüge), p. 74 ; Pietschmann, art. « Arkadia 3. », *PW* II, 1 (1895),
c. 1137 (A.-J. F.).

γυμνὸν αὐτὸν θεαθῆναί ποτε. Γράμματα δὲ οὐδὲ ἠπίστατο
οὐδὲ ἐθαύμαζεν, ἀλλὰ νοῦν ἀγαθὸν ὡς πρεσβύτερον τῶν
γραμμάτων καὶ αὐτὸν τούτων εὑρετὴν ἐπῄνει. 6 Ἐγένετο δὲ
πρᾶος τὰ μάλιστα καὶ φιλανθρωπότατος καὶ ἐχέφρων καὶ
ἀνδρεῖος, χαρίεις τε τοῖς ἐντυγχάνουσι καὶ ἄλυπος οἷς δι-
ελέγετο, εἰ καὶ ἐριστικῶς τὰς διαλέξεις ἐποιοῦντο. Σοφῶς γάρ
πως τῷ οἰκείῳ ἤθει καὶ ἐπιστήμῃ τινὶ φιλονικίαν αὐξομένην
κατέπαυε καὶ πρὸς τὸ μέτρον μετετίθει καὶ τῶν ὁμιλούντων
αὐτῷ τὸν τόνον ἐκίρνα καὶ τοὺς τρόπους ἐρρύθμιζε.

7 Διὰ τοσούτων δὲ ἀρετῶν ἔμπλεως θείας προγνώσεως
γεγονὼς οὐχ ἡγεῖτο ἀρετὴν προειδέναι τὸ μέλλον, καὶ κατὰ
τοῦτο μὴ πονεῖν εἰκῇ περὶ τοῦτο συνεβούλευεν, οὔτε τὸν
ἀγνοοῦντα τὰ ἐσόμενα εὐθύνας ὑφέξειν οὔτε τὸν εἰδότα παρὰ
τοῦτο ζηλωτὸν ἔσεσθαι ἀποφαινόμενος· τὸ γὰρ ἀληθῶς μακάριον ὑπάρχειν ἐν τῷ σέβειν τὸν θεὸν εἶναι καὶ τοὺς νόμους
αὐτοῦ φυλάττειν. Εἰ δὲ καὶ τούτου, φησί, μέλει τῳ, καθα-
ρευέτω τὴν ψυχήν· τουτὶ γὰρ δύνασθαι διορατικὴν αὐτὴν
ποιεῖν καὶ τῶν ἐσομένων ἐπιστήμονα τοῦ θεοῦ τὸ μέλλον
προαναφαίνοντος. 8 Ἀργεῖν δὲ οὔτε αὐτὸς ἠνείχετο καὶ τὸν
μέλλοντα καλῶς βιοῦν ἐργάζεσθαι παρεκελεύετο καὶ καθ'
ἑαυτὸν ἀνακρίνειν καὶ λόγον τιθέναι ὧν ἐποίησε νύκτωρ καὶ
μεθ' ἡμέραν. Εἰ δέ τι μὴ δέον πέπραχεν, ἀναγράφεσθαι τοῦτο,
ἵνα τοῦ λοιποῦ φείδοιτο τῶν ἁμαρτημάτων, ἑαυτὸν αἰδούμενος εἰ πολλὰ εὕροι ἐγγεγραμμένα, ἅμα τε δεδιώς, μὴ
φωραθείσης αὐτῷ τῆς γραφῆς κατάδηλος ἄλλοις γένηται
μοχθηρὸς ὤν. 9 Οὐ μὴν ἀλλὰ καὶ περὶ τὰς προστασίας τῶν
ἀδικουμένων, εἰ καί τις ἄλλος, ὑπερφυῶς σπουδαιότατος
ἐγένετο· καὶ τούτων ἕνεκα πολλάκις εἰς τὰς πόλεις ἐφοίτα.
Παροδυρόμενοι γὰρ αὐτῷ πολλοὶ ἐβιάζοντο πρεσβεύειν ὑπὲρ
αὐτῶν πρὸς τοὺς ἄρχοντας καὶ τοὺς ἐν τέλει· πολλοῦ γὰρ ἂν
ἕκαστος ἐτιμήσατο ἰδεῖν αὐτὸν καὶ λαλοῦντος ἀκοῦσαι καὶ

savait même pas ses lettres et en faisait peu de cas, mais il louait le bon sens qui était, disait-il, plus ancien que les lettres et en avait été l'inventeur. 6 Il fut extrêmement doux, tout plein d'humanité, prudent et brave, gracieux quand on l'abordait, et sans se fâcher jamais contre les interlocuteurs, même s'ils conduisaient l'entretien dans un esprit de dispute. Avec une sorte de sagesse en effet, par son caractère naturel et une certaine science acquise, s'il voyait croître la contestation, il l'apaisait, la ramenait à la mesure, tempérait l'ardeur des disputants et réglait leur façon d'être.

7 Bien qu'il fût rempli, grâce à de si grandes vertus, du don divin de prévoir l'avenir, il tenait que ce n'était pas une vertu de savoir à l'avance l'avenir et, pour cette cause, il conseillait de ne pas se donner de la peine inutilement à ce sujet, déclarant que ni celui qui ignorait les choses futures ne subirait de châtiment ni celui qui les connaissait ne serait enviable pour cela : la véritable félicité consistait dans l'adoration de Dieu et l'observance de ses lois. « Que si quelqu'un, disait-il, se soucie aussi de connaître l'avenir, qu'il purifie son âme : c'est cela qui peut le gratifier du don de prophétie et lui faire savoir ce qui arrivera, Dieu lui révélant à l'avance le futur. » 8 Il ne supportait pas lui-même l'oisiveté et il recommandait, si l'on veut vivre vertueusement, de travailler, et de s'examiner soi-même, et de tenir compte de ce qu'on fait nuit et jour. Si l'on avait mal agi, on devait l'inscrire sur une feuille, pour éviter désormais les fautes ; on aurait ainsi honte de soi-même si l'on trouvait beaucoup de fautes inscrites, et en même temps l'on craindrait, si cette feuille était volée, que d'autres ne sussent combien l'on était mauvais. 9 Au surplus il était extrêmement zélé, plus que tout autre, à prendre la défense des personnes injustement accusées, et à cause de cela il se rendait souvent dans les villes. Car, dans leur chagrin, beaucoup de malheureux le pressaient d'inter-céder pour eux auprès des magistrats et des gens en place :

κελεύοντι πειθαρχῆσαι, ἐπεὶ καὶ τηλικοῦτος ὢν ἐσπούδαζεν
ἀγνοεῖσθαι καὶ ἐν ταῖς ἐρημίαις λανθάνειν. 10 Εἰ δὲ καὶ
29 βιασθείς ποτε εἰς πόλιν ἦλθεν | ἐπικουρῆσαι δεομένοις, δια-
θεὶς ὅτου χάριν παρεγένετο αὐτίκα ἐπὶ τὴν ἔρημον ἐπανῄει.
Τοὺς μὲν γὰρ ἰχθύας ἔλεγε τὴν ὑγρὰν οὐσίαν τρέφειν, μοναχοῖς δὲ κόσμον φέρειν τὴν ἔρημον, ἐπίσης τε τοὺς μὲν ξηρᾶς
900 ἁπτομένους τὸ ζῆν ἀπολιμπάνειν, τοὺς δὲ τὴν μοναστικὴν
σεμνότητα ἀπολλύειν τοῖς ἄστεσι προσιόντας. Πειθήνιον δὲ
καὶ κεχαρισμένον τοῖς ὁρῶσιν ἑαυτὸν παρέχων ἐπεμελεῖτο
μήτε φύσιν ὑπερορῶσαν ἔχειν μήτε δοκεῖν εἶναι τοῦτο.
11 Ἀλλὰ ταῦτα μὲν μικρὰ ἄττα τῶν Ἀντωνίου πολι-
τευμάτων εἰπεῖν προήχθην, ἵν᾽ ὑποδείγμασι χρώμενοι τοῖς
εἰρημένοις ἀναλογισώμεθα τοῦ ἀνδρὸς τὴν φιλοσοφίαν. Πλείστους δὲ καὶ εὐδοκιμωτάτους μαθητὰς ἔσχεν, ὧν οἱ μὲν ἐν
Αἰγύπτῳ καὶ Λιβύῃ, οἱ δὲ ἐν Παλαιστίνῃ καὶ Συρίᾳ καὶ
Ἀραβίᾳ διέπρεψαν. Καὶ ἕκαστος οὐχ ἧττον ἢ ὁ διδάσκαλος,
παρ᾽ οἷς διέτριβε, διεβίω τε καὶ ἐπολιτεύσατο καὶ πολλοὺς
ἐπαίδευσε καὶ εἰς τὴν ὁμοίαν ἀρετὴν καὶ φιλοσοφίαν ἤγαγεν,
12 ὥστε ἔργον εἶναι κατὰ πόλεις καὶ χώρας περιόντα ἐπιμελῶς ζητεῖν τοὺς Ἀντωνίου ἑταίρους ἢ τοὺς τούτων διαδόχους. Πῶς γὰρ καὶ ῥᾳδία γένοιτο τούτων ἡ εὕρεσις, οἷς
ἐν τῷ βίῳ λανθάνειν ἐσπουδάζετο ἐπιμελέστερον ἢ πολλοὶ
τῶν νῦν ἀνθρώπων ὑπὸ φιλοτιμίας τυφούμενοι πομπεύουσιν
ἑαυτοὺς καὶ καταδήλους ποιοῦσιν.
13 Ἐγένοντό γε μὴν εὐδοκιμώτατοι ὧν παρειλήφαμεν
Ἀντωνίου μαθητῶν ἄλλοι τε πολλοί, οὓς κατὰ τὸν οἰκεῖον
καιρὸν ἀναγράψομαι, καὶ Παῦλος ὁ ἐπίκλην ἁπλοῦς. Ὃν

---

1. Sur ce personnage, le témoignage de Sozomène coïncide avec
l'Histoire Lausiaque, attribuée à PALLADIOS, évêque d'Hélénopolis
(né vers 363), et dédiée en 419/420 à Lausus, chambellan de Théodose II : voir le chap. 22 (C. MOHRMANN, Vite dei Santi, II, p. 118-127) ;
il coïncide aussi avec l'Historia monachorum, 24 (ap. A.-J. FESTU-
GIÈRE, Les moines d'Orient, IV, 1 : Enquête sur les moines d'Égypte,
Paris 1964, p. 125). Voir aussi la notice de H. ENGBERDING, in Lexikon f. Theol. 8 (1963), c. 214. — Sur la morale chrétienne en matière
matrimoniale et la sanction de l'adultère, identique pour les deux
époux, cf. GAUDEMET, p. 553. Par sa générosité, la conduite de Paul

chacun en effet eût estimé très haut de le voir, de l'entendre parler et d'obéir à ses ordres, puisque, illustre comme il l'était, il ne cherchait qu'à être ignoré et à se tenir caché aux déserts. **10** Mais s'il était contraint un jour de se rendre à la ville pour aider des gens qui le demandaient, ayant réglé l'affaire pour laquelle il était venu, aussitôt il repartait pour le désert. Il disait en effet que si l'élément humide nourrit les poissons, c'est le désert qui fait l'ornement des moines ; et que, comme les poissons, s'ils touchent terre, quittent la vie, les moines, s'ils s'approchent des villes, perdent la gravité monastique. Néanmoins, quand on le voyait, il se montrait persuasif et plein de grâce et il se gardait avec soin de tout mépris et dans la réalité et dans l'apparence.

11 Voilà les quelques petits exercices d'ascèse d'Antoine que je me suis laissé entraîner à citer, pour que, par les exemples ainsi narrés, nous prenions idée de la philosophie de cet homme ; il eut un très grand nombre de disciples très renommés, dont les uns vécurent en Égypte et en Libye, les autres en Palestine, en Syrie et en Arabie. Chacun d'eux, non moins que le maître, dans le pays où il séjournait, mena tout le long de sa vie ses exercices d'ascèse, forma beaucoup de disciples et les conduisit à la même sorte de vertu et de philosophie. **12** Dès lors il est bien difficile, parcourant villes et campagnes, de rechercher avec soin les disciples d'Antoine ou leurs successeurs. Comment en effet serait-il aisé de les découvrir, puisqu'en toute leur vie ils se sont efforcés plus soigneusement de se cacher que beaucoup des gens d'aujourd'hui, gonflés d'orgueil, cherchent à faire étalage d'eux-mêmes et à se mettre en évidence ?

13 Disons toutefois qu'entre autres nombreux disciples très renommés d'Antoine dont j'ai eu connaissance et dont je raconterai la vie au moment venu, il y eut en particulier Paul surnommé le Simple[1]. C'était, dit-on, un paysan, et

à l'égard de sa femme adultère n'est pas tout à fait conforme aux règles canoniques !

φασιν ἄγροικον ὄντα καλῇ τὸ εἶδος γυναικὶ συνοικῆσαι· ἐπ'
αὐτοφώρῳ δὲ αὐτὴν καταλαβόντα μοιχευομένην ἠρέμα ἐπι-
γελάσαι καὶ ὅρκον προσθεῖναι ὡς οὐκέτι αὐτῇ συνοικήσει.
« Ἔχε δὲ αὐτὴν » πρὸς τὸν μοιχὸν εἰπὼν εὐθὺς ἐπὶ τὴν
ἐρημίαν ἀνῆλθε πρὸς Ἀντώνιον. 14 Πραότατον δὲ καὶ καρτερικὸν εἰσάγαν λέγεται τόνδε γενέσθαι τὸν ἄνδρα· ἀμέλει τοι
καὶ γηραλέῳ ὄντι καὶ μοναστικῆς τληπαθείας ἀήθει (ἔτι
γὰρ νέηλυς ἦν) παντοδαπαῖς πείραις προσβαλὼν Ἀντώνιος
ἐν οὐδενὶ ἀγεννῇ ἐφώρασε· τελείαν δὲ αὐτῷ φιλοσοφίαν ἐπι-
μαρτυρήσας καθ' ἑαυτὸν διάγειν ἐπέτρεπεν ὡς μηδὲν διδασ-
30 κάλου | δεόμενον. Ἐπεψηφίζετο δὲ καὶ ὁ θεὸς τῇ Ἀντωνίου
μαρτυρίᾳ, καὶ τοῖς ἔργοις ἐπεδείκνυ τὸν ἄνδρα ἐνδοξότατον,
κρείττονα δὲ καὶ αὐτοῦ τοῦ διδασκάλου εἰς τὸ κακοῦν καὶ
ἀπελαύνειν τοὺς δαίμονας.

14

1 Περὶ δὲ τοῦτον τὸν χρόνον καὶ Ἀμοῦν ὁ Αἰγύπτιος
ἐφιλοσόφει. Ὃν δὴ λόγος βιασαμένων τῶν οἰκείων γυναῖκα
ἀγαγέσθαι, μὴ πειραθῆναι δὲ αὐτῆς ᾗ θέμις ἀνδράσιν. Ὡς
γὰρ ἀρχὴν εἶχεν αὐτοῖς ὁ γάμος καὶ νύμφην οὖσαν οἷα
νυμφίος εἰς τὸν θάλαμον λαβὼν ἐμονώθη· « Ὁ μὲν δὴ γάμος
ἡμῖν οὗτος, ἔφη, ὦ γύναι, μέχρι τούτων τετέλεσται »·
ἡλίκον δὲ ἀγαθόν ἐστι δυνηθῆναι παρθένον διαμεῖναι, ἐκ τῶν
ἱερῶν γραφῶν ὑφηγεῖτο, καὶ ἐπειρᾶτο καθ' ἑαυτὸν οἰκεῖν.
901 2 Ἀλλ' ἐπειδὴ τοὺς περὶ παρθενίας λόγους ἐπῄνει ἡ γυνή,
χωρισθῆναι δὲ αὐτοῦ χαλεπῶς ἔφερεν, ἰδίᾳ καθεύδων ἐπὶ
δέκα καὶ ὀκτὼ ἔτεσι συνῆν αὐτῇ μηδὲ οὕτω μοναχικῆς ἀσκήσεως ἀμελῶν. Ἐν τοσούτῳ δὲ χρόνῳ ζηλώσασα τὴν τοῦ

---

1. Sur ce pionnier du monachisme dans le désert de Nitrie¦ entre
320 et 330, comparer au témoignage détaillé de Sozomène ceux de
l'*Histoire Lausiaque*, 8, de l'*Historia monachorum*, 22, et de Socrate,
qui ne fait intervenir ce personnage qu'au livre IV (23, 3-11). Du reste,
sur le détail des relations d'Amoun avec son épouse, la version de
Sozomène coïncide avec celle de l'*Histoire Lausiaque* et de l'*Historia
monachorum*, et non avec celle de Socrate. Cf. B. Kötting, art.
« Ammun », in *Lexikon f. Theol.* 1 (1957), c. 443.

il avait une femme qui était belle. L'ayant surprise un jour en flagrant délit d'adultère, il rit doucement et jura qu'il n'habiterait plus avec elle. « Prends-la », dit-il à l'adultère, et sur ce il partit aussitôt au désert chez Antoine. **14** On dit que cet homme fut extrêmement doux et endurant. En tout cas alors qu'il était vieux déjà et inhabitué aux fatigues de l'ascèse monastique — il était de fait encore nouveau venu —, bien qu'Antoine lui eût infligé toutes sortes d'épreuves, il ne le trouva jamais sans courage. Alors, lui ayant porté témoignage qu'il était parfait philosophe, Antoine lui permit de vivre seul comme n'ayant en rien besoin d'un maître. Et Dieu confirma ce témoignage d'Antoine, il rendit Paul tout à fait illustre en miracles, et supérieur même à son maître quant au fait de tourmenter et de chasser les démons.

Chapitre 14

Saint Amoun et Eutychianos de l'Olympe.

1 Vers le même temps, l'Égyptien Amoun[1] aussi menait la vie philosophique. Voici ce qu'on raconte. Ses proches l'avaient forcé à prendre femme, mais il ne s'unit pas à elle comme il est permis à des époux. En effet, au début même de leur mariage, alors que, jeune mari, il avait amené la jeune épouse dans la chambre nuptiale et qu'il avait été laissé seul avec elle, il lui dit : « C'est ici que s'achèvent nos noces, ma femme. » Il lui expliqua ensuite d'après les saintes Écritures combien il était beau de pouvoir rester vierge, et il tenta de vivre seul à part. **2** Mais comme sa femme, tout en approuvant ce qu'il disait de la virginité, avait peine à être séparée de lui, il demeura auprès d'elle dix-huit ans en faisant lit à part et, même dans cette situation, il ne négligea pas l'ascèse monastique. Au bout de ce long temps, sa femme voulut rivaliser avec la vertu de son mari,

ἀνδρὸς ἀρετὴν ἡ γυνὴ ἐλογίσατο μὴ δίκαιον εἶναι τηλικοῦτον
ὄντα οἴκοι κρύπτεσθαι δι' αὐτήν, καὶ χρῆναι ἑκάτερον
κεχωρισμένως οἰκοῦντα φιλοσοφεῖν. 3 Καὶ περὶ τούτου
ἐδεήθη τοῦ ἀνδρός. Ὁ δὲ χάριν ὁμολογήσας τῷ θεῷ ὑπὲρ τῶν
βεβουλευμένων τῇ γυναικί· « Σὺ μὲν δή, ἔφη, τοῦτον τὸν
οἶκον ἔχε· ἐγὼ δὲ ἕτερον ἐμαυτῷ ποιήσω. » Καὶ πρὸς
μεσημβρίαν τῆς Μαρίας λίμνης καταλαβὼν ἔρημον τόπον
ἀμφὶ τὴν Σκῆτιν καὶ τὸ καλούμενον τῆς Νιτρίας ὄρος δύο καὶ
εἴκοσι ἔτη ἐνθάδε ἐφιλοσόφησε, δὶς ἑκάστου ἔτους τὴν
γυναῖκα θεώμενος.

4 Τούτῳ δὲ τῷ θεσπεσίῳ ἀρχηγῷ γενομένῳ τῶν τῇδε
μοναστηρίων πολλοὶ καὶ ἀξιόλογοι ἐγένοντο μαθηταί, ὡς αἱ
διαδοχαὶ ἐπιδείξουσι. Πολλὰ δὲ καὶ θεσπέσια ἐπ' αὐτῷ
συμβέβηκεν, ἃ μάλιστα τοῖς κατ' Αἴγυπτον μοναχοῖς ἠκρί-
βωται, περὶ πολλοῦ ποιουμένοις διαδοχῇ παραδόσεως ἀγρά-
φου ἐπιμελῶς ἀπομνημονεύειν τὰς τῶν παλαιοτέρων ἀσκητῶν
ἀρετάς. Ἐμοὶ δὲ τῶν εἰς ἡμᾶς ἐλθόντων ἐκεῖνα ῥητέον.
5 Ἐδέησεν αὐτῷ καὶ Θεοδώρῳ τῷ αὐτοῦ μαθητῇ ἀπιοῦσί που
διαβῆναι διώρυγα, ἣν Λύκον καλοῦσιν. Ἵνα δὲ μὴ γυμ-
νοὺς ἀλλήλους θεάσωνται, ἐκέλευσεν Ἀμοῦν ὑπαναχωρῆσαι
31 Θεόδω|ρον. Ὡς δὲ καὶ ἑαυτὸν ᾐσχύνετο γυμνὸν ἰδεῖν,
ἐξαπίνης ὑπὸ θείας δυνάμεως μετάρσιος ἀρθεὶς ἐπὶ τὴν
ἀντικρὺ ὄχθην μετετέθη. Διαβὰς δὲ τὸ ὕδωρ Θεόδωρος καὶ
θεασάμενος αὐτοῦ τὴν ἐσθῆτα καὶ τοὺς πόδας ἀβρόχους
ἐλιπάρει τὸν πρεσβύτην φράζειν αὐτῷ τὴν αἰτίαν. Ἐπεὶ δὲ
ὁ μὲν παρῃτεῖτο λέγειν, ὁ δὲ μὴ ἄλλως ἀνήσειν ἰσχυρίζετο,

---

1. Hauts lieux du « semi-cénobitisme » fondé par le moine Pachôme
(environ 290-346). D'après l'*Histoire Lausiaque*, 8, et l'*Historia monachorum*, 21-22, « il y avait en ces lieux cinq mille solitaires vivant
suivant des observances diverses, chacun à son gré et selon la mesure
de ses forces ». Sur le monachisme oriental en général, du IVe au
VIe siècle, voir D. J. CHITTY, *The desert a city. An introduction to the
study of Egyptian and Palestinian monasticism under the Christian
Empire*, Oxford 1966. Sur le monachisme égyptien, voir les articles
d'A. GUILLAUMONT, notamment « Histoire des moines aux Kellia »,
Or. Lov. Per., 1977, p. 187-203, et « La conception du désert chez les
moines d'Égypte », *R.H.E.*, 1975, p. 3-21.

elle se dit qu'il n'était pas juste que, devenu si grandement
vertueux, il fût caché à la maison à cause d'elle, et qu'il
valait mieux que l'un et l'autre menassent séparément la
vie philosophique. **3** Elle en fit la demande à son mari.
Lui alors, rendant grâces à Dieu pour les résolutions de sa
femme, lui dit : « Prends cette maison. Moi, je m'en ferai
une autre pour moi. » Et ayant gagné, au sud du lac Maréotide, un lieu désert près de Scété et de ce qu'on nomme mont
de Nitrie[1], il y philosopha vingt-deux ans, ne voyant sa
femme que deux fois l'an.

4 Ce saint homme, qui était devenu le fondateur des
monastères de là-bas, eut beaucoup de disciples dignes de
mémoire, comme le montreront les successions de maîtres
à disciples. Et beaucoup d'événements miraculeux se sont
produits à cause de lui. Ce sont surtout les moines d'Égypte
qui les ont notés avec soin, jugeant très important de rappeler scrupuleusement, par la transmission d'une tradition orale, les vertus des ascètes les plus anciens. Quant à
moi, des faits parvenus à ma connaissance, il me faut dire
ceux-ci[2]. **5** Amoun et Théodore son disciple, étant en
voyage, eurent à traverser quelque part un canal, qu'on
nomme Lycos. Pour ne pas se voir l'un l'autre nus, Amoun
ordonna à Théodore de se retirer. Et comme il avait honte
de se voir lui-même nu, il fut soudain, par une force divine,
transporté en l'air jusqu'à la rive opposée. Théodore, qui
avait traversé le canal, et qui voyait que le vêtement et
les pieds d'Amoun n'étaient pas mouillés, supplia le vieillard de lui en dire la cause. Comme celui-ci se refusait de
parler et que l'autre affirmait qu'il ne le lâcherait pas
qu'il n'eût appris la chose, sur la promesse de Théodore de

2. Sur l'aventure d'Amoun et de son disciple Théodore, le récit
de Sozomène remonte directement à la *Vita Antonii*, 60, d'ATHANASE.
En effet, il contient des développements qui sont abrégés dans l'*Histoire Lausiaque*, 8, et dans le récit de Socrate, *H.E.* IV, 23. — Le Lycos
est un canal branché sur le Nil, probablement à la hauteur de Lycopolis en Haute-Égypte.

εἰ μὴ μάθοι, συνθεμένου Θεοδώρου ζῶντος αὐτοῦ μηδενὶ
λέξειν, ὡμολόγησε τὸ συμβάν. 6 Παραπλήσιον δὲ τῷ εἰρημένῳ εἰς θαῦμα καὶ τοῦτο. Ἄδικοι πατέρες ὑπὸ κυνὸς
λυσσῶντος ἴδιον παῖδα δηχθέντα καὶ ὅσον οὔπω ἀπολεῖσθαι
προσδοκώμενον ἤγαγον ὡς αὐτόν, καὶ ὀλοφυρόμενοι ἐδέοντο
αὐτοῦ θεραπεῦσαι τὸν υἱόν. Ὁ δὲ πρὸς αὐτούς· « Ἀλλ' οὐδέν,
ἔφη, δεῖται τῆς παρ' ἐμοῦ θεραπείας· ὑμεῖς δὲ εἰ βούλεσθε
τὸν βοῦν ὃν κεκλόφατε ἀποδοῦναι τοῖς δεσπόταις, αὐτίκα
ἰαθήσεται. » Ὁ καὶ συνέβη· ἅμα γὰρ ὁ βοῦς ἀπεδόθη καὶ τὸ
πάθος τὸν παῖδα ἀπέλιπεν. Ἡνίκα δὲ ὁ Ἀμοῦς οὗτος ἐτε-
λεύτα, λέγεται τὸν Ἀντώνιον θεάσασθαι τὴν ψυχὴν αὐτοῦ
ἐπὶ τὸν οὐρανὸν ἀναγομένην θείων δυνάμεων σὺν ψαλμῳδίαις
ἡγουμένων. Πυνθανομένοις δὲ τοῖς περὶ αὐτὸν τοῦ θαύματος
τὴν αἰτίαν οὐκ ἀπεκρύψατο· δῆλος γὰρ ἦν σπουδαίως τὸν
ἀέρα κατανοῶν καὶ ἐκπεπληγμένος πρὸς τὴν ὄψιν τοῦ παραδόξου θεάματος. 8 Ὡς δὲ μετὰ ταῦτα παραγενόμενοί τινες
ἀπὸ τῆς Σκήτεως ἀνήγγειλαν τὴν ὥραν τῆς Ἀμοῦς τελευτῆς,
τἀληθὲς ἐδείχθη τῆς Ἀντωνίου προρρήσεως. Καὶ ἀμφοτέρους
ἐμακάριζον, τὸν μὲν ἐπὶ ὁμολογουμένοις ἀγαθοῖς μεταστάντα
τῆς ἐνταῦθα βιοτῆς, τὸν δὲ τοσαύτης ἀξιωθέντα θέας, ἣν ὁ
θεὸς αὐτῷ ἀπὸ τοσούτου ἐδήλωσε. Πολλῶν γὰρ ἡμερῶν
ὁδός ἐστι τὸ μέσον τῶν τόπων ἐν οἷς ἑκάτερος διέτριβε.

904   Καὶ τάδε μὲν ὧδε ἱστόρηται παρὰ τῶν Ἀντωνίῳ καὶ Ἀμοῦν
συγγενομένων.

9 Ἐπὶ ταύτης δὲ τῆς ἡγεμονίας εὐδοκίμως ἐπυθόμην φιλο-
σοφῆσαι καὶ Εὐτυχιανόν, ὃς ἐν Βιθυνίᾳ περὶ τὸν Ὄλυμπον
τὰς διατριβὰς εἶχεν, αἵρεσιν δὲ τὴν Ναυατιανῶν πρεσβεύων

32   θείας χάριτος μετεῖχε θεραπείαις παθῶν | καὶ παραδόξοις

---

1. Ce second événement miraculeux est rapporté par l'*Historia
monachorum*, 22, 5. — On admet aujourd'hui, rappelons-le, que l'ouvrage de Rufin (*PL* 21, c. 387-462) est le remaniement avec des additions personnelles d'un ouvrage grec, attribué par certains à Timothée,
archidiacre d'Alexandrie vers 412. Sozomène dépend-il ici de la version
latine de Rufin ou bien est-il remonté directement à l'ouvrage attribué
à Timothée ?

2. Sozomène cite ainsi anonymement la *Vita Antonii*, 60,
d'ATHANASE.

ne le dire à personne tant qu'il serait lui-même en vie, il
avoua ce qui était arrivé. **6** Voici encore une chose faite
pour étonner, analogue à la précédente[1]. Des parents, coupables d'un méfait, amenèrent un jour à Amoun leur fils
qui avait été mordu par un chien enragé et dont on s'attendait à ce qu'il dût mourir bientôt, et ils le suppliaient en
larmes de guérir l'enfant. « Mais il n'a nul besoin de mes
soins, leur dit-il. Si vous consentez, vous autres, à rendre
à son maître le bœuf que vous avez volé, aussitôt l'enfant
sera guéri. » C'est ce qui arriva. A peine le bœuf rendu, le
mal quitta l'enfant. **7** A l'heure où cet Amoun mourait,
on dit[2] qu'Antoine vit son âme transportée au ciel sous la
conduite de Puissances divines qui chantaient des psaumes.
Comme les compagnons d'Antoine l'interrogeaient sur la
cause de son émerveillement, il ne la cacha pas ; car on
voyait bien qu'il examinait avec soin le ciel et qu'il était
frappé de stupeur à la vue de cet étrange spectacle. **8** Quand,
après cela, des gens vinrent de Scété et indiquèrent l'heure
əp la mort d'Amoun, la vérité de la prédiction d'Antoine
fut rendue manifeste. Et on les félicitait l'un et l'autre,
l'un de ce qu'il eût quitté la vie d'ici-bas après de belles
actions reconnues de tous, l'autre de ce qu'il eût été jugé
digne d'un si merveilleux spectacle, que Dieu lui avait fait
voir d'une si grande distance ; car c'est d'un voyage de
beaucoup de jours que sont distants les lieux où chacun
des deux séjournait. Tels sont donc les récits que font ceux
qui ont été les compagnons d'Antoine et d'Amoun.

9 Sous le règne de Constantin a brillamment philo-
sophé aussi, à ma connaissance, Eutychianos, qui menait
ses exercices en Bithynie, près de l'Olympe. Sectateur des
novatiens[3], il jouit des charismes divins pour la guérison

3. La secte des novatiens remonte au milieu du IIIe siècle : son
fondateur, Novatien, se sépara de l'Église au moment de l'élection
du pape Corneille (251), auquel il reprochait une indulgence excessive
à l'égard des *lapsi*, les chrétiens qui avaient faibli au cours de la persécution de Dèce. La nouvelle église rigoriste de Novatien s'implanta

πράξεσιν, ὡς καὶ αὐτῷ Κωνσταντίνῳ διὰ τὴν ἀρετὴν τοῦ
βίου συνήθη καὶ φίλον εἶναι. **10** Κατ' ἐκεῖνο γοῦν καιροῦ
δεσμώτου ὄντος του τῶν δορυφόρων (ὑποπτευθεὶς γὰρ
τυραννικὰ φρονεῖν ἔφυγε καὶ περὶ τὸν "Ολυμπον ἀναζητηθεὶς
συνελήφθη), δεηθέντων δὲ τῶν ἐπιτηδείων Εὐτυχιανοῦ πρεσβεύειν ὑπὲρ αὐτοῦ πρὸς τὸν βασιλέα, πρότερον δὲ προνοεῖν,
ὥστε τῶν δεσμῶν ἀφεθῆναι τὸν ἄνθρωπον, μὴ χαλεπῶς
δεδεμένος φθάσῃ ἀπολόμενος, λέγεται, ὡς τοὺς δεσμοφύ-
λακας πέμψας ἐδεήθη τῶν δεσμῶν αὐτὸν ἀνεῖναι· οἱ δὲ οὐκ
ἐπείθοντο, εἰς τὸ δεσμωτήριον ἐλθεῖν· αὐτομάτως δὲ κεκλεισ-
μένας ἀναπετασθῆναι τὰς θύρας καὶ τοῦ δεσμώτου τὰ δεσμὰ
διαρρυῆναι· **11** μετὰ δὲ ταῦτα καὶ πρὸς βασιλέα παραγε-
νέσθαι ἐν Βυζαντίῳ τότε διατρίβοντα, ἑτοίμως τε τὴν χάριν
λαβεῖν. Οὐ γὰρ εἰώθει Κωνσταντῖνος δυσχεραίνειν ἐπὶ ταῖς
αὐτοῦ αἰτήσεσι· σφόδρα γὰρ ἐν πλείστῃ τιμῇ τὸν ἄνδρα ἦγε.

Τάδε μὲν ἡμῖν ὡς ἐν βραχεῖ δεδηλώσθω περὶ τῶν τότε
λαμπρῶς ἐν μοναχοῖς φιλοσοφησάντων· ᾧ δὲ ἀκριβείας τῆς
περὶ τούτων μέλει, ζητῶν ἂν εὕροι τῶν πλειόνων τοὺς βίους
ἀναγράπτους.

15

1 Ἀλλὰ γὰρ καίπερ ὧδε καὶ διὰ πάντων τῶν ἄλλων τῆς
θρησκείας εὐδοκιμούσης, ἐριστικαί τινες διαλέξεις ἐτά-
ραττον τὰς ἐκκλησίας, ἐπὶ προφάσει δῆθεν εὐσεβείας καὶ τῆς

---

non seulement à Rome, mais en Gaule, en Espagne, en Égypte et à
Constantinople (cf. DANIÉLOU-MARROU, p. 233-234). L'histoire d'Eutychianos est reproduite de SOCRATE, *H.E.* I, 13, qui déclare la tenir
d'un certain Auxanon, de la secte des novatiens, qui vécut longtemps
auprès d'Eutychianos et qui, ayant assisté au concile de Nicée (325),
ne mourut que sous le règne de Théodose II (408-450).

1. Un grand nombre de ces vies, non seulement celle d'Antoine,
mais celles de Pachôme, d'Hypatios, de Daniel le Stylite, de Cyrille de
Scythopolis, d'Euthyme, de Sabas, de Macrine... nous sont parvenues. La plupart ont été rassemblées, traduites et commentées par
A.-J. FESTUGIÈRE, *Les moines d'Orient*, Paris 1960-1965, 7 vol.

des maladies et autres miracles, au point que par la sainteté
de sa vie il devint familier et ami de Constantin lui-même.
10 Voici en tout cas ce qui arriva en ce temps : un des gardes
du corps avait été fait prisonnier ; soupçonné de vouloir
usurper le trône il avait fui et, recherché sur l'Olympe,
avait été capturé. Or, comme ses proches avaient supplié
Eutychianos d'intercéder pour lui près de l'empereur et
de se préoccuper d'abord de le faire délivrer de ses liens,
de peur que, lié de lourdes chaînes, il ne mourût entre-
temps, on dit qu'ayant envoyé un message aux geôliers,
il leur demanda que l'homme fût délié. Sur leur refus, il
entra à la prison ; aussitôt, d'elles-mêmes, les portes s'ou-
vrirent et les chaînes du prisonnier tombèrent. **11** Après
cela, il se rendit auprès de l'empereur, qui se trouvait alors
à Byzance, et il obtint promptement la grâce du prisonnier :
de fait, Constantin ne se fâchait pas en général de ses
demandes, car il l'avait en très grande estime.

Voilà ce que je voulais dire très brièvement sur ceux qui
ont brillamment pratiqué l'ascèse parmi les moines. Si l'on
veut avoir une connaissance plus détaillée à leur sujet,
qu'on cherche et l'on découvrira leurs vies, qui, pour la
plupart, ont été mises par écrit[1].

Chapitre 15

L'hérésie d'Arius, son origine, sa propagation ;
querelle allumée entre les évêques à cause d'Arius.

1 Quoi qu'il en soit[2], bien que de cette façon et par bien
d'autres raisons la religion fût en honneur, certaines discussions, animées d'un esprit de querelle, troublaient les

---

2. Ἀλλὰ γὰρ répond au μὲν de τάδε μὲν, et cette opposition est
comme d'un sujet principal, maintenant indiqué, à ce qui a été comme
un sujet secondaire (ὡς ἐν βράχει δεδηλώσθω). Cf. J. D. Denniston,
The Greek Particles, Oxford 1954, p. 101-102 (A.-J. F.).

τοῦ θεοῦ τελείας εὑρέσεως εἰς ζήτησιν ἄγουσαι τὰ πρότερον
ἀνεξέταστα. Ἦρξε δὲ τούτων τῶν λόγων Ἄρειος πρεσβύτερος τῆς κατ' Αἴγυπτον Ἀλεξανδρείας. 2 Ὃς ἐξ ἀρχῆς
σπουδαῖος εἶναι περὶ τὸ δόγμα δόξας νεωτερίζοντι Μελιτίῳ
συνέπραττε· καταλιπὼν δὲ τοῦτον ἐχειροτονήθη διάκονος
παρὰ Πέτρου τοῦ Ἀλεξανδρέων ἐπισκόπου· καὶ πάλιν αὖ
905 παρ' αὐτοῦ τῆς ἐκκλησίας ἐξεβλήθη, καθότι Πέτρου τοὺς
Μελιτίου σπουδαστὰς ἀποκηρύξαντος καὶ τὸ αὐτῶν βάπτισμα μὴ προσιεμένου τοῖς γινομένοις ἐπέσκηπτε καὶ ἠρε-
33 μεῖν οὐκ ἠνείχετο. Ἐπεὶ δὲ Πέτρος ἐμαρτύρησε, | συγγνώμην
αἰτήσας Ἀχιλλᾶν ἐπετράπη διακονεῖν καὶ πρεσβυτερίου
ἠξιώθη. Μετὰ δὲ ταῦτα καὶ Ἀλέξανδρος ἐν τιμῇ εἶχεν αὐτόν.
3 Διαλεκτικώτατος δὲ γενόμενος (ἐλέγετο γὰρ μηδὲ τῶν
τοιούτων ἀμοιρεῖν μαθημάτων) εἰς ἀτόπους ἐξεκυλίσθη
λόγους, ὡς τοῦτο πρότερον παρ' ἑτέρου μὴ εἰρημένον τολμῆ-
σαι ἐν ἐκκλησίᾳ ἀποφήνασθαι, τὸν υἱὸν τοῦ θεοῦ ἐξ οὐκ
ὄντων γεγενῆσθαι, καὶ εἶναί ποτε ὅτε οὐκ ἦν, καὶ αὐτεξου-
σιότητι κακίας καὶ ἀρετῆς δεκτικὸν ὑπάρχειν καὶ κτίσμα
καὶ ποίημα καὶ ἄλλα πολλά, ἃ λέγειν εἰκὸς τὸν τούτοις
συνιστάμενον εἰς διαλέξεις προϊόντα καὶ τὰς κατὰ μέρος
ζητήσεις. 4 Λαβόμενοι δέ τινες τῶν εἰρημένων, ἐμέμφοντο
Ἀλέξανδρον ὡς οὐ δέον ἀνεχόμενον τῶν κατὰ τοῦ δόγματος

---

1. Cf. *supra*, p. 117, n. 4.

2. Mélétios, évêque de Lycopolis en Thébaïde d'Égypte, mort vers
325/326, fut l'auteur d'un schisme qui commença en 306 et se poursuivit jusqu'au début du vɪᵉ siècle. En 305/306, lors de la persécution
de Dioclétien, l'évêque Pierre d'Alexandrie s'était caché. Mélétios se
considéra alors comme le chef de l'Église d'Égypte. Quand la persécution se fut ralentie, Pierre régla le cas des *lapsi* avec une indulgence
que Mélétios ne manqua pas de condamner. Pierre le fit déposer par
un synode : Mélétios organisa parallèlement « l'Église des martyrs ».
Lors de la reprise de la persécution (308/309), Mélétios fut déporté
ad metalla, en Palestine, d'où il revint avec l'auréole du martyr. Pierre
déclara nul le baptême des mélétiens, avant de mourir lui-même
martyr en 311. Sous les successeurs de Pierre, Mélétios persista dans
son attitude schismatique et se donna un successeur, Jean dit Arkaph,
avant de mourir. Voir la notice de K. Baus, *Lexikon f. Theol.* 7 (1962),
c. 257.

Églises ; sous un prétexte apparemment de piété et d'une
connaissance parfaite de Dieu, elles conduisaient à enquêter
sur des problèmes qu'on n'avait pas auparavant soumis
à l'examen. Le fauteur de ces discussions fut un prêtre
d'Alexandrie d'Égypte, Arius[1]. **2** Réputé, à l'origine, pour
son zèle à l'égard du dogme, il s'était associé aux innovations de Mélétios[2] ; puis, il avait abandonné Mélétios et
avait été ordonné diacre par Pierre, évêque d'Alexandrie[3] ;
puis, de nouveau, il avait été chassé de l'Église par Pierre,
attendu que, comme Pierre avait excommunié les tenants
de Mélétios et rejeté leur baptême, il avait attaqué ces
mesures et refusait de se tenir tranquille. Quand Pierre eut
subi le martyre, Arius, ayant demandé pardon à Achillas[4],
se vit confier la charge d'une diaconie et fut ordonné
prêtre. Après cela, Alexandre[5] aussi le tint en estime.
3 Comme il était devenu très fort en dialectique — il passait
en effet pour avoir l'expérience aussi de ces sortes de disciplines —, il se précipita dans des propos étranges, au point
d'oser déclarer à l'église ceci, chose que personne encore
n'avait jamais dite, que le Fils de Dieu avait été tiré du
néant, qu'il y avait eu un temps où il n'était pas, que par
son libre arbitre il était capable de mal comme de bien,
qu'il était une créature et un ouvrage créé, et bien d'autres
choses qu'il est normal de dire quand on se fonde sur ces
principes et qu'on se laisse aller à des discussions et à tout
scruter point par point. **4** Ayant appris ces dires, quelques-
uns reprochaient à Alexandre de supporter, comme il ne

3. Pierre fut évêque d'Alexandrie de 300 à sa mort, en 311 : voir
la notice de P. Camelot, *Lexikon f. Theol.* 8 (1963), c. 331-332. Sur
ses démêlés avec Mélétios de Lycopolis, voir la note précédente.

4. Achillas, successeur de Pierre, fut évêque d'Alexandrie entre le
mois de novembre 311 et le mois de juin 312.

5. Alexandre fut évêque d'Alexandrie de 312 à 328. C'est vers 320
qu'il réunit en concile une centaine d'évêques d'Égypte et de Libye
qui condamnèrent Arius et ses partisans : voir la notice de L. Ueding,
Lexikon f. Theol. 1 (1957), c. 314.

νεωτερισμῶν. Ὁ δὲ ὑπολαβὼν ἄμεινον εἶναι περὶ τῶν ἀμφιβόλων ἑκατέρῳ μέρει προθεῖναι λόγον, ὥστε μὴ δόξαι
ἀνάγκῃ ἀλλὰ πειθοῖ τῆς ἔριδος αὐτοὺς παύειν, κριτὴς καθίσας
σὺν τοῖς ἀπὸ τοῦ κλήρου εἰς ἅμιλλαν ἀμφοτέρους ἤγαγεν.
5 Ὡς δὲ συμβαίνειν φιλεῖ περὶ τὰς ἔριδας τῶν λόγων, ἑκάτερος ἐπειρᾶτο νικᾶν. Συνίστατο δὲ Ἄρειος μὲν τοῖς παρ'
αὐτοῦ εἰρημένοις, οἱ δὲ ὡς ὁμοούσιος καὶ συναΐδιός ἐστιν ὁ
υἱὸς τῷ πατρί. Συνεδρίου δὲ πάλιν γενομένου τοσαύτας διαλέξεις ἀνακινήσαντες οὐ συνέβησαν ἀλλήλοις. Ἀμφηρίστου
δὲ τῆς ζητήσεως ἔτι δοκούσης εἶναι πέπονθέ τι καὶ Ἀλέξανδρος τὰ πρῶτα πῇ μὲν τούτους πῇ δὲ ἐκείνους ἐπαινῶν.
6 Τελευτῶν δὲ τοῖς ὁμοούσιον καὶ συναΐδιον εἶναι τὸν υἱὸν
ἀποφαινομένοις ἔθετο· καὶ τὸν Ἄρειον ὁμοίως φρονεῖν ἐκέλευσε τῶν ἐναντίων λόγων ἀφέμενον. Ἐπεὶ δὲ οὐκ ἔπεισεν,
ἤδη δὲ πολλοὶ τῶν ἀμφ' αὐτὸν τῶν ἐπισκόπων καὶ τοῦ κλήρου
λέγειν ὀρθῶς τὸν Ἄρειον ἐνόμιζον, ἀπεκήρυξε τῆς ἐκκλησίας
αὐτόν τε καὶ τοὺς συμπράττοντας αὐτῷ περὶ τὸ δόγμα κλη-
ρικούς. 7 Συνέπραττον δὲ αὐτῷ τῆς Ἀλεξανδρέων παροικίας
πρεσβύτεροι μὲν Ἀειθαλὴς καὶ Ἀχιλλεύς, Καρπώνης τε καὶ
Σαρμάτης καὶ Ἄρειος, διάκονοι δὲ Εὐζώιος καὶ Μακάριος,
Ἰούλιος καὶ Μηνᾶς καὶ Ἑλλάδιος. Ἐντεῦθεν δὲ καὶ τοῦ λαοῦ
34 οὐκ ὀλίγη μοῖρα μετέθεντο πρὸς | αὐτούς, οἱ μὲν ὁμοίως
χρῆναι περὶ θεοῦ νομίζειν ἡγούμενοι, οἱ δέ — τοῦτο δὴ τὸ
908 τοῖς πολλοῖς συμβαῖνον — ὡς ἠδικημένους ἐλεοῦντες καὶ
τῆς ἐκκλησίας ἀκρίτως ἐκβεβλημένους. 8 Ἐπεὶ δὲ <τὰ> κατὰ
Ἀλεξάνδρειαν ὧδε εἶχεν, λογισάμενοι οἱ ἀμφὶ τὸν Ἄρειον
ἀναγκαῖον εἶναι τὴν εὔνοιαν προφθάσαι τῶν κατὰ πόλιν
ἐπισκόπων πρεσβεύονται πρὸς αὐτούς. Καὶ γράψαντες, ὡς
ἐπίστευον, ἐζήτουν, εἰ μὲν ὀρθῶς ἔχει τάδε νομίζειν περὶ
θεοῦ, δηλῶσαι Ἀλεξάνδρῳ μὴ χαλεπαίνειν αὐτοῖς· εἰ δὲ μή,

---

1. Sozomène emprunte à SOCRATE, *H.E.* I, 6, cette liste des sectateurs d'Arius que son prédécesseur présente à l'intérieur d'un
document, la lettre encyclique d'Alexandre d'Alexandrie condamnant
Arius et ses partisans (cf. OPITZ, document 4b, 6, p. 7).

fallait pas, ces innovations contre le dogme. Mais Alexandre jugeait préférable de laisser la parole à chacun des deux partis sur des questions ambiguës, de manière à ne pas sembler leur faire cesser leur querelle par la contrainte, mais par la persuasion ; et, ayant donc siégé comme juge avec les membres de son clergé, il invita les deux partis à une dispute. **5** Comme il arrive en pareil cas dans les querelles oratoires, chacun des deux partis s'efforçait de vaincre. Arius adhérait fermement à ce qu'il avait dit, les autres soutenaient que le Fils est consubstantiel et coéternel au Père. Il y eut une nouvelle réunion, on souleva le même nombre de thèses opposées, et ils ne s'accordèrent point. Comme la question paraissait encore disputée des deux côtés, Alexandre aussi fut d'abord dans l'embarras : il louait tantôt ceux-ci, tantôt ceux-là. **6** Finalement il se rangea au parti de ceux qui déclaraient le Fils consubstantiel et coéternel, et il ordonna à Arius de penser de même et de lâcher la thèse opposée. Comme il ne le persuada pas, et que cependant beaucoup déjà des évêques de son entourage et de son clergé estimaient qu'Arius disait juste, il l'excommunia de l'Église, lui et les clercs qui s'associaient à lui sur le dogme. **7** Il avait pour associés dans le diocèse d'Alexandrie, comme prêtres Aeithalès, Achille, Karpônès, Sarmatès et Aréios, comme diacres Euzoïos, Macaire, Jules, Ménas et Helladios[1]. De ce moment aussi une grande partie des laïcs passa dans leur camp, les uns parce qu'ils estimaient qu'il fallait penser sur Dieu comme eux, les autres — c'est ce qui arrive généralement — parce qu'ils les prenaient en pitié comme victimes d'une injustice et chassés de l'Église à la légère. **8** Telle étant la situation à Alexandrie, les partisans d'Arius se dirent qu'il était nécessaire de gagner à l'avance la faveur des évêques de chaque ville et ils leur envoient des messages. Ils leur écrivirent leur manière de croire, et ils demandaient, s'il était orthodoxe de penser ainsi sur Dieu, d'avertir Alexandre de ne pas leur être hostile ; si ce n'était pas

διδάσκεσθαι ὃν χρὴ τρόπον δοξάζειν. Οὐ μετρίως δὲ ὤνησεν αὐτοὺς τοῦτο τὸ σπουδαζόμενον. Διασπαρέντος γὰρ σχεδὸν εἰς πάντας τοῦ τοιούτου δόγματος, κοινῇ τοῖς πανταχῇ ἐπισκόποις ἡ αὐτὴ γέγονε ζήτησις. 9 Καὶ οἱ μὲν ἔγραφον ᾿Αλεξάνδρῳ μὴ προσίεσθαι τοὺς περὶ ῎Αρειον, εἰ μὴ τὴν ἑαυτῶν πίστιν ἀποκηρύξουσιν· οἱ δὲ μὴ τοῦτο ποιεῖν ἐδέοντο. ᾿Ιδὼν οὖν ᾿Αλέξανδρος πλείστους ἀγαθοῦ βίου προσχήματι σεμνοὺς καὶ πιθανότητι λόγου δεινοὺς συλλαμβανομένους τοῖς ἀμφὶ τὸν ῎Αρειον, καὶ μάλιστα Εὐσέβιον τὸν τότε προεστῶτα τῆς Νικομηδέων ἐκκλησίας, ἄνδρα ἐλλόγιμον καὶ ἐν τοῖς βασιλείοις τετιμημένον, ἔγραψε τοῖς πανταχῇ ἐπισκόποις μὴ κοινωνεῖν αὐτοῖς. 10 ᾿Εκ τούτου δὲ ἔτι μᾶλλον ἐπὶ ἑκάτερα ἐξεκαίετο ἡ σπουδὴ καὶ μείζων, οἷα φιλεῖ, ἀνεκινήθη ἔρις. ᾿Επεὶ γὰρ πολλάκις δεηθέντες ᾿Αλεξάνδρου οἱ ἀμφὶ τὸν Εὐσέβιον οὐκ ἔπεισαν, ὡς ὑβρισμένοι ἐχαλέπαινον καὶ προθυμότεροι ἐγένοντο κρατῦναι τὸ ᾿Αρείου δόγμα. Καὶ σύνοδον ἐν Βιθυνίᾳ συγκροτήσαντες γράφουσι τοῖς ἀπανταχῇ ἐπισκόποις ὡς ὀρθῶς δοξάζουσι κοινωνῆσαι τοῖς ἀμφὶ τὸν ῎Αρειον, παρασκευάσαι δὲ καὶ ᾿Αλέξανδρον κοινωνεῖν αὐτοῖς. 11 ῾Ως δὲ οὐδὲν ἧττον παρὰ γνώμην αὐτοῖς ἐχώρει ἡ σπουδὴ ᾿Αλεξάνδρου μὴ εἴκοντος, πρεσβεύεται ὁ ῎Αρειος πρὸς Παυλῖνον τὸν Τύρου ἐπίσκοπον καὶ Εὐσέβιον τὸν Παμφίλου, ἐπιτροπεύοντα τὴν ἐκκλησίαν τῆς ἐν Παλαιστίνῃ Καισαρείας, καὶ Πατρόφιλον τὸν Σκυθοπόλεως, καὶ ἐξαιτεῖ ἅμα τοῖς ἀμφ᾿
35 αὐτὸν ἐπιτρα|πῆναι ἐκκλησιάζειν τὸν μετ᾿ αὐτοῦ λαόν, ὡς πρότερον τὴν τῶν πρεσβυτέρων τάξιν ἐπέχοντας. 12 Εἶναι γὰρ ἔθος ἐν ᾿Αλεξανδρείᾳ (καθάπερ καὶ νῦν) ἑνὸς ὄντος τοῦ κατὰ πάντων ἐπισκόπου τοὺς πρεσβυτέρους ἰδίᾳ τὰς ἐκκλη-

---

1. Sur ce « prince de l'intrigue », évêque de Beyrouth, puis, à partir de 318, de Nicomédie, qui exerça une grande influence d'abord sur Licinius et son épouse Constantia, puis sur Constantin et sur son fils Constance II, qui fut l'artisan de l'éloignement d'Eustathe d'Antioche (330), d'Athanase d'Alexandrie (335) et de Marcel d'Ancyre (336) avant de mourir en 341/342, voir la notice de A. BIGELMAIR, Lexikon f. Theol. 3 (1959), c. 1198.
2. Naturellement, ce concile réuni à l'initiative d'Eusèbe de Nico-

orthodoxe, de leur enseigner comment penser. Cette entreprise ne leur fut pas d'un mince profit. Car, comme leur doctrine s'était répandue à peu près chez tous, c'est généralement que les évêques de partout s'appliquèrent à la même recherche. 9 Les uns écrivaient à Alexandre de ne pas admettre les tenants d'Arius, à moins qu'ils ne répudiassent leur manière de croire ; les autres lui demandaient de ne pas agir ainsi. Voyant donc que beaucoup d'évêques vénérables par leur attitude de vie et réputés pour leur éloquence persuasive adhéraient au parti d'Arius, et surtout Eusèbe, alors chef de l'Église de Nicomédie[1], homme en renom et honoré au palais, Alexandre écrivit aux évêques de partout de ne pas être en communion avec eux. 10 De ce moment le zèle s'enflamma plus encore d'un côté et de l'autre, et la querelle, comme il arrive, reprit plus forte. Comme en effet Eusèbe et ses partisans, malgré de nombreuses demandes à Alexandre, ne le persuadèrent pas, ils s'irritaient, se jugeant outragés, et n'en devinrent que plus ardents à soutenir la doctrine d'Arius. Ils réunirent un concile en Bithynie[2] et écrivirent aux évêques de partout d'être en communion avec le parti d'Arius comme étant orthodoxe et de faire en sorte qu'Alexandre aussi fût en communion avec ce parti. 11 Comme leur zèle néanmoins n'aboutissait pas à leur gré, car Alexandre ne cédait pas, Arius envoya des messagers à Paulin, évêque de Tyr, à Eusèbe de Pamphile, chef de l'Église de Césarée en Palestine, et à Patrophile de Scythopolis, et il demanda, pour lui et pour ceux de son parti, la permission de prêcher au peuple fidèle qui le suivait, puisqu'ils détenaient dès auparavant le rang de prêtres. 12 Il est d'usage en effet à Alexandrie, comme aujourd'hui encore, que bien qu'il n'y ait qu'un seul évêque pour tous, les prêtres détiennent privément leurs églises et y rassemblent le peuple appartenant

médie, dut se tenir dans la ville épiscopale de ce dernier : cf. BARDY, p. 75.

σίας κατέχειν καὶ τὸν ἐν αὐταῖς λαὸν συνάγειν. Οἱ δὲ ἅμα καὶ
ἄλλοις ἐπισκόποις ἐν Παλαιστίνῃ συνελθόντες ἐπεψηφίσαντο
τῇ ᾽Αρείου αἰτήσει, παρακελευσάμενοι συνάγειν μὲν αὐτοὺς
ὡς πρότερον, ὑποτετάχθαι δὲ ᾽Αλεξάνδρῳ καὶ ἀντιβολεῖν
ἀεὶ τῆς πρὸς αὐτὸν εἰρήνης καὶ κοινωνίας μετέχειν.

16

909   **1** ᾽Επεὶ δὲ καὶ ἐν Αἰγύπτῳ συνόδων περὶ τούτου πολλῶν
γενομένων ἤκμαζεν ἡ ἔρις, ὡς μέχρι τῶν βασιλείων ἐλθεῖν,
οὐ μετρίως ἐδυσφόρει Κωνσταντῖνος ὁ βασιλεύς, καθότι
προσφάτως τῆς θρησκείας αὔξειν ἀρχομένης πολλοὺς χριστιανίζειν ἀπέτρεπεν ἡ διαφωνία τῶν δογμάτων. **2** Καὶ τούτου
χάριν δῆλος ἦν ἐν αἰτίᾳ ποιούμενος ῎Αρειόν τε καὶ ᾽Αλέξ-
ανδρον. Καὶ γράψας αὐτοῖς ἐνεκάλει, ὡς δυναμένην λαθεῖν
εἰς τὸ φανερὸν ἐξήγαγον ταύτην τὴν ζήτησιν καὶ τῇ ἄγαν
πρὸς τὸ ἐναντίον σπουδῇ φιλονίκως ἀνεκίνησαν, ἃ μήτε ζητεῖν
τὴν ἀρχὴν ἔδει μήτε ἐνθυμεῖσθαι καὶ ἐνθυμηθέντας σιωπῇ
παραδοῦναι, ἐξὸν ἀλλήλων μὴ χωρίζεσθαι, εἰ καὶ περί τι
μέρος τοῦ δόγματος διαφέρονται. **3** Περὶ μὲν γὰρ τῆς θείας
προνοίας μίαν καὶ τὴν αὐτὴν πίστιν ἔχειν ἀναγκαῖον· τὰς δὲ
περὶ τῶν τοιούτων ζητήσεων ἀκριβολογίας, κἂν μὴ πρὸς

---

1. Le synode assemblé à Césarée de Palestine prit sur lui, alors
qu'il n'avait aucun mandat, d'autoriser Arius et ses partisans à
reprendre leurs fonctions (cf. BARDY, p. 77). Paulin de Tyr participa
dans la suite (cf. *infra*, II, 19, 1) au concile anti-nicéen d'Antioche
(330), qui déposa Eustathe. Patrophile, évêque de Scythopolis en
Palestine (cf. H. BEER, art. « Scythopolis », *PW* II A 1 [1921], c. 947-
948), souscrivit à contre-cœur au Credo de Nicée (*infra*, chap. 21, 2),
mais soutint Arius au concile d'Antioche en 330 (*infra*, II, 19, 1).

à ces églises. Ces évêques donc, ayant formé un synode[1]
avec d'autres évêques de Palestine, votèrent en faveur de
la demande d'Arius ; ils recommandèrent qu'Arius et ses
partisans pussent réunir le peuple comme auparavant, tout
en restant soumis à Alexandre et en allant au-devant de
toute occasion de faire la paix avec lui et de participer à
sa communion.

Chapitre 16

*Grande irritation de Constantin en apprenant
le différend entre les évêques
et la date irrégulière de la fête de Pâques ;
il envoie Hosius, évêque de Cordoue en Espagne,
à Alexandrie, pour mettre un terme au désordre
entre les évêques et trancher le problème de la fête pascale.*

1 Comme, en Égypte aussi, bien des synodes s'étaient
réunis à ce sujet, et que la dispute avait force au point de
parvenir jusqu'au palais, l'empereur Constantin n'en fut
pas médiocrement fâché, attendu que, la religion commençant tout juste de progresser, ces différends dogmatiques
détournaient un grand nombre de devenir chrétiens.
2 C'est pourquoi, il accusait ouvertement de ces différends
aussi bien Arius qu'Alexandre. Et il leur fit par lettre le
reproche d'avoir mis au grand jour cette question disputée
alors qu'elle pouvait demeurer cachée, d'avoir, par un zèle
exagéré dans la contestation, soulevé des problèmes qu'il
ne fallait dès le principe ni scruter ni se mettre en tête,
ou qu'on devait, si on les avait conçus, livrer au silence,
puisqu'il était possible de ne pas se séparer, même si l'on
était en désaccord sur un détail du dogme. **3** Touchant la
divine Providence, il était nécessaire de n'avoir qu'une
seule et même foi. Quant aux précisions rigoureuses sur
ces sortes de questions, même si l'on n'aboutissait pas

μίαν συμφέρωνται γνώμην, προσήκειν ἐν ἀπορρήτῳ κατὰ
διάνοιαν ἔχειν. Ἀφεμένους τε τῆς περὶ ταῦτα λέσχης ἐκέλευσεν ὁμονοεῖν· ἄχθεσθαι γὰρ οὐ μετρίως, καὶ διὰ τοῦτο σπου-
δάζοντα τὰς ἐπὶ τῆς ἕω πόλεις ἰδεῖν ἐπισχεῖν.
4 Ἀλεξάνδρῳ μὲν οὖν καὶ Ἀρείῳ πῇ μὲν μεμφόμενος
36 πῇ δὲ συμβουλεύων | τοιάδε ἔγραψε. Χαλεπῶς δὲ ἔφερε
πυνθανόμενός τινας ἐναντίως πᾶσι τὴν τοῦ πάσχα ἄγειν
ἑορτήν. Τηνικαῦτα γὰρ ἐν ταῖς πρὸς ἕω πόλεσι διαφερόμενοί
τινες περὶ τοῦτο τῆς μὲν πρὸς ἀλλήλους οὐκ ἀπείχοντο κοινωνίας, Ἰουδαϊκώτερον δὲ τὴν ἑορτὴν ἦγον, καὶ ὡς εἰκὸς τῇ
περὶ τούτου διχονοίᾳ τὴν λαμπρότητα τῆς πανηγύρεως ἔβλα-
πτον. 5 Κατ' ἀμφότερα τοίνυν ἀστασίαστον εἶναι τὴν ἐκκλησίαν ἐσπούδαζε· νομίσας τε δύνασθαι προκαταλαβεῖν τὸ
κακόν, πρὶν εἰς πλείους χωρῆσαι, πέμπει ἄνδρα τῶν ἀμφ'
αὐτὸν πίστει καὶ βίῳ ἐπίσημον καὶ ταῖς ὑπὲρ τοῦ δόγματος
ὁμολογίαις ἐν τοῖς ἔμπροσθεν χρόνοις εὐδοκιμηκότα, διαλ-
λάξοντα τοὺς ἐν Αἰγύπτῳ διὰ τὸ δόγμα στασιάζοντας καὶ
912 τοὺς πρὸς ἕω περὶ τὴν ἑορτὴν διαφερομένους· ἦν δὲ οὗτος
Ὅσιος ὁ Κουρδούβης ἐπίσκοπος.

17

1 Ἐπεὶ δὲ παρ' ἐλπίδας ἐχώρει τὸ πρᾶγμα καὶ κρείττων
ἦν διαλλαγῶν ἡ ἔρις, ἄπρακτός τε ἐπανήει ὁ τὴν εἰρήνην
βραβεῦσαι ἀπεσταλμένος, συνεκάλεσε σύνοδον εἰς Νίκαιαν
τῆς Βιθυνίας καὶ πανταχῇ τοῖς προεστῶσι τῶν ἐκκλησιῶν

---

1. Cette lettre, qui fut apportée à Alexandrie par Hosius de Cordoue
(cf. infra, chap. 17, 1), a été intégralement conservée par Eusèbe de
Césarée, dans la Vita Constantini, 2, 63-73. Elle révèle chez Constantin une totale méconnaissance de la gravité de la crise arienne, dans
laquelle il ne voit que « vaines disputes sur des questions oiseuses »
(cf. Bardy, p. 78).

au même avis, il convenait de les garder secrètement en son esprit. Il ordonna donc de laisser la discussion sur ces points et de se mettre d'accord. Il n'était pas médiocrement irrité et, à cause de cela, alors qu'il comptait visiter les villes d'Orient, il s'était retenu.

4 Voilà donc ce qu'il écrivit à Alexandre et à Arius, par manière, d'une part, de blâme, d'autre part, de conseil[1]. D'un autre côté il était fâché d'apprendre que certains célébraient la fête de Pâques d'une façon contraire à l'usage général. Certains étaient alors en effet en désaccord à ce sujet dans les villes d'Orient : ils ne se séparaient pas sans doute de la communion les uns avec les autres, mais ils célébraient la Pâque d'une façon plus proche des Juifs, et, comme il est naturel, par ce dissentiment, ils nuisaient à l'éclat de la fête. **5** Sur ces deux points donc l'empereur s'appliquait à ce que l'Église fût en paix. Et dans la pensée qu'il pouvait prévenir par avance le mal avant qu'il ne touchât plus de gens, il envoya un homme de son entourage, distingué par sa foi et sa vie et qui s'était acquis grand renom par ses confessions pour la foi dans les temps précédents, pour réconcilier ceux qui étaient en dispute sur le dogme en Égypte et ceux qui différaient d'opinion sur la fête de Pâques avec les villes d'Orient : c'était Hosius, évêque de Cordoue.

Chapitre 17

Convocation du concile de Nicée à cause d'Arius.

1 Cependant, comme l'affaire ne répondait nullement aux espérances, que la querelle l'emportait sur les efforts de réconciliation, et qu'Hosius, envoyé pour assurer la paix, était rentré sans avoir abouti, l'empereur convoqua un concile à Nicée de Bithynie, et il écrivit aux chefs des

ἔγραψεν εἰς ῥητὴν ἡμέραν παρεῖναι. 2 Ἐκοινώνουν δὲ τούτου
τοῦ συλλόγου τῶν μὲν ἀποστολικῶν θρόνων Μακάριος ὁ
Ἱεροσολύμων καὶ Εὐστάθιος ἤδη τὴν Ἀντιοχείας τῆς πρὸς
τῷ Ὀρόντῃ ἐκκλησίαν ἐπιτραπεὶς καὶ Ἀλέξανδρος ὁ Ἀλεξανδρείας τῆς παρὰ τὴν Μαρίαν λίμνην. Ἰούλιος δὲ ὁ Ῥωμαίων ἐπίσκοπος διὰ γῆρας ἀπελιμπάνετο· παρῆσαν δὲ ἀντ᾽
αὐτοῦ Βίτων καὶ Βικέντιος πρεσβύτεροι τῆς αὐτῆς ἐκκλη-
37 σίας. Ἐπὶ | τούτοις δὲ καὶ ἄλλοι πλεῖστοι καλοὶ καὶ ἀγαθοὶ
ἐκ διαφόρων ἐθνῶν συνῆλθον, οἱ μὲν νοεῖν καὶ λέγειν ἱκανοὶ
εἰδήσει τε τῶν ἱερῶν βίβλων καὶ τῆς ἄλλης παιδεύσεως
ἐπίσημοι ἢ ἀρετῇ βίου διαπρέποντες, οἱ δὲ κατ᾽ ἀμφότερον
εὐδοκιμοῦντες. 3 Ἦσαν δὲ ἐπίσκοποι ὑπὲρ ἀμφὶ τριακόσιοι
εἴκοσι· πρεσβυτέρων τε καὶ διακόνων ὡς εἰκὸς ἑπομένων
οὐκ ἦν ὀλίγον πλῆθος. Συμπαρῆσαν δὲ αὐτοῖς ἄνδρες διαλέ-
ξεως ἔμπειροι ἐκείνοις βοηθεῖν λόγοις σπουδάζοντες.

Οἷα δὲ φιλεῖ γίνεσθαι, πολλοὶ τῶν ἱερέων, ὡς ὑπὲρ ἰδίων
πραγμάτων ἀγωνίσασθαι συνελθόντες, καιρὸν ἔχειν ἐνόμισαν τῆς τῶν λυπούντων διορθώσεως· καὶ περὶ ὧν ἕκαστος
τὸν ἄλλον ἐμέμφετο, βιβλίον ἐπιδοὺς βασιλεῖ τὰ εἰς αὐτὸν
913 ἡμαρτημένα προσήγγελλεν. 4 Ἐπεὶ δὲ ἐφ᾽ ἑκάστης εὐχερῶς
τοῦτο συνέβαινε, προσέταξεν ὁ βασιλεὺς εἰς ῥητὴν ἡμέραν
ἕκαστον περὶ ὧν ἐνεκάλει δῆλον ποιεῖν. Ἀφικομένης δὲ τῆς
προθεσμίας τὰ ἐπιδοθέντα βιβλία δεξάμενος· « Αὗται μέν,
ἔφη, αἱ κατηγορίαι καιρὸν οἰκεῖον ἔχουσι τὴν ἡμέραν τῆς
μεγάλης κρίσεως, δικαστὴν δὲ τὸν μέλλοντα πᾶσι τότε κρί-

---

1. Ce jour fut le 20 mai 325 d'après SOCRATE, *H.E.* I, 13, qui déclare
avoir trouvé cette date dans les « annotations » des pièces conciliaires.

2. Sur ces deux évêques, voir *supra*, chap. 2, 1-2 et notes *ad loc.*

3. Jules ayant été évêque de Rome de 337 à sa mort en 352, il est
évident que Sozomène le nomme ici par erreur à la place de Silvestre,
pape de 314 à 335. Cette confusion s'explique peut-être par la personnalité et le rôle relativement effacés de Silvestre (cf. PIETRI, *Roma
Christiana*, I, p. 168 s.).

4. Alors qu'EUSÈBE, *Vita Constantini*, 3, 8, compte plus de 250 présents, qu'Eustathe d'Antioche (ap. THÉODORET, *H.E.* I, 8, 1) en
dénombre 270 et ATHANASE 300 (*Historia Arianorum ad monachos*, 66 ;

Églises de partout de s'y trouver à un jour fixé[1]. **2** Participaient à ce concile, parmi les chefs des sièges apostoliques, Macaire de Jérusalem, Eustathe qui désormais avait reçu la charge de l'Église d'Antioche sur l'Oronte[2], et Alexandre, l'évêque d'Alexandrie sur le lac Maréotide. Jules, évêque de Rome[3], faisait défaut à cause de son grand âge : étaient présents à sa place Vitus et Vincent, prêtres de cette Église. Outre ceux-là s'étaient rassemblés, de diverses provinces, un très grand nombre d'évêques de mérite : les uns étaient doués des talents de l'intelligence et de la parole, remarquables par leur connaissance des Écritures et des autres disciplines, ou bien ils se distinguaient par l'excellence de leur vie ; les autres avaient renom sous ces deux aspects. **3** Les évêques dépassaient le nombre d'environ trois cent vingt[4]. Il y avait aussi, comme il est naturel, une grande foule de prêtres et diacres qui les accompagnaient. Étaient présents également avec eux des hommes experts en l'art dialectique, tout prêts à porter secours à ces discussions.

Comme il arrive d'habitude, beaucoup parmi les évêques, comme s'ils s'étaient réunis pour défendre leurs propres intérêts, jugèrent l'heure venue de corriger ceux qui les gênaient ; et chacun, ayant remis à l'empereur un libelle sur les reproches qu'il faisait à un autre, lui rapporta les fautes qu'on avait commises à son endroit. **4** Comme cela se faisait couramment chaque jour, l'empereur ordonna qu'à un certain jour fixé, chacun ferait connaître ses accusations. Le jour fixé d'avance étant venu, l'empereur prit en mains tous les libelles qu'on lui avait remis et dit : « Ces accusations ont pour temps opportun le jour du grand Jugement, elles ont pour juge celui qui doit alors décider pour tous. Quant à moi, je ne suis qu'un homme, et il ne

---

Apologia contra Arianos, 23 ; etc.), Hilaire de Poitiers (*Contra Constantium*, 27) donne le nombre de 318, qui s'imposera par la suite comme symbole des 318 serviteurs d'Abraham (*Gen.* 14, 14).

νειν· ἐμοὶ δὲ οὐ θεμιτὸν ἀνθρώπῳ ὄντι τοιαύτην εἰς ἑαυτὸν
ἕλκειν ἀκρόασιν, ἱερέων κατηγορούντων καὶ κατηγορουμένων, οὓς ἥκιστα χρὴ τοιούτους ἑαυτοὺς παρέχειν, ὡς παρ'
ἑτέρου κρίνεσθαι. Ἄγε οὖν μιμησάμενοι τὴν θείαν φιλανθρωπίαν ἐν τῇ πρὸς ἀλλήλους συγγνώμῃ ἀπαλειφθέντων τῶν
κατηγορουμένων σπεισώμεθα καὶ τὰ περὶ τῆς πίστεως σπου-
δάσωμεν, οὗ ἕνεκεν δεῦρο συνεληλύθαμεν. » 5 Ταῦτα εἰπὼν
38 ὁ βασιλεὺς τὴν ἑκάστου | γραφὴν ἀργεῖν καὶ τὰ βιβλία
καυθῆναι προσέταξε· καὶ ἡμέραν ὥρισε, καθ' ἣν ἐχρῆν λῦσαι
τὰ ἀμφισβητούμενα.

6 Πρὸ δὲ τῆς προθεσμίας συνιόντες καθ' ἑαυτοὺς οἱ
ἐπίσκοποι μετεκαλοῦντο τὸν Ἄρειον· καὶ προτιθεμένων εἰς
τὸ κοινὸν ὧν ἐδόξαζον διελέγοντο. Οἷα δὲ εἰκὸς εἰς διαφόρους ζητήσεις περισταμένης τῆς διασκέψεως, οἱ μὲν μηδὲν
νεωτερίζειν περὶ τὴν ἀρχῆθεν παραδοθεῖσαν πίστιν συνε-
βούλευον, καὶ μάλιστα οἷς τὸ τῶν τρόπων ἁπλοῦν ἀπεριέργως εἰσηγεῖτο προσίεσθαι τὴν εἰς τὸ θεῖον πίστιν· οἱ δὲ
ἰσχυρίζοντο μὴ χρῆναι ἀβασανίστως ταῖς παλαιοτέραις
δόξαις ἕπεσθαι.

7 Πολλοὶ δὲ τῶν τότε συνεληλυθότων ἐπισκόπων καὶ τῶν
ἑπομένων αὐτοῖς κληρικῶν, δεινοὶ διαλέγεσθαι καὶ τὰς
τοιαύτας μεθόδους τῶν λόγων ἠσκημένοι, διέπρεψαν καὶ
βασιλεῖ γνώριμοι καὶ τοῖς ἀμφ' αὐτὸν ἐγένοντο. Ἐξ ἐκείνου
δὲ καὶ Ἀθανάσιος ὁ Ἀλεξανδρείας ἔτι τότε διάκονος Ἀλεξάνδρῳ τῷ ἐπισκόπῳ συνὼν πλεῖστον ἔδοξεν εἶναι μέρος
τῆς περὶ ταῦτα βουλῆς.

---

1. Né à Alexandrie en 295, Athanase, qui suivit pendant sa jeunesse
les enseignements d'Antoine, devint diacre de l'évêque Alexandre
en 323 avant de lui succéder en 328 et d'exercer son ministère jusqu'à
sa mort en 373. Sur la carrière mouvementée de ce défenseur acharné

m'est pas permis de prêter l'oreille à de telles choses, quand
ceux qui accusent et ceux qui sont accusés sont des
évêques, eux qui, moins que personne, ne doivent s'exposer
par leur conduite au jugement d'autrui. Eh bien donc,
imitons la bienveillance divine ! Que, dans le pardon
mutuel, soient effacées les accusations ; faisons la paix
et travaillons au soin de la foi : c'est la raison pour laquelle
nous nous sommes réunis ici. » **5** Sur ce, l'empereur ordonna
que toute accusation fût suspendue et il fit brûler les libelles.
Et il fixa un jour où l'on devrait résoudre les problèmes
en discussion.

6 Avant ce jour fixé, les évêques se réunirent entre eux
et firent venir Arius ; et les opinions diverses étant mises
sur le tapis, on discuta. Comme il est naturel, l'examen
aboutissait à des thèses opposées. Les uns conseillaient de
ne rien innover touchant la foi transmise depuis les origines : c'étaient principalement ceux que leur simplicité de
caractère conduisait à admettre sans recherche vaine la
foi dans la Divinité. Les autres soutenaient avec force
qu'il ne fallait pas s'en tenir aux doctrines plus anciennes
sans les mettre à l'épreuve.

7 Beaucoup des évêques alors rassemblés et des clercs
de leur suite, habiles dans les disputes dialectiques et bien
formés dans ces sortes de méthodes de discussion, se distinguèrent et se firent ainsi connaître de l'empereur et de
sa cour. C'est de ce moment aussi qu'Athanase d'Alexandrie, alors encore simple diacre[1] et qui accompagnait
l'évêque Alexandre, parut jouer le rôle principal dans le
débat sur ces problèmes.

de l'orthodoxie, voir P. CAMELOT, notice du *Lexikon f. Theol.* 1 (1957),
c. 976-981 ; G. GENTZ, « Athanasios », *RAC* I (1950), c. 860-866 ;
DANIÉLOU-MARROU, p. 305.

18

916 **1** Οὐ μὴν ἀλλὰ καί τινες τῶν παρ᾽ Ἕλλησι φιλοσόφων
ἐπίτηδες τουτωνὶ τῶν διαλέξεων μετέσχον, οἱ μὲν ὅ τι ποτέ
ἐστι τὸ δόγμα μανθάνειν σπουδάζοντες· οἱ δὲ προσφάτως
ἀπόλλυσθαι τῆς Ἑλληνικῆς θρησκείας ἀρχομένης ἀπεχθα-
νόμενοι τοῖς Χριστιανοῖς τὴν περὶ τοῦ δόγματος ζήτησιν
εἰς ἔριδας λόγων ἐνέβαλλον, ὥστε πρὸς ἑαυτὸ στασιάζειν καὶ
ἐναντίον δοκεῖν. **2** Λέγεται οὖν, ὥς τινος αὐτῶν ὑπὸ φιλοτιμίας λόγων κομπάζοντος καὶ τοῖς ἱερεῦσιν ἐπιτωθάζοντος
οὐκ ἤνεγκε τὸν τῦφον γέρων ἁπλοῦς τις τῶν ἐν ὁμολογίαις
εὐδοκιμησάντων· τοιούτων δὲ σκινδαλμῶν καὶ τερθρείας
ἄμοιρος ὢν τὸν πρὸς αὐτὸν ἀνεδέξατο λόγον. Ἐπὶ τούτῳ δὲ
39 τοῖς μὲν προ|πετέσι τῶν εἰδότων τὸν ὁμολογητὴν γέλωτα
ἐκίνησε τὸ πρᾶγμα, τοῖς δὲ ἐπιεικέσι δέος, προορωμένοις μὴ
παρὰ ἀνδρὶ τεχνίτῃ λόγων γελοῖος φανείη. **3** Ὅμως δ᾽ οὖν
συγχωρησάντων λέγειν ἃ βούλεται (ἀντιτείνειν γὰρ αὐτῷ
τοιούτῳ ὄντι ἐπὶ πολὺ ἡδοῦντο), « Ἐν ὀνόματι, ἔφη, Ἰησοῦ
Χριστοῦ, φιλόσοφε ἄκουσον. Εἷς ἐστι θεός, οὐρανοῦ καὶ γῆς
καὶ πάντων τῶν ὁρωμένων καὶ ἀοράτων δημιουργός, ὁ
πάντα ταῦτα τῇ δυνάμει τοῦ λόγου αὐτοῦ ποιήσας καὶ τῇ
ἁγιωσύνῃ τοῦ πνεύματος αὐτοῦ στηρίξας. Οὗτος οὖν ὁ λόγος,
φησίν, ὃν ἡμεῖς υἱὸν θεοῦ προσαγορεύομεν, ἐλεήσας τοὺς
ἀνθρώπους τῆς πλάνης καὶ τῆς θηριώδους πολιτείας εἵλετο
ἐκ γυναικὸς τεχθῆναι καὶ τοῖς ἀνθρώποις συνομιλῆσαι καὶ

1. Par cette formule aussi vague que prudente, Sozomène introduit
un développement à la gloire de la « vraie philosophie » qu'il a puisé
chez RUFIN, *H.E.* I (X), 3, directement ou par l'intermédiaire de
SOCRATE, *H.E.* I, 8 : cf. BARDY, p. 84, qui voit dans ce développement
une « fable » et renvoie à l'article de M. Jugie sur « La dispute des
philosophes païens avec les Pères de Nicée ». F. THELAMON, p. 430-
435 (« La dialectique confondue par la *simplicitas* »), ne partage pas
cette opinion.

Chapitre 18

*Deux philosophes convertis à la foi
grâce à la simplicité de deux vieillards
qui disputaient avec eux.*

1 D'autre part, quelques philosophes païens aussi participaient à ces discussions. Les uns cherchaient à apprendre
ce que pouvait bien être le dogme. D'autres, comme la
religion païenne commençait depuis peu à périr, en haine
contre les chrétiens, poussaient l'enquête sur le dogme à
des disputes verbales, en sorte que la doctrine parût en
lutte avec elle-même et en contradiction. **2** Voici donc ce
qu'on rapporte[1]. Un des philosophes faisait le beau par-
leur, poussé par le désir de briller dans les discours, et
se moquait des évêques. Or un vieillard très simple, de ceux
qui s'étaient fait un renom dans les confessions de foi, ne
put supporter son orgueil. Bien qu'il fût tout ignorant de
ces sortes de subtilités et jongleries, il prit la parole contre
lui. Sur ce, parmi ceux qui connaissaient le confesseur,
chez les uns, trop spontanés, la chose provoqua le rire ;
mais, chez les gens pondérés, elle provoqua de la crainte,
car ils redoutaient à l'avance que l'homme ne parût ridicule
auprès d'un professionnel de la discussion. **3** Quoi qu'il
en soit, quand on lui eut permis de parler comme il voulait
— on avait grande pudeur en effet à s'opposer à un homme
de cette importance : « Au nom de Jésus-Christ, dit-il,
philosophe, écoute-moi. Il n'y a qu'un seul Dieu, Créateur
du ciel, de la terre, de toutes les choses visibles et invisibles, qui a créé tout cela par la puissance de son Verbe
et qui l'a consolidé par la sainteté de son Esprit. Ce Verbe
donc, dit-il, que nous nommons Fils de Dieu, ayant pris
en pitié les hommes pour leur erreur et leur vie bestiale,
a choisi de naître d'une femme, de vivre dans la société

ἀποθανεῖν ὑπὲρ αὐτῶν· ἥξει δὲ πάλιν κριτὴς τῶν ἑκάστῳ
βεβιωμένων. Ταῦτα οὕτως ἔχειν ἀπεριέργως πιστεύομεν.
Μὴ τοίνυν μάτην πόνει τῶν πίστει κατορθουμένων ἐλέγχους
ἐπιζητῶν καὶ τρόπον, ᾧ γενέσθαι ταῦτα ἢ μὴ γενέσθαι
ἐνεδέχετο. Ἀλλ' εἰ πιστεύεις, ἐρομένῳ μοι ἀποκρίνου.» 4
Πρὸς ταῦτα καταπλαγεὶς ὁ φιλόσοφος· «Πιστεύω» φησί.
Καὶ τῆς ἥττης χάριν ὁμολογήσας τὰ αὐτὰ τῷ πρεσβύτῃ ἐδόξαζε
καὶ τοῖς πρότερον ὁμοίως διακειμένοις ὁμοφρονεῖν συνεβούλευεν, οὐκ ἀθεεὶ μετατεθεῖσθαι ἐπομνύμενος, ἀλλ'
ἀφράστῳ τινὶ δυνάμει χριστιανίσαι προτραπείς.

5 Λέγεται δὲ τῷ εἰρημένῳ παραπλήσιον γενέσθαι θαῦμα
δι' Ἀλεξάνδρου τοῦ ἐπιτροπεύσαντος τὴν Κωνσταντινουπόλεως ἐκκλησίαν. Ἡνίκα γὰρ παρεγένετο Κωνσταντῖνος εἰς
τὸ Βυζάντιον, προσελθόντες αὐτῷ φιλόσοφοί τινες ἐμέμφοντο
ὡς οὐ δεόντως θρησκεύοι καὶ περὶ τὰ θεῖα νεωτερίζοι καινὸν
εἰσάγων σέβας τῇ πολιτείᾳ παρὰ τὰ νενομισμένα τοῖς αὐτοῦ
προγόνοις καὶ πᾶσιν, ὅσους Ἑλλήνων τε καὶ Ῥωμαίων
ἡγεμόνας ὁ παρελθὼν αἰὼν ἤνεγκε· καὶ ἐζήτουν διαλεχθῆναι
917 Ἀλεξάνδρῳ τῷ ἐπισκόπῳ περὶ τοῦ δόγματος. 6 Ὁ δὲ καίπερ
ὢν τοιαύτης γυμνασίας λόγων ἀτριβής, ἴσως δὲ τῷ βίῳ
40 πεποιθώς | (ἐγένετο γὰρ καλὸς καὶ ἀγαθός) ὑπέστη τὸν
ἀγῶνα τοῦ βασιλέως προστάξαντος. Συνελθόντων δὲ τῶν
φιλοσόφων, ἐπειδὴ πάντες διαλέγεσθαι ἠβούλοντο, ἕνα αὐτοὺς
αἱρεῖσθαι ὃν θέλουσιν ἠξίου, τοὺς δὲ ἄλλους παρόντας ἡσυχίαν ἄγειν. 7 Ἀναδεξαμένου δὲ ἑνὸς τὸν λόγον· «Ἐν ὀνόματι Ἰησοῦ Χριστοῦ, ἔφη πρὸς αὐτὸν Ἀλέξανδρος, ἐπιτάττω
σοι μὴ λαλεῖν.» Ἅμα δὲ τῷ λόγῳ καὶ ὁ ἄνθρωπος αὐτίκα
τὸ στόμα πεδηθεὶς ἐσιώπα. Ἆρ' οὖν δίκαιον ἀναλογίσασθαι
πότερον μεῖζον ἐν παραδόξοις ἄνθρωπον, καὶ ταῦτα φιλό-

---

1. Sur ce premier évêque de Constantinople, voir *Lexikon f. Theol.* 1
(1957), c. 314 (L. UEDING) : consacré vers 325, il refusa, malgré les
pressions de Constantin, d'agréer la réintégration d'Arius ; il mourut
en 336/337, peu de temps après Arius.

des hommes et de mourir pour eux : et il reviendra comme juge des actions accomplies par chacun durant la vie. Voilà ce que nous croyons sans vaine recherche. Ne te fatigue donc pas inutilement à la quête de preuves de ce qui est établi par la foi et à te demander comment cela a pu ou non avoir lieu. Eh bien ! crois-tu ? réponds à ma question ! » **4** Frappé de stupeur, le philosophe dit : « Je crois. » Et lui rendant grâce pour sa défaite, il se rangea à l'opinion du vieillard, et il conseillait à ceux qui partageaient auparavant ses dispositions à penser comme lui, prenant le ciel à témoin qu'il ne s'était pas converti sans un secours divin, mais qu'il avait été amené au christianisme par une puissance ineffable.

5 On raconte encore un prodige analogue au précédent qui s'accomplit par le fait d'Alexandre, le chef de l'Église de Constantinople[1]. Quand en effet Constantin arriva à Byzance, des philosophes l'abordèrent et ils lui reprochaient d'avoir une religion autre qu'il ne fallait, et d'innover relativement au divin en introduisant dans l'État un nouveau culte contrairement aux traditions reçues chez ses ancêtres et chez tous les chefs grecs et romains mentionnés par les siècles passés : ils demandaient donc qu'il y eût une discussion entre eux et l'évêque Alexandre sur ce qu'il fallait croire. **6** Alexandre n'avait pas l'expérience de ces exercices d'école ; mais, confiant peut-être en son genre de vie — c'était de fait un homme de mérite —, il accepta le combat : l'empereur d'ailleurs l'avait ordonné. Les philosophes s'étant réunis, comme ils voulaient tous disputer, Alexandre demanda qu'ils choisissent l'un d'eux à leur gré, et que les autres philosophes présents se tinssent en paix. **7** Or, alors que l'un d'eux avait pris la parole : « Au nom de Jésus-Christ, lui dit Alexandre, je t'ordonne de te taire. » Ce mot à peine dit, l'homme aussitôt, la langue liée, se tut. Eh bien donc, n'est-il pas juste de se demander quel est le plus grand de ces deux miracles : d'enlever si aisément la parole à un homme, et de plus philosophe, ou, par la force

σοφον, οὕτω ῥᾳδίως ἀφελέσθαι τοῦ λόγου ἢ λίθον βίᾳ λόγου
τῇ χειρὶ διελεῖν, ὃ πρός τινων ἐπὶ Ἰουλιανῷ τῷ καλου-
μένῳ Χαλδαίῳ κεκομπολογῆσθαι ἀκήκοα; Καὶ τὰ μὲν ὧδε
ἐπυθόμην.

19

1 Οἱ δὲ ἐπίσκοποι συνεχῶς συνιόντες τὸν Ἄρειον εἰς
μέσον παρῆγον καὶ ἀκριβῆ βάσανον ἐποιοῦντο τῶν αὐτοῦ
προτάσεων, προπετῶς δὲ ἐπὶ θάτερα τὴν ψῆφον ἄγειν ἐφυ-
λάττοντο. Ἐπεὶ δὲ ἡ κυρία παρῆν, καθ᾽ ἣν ὥριστο τεμεῖν τὰ
ἀμφίβολα, συνῆλθον εἰς τὰ βασίλεια, καθότι καὶ τῷ κρατοῦντι δέδοκτο κοινωνῆσαι αὐτοῖς τῆς βουλῆς. Ἐπεὶ δὲ εἰς
ταὐτὸ παρεγένετο τοῖς ἱερεῦσι, διαβὰς πρὸς τὴν ἀρχὴν τοῦ
συλλόγου ἐπὶ θρόνου τινὸς ἐκάθισεν, ὅσπερ αὐτῷ κατε-
σκεύαστο· καὶ ἡ σύνοδος καθῆσθαι ἐκελεύσθη. 2 Παρεσκεύαστο γὰρ ἑκατέρωθεν βάθρα πολλὰ παρεκτεινόμενα τοῖς
τοίχοις τοῦ βασιλείου οἴκου· μέγιστος δὲ ἦν οὗτος καὶ τοὺς
ἄλλους ὑπερφέρων. Καθεζομένων δὲ αὐτῶν ἀναστὰς Εὐσέβιος ὁ Παμφίλου λόγον τινὰ τῷ βασιλεῖ προσεφώνησε καὶ δι᾽
αὐτὸν τῷ θεῷ χαριστήριον ὕμνον. 3 Παυσαμένου δὲ αὐτοῦ
καὶ σιγῆς γενομένης, « Πάντων μὲν ἕνεκεν, ἔφη ὁ βασιλεύς,
920 τῷ θεῷ τὴν χάριν ἔχω, οὐχ ἥκιστα δὲ τὸν ὑμέτερον σύλλογον
ὁρῶν, ὦ φίλοι. Καί μοι κρεῖττον εὐχῆς ἀπέβη τοσούτους
ἱερέας Χριστοῦ εἰς ταὐτὸν ἀγαγεῖν. Βουλοίμην δ᾽ ἂν ὁμόφρονας ὑμᾶς θεάσασθαι καὶ συμφώνου γνώμης κοινωνούς,
ἐπεὶ παντὸς κακοῦ χαλεπώτερον ἡγοῦμαι τὴν ἐκκλησίαν τοῦ

---

1. Peut-être un des deux (père et fils) Juliens « Chaldéens », auteurs
présumés des *Oracles chaldaïques* ; cf. KROLL, « Julianus 8. 9. »,
PW X, 1 (1918), c. 15-17 (A.-J. F.). D'après É. DES PLACES, l'ouvrage
reviendrait plutôt au fils de Julien le Chaldéen, Julien le Théurge,
contemporain de Marc-Aurèle, dont l'influence fut marquée sur
Jamblique et sur un célèbre contemporain de Sozomène, le néo-
platonicien Proclus (412-485), chef de l'École d'Athènes (Introd.
à l'éd. des *Oracles chaldaïques*, *Coll. des Univ. de France*, Paris 1971,
p. 7).

de la parole, de briser en deux de la main une pierre, comme
je l'ai entendu rapporter avec grandiloquence à certains
au sujet de Julien dit le Chaldéen[1] ? Voilà, quant à ces
histoires, ce que j'ai appris.

Chapitre 19

Réunion du concile ;
discours tenu par Constantin aux évêques.

1 Cependant, les évêques, qui se réunissaient continuellement, faisaient comparaître Arius et examinaient scrupuleusement ses thèses, et ils se gardaient de donner préci-
pitamment leur vote en un sens ou l'autre. Quand fut venu
le jour marqué où il avait été décidé qu'on trancherait les
doutes, les évêques se rassemblèrent au palais, attendu
que l'empereur avait jugé bon de participer à leur débat.
Lorsqu'il se fut joint aux évêques, ayant traversé la salle
jusqu'à la tête du concile, il s'assit sur un trône qu'on lui
avait préparé, et il ordonna aux Pères de s'asseoir. **2** On
avait disposé de chaque côté un grand nombre de ban-
quettes, qui s'étendaient tout le long des murs de la salle
du palais : c'était une très grande salle, qui dépassait toutes
les autres. Quand ils se furent assis, Eusèbe de Pamphile
se leva, adressa un discours au prince et offrit à Dieu à
cause de lui un hymne de reconnaissance. **3** Quand il eut
fini et qu'on eut fait silence, l'empereur dit : « C'est pour
tout que je rends grâces à Dieu, mes amis, mais en particulier quand je vois votre assemblée. La réussite a dépassé
mes vœux, de réunir un si grand nombre d'évêques du
Christ. Je voudrais vous voir tous d'accord et en communion d'opinion, car j'estime pire que tout mal le fait que
l'Église de Dieu soit divisée. Aussi, lorsqu'il m'est revenu
des choses que j'aurais aimé ne pas entendre, j'en ai eu

θεοῦ στασιάζειν. Ὅτε οὖν ἠγγέλθη ὧν οὐκ ὤφελον ἀκοῦσαι, σφόδρα τὴν ψυχὴν ἠνιάθην, διχονοεῖν ὑμᾶς πυθόμενος, οὓς
41 ἥκιστα προσῆκε θεοῦ λειτουργοὺς | ὄντας καὶ βραβευτὰς εἰρήνης. Καὶ διὰ τοῦτο τὴν ἱερὰν ὑμῶν συνεκρότησα σύνοδον· βασιλεύς τε ὢν καὶ συνθεράπων ὑμέτερος χάριν αἰτῶ λαβεῖν ἀρεστὴν θεῷ τῷ κοινῷ δεσπότῃ ἐμοί τε λαβεῖν καὶ ὑμῖν δοῦναι πρέπουσαν. Ἡ δέ ἐστι προενεγκεῖν εἰς μέσον τὰ αἴτια τῆς ἀμφισβητήσεως καὶ ὁμόφρον καὶ εἰρηναῖον αὐτοῖς ἐπιθεῖναι τέλος, ὥστε με σὺν ὑμῖν τοῦτο τὸ τρόπαιον ἀναστῆσαι κατὰ τοῦ φθονεροῦ δαίμονος, ὃς τῶν ἀλλοφύλων καὶ τυράννων ἐκποδὼν γενομένων ταυτηνὶ τὴν ἐμφύλιον στάσιν ἤγειρε, νεμεσήσας τοῖς ἡμετέροις ἀγαθοῖς. » 4 Τοιαῦτα τῇ Ῥωμαίων φωνῇ τοῦ βασιλέως εἰπόντος παρεστώς τις ἡρμήνευεν.

20

1 Ἐκ τούτου δὲ ἡ περὶ τοῦ δόγματος διάλεξις ἐκινήθη τοῖς ἱερεῦσι. Σχολῇ δὲ καὶ μάλα ἀνεξικάκως ἠκροᾶτο ὁ βασιλεὺς τῶν ἑκατέρωθεν λόγων· καὶ τοῖς μὲν εὖ λέγουσιν ἐτίθετο, τοὺς δὲ φιλονικοῦντας μετετίθει τῆς ἔριδος, πράως ἑκάστῳ διαλεγόμενος, ὡς ἀκούειν ἠπίστατο, καθότι οὐδὲ τῆς Ἑλλήνων γλώττης ἀπείρως εἶχε. Τὸ δὴ τελευταῖον συνέβησαν ἀλλήλοις πάντες οἱ ἱερεῖς καὶ ὁμοούσιον εἶναι τῷ πατρὶ τὸν υἱὸν ἐψηφίσαντο. Μόνοι δὲ τὰ μὲν πρῶτα δέκα καὶ

---

1. Sozomène suit d'assez près le texte de l'adresse aux Pères de Nicée qu'EUSÈBE prête à Constantin dans la *Vita Constantini*, 3, 12 : dans les deux cas, l'empereur évoque la disparition des *tyrans*, la perversité des *démons*, le caractère redoutable *à l'égal d'une guerre* de toute sédition à l'intérieur de l'Église. Un peu plus loin (chap. 20), Sozomène suit également la *Vita Constantini*, 3, 13, en prêtant à l'empereur plusieurs interventions en faveur de la paix, ce qui est assez invraisemblable d'après BARDY, p. 84 et n. 2.

l'âme très chagrinée, apprenant que vous étiez en dissentiment, vous à qui cela convenait le moins, puisque vous êtes serviteurs de Dieu et arbitres de la paix. Et c'est pourquoi j'ai réuni ce saint concile où vous voici. Étant à la fois l'empereur et votre collègue dans le service de Dieu, je vous demande une faveur qui sera très agréable à Dieu notre commun Maître, une faveur qu'il convient que je reçoive et qu'il convient que vous accordiez. Cette faveur, c'est de produire au jour les causes de la querelle et d'y apporter un terme dans une union de pensée et en paix, en sorte que, moi avec vous, je puisse dresser ce trophée contre le démon envieux, qui, une fois chassés les Barbares et les tyrans *(Licinius)*, a suscité cette discorde civile, dans la jalousie qu'il avait à l'égard de notre bonheur[1]. » **4** Voilà ce que dit l'empereur en latin, et un interprète présent le traduisit en grec.

Chapitre 20

Après avoir entendu les deux parties,
l'empereur condamne et exile les partisans d'Arius.

1 Après cela les évêques mirent en branle la discussion sur le dogme. L'empereur écoutait placidement et avec grande patience les thèses opposées. Parlait-on comme il faut, il approuvait ; si la discussion s'aigrissait, il mettait fin à la querelle, parlant à chacun avec douceur, en homme d'ailleurs capable de comprendre, puisqu'il n'ignorait pas non plus le grec. A la fin tous les évêques tombèrent d'accord et ils votèrent que le Fils est consubstantiel au Père. On dit qu'au début il n'y eut que dix-sept Pères[2] pour

2. Sozomène est d'accord sur ce nombre avec RUFIN, *H.E.* I (X), 5, alors que l'arien PHILOSTORGE prétend qu'Arius trouva vingt-deux partisans (*H.E.* I, 8).

ἑπτὰ λέγονται τὴν Ἀρείου δόξαν ἐπαινέσαι, παραχρῆμα δὲ
καὶ τούτων οἱ πλείους πρὸς τὸ κοινῇ δόξαν μετέθεντο.
2 Ταύτῃ δὲ τῇ γνώμῃ καὶ ὁ βασιλεὺς ἐπεψηφίσατο συμβαλὼν
θειόθεν αὐτὴν δεδοκιμάσθαι τὴν συμφωνίαν τοῦ συλλόγου.
Ὑπερορίῳ τε φυγῇ ζημιωθήσεσθαι προηγόρευσε τὸν ἐναντίον
τῶν δεδογμένων ἐρχόμενον, ὡς διαφθείροντα τοὺς θείους
ὅρους.

3 Ἵνα δὲ καὶ εἰς τὸν ἑξῆς χρόνον βέβαιον καὶ δῆλον τοῖς
ἐσομένοις ὑπάρχῃ τὸ σύμβολον τῆς τότε συναρεσάσης πίστεως, ἀναγκαῖον ᾠήθην εἰς ἀπόδειξιν τῆς ἀληθείας αὐτὴν
τὴν περὶ τούτων γραφὴν παραθέσθαι· εὐσεβῶν δὲ φίλων καὶ
τὰ τοιαῦτα ἐπιστημόνων οἷα δὴ μύσταις καὶ μυσταγωγοῖς
μόνοις δέον τάδε λέγειν καὶ ἀκούειν ὑφηγουμένων ἐπήνεσα
921   42   τὴν βουλήν (οὐ γὰρ ἀπεικὸς | καὶ τῶν ἀμυήτων τινὰς τῇδε
τῇ βίβλῳ ἐντυχεῖν), ὡς ἔνι δὴ τῶν ἀπορρήτων ἃ χρὴ σιωπᾶν
ἀποκρυψάμενος· ὡς <δὲ> μὴ πάμπαν ἀγνοεῖν τὰ δόξαντα
τῇ συνόδῳ,

21

1 ἰστέον [δὲ] ὅτι τὸν μὲν υἱὸν ὁμοούσιον εἶναι τῷ πατρὶ
ἀπεφήναντο· τοὺς δὲ λέγοντας « Ἦν ποτε ὅτε οὐκ ἦν » καὶ
« Πρὶν γεννηθῆναι οὐκ ἦν » καὶ ὅτι « ἐξ οὐκ ὄντων ἐγένετο »
ἢ ἐξ ἑτέρας ὑποστάσεως ἢ οὐσίας, ἢ τρεπτὸν ἢ ἀλλοιωτόν,
ἀπεκήρυξαν καὶ τῆς καθόλου ἐκκλησίας ἀλλοτρίους ἐψηφίσαντο. 2 Ταύτην δὲ τὴν γραφὴν ἐπήνεσαν Εὐσέβιός τε ὁ

---

1. Ἐναντίον est adverbe, le génitif dépend de cet adverbe, et
ἐναντίον ἔρχεσθαί τινος équivaut à la locution usuelle ἐναντίον ἰέναι
τινός (A.-J. F.).
2. Le texte complet du symbole de Nicée figure chez Eusèbe,
ap. ATHANASE, De decretis Nicaenae synodi, 33 ; THÉODORET, H.E. I,
12 ; SOCRATE, H.E. I, 8 ; GÉLASE, H.E. II, 25 ; en traduction latine
chez HILAIRE DE POITIERS, De synodis, 84. Voir la traduction française
donnée par BARDY, p. 86-87.

louer la thèse d'Arius, mais que, sur-le-champ, la plupart de ces Pères aussi se rangèrent à l'opinion commune. 2 L'empereur lui aussi joignit son vote à cette décision, ayant conjecturé que l'accord même du concile avait été approuvé d'en haut. Il ordonna que serait puni d'exil celui qui irait à l'encontre des décisions prises[1], comme altérant les décrets divins.

3 Pour que le symbole de la foi qui fut alors admise en commun soit à l'avenir fermement assuré et manifeste aux générations futures, j'avais jugé d'abord nécessaire, pour démontrer la vérité, d'en mettre sous les yeux le texte même. Mais sur le conseil d'amis pieux et compétents en ces matières, attendu que les seuls initiés et initiateurs ont le droit de dire et d'entendre ces choses, j'ai suivi leur avis — il n'est pas invraisemblable en effet que ce livre soit lu aussi de certains des non initiés —, et j'ai donc caché le plus possible ce qu'il faut taire des mystères secrets.

Chapitre 21

Les décrets du concile d'Arius ;
la condamnation d'Arius et de ses partisans
et la destruction par le feu de ses livres ;
les sanctions prises contre les évêques
qui ne veulent pas se soumettre au concile ;
fixation de la fête de Pâques.

Mais pour qu'on n'ignore pas absolument les décisions du concile, 1 il faut savoir que les Pères déclarèrent que le Fils est consubstantiel au Père ; quant à ceux qui disent : « Il fut un temps où il n'était pas » et : « Il n'a pas existé avant d'avoir été engendré » et : « Il a été tiré du néant » ou qui le disent d'une autre substance ou essence, ou susceptible de mutation ou de changement, ils les excommunièrent et les exclurent de l'Église universelle. 2 Ce texte[2]

Νικομηδείας καὶ Θεόγνιος ὁ Νικαίας, Μάρις τε ὁ Χαλκηδόνος καὶ Πατρόφιλος ὁ Σκυθοπόλεως καὶ Σεκοῦνδος ὁ
Πτολεμαΐδος τῆς Λιβύης. Εὐσέβιος δὲ ὁ Παμφίλου μικρὸν
ἐπισχὼν ἐπεσκέψατο ταύτην καὶ ἐπήνεσεν. 3 Ἡ δὲ σύνοδος
ἀπεκήρυξεν Ἄρειον καὶ τοὺς ὁμοίως αὐτῷ φρονοῦντας·
Ἀλεξανδρείας τε μὴ ἐπιβαίνειν αὐτὸν ἐψηφίσαντο. Οὐ μὴν
ἀλλὰ καὶ τὰς λέξεις τῆς αὐτοῦ δόξης ἀπεκήρυξαν καὶ τὸ
βιβλίον ὃ περὶ ταύτης συντάξας Θαλίαν ἐπέγραψε. Τούτου
δὲ τοῦ συντάγματος, ὡς ἐπυθόμην (οὐ γὰρ ἐνέτυχον), διαλε-
924 λυμένος τίς ἐστιν ὁ χαρακτήρ, ὡς ἐμφερὴς εἶναι τῇ χαυνότητι
τοῖς Σωτάδου ᾄσμασιν. Ἰστέον μέντοι ὡς τῇ Ἀρείου καθαιρέσει οὔτε ἔθεντο οὔτε ὑπέγραψαν Εὐσέβιος ὁ Νικομηδείας
καὶ Θεόγνιος ὁ Νικαεύς, καίπερ τῇ γραφῇ τῆς πίστεως συναι-
νέσαντες. 4 Ὁ δὲ βασιλεὺς Ἄρειον μὲν ὑπερορίῳ φυγῇ
ἐζημίωσε· καὶ τοῖς πανταχῇ ἐπισκόποις καὶ λαοῖς νομοθετῶν
ἔγραψεν ἀσεβεῖς ἡγεῖσθαι αὐτόν τε καὶ τοὺς αὐτοῦ ὁμόφρονας
43 καὶ πυρὶ παραδιδόναι, εἴ τι αὐτῶν εὑρίσκοιτο | σύγγραμμα,
ὥστε μήτε αὐτοῦ μήτε τοῦ δόγματος, οὗ εἰσηγήσατο, ὑπό-
μνημα φέρεσθαι. Εἰ δέ τις φωραθείη κρύπτων καὶ μὴ παρα-

---

1. Ces cinq évêques faisaient évidemment partie du groupe des
dix-sept partisans d'Arius mentionnés au chapitre précédent. Sozomène les nomme parce qu'ils en étaient les personnalités les plus mar-
quantes et, surtout, pour dénoncer le caractère hypocrite de leur
ralliement à la majorité : ils ont agi par opportunisme et par tactique
comme leur revirement ultérieur ne tardera pas à le montrer. Secundus
de Ptolémaïs avait déjà été condamné, avec Théonas de Marmarique,
par l'Église d'Égypte. Théognios, arien intransigeant, déposé et relé-
gué en Gaule, puis rétabli trois ans plus tard sur le siège de Nicée, fut
avec Eusèbe de Nicomédie, puis après lui, le chef de file des adversaires
d'Athanase : voir la notice de A. VAN ROEY, *Lexikon f. Theol.* 10
(1965), c. 55. Également adversaire d'Athanase, Maris de Chalcédoine,
participa au concile de Constantinople dirigé contre l'évêque d'Alexandrie en 336 et à l'intronisation de l'arien Macédonios sur le siège de
Constantinople : cf. *PW* XIV, 2 (1930), c. 1807-1808 (W. ENSSLIN).
Sur Eusèbe de Nicomédie et sur Patrophile de Scythopolis, voir
respectivement chap. 15, § 9 et §§ 11-12, avec les notes.
2. Arius avait poussé jusqu'à ses ultimes conséquences l'enseignement de Lucien d'Antioche qu'il avait suivi, comme du reste Eusèbe

du symbole reçut l'approbation d'Eusèbe de Nicomédie,
de Théognios de Nicée, de Maris de Chalcédoine, de Patrophile de Scythopolis et de Secundus de Ptolémaïs en Libye.
Eusèbe de Pamphile, quelque temps en suspens, l'examina
et finit par l'approuver[1]. **3** Le concile excommunia Arius
et ceux de son parti, et ils lui interdirent de mettre les
pieds dans Alexandrie. D'autre part, ils condamnèrent les
ouvrages où il avait exprimé sa doctrine et le livre qu'il
avait composé sur elle et dénommé *Thalie*. J'ai entendu
dire — car je ne l'ai pas lu — que le style de ce livre est
relâché, et qu'il ressemble à l'allure libre des chants de
Sotadès[2]. Il faut savoir pourtant qu'Eusèbe de Nicomédie
et Théognios de Nicée ni n'adhérèrent à l'excommunication
d'Arius ni ne la soussignèrent, bien qu'ils eussent donné
leur assentiment au symbole de la foi. **4** L'empereur punit
Arius de bannissement[3] ; et il écrivit, sous forme de loi,
aux évêques et laïcs de partout de tenir pour impies et
Arius et ses partisans, et de brûler tout écrit d'eux qu'on
pourrait trouver, en sorte qu'il ne circulât plus aucun
mémoire ni d'Arius lui-même ni de la doctrine qu'il avait
fondée. Si quelqu'un était pris en flagrant délit de cacher
un de ces mémoires et ne se hâtait pas de le dénoncer et

de Nicomédie. Des ouvrages où il finissait par nier la divinité du
Verbe, il ne reste que les fragments de la *Thalie*, composée au cours
de son séjour à Nicomédie : ces fragments se trouvent dans les œuvres
de son pire ennemi, ATHANASE (*Oratio I contra Arianos*, 3-10 ; *De
synodis*, 15 ; 26). La *Thalie* était composée partie en prose, partie en
vers selon la métrique du poète égyptien Sotadès (sur ce dernier, voir
H. NACHOD, *PW* III A 1 [1927], c. 1207 : le vers « sotadique » est un
tétramètre catalectique où les licences sont nombreuses). Elle était
faite pour être apprise et récitée par les plus simples des croyants.
Les fragments en ont été rassemblés par G. BARDY (« La Thalie
d'Arius », *Revue de Philologie* 53 [1927], p. 211-233).

3. Arius, les prêtres qui lui restèrent fidèles et les évêques Secundus
de Ptolémaïs et Théonas de Marmarique furent bannis en Illyricum
(cf. BARDY, p. 87), ce qui contribue sans doute à expliquer l'essor ultérieur de l'arianisme dans cette région.

χρῆμα καταμηνύσας ἐμπρήσῃ, θάνατον εἶναι τὴν ζημίαν καὶ
τιμωρίαν εἰς κεφαλήν. Καὶ ἄλλας δὲ κατὰ πόλιν ἐπιστολὰς
διεπέμψατο κατὰ ᾽Αρείου καὶ τῶν ὁμοδόξων αὐτοῦ. 5 Εὐσέβιον δὲ καὶ Θεόγνιον φεύγειν προσέταξεν ἃς ἐπεσκόπουν
πόλεις· τῇ δὲ Νικομηδέων ἐκκλησίᾳ ἔγραψεν ἔχεσθαι τῆς
πίστεως ἣν ἡ σύνοδος παρέδωκεν, ὀρθοδόξους δὲ προβάλλεσθαι ἐπισκόπους καὶ τούτοις πείθεσθαι, τῶν δὲ λήθῃ παραδοῦναι τὴν μνήμην· τοὺς δὲ ἐπαινεῖν ἢ τὰ αὐτῶν φρονεῖν
ἐπιχειροῦντας ἠπείλησε τιμωρεῖσθαι. ᾽Εν τούτοις δὲ τοῖς
γράμμασι καὶ ἄλλως ἀπεχθάνεσθαι πρὸς Εὐσέβιον ἐδήλου
ὡς πρότερον ἤδη τὰ τοῦ τυράννου φρονήσαντα καὶ αὐτῷ
ἐπιβουλεύσαντα. Κατὰ ταῦτα μὲν οὖν τὰ βασιλέως γράμματα
ἀφηρέθησαν ὧν εἶχον ἐκκλησιῶν Εὐσέβιός τε καὶ Θεόγνιος.
Παραλαμβάνει δὲ τὴν Νικομηδέων ᾽Αμφίων, Χρῆστος δὲ
τὴν Νικαίας.

6 Παυσαμένης δὲ τῆς ἐπὶ τῷ δόγματι ζητήσεως ἔδοξε τῇ
συνόδῳ καὶ τὴν πασχαλίαν ἑορτὴν ἅπαντας κατὰ τὸν αὐτὸν
ἐπιτελεῖν καιρόν.

22

1 Λέγεται δὲ τὸν βασιλέα τῆς πάντων Χριστιανῶν ὁμονοίας προνοοῦντα καὶ ᾽Ακέσιον, ὃς ἐπίσκοπος ἦν τῆς Ναυα-

1. Eusèbe de Nicomédie, Théognios de Nicée et, ce que le texte de
Sozomène ne dit pas, Maris de Chalcédoine furent exilés en Gaule.
Constantin écrivit à l'Église de Nicomédie et vraisemblablement aussi
à celle de Nicée. Seule la lettre à l'Église de Nicomédie est conservée,
en partie par THÉODORET, *H.E.* I, 20, et en entier par GÉLASE DE
CYZIQUE, *H.E.* III, Append., ainsi que par les recueils athanasiens de
documents. Sozomène a respecté le ton très dur de la lettre et conservé
la principale accusation portée contre Eusèbe, celle de « s'être associé
à la cruauté tyrannique de Licinius » (cf. BARDY, p. 95, n. 3).

2. Amphion, qui ne tarda pas à être chassé du siège de Nicomédie
(cf. *infra*, II, 16, 2), n'est sans doute pas à identifier avec l'évêque
d'Épiphanéia qui porte le même nom (*supra*, I, 10, 1) : voir
J. P. KIRSCH, notice du *Lexikon f. Theol.* 1 (1957), c. 449, d'accord
avec G. C. HANSEN, qui, dans le *Namenregister* de l'éd. de Sozomène

de le brûler, il serait puni de mort et le paierait de sa tête. Il envoya aussi d'autres lettres à chaque ville contre Arius et les tenants de son opinion. **5** Il ordonna en outre qu'Eusèbe et Théognios seraient bannis de leurs évêchés[1] ; à l'Église de Nicomédie il écrivit d'adhérer à la formule de foi que le concile avait transmise, d'élire des évêques orthodoxes et de leur obéir, et de livrer à l'oubli la mémoire des précédents évêques : si on tentait de louer ceux-ci ou de partager leur manière de penser, il menaçait d'un châtiment. Dans ces lettres et autrement, il montrait qu'il avait de la haine à l'égard d'Eusèbe comme ayant été, auparavant déjà, du parti du tyran *(Licinius)* et ayant dressé des embûches contre lui, Constantin. En vertu donc de ces édits de l'empereur, Eusèbe et Théognios furent exclus des Églises qu'ils détenaient. C'est Amphion qui reçut l'Église de Nicomédie, Chrestos celle de Nicée[2].

6 Une fois finie la dispute sur le dogme, le concile décida aussi que tous célébreraient la fête de Pâques à la même date[3].

Chapitre 22

Constantin invite aussi Acésius, évêque des novatiens,
au premier concile de Nicée.

1 On dit que l'empereur, soucieux qu'il y eût concorde entre tous les chrétiens, invita aussi au concile Acésius,

(GCS, p. 435), distingue les deux personnages. Chrestos fut également très vite chassé du siège de Nicée (cf. *infra*, II, 16, 2).

3. C'étaient la Syrie et la Mésopotamie qui étaient en dissidence sur la question de la date de Pâques. Ces deux régions restaient fidèles au comput juif, en fixant la Pâque dans la semaine qui comptait le 14 du mois de Nizan. Le comput de l'Église d'Alexandrie, qui, sans tenir compte de la tradition juive, plaçait toujours la Pâque après l'équinoxe, triompha à Nicée : cf. H. LECLERCQ, « Pâques », *DACL* XIII, 2 (1938), c. 1521-1574 et notamment 1541-1553 ; et BARDY, p. 88-89.

τιανῶν ἐκκλησίας, ἐπὶ τὴν σύνοδον καλέσαι καὶ τὸν περὶ τῆς
πίστεως καὶ τῆς ἑορτῆς ἐπιδεῖξαι ὅρον ἤδη [δὲ] βεβαιωθέντα
ταῖς τῶν ἐπισκόπων ὑπογραφαῖς, πυθέσθαι τε εἰ καὶ αὐτὸς
τούτοις συναινεῖ· τὸν δὲ φάναι μηδὲν ὡρίσθαι καινόν, καὶ
44 ἐπαινέσαι τὸ τῇ | συνόδῳ δόξαν· οὕτω γὰρ καὶ αὐτὸν ἐξ
925 ἀρχῆς παρειληφέναι πιστεύειν τε καὶ ἑορτάζειν. 2 « Τί οὖν,
ἔφη ὁ βασιλεύς, ὁμοίως φρονῶν χωρίζῃ τῆς κοινωνίας; »
Τοῦ δὲ προφέροντος τὴν ἐπὶ Δεκίου Ναυάτῳ καὶ Κορνηλίῳ
συμβᾶσαν διαφοράν, καὶ ὡς μετὰ τὸ βάπτισμα κοινωνίας
οὐκ ἀξιοῖ μυστηρίων τοὺς ἁμαρτίας ἐνόχους, ἣν πρὸς θάνατον
καλοῦσιν αἱ θεῖαι γραφαί (θεοῦ γὰρ ἐξουσίας μόνου, οὐχ
ἱερέων ἠρτῆσθαι τὴν ἄφεσιν) ὑπολαβὼν ὁ βασιλεὺς εἶπεν·
« Ὦ Ἀκέσιε, κλίμακα θὲς καὶ μόνος εἰς οὐρανοὺς ἀνά-
βηθι. » 3 Ταῦτα δὲ οἶμαι εἰπεῖν τὸν βασιλέα πρὸς Ἀκέσιον
οὐκ ἐπαινοῦντα, ἀλλ᾽ ὅτι ἄνθρωποι ὄντες ἀναμαρτήτους
σφᾶς εἶναι νομίζουσιν.

23

1 Ἡ δὲ σύνοδος ἐπανορθῶσαι τὸν βίον σπουδάζουσα τῶν
περὶ τὰς ἐκκλησίας διατριβόντων ἔθετο νόμους οὓς κανόνας
ὀνομάζουσιν. 2 Ἐν δὲ τῷ περὶ τούτου βουλεύεσθαι τοῖς μὲν
ἄλλοις ἐδόκει νόμον ἐπεισάγειν ἐπισκόπους καὶ πρεσβυτέρους διακόνους τε καὶ ὑποδιακόνους μὴ συγκαθεύδειν ταῖς
γαμεταῖς, ἃς πρὶν ἱερᾶσθαι ἠγάγοντο. 3 Ἀναστὰς δὲ ἐν

---

1. Acésius était le titulaire du siège de Constantinople (cf. *infra*, II,
32, 5). Les Pères de Nicée se montrèrent très conciliants à l'égard des
novatiens, les admettant à la communion à condition qu'ils reconnaissent par écrit les dogmes de l'Église catholique et qu'ils acceptent
de frayer avec les personnes mariées en secondes noces et avec les
faillis des dernières persécutions (canon 8 de Nicée, cité par Bardy,
p. 89). Mais Constantin, et avec lui Sozomène, ironise sur les prétentions de ceux qui se nommaient eux-mêmes « les Purs ».

évêque de l'Église des novatiens[1], qu'il lui montra la défi-
nition sur la foi et la fête *(de Pâques)* déjà sanctionnée par
les signatures des Pères, et qu'il lui demanda si lui aussi
était d'accord. Acésius dit qu'on n'avait rien défini de
nouveau, et qu'il approuvait la décision du concile : c'est
ainsi, dit-il, que depuis le début il avait appris à croire et
à célébrer la fête. **2** « Pourquoi donc alors, dit l'empereur,
si tu es de même opinion, te tiens-tu séparé de la communion de l'Église ? » Comme Acésius mettait en avant le
différend survenu sous Dèce entre Novatien et *(le pape)*
Corneille, et qu'il jugeait indignes de la communion aux
mystères ceux qui, après le baptême, avaient commis une
faute dont les saintes Écritures disent qu' « elle va à la
mort » *(I Jn 5, 16 s.)* — car c'est de l'autorité de Dieu
seul, et non des prêtres, que dépend la rémission des
péchés —, l'empereur, l'ayant interrompu, lui dit : « Cher
Acésius, dresse une échelle et sois seul à monter au ciel. »
Cela, je pense, l'empereur le dit, non qu'il louât Acésius,
mais parce que, bien qu'ils soient des hommes, les novatiens estiment qu'ils sont sans péché.

Chapitre 23

Les canons établis par le concile :
Paphnuce le confesseur s'oppose au concile,
qui proposait un canon tendant à imposer la virginité
à tous ceux qui se vouaient au sacerdoce.

1 Le concile, s'efforçant de redresser les mœurs de ceux
qui servent dans les Églises, établit des lois, qu'on nomme
canons. **2** Tandis qu'on délibérait sur ce point, l'opinion
générale était d'introduire comme loi que les évêques,
prêtres, diacres et sous-diacres ne fissent pas lit commun
avec les épouses qu'ils avaient prises en mariage avant
d'être ordonnés. **3** Mais se dressant au milieu d'eux, Paph-

μέσῳ Παφνούτιος ὁ ὁμολογητὴς ἀντεῖπε τίμιόν τε τὸν γάμον
ἀποκαλῶν σωφροσύνην τε τὴν πρὸς τὰς ἰδίας γαμετὰς
συνουσίαν· συνεβούλευσέν τε τῇ συνόδῳ μὴ τοιοῦτον θέσθαι
νόμον· χαλεπὸν γὰρ εἶναι τὸ πρᾶγμα φέρειν· ἴσως δὲ καὶ
αὐτοῖς καὶ ταῖς τούτων γαμεταῖς τοῦ μὴ σωφρονεῖν αἰτία
γενήσεται· 4 κατὰ δὲ τὴν ἀρχαίαν τῆς ἐκκλησίας παράδοσιν
τοὺς μὲν ἀγάμους τοῦ ἱερατικοῦ τάγματος κοινωνήσαντας
μηκέτι γαμεῖν, τοὺς δὲ μετὰ γάμον ὧν ἔχουσι γαμετῶν μὴ
χωρίζεσθαι. Καὶ ταῦτα μὲν ὁ Παφνούτιος, καίπερ ἄπειρος
ὢν γάμου, εἰσηγήσατο. 5 Ἐπήνεσε δὲ καὶ ἡ σύνοδος τὴν
βουλὴν καὶ περὶ τούτου οὐδὲν ἐνομοθέτησεν, ἀλλὰ τῇ ἑκάστου
45 γνώμῃ τὸ πρᾶγμα, οὐκ ἐν ἀνάγκῃ ἔθετο. | Περὶ δὲ τῶν
ἄλλων, ᾗπερ αὐτῇ καλῶς ἔχειν ἐδόκει, νόμους ἀνεγράψατο,
καθ᾽ οὓς πολιτεύεσθαι προσήκει τὰ τῆς ἐκκλησίας πράγματα.
Ἀλλὰ τούτοις μέν, εἴ τῳ φίλον, ῥάδιον ἐντυχεῖν παρὰ πολλοῖς
φερομένοις.

24

928   1 Ἐξετασθέντων δὲ καὶ τῶν κατὰ Μελίτιον ἀνὰ τὴν
Αἴγυπτον συμβάντων κατεδίκασεν αὐτὸν ἡ σύνοδος ἐν τῇ
Λύκῳ διατρίβειν ψιλὸν ὄνομα ἐπισκοπῆς ἔχοντα, τοῦ δὲ
λοιποῦ μήτε ἐν πόλει μήτε ἐν κώμῃ χειροτονεῖν· τοὺς δὲ ἤδη
παρ᾽ αὐτοῦ καταστάντας κοινωνεῖν καὶ λειτουργεῖν, δευτερεύειν δὲ ταῖς τιμαῖς τῶν ἐν ἑκάστῃ ἐκκλησίᾳ καὶ παροικίᾳ

---

1. Sur ce personnage, voir *supra*, chap. 10, 1-2 et n. *ad. loc.* Parmi
les 22 canons de Nicée que RUFIN énumère (*H.E.* I [X], 6), le plus
proche de la question tranchée par l'intervention de Paphnuce est le
troisième.

2. Les canons disciplinaires de Nicée, qu'on s'accorde généralement
à fixer au nombre de 20, reprirent et précisèrent les décisions du
concile d'Arles (314). D'après HEFELE-LECLERCQ, t. I, 1, p. 508, les
collections grecques et latines de canons conciliaires étaient constituées
dès le ive et le ve siècles... ; des copies en furent faites en très grand

nuce le Confesseur[1] s'y opposa, déclarant le mariage chose
honorable et tempérance le fait de s'unir à sa propre épouse.
Il conseilla au concile de ne pas poser une telle loi : il serait
difficile de supporter la chose, et ce pourrait même être et
pour les maris et pour leurs épouses une cause d'intem-
pérance ; **4** il fallait, selon l'antique tradition de l'Église,
que les non mariés, une fois entrés dans la hiérarchie, ne se
mariassent plus, mais que ceux qui y étaient entrés après
le mariage ne se séparassent pas de leurs femmes. Voilà
la proposition que fit Paphnuce, bien qu'il fût lui-même
non marié. **5** Le concile approuva cet avis et ne fit pas de
loi à ce propos, mais laissa la chose au jugement de chacun,
sans qu'il y eût contrainte. Sur les autres points, conformément à ce qu'il jugeait être bien, le concile composa des
lois qui dussent servir de règle pour le gouvernement de
l'Église. Mais ces canons circulent en beaucoup d'ouvrages
et il est aisé de les lire, si l'on en a envie[2].

Chapitre 24

Les affaires de Mélétios ;
excellentes mesures prises par le saint concile le concernant.

1 Quand on eut examiné aussi les affaires de Mélétios
en Égypte, le concile le condamna à rester à Lycopolis
avec seulement le titre d'évêque, mais sans pouvoir désormais ordonner quiconque ni dans une ville ni à la campagne ; ceux qui avaient été déjà ordonnés par lui resteraient en communion et continueraient leurs fonctions,
mais ils seraient subordonnés, quant aux honneurs, aux
membres du clergé en chaque Église et chaque siège épis-

nombre. La plus ancienne et la plus remarquable collection latine est
la *Prisca*.

κληρικῶν. **2** Ἐπαναβαίνειν δὲ ταῖς τάξεσι τῶν προτελευ-
τώντων, εἰ ψήφῳ τοῦ πλήθους ἄξιοι φανεῖεν, ἐπιχειροτονοῦν-
τος τοῦ ἐπισκόπου τῆς Ἀλεξανδρέων ἐκκλησίας· μὴ ἐξεῖναι
δὲ αὐτοῖς ἐπιλέγεσθαι κατὰ γνώμην ἰδίαν οὓς ἂν ἐθέλωσιν.
3 Ἐφάνη δὲ τοῦτο τῇ συνόδῳ δίκαιον, λογιζομένῃ τὸ προ-
πετὲς καὶ ἕτοιμον εἰς χειροτονίαν Μελιτίου καὶ τῶν τὰ αὐτὰ
φρονούντων, ὥστε καὶ Πέτρου τοῦ μαρτυρήσαντος, ἡνίκα
ἡγεῖτο τῆς Ἀλεξανδρέων ἐκκλησίας, φεύγοντος διὰ τὸν τότε
διωγμόν, τὰς διαφερούσας αὐτῷ χειροτονίας ὑφήρπασε.

25

1 Τούτων ὧδε δοξάντων τῇ συνόδῳ ξυνηνέχθη κατὰ
ταὐτὸν ἑορτὴν εἶναι εἰκοσαετηρίδα τῆς Κωνσταντίνου βασιλείας. Ἔθος δὲ Ῥωμαίοις δημοτελῆ πανήγυριν ἄγειν καθ᾽
ἑκάστην δεκαετίαν τῆς τοῦ κρατοῦντος ἀρχῆς. Εὔκαιρον
οὖν εἶναι νομίσας ὁ βασιλεὺς προετρέψατο τότε τὴν σύνοδον
εἰς ἑστίασιν καὶ τοῖς προσήκουσι δώροις ἐτίμησεν. **2** Ἐπεὶ
46 δὲ οἴκαδε ἐπανιέναι παρε|σκευάσαντο, συγκαλέσας ἅπαντας
συνεβούλευσεν ὁμονοεῖν περὶ τὴν πίστιν καὶ τῆς πρὸς σφᾶς
αὐτοὺς εἰρήνης ἔχεσθαι, ὡς ἂν ἀστασίαστοι τοῦ λοιποῦ δια-
μένοιεν. **3** Καὶ πολὺν περὶ τούτου λόγον διεξελθὼν τὸ τελευταῖον ἐκέλευεν ὑπὲρ ἑαυτοῦ καὶ παίδων καὶ βασιλείας εὔχε-

---

1. Comme à l'égard des novatiens, les Pères de Nicée adoptèrent en
face de Mélétios et des 28 évêques de son parti une attitude bienveil-
lante. La lettre qu'ils adressèrent à leur sujet aux évêques d'Égypte,
de Libye et de la Pentapole nous a été conservée par Socrate, *H.E.*
I, 9 ; Théodoret, *H.E.* I, 8 ; Gélase de Cyzique, *H.E.* II, 34 :
cf. Bardy, p. 87.

2. La vingtième année du règne de Constantin commençait officiellement le 25 juillet 325 (cf. Seeck, *Regesten*, p. 175, se fondant sur
la *Chronique* de Jérôme et la *Vita Constantini*, 3, 15, d'Eusèbe). Le
concile ayant été ouvert le 20 mai, la date du 25 juillet pour sa clôture
semble préférable à celle du 19 juin — couramment admise d'après
la tradition ancienne (cf. Bardy, p. 91, n. 2) —, étant donné l'importance et le nombre des questions en délibération.

copal. **2** En cas de mort des évêques catholiques, les évêques méléciens pourraient prendre leur place, si le vote populaire les en jugeait dignes, mais à la condition que l'évêque d'Alexandrie les ordonnât à nouveau : il ne leur était pas permis de choisir qui ils voudraient selon leur vouloir propre[1]. **3** Cette décision parut juste au concile, car il prenait en considération la précipitation et la hâte de Mélétios et de ses partisans dans les ordinations, au point que, quand Pierre, chef de l'Église d'Alexandrie, qui fut martyr, était en fuite à cause de la persécution d'alors, Mélétios usurpa les ordinations qui revenaient de droit à Pierre.

Chapitre 25

L'empereur invite à un banquet,
aux frais de l'État, à Constantinople,
les Pères du concile et les couvre de cadeaux ;
il les exhorte à vivre dans la concorde
et fait savoir par lettre à Alexandrie
et dans le monde entier les décisions du concile.

1 Toutes ces résolutions ainsi prises par le concile, il se trouva qu'au même moment, on célébrait les *vicennalia* du règne de Constantin[2]. C'est une coutume chez les Romains de célébrer aux frais de l'État une panégyrie à chaque décennie du règne du souverain. L'empereur, ayant donc jugé l'occasion bonne, invita alors le concile à un festin et il honora les Pères de dons appropriés. **2** Et au moment où ils se disposèrent à rentrer chez eux, les ayant tous convoqués, il leur conseilla de rester d'accord sur la foi et de garder entre eux la paix, en sorte qu'il n'y eût plus désormais de luttes intestines. **3** Il s'étendit longuement là-dessus et, pour finir, il les invita à prier et à sup-

σθαι σπουδαίως καὶ τὸν θεὸν ἱκετεύειν ἑκάστοτε. Καὶ πρὸς
μὲν τοὺς τότε ἀφικομένους εἰς Νίκαιαν τοιαῦτα εἰπὼν συνε-
τάξατο. 4 Δῆλα δὲ ποιῶν καὶ τοῖς μὴ παροῦσι τὰ ἐν τῇ
συνόδῳ κατωρθωμένα, γράμματα πέπομφε ταῖς κατὰ πόλιν
929 ἐκκλησίαις, τῇ δὲ Ἀλεξανδρέων ἰδίᾳ ἕτερα παρὰ ταῦτα,
προτρέπων πάσης ἀφεμένους διχονοίας ὁμονοῆσαι περὶ τὴν
ἐκτεθεῖσαν παρὰ τῆς συνόδου πίστιν· μηδὲν γὰρ ἕτερον
εἶναι ταύτην ἢ θεοῦ γνώμην ἐκ συμφωνίας τηλικούτων καὶ
τοσούτων ἱερέων ἁγίῳ πνεύματι συστᾶσαν μετὰ <τε> ζήτησιν
ἀκριβῆ καὶ βάσανον πάντων τῶν ἀμφιβόλων δοκιμασθεῖσαν.

---

1. D'après THÉODORET, *H.E.* I, 12, 2, Constantin recommanda aux
évêques d'aimer la paix, de bannir la jalousie, de réprimer le faste et
la domination, de travailler à la conversion des infidèles (cf. BARDY,
p. 92).

plier Dieu ardemment, en toute occasion, pour lui, pour
ses fils et pour son règne. C'est sur ces mots, qu'il dit adieu
aux Pères qui étaient venus à Nicée[1]. **4** Mais pour faire
connaître aux absents aussi ce qui avait été décidé au
concile, il écrivit aux Églises de chaque ville, et, outre cela,
une lettre particulière à l'Église des Alexandrins[2], les
engageant à renoncer à leur dissentiment et à vivre dans
la concorde touchant la foi qui avait été formulée par le
concile : car ce ne pouvait être là que la sentence même de
Dieu, puisqu'elle avait été établie, sous l'influence du
Saint Esprit, par le commun accord de si grands et si nombreux évêques et qu'elle avait été approuvée après une
recherche scrupuleuse et la mise à l'épreuve de toutes les
questions en doute.

VOICI CE QUE CONTIENT
LE LIVRE II DE *L'HISTOIRE ECCLÉSIASTIQUE*[1]

---

1. Cf. *supra*, p. 104, n. 1.

ΙΕ΄. Ὅπως ὁ Κωνσταντῖνος γράφει Σαβώρῃ παῦσαι κολάζειν Χριστιανούς.

Ις΄. Ὅτι οἱ περὶ Ἄρειον βιβλίον δόντες συμφρονεῖν τῇ ἐν Νικαίᾳ συνόδῳ τοὺς οἰκείους θρόνους ἀπέλαβον, Εὐσέβιός τε καὶ Θέογνιος.

ΙΖ΄. Ὅτι τοῦ Ἀλεξανδρείας τελευτήσαντος Ἀλεξάνδρου Ἀθανάσιος ἐκ προτροπῆς ἐκείνου λαμβάνει τὸν θρόνον· καὶ διήγησις περὶ τῆς ἐκ νέου ἡλικίας αὐτοῦ ὅτι αὐτοδίδακτος ἦν ἱερεὺς καὶ φιλούμενος τῷ μεγάλῳ Ἀντωνίῳ.

ΙΗ΄. Ὅτι Ἀρειανοὶ καὶ Μελετιανοὶ περιφανῆ ἐποίησαν Ἀθανάσιον. Καὶ περὶ Εὐσεβίου καὶ ὅπως ἀπεπειρᾶτο Ἀθανάσιος δέξασθαι Ἄρειον· καὶ περὶ τῆς λέξεως « τοῦ ὁμοουσίου »· ὅπως μάλιστα τῶν ἄλλων ὁ Παμφίλου Εὐσέβιος καὶ Εὐστάθιος ὁ Ἀντιοχείας ἐστασίαζον.

ΙΘ΄. Περὶ τῆς Ἀντιοχείας συνόδου καὶ ὅτι ἀδίκως καθῃρέθη Εὐστάθιος καὶ Εὐφρόνιος τὸν θρόνον λαμβάνει. Καὶ οἷα ὁ μέγας Κωνσταντῖνος ἔγραψε τῇ συνόδῳ καὶ Εὐσεβίῳ τῷ Παμφίλου παραιτησαμένῳ τῇ Ἀντιοχείᾳ.

Κ΄. Περὶ Μαξίμου τοῦ μετὰ Μακάριον τὸν Ἱεροσολύμων θρόνον λαβόντος.

ΚΑ΄. Περὶ τῶν Μελιτιανῶν καὶ Ἀρειανῶν ὅπως ἡνώθησαν· καὶ περὶ Εὐσεβίου καὶ Θεογνίου ὅπως πάλιν τὴν Ἀρείου νόσον ἀνάπτειν ἐπεχείρουν.

ΚΒ΄. Οἷα κατὰ τοῦ ἁγίου Ἀθανασίου οἱ Ἀρειανοὶ καὶ οἱ Μελιτιανοὶ συσκευάσαντες οὐδὲν ἤνυσαν.

ΚΓ΄. Περὶ τῆς συκοφαντίας τοῦ ἁγίου Ἀθανασίου διὰ τὴν τοῦ Ἀρσενίου χεῖρα.

ΚΔ΄. Ὅτι καὶ τὰ ἐν ἐνδοτέρῳ τῶν Ἰνδῶν ἔθνη, τότε τὸν χριστιανισμὸν ἐδέξαντο, διὰ Φρουμεντίου καὶ Αἰδεσίου τῶν αἰχμαλώτων.

ΚΕ΄. Περὶ τῆς ἐν Τύρῳ συνόδου, καὶ περὶ τῆς παραλόγου καθαιρέσεως τοῦ ἁγίου Ἀθανασίου.

Κς΄. Περὶ τοῦ ἐν Ἱεροσολύμοις νεώ, ὃν ὁ μέγας ἔκτισε Κωνσταντῖνος ἐν Γολγοθᾷ· καὶ περὶ τῶν ἐγκαινίων αὐτοῦ.

ΚΖ΄. Περὶ τοῦ πρεσβυτέρου τοῦ πείσαντος Κωνσταντῖνον καταγαγεῖν ἐκ τῆς ὑπερορίας Ἄρειον καὶ Εὐζώιον· καὶ περὶ τῆς αὐτοῦ τάχα εὐσεβοῦς πίστεως λίβελλος· καὶ ὅπως ὑπὸ τῆς ἐν Ἱεροσολύμοις ἀθροισθείσης συνόδου καὶ πάλιν Ἄρειος προσεδέχθη.

ΚΗ΄. Ἐπιστολὴ βασιλέως Κωνσταντίνου πρὸς τὴν ἐν Τύρῳ σύνοδον· καὶ ἐξορία τοῦ ἁγίου Ἀθανασίου ἀπὸ τῆς ἐπιθέσεως τῶν Ἀρειανῶν.

ΚΘ'. Περὶ Ἀλεξάνδρου τοῦ ἐπισκόπου Κωνσταντινοπόλεως, ὅπως ἀνεδύετο εἰς κοινωνίαν Ἄρειον δέξασθαι· καὶ ὡς διερράγη Ἄρειος, νυξάσης αὐτὸν τῆς γαστρὸς εἰς ἀπόπατον.

Λ'. Οἷα γράφει ὁ μέγας Ἀθανάσιος περὶ τῆς Ἀρείου ῥήξεως.

ΛΑ'. Περὶ τῶν μετὰ τελευτὴν Ἀρείου συμβάντων ἐν Ἀλεξανδρείᾳ· καὶ οἷα τοῖς ἐκεῖσε ὁ μέγας ἔγραψε Κωνστάντινος.

ΛΒ'. Ὅτι κατὰ πασῶν αἱρέσεων νόμον ὁ Κωνσταντῖνος ἔθετο, μὴ ἀλλαχοῦ ἐκκλησιάζειν ἢ τῇ καθολικῇ Ἐκκλησίᾳ· δι' οὗ καὶ αἱ πλεῖσται τῶν αἱρέσεων ἠφανίσθησαν. Οἱ δὲ περὶ τὸν Νικομηδείας Εὐσέβιον Ἀρειανοὶ τὸ ὁμοούσιον τεχνηέντως περιελεῖν ἐπεχείρησαν.

ΛΓ'. Περὶ Μαρκέλλου τοῦ Ἀγκύρας καὶ τῆς αἱρέσεως αὐτοῦ καὶ καθαιρέσεως.

ΛΔ'. Περὶ τῆς τελευτῆς τοῦ μεγάλου Κωνσταντίνου, καὶ ὡς ὕστερον βαπτισθεὶς ἐτελεύτησε, ταφεὶς ἐν τῷ νεῷ τῶν ἁγίων ἀποστόλων.

ΤΟΥ ΑΥΤΟΥ
ΕΚΚΛΗΣΙΑΣΤΙΚΗΣ ΙΣΤΟΡΙΑΣ

ΤΟΜΟΣ ΔΕΥΤΕΡΟΣ

1

47   **1** Τὰ μὲν δὴ κατὰ Νίκαιαν μέχρι τούτου τέλος ἔσχε, καὶ τῶν ἱερέων ἕκαστος οἴκαδε ἐπανῆλθον. Ὁ δὲ βασιλεὺς ὑπερφυῶς ἔχαιρε συμφωνοῦσαν ὁρῶν περὶ τὸ δόγμα τὴν καθόλου ἐκκλησίαν· χαριστήριά τε ἀνατιθεὶς τῷ θεῷ ὑπὲρ τῆς ὁμονοίας τῶν ἐπισκόπων, ὑπέρ τε αὐτοῦ καὶ παίδων καὶ τῆς βασιλείας, ᾠήθη δεῖν οἶκον εὐκτήριον τῷ θεῷ κατασκευάσαι ἐν Ἱεροσολύμοις ἀμφὶ τὸν καλούμενον Κρανίου τόπον. **2** Περὶ δὲ τὸν αὐτὸν χρόνον καὶ Ἑλένη ἡ αὐτοῦ μήτηρ ἧκεν εἰς Ἱεροσόλυμα εὔξασθαί τε καὶ τοὺς ἐνθάδε ἱεροὺς ἱστορῆσαι τόπους. Εὐλαβῶς δὲ περὶ τὸ δόγμα τῶν Χριστιανῶν διακειμένη περὶ πολλοῦ ἐποιεῖτο τοῦ σεβασμίου σταυροῦ τὸ ξύλον ἐξευρεῖν. **3** Ἦν δὲ οὔτε τούτου οὔτε τοῦ θεσπεσίου τάφου ἡ εὔρεσις

---

1. L'évangile de Matthieu, 4, 27, donne au Calvaire le nom de Τὸ Κρανίον (= le crâne). L'araméen *Gulgolla*, l'hébreu *Gulgolet*, ont le même sens que le mot grec et en même temps celui de « sommet, citadelle ». Le jeu de mots tête/cime, citadelle, est donc très ancien et antérieur au christianisme ; ce dernier s'est borné « à adopter comme représentation du Calvaire le crâne qui est un véritable idéogramme, désignant sans aucune interprétation le lieu même qu'il est chargé de nous rappeler » : H. LECLERCQ, « Calvaire », *DACL* II, 2 (1910), c. 1755.

DU MÊME
HISTOIRE ECCLÉSIASTIQUE

LIVRE II

Chapitre 1

Découverte de la Croix de vie et des saints clous.

1 Le concile de Nicée se termina donc de la sorte, et chacun des évêques rentra chez lui. L'empereur de son côté se réjouissait extrêmement de voir l'Église universelle parvenue à la concorde sur le dogme. Et, sous forme d'hommage de reconnaissance à Dieu pour le bon accord des évêques, en imploration aussi pour lui, ses fils et son règne, il pensa qu'il fallait bâtir une église à Dieu à Jérusalem au lieu dit du Calvaire[1]. **2** Vers ce même temps, Hélène aussi[2], sa mère, vint à Jérusalem pour prier et visiter les Lieux saints. Comme elle avait en grande révérence la religion chrétienne, elle tenait beaucoup à découvrir le bois de la sainte Croix. **3** Ni ce bois ni le saint tom-

---

2. Hélène (vers 255-328/330) est alors à l'apogée de sa gloire et de son influence : elle a reçu en 325 le titre d'*Augusta*. Mais quel rôle a-t-elle joué dans la mise à mort de Fausta, sa bru, en 326 ? Pour Piganiol, p. 39, le pèlerinage d'Hélène aux Lieux saints « ressemble à une expiation ». Parmi les historiens anciens, Eusèbe, *Vita Constantini*, 3, 42, se montre plus précis que Sozomène, en indiquant qu'Hélène avait reçu mission d'inspecter les églises d'Orient. Plus généralement, voir les notices consacrées à ce personnage très discuté et énigmatique par O. Seeck, *PW* VII, 2, (1912), c. 2820 ; *P.L.R.E.*, I, p. 410.

ῥᾳδία. Οἱ γὰρ πάλαι τὴν ἐκκλησίαν διώξαντες Ἕλληνες ἔτι
φύεσθαι ἀρχομένην τὴν θρησκείαν πάσῃ μηχανῇ σπουδά-
σαντες ἐκτεμεῖν ὑπὸ πολλῷ χώματι τὸν τῇδε τόπον κατέκρυ-
932 ψαν καὶ εἰς ὕψος ἤγειραν βαθύτερον ὑπάρχοντα, ὡς καὶ νῦν
φαίνεται. Περιλαβόντες δὲ πέριξ πάντα τὸν τῆς ἀναστάσεως
χῶρον καὶ τοῦ Κρανίου, διεκόσμησαν καὶ λίθῳ τὴν ἐπιφά-
νειαν κατέστρωσαν· καὶ Ἀφροδίτης ναὸν κατεσκεύασαν καὶ
ζῴδιον ἱδρύσαντο, ὥστε τοὺς αὐτόθι τὸν Χριστὸν προσκυ-
νοῦντας δόξαι τὴν Ἀφροδίτην σέβειν, καὶ τῷ χρόνῳ εἰς
48 λήθην | ἐλθεῖν τὴν ἀληθῆ αἰτίαν τοῦ περὶ τὸν τόπον σεβά-
σματος, ἅτε μήτε τῶν Χριστιανῶν ἀδεῶς εἰς τοῦτον φοιτᾶν
ἢ ἑτέροις καταμηνύειν τολμώντων καὶ τοὐναντίον πιστου-
μένου τοῦ Ἑλληνικοῦ ναοῦ καὶ τοῦ ἀγάλματος.

4 Ἐγένετό γε μὴν δῆλος ὁ τόπος καὶ ἐφωράθη ἡ σπου-
δασθεῖσα περὶ αὐτὸν πλάνη, ὡς μέν τινες λέγουσιν, ἀνδρὸς
Ἑβραίου τῶν ἀνὰ τὴν ἑῴαν οἰκούντων ἐκ πατρῴας γραφῆς
καταμηνύσαντος, ὡς δὲ ἀληθέστερον ἐννοεῖν ἔστι, τοῦ θεοῦ
ἐπιδείξαντος διὰ σημείων καὶ ὀνειράτων. Οὐ γὰρ οἶμαι τὰ
θεῖα δεῖσθαι τῆς παρ' ἀνθρώπων μηνύσεως, ἡνίκα ἂν δῆλα
αὐτὰ τῷ θεῷ δοκῇ γενέσθαι. 5 Τηνικαῦτα γοῦν κατὰ πρόσταξιν τοῦ βασιλέως τοῦ τῇδε χώρου καθαρθέντος εἰς βάθος,
ἐν μέρει τὸ τῆς ἀναστάσεως ἀνεφάνη ἄντρον, ἑτέρωθι δὲ
περὶ τὸν αὐτὸν τόπον τρεῖς ηὑρέθησαν σταυροί, καὶ χωρὶς
ἄλλο ξύλον ἐν τάξει λευκώματος ῥήμασι καὶ γράμμασιν
Ἑβραϊκοῖς Ἑλληνικοῖς τε καὶ Ῥωμαϊκοῖς τάδε δηλοῦν·
Ἰησοῦς ὁ Ναζωραῖος ὁ βασιλεὺς τῶν Ἰουδαίων. Καὶ ταῦτα
μέν, ὡς ἡ ἱερὰ βίβλος τῶν εὐαγγελίων ἱστορεῖ, οὕτω συνέβη
προγραφῆναι ὑπὲρ κεφαλῆς τοῦ Χριστοῦ, Πιλάτου τοῦτο
προστάξαντος τοῦ τὴν Ἰουδαίαν ἐπιτροπεύοντος. 6 Ἐργώδης

1. Ce Juif n'apparaît ni chez Ambroise, ni chez Rufin, ni chez
Socrate.
2. RUFIN, *H.E.* I (X), 7-8, et THÉODORET, *H.E.* I, 17, ainsi que
CYRILLE DE JÉRUSALEM (*Lettre à Constance*, 4) sont d'accord pour
placer, comme Sozomène, au temps de Constantin la découverte du
bois de la Croix. Toutefois, ce n'est qu'à l'extrême fin du ive siècle,
dans l'oraison funèbre de Théodose par saint AMBROISE (*ob. Theod.*,

beau n'étaient aisés à découvrir. Car les païens qui avaient anciennement persécuté l'Église s'étaient efforcés par tout moyen de couper à la racine la religion quand elle commençait encore à naître, ils avaient comblé sous une masse de terre le lieu de la tombe et ils l'avaient surélevé alors qu'il était assez bas : c'est ainsi qu'il se voit encore aujourd'hui. Outre cela, ils avaient entouré d'une enceinte tout l'emplacement de la Résurrection et du Calvaire, ils l'avaient arrangé et en avaient pavé toute la surface ; et ils avaient bâti un temple d'Aphrodite et fait dresser une statue de cette déesse, en sorte que ceux qui adoraient là le Christ parussent honorer Aphrodite, et qu'avec le temps tomberait dans l'oubli la vraie cause de la vénération du lieu, puisque les chrétiens n'oseraient pas le fréquenter sans crainte ou le révéler à d'autres, et qu'en revanche ce qui serait cru comme véritable, c'était le temple païen et la statue.

4 Le lieu se fit pourtant connaître et fut dévoilée la fraude qu'on s'était efforcé de créer à son sujet. Selon certains, c'est parce qu'un Juif des régions orientales révéla le lieu d'après un écrit qu'il tenait de ses pères[1], mais, comme il est permis de le penser plus justement, c'est parce que Dieu le montra par des miracles et des songes. Car, à mon avis, les choses divines n'ont besoin d'aucune indication de la part des hommes, toutes les fois que Dieu lui-même a décidé de les manifester. **5** Quoi qu'il en soit, à ce moment, sur l'ordre de l'empereur, on nettoya cet emplacement jusqu'au fond ; et à cet endroit apparut la grotte de la Résurrection ; ailleurs près du même lieu on découvrit trois croix[2] et, à part, une autre pièce de bois en guise d'écriteau rédigé en hébreu, en grec et en latin avec ces mots : « Jésus de Nazareth le roi des Juifs » *(Jn 19, 19-20)*. Ces mots, de fait, comme le rapportent les évangiles, avaient été ainsi affichés au-dessus de la tête du Christ, sur l'ordre de Pilate, alors procurateur de Judée. **6** Malgré cette découverte, il était bien difficile de reconnaître quelle était la

δὲ ἔτι ἐτύγχανεν ἡ τοῦ θείου σταυροῦ διάκρισις, εἰ καὶ
εὑρέθη, διερρυηκότος αὐτοῦ τοῦ γράμματος καὶ διερριμ-
μένου, ἅμα δὲ καὶ τῶν τριῶν σταυρῶν χύδην διεσπαρμένων,
ὥς γε εἰκὸς ἐν τῇ καθαιρέσει τῶν σταυρωθέντων σωμάτων
συγχυθείσης τῆς τάξεως. Ἐπεὶ γὰρ οἱ στρατιῶται νεκρὸν
ἐν τῷ ξύλῳ εὑρήκασι, καθελόντες αὐτὸν πρῶτον ἀπέδοντο
εἰς ταφὴν κατὰ τὴν ἱστορίαν· μετὰ δὲ ταῦτα τῶν ἑκατέρωθεν
λῃστῶν ταχύναντες τὸν θάνατον, τὰ σκέλη κατέαξαν καὶ τὰ
ξύλα ὅπῃ ἐπέτυχεν ἄλλο ἄλλῃ διέρριψαν. Τί γὰρ καὶ ἐπιμελὲς
ἦν αὐτοῖς ἐν τῇ προτέρᾳ τάξει ταῦτα ἐᾶν, ἑκάστου φθάσαι
49 τὴν ἑσπέραν σπουδάζοντος | καὶ ἀνδρῶν βίᾳ τετελευτηκότων
περὶ σταυροὺς ἐνδιατρίβειν οὐκ ἀγαθὸν ἡγουμένου. 7 Ταύτῃ
οὖν ἀδήλου ἔτι τυγχάνοντος τοῦ θεσπεσίου ξύλου καὶ θειοτέ-
ρας ἢ κατὰ ἄνθρωπον δεομένου μηνύσεως, τοιόνδε τι συνέβη.
Γυνή τις ἦν τῶν ἐν Ἱεροσολύμοις ἐπισήμων, χαλεπωτάτη
καὶ ἀνιάτῳ νόσῳ κάμνουσα. Πρὸς ταύτην κειμένην ἦλθε
Μακάριος ὁ τῆς αὐτόθι ἐκκλησίας ἐπίσκοπος, παραλαβὼν
τὴν τοῦ βασιλέως μητέρα καὶ τοὺς ἀμφ' αὐτόν. Εὐξάμενός
τε πρότερον καὶ σύμβολον τάξας τοῖς ὁρῶσιν ἐκεῖνον εἶναι
τὸν θεῖον σταυρόν, ὃς ἐπιτεθεὶς ἀπαλλάξει τῆς νόσου τὴν
γυναῖκα, φέρων ἕκαστον αὐτῇ τῶν ξύλων προσήγαγεν. Ἀλλὰ
933 τῶν μὲν δύο ἐπιτεθέντων οὐδὲν ὅτι μὴ λῆρος καὶ γέλως ἔδοξεν
εἶναι τὸ γινόμενον, θανάτου ἐν θύραις ὄντος τοῦ γυναίου.
Ἐπεὶ δὲ τὸ τρίτον ξύλον ὁμοίως προσήνεγκεν, ἐξαπίνης
ἀνέβλεψε καὶ τὰς δυνάμεις ἀθροίσασα παραχρῆμα τῆς στρω-
μνῆς ὑγιὴς ἀπεπήδησε. 8 Λέγεται δὲ καὶ νεκρὸν τῷ ἴσῳ
τρόπῳ ἀναβιῶναι. Τοῦ δὲ εὑρεθέντος θεσπεσίου ξύλου τὸ μὲν
πλεῖστον ἐν ἀργυρᾷ θήκῃ μένον ἔτι καὶ νῦν ἐν Ἱεροσολύμοις
φυλάττεται, 9 μέρος δὲ ἡ βασιλὶς πρὸς Κωνσταντῖνον τὸν
παῖδα διεκόμισεν, οὐ μὴν ἀλλὰ καὶ τοὺς ἥλους οἷς τὸ σῶμα
τοῦ Χριστοῦ διαπεπερόνητο. Ἐκ τούτων δὲ ἱστοροῦσι τὸν

43-51), qu'est apparu le récit détaillé dans lequel Hélène joue le
principal rôle, récit dont dépend pour une part Rufin et, sans doute
par son intermédiaire, Socrate (*H.E.* I, 17) et Sozomène.

1. Ni Ambroise, ni Rufin, ni Socrate ne mentionnent ce miracle.

divine Croix, car les morceaux de l'écriteau s'étaient répandus et éparpillés de côté et d'autre, et en outre les trois croix avaient été dispersées en confusion, leur ordre ayant été bouleversé, comme il est naturel, quand on avait enlevé les corps crucifiés. En effet, après que les soldats eurent trouvé sur la croix le Christ mort, ses disciples, selon le récit de l'Évangile, l'enlevèrent d'abord et le déposèrent en un tombeau. Puis, pour hâter la mort des brigands de chaque côté, les soldats leur brisèrent les membres, et ils jetèrent les bois de côté et d'autre au hasard. Quel souci auraient-ils eu en effet de laisser les croix dans leur ordre premier ? Chacun d'eux avait hâte de finir avant le soir, et il ne jugeait pas utile de se préoccuper des croix de gens qui avaient subi mort violente. 7 Comme on était donc ainsi encore dans l'incertitude sur la sainte Croix et qu'il était besoin d'une indication plus divine que n'en peut donner l'homme, voici ce qui arriva. Il y avait, parmi les gens distingués de Jérusalem, une dame, qui souffrait d'une maladie pénible et incurable. Macaire, alors évêque de l'Église locale, se rendit à son lit ; il avait avec lui la mère de l'empereur et les membres de son clergé. Il pria d'abord, puis fixa comme signe de reconnaissance pour les spectateurs que celle-là était la sainte Croix, qui, appliquée au corps de la femme malade, la débarrasserait de sa maladie : alors, portant chacun des bois, il les approcha de la malade. Eh bien, les deux premiers bois appliqués, la chose ne parut être rien plus que bagatelle et objet de risée, et déjà la femme était aux portes de la mort. Mais quand il eut approché pareillement le troisième bois, soudain elle leva les yeux, et, recouvrant ses forces, bondit aussitôt hors du lit, guérie. 8 On dit aussi qu'un mort reprit vie de la même manière[1]. La sainte Croix une fois découverte, la plus grande partie, subsistant dans un coffret d'argent, en est gardée aujourd'hui encore à Jérusalem. 9 L'impératrice en apporta une partie à son fils Constantin, ainsi que les clous qui avaient transpercé le corps du Christ. Avec ces

βασιλέα περικεφαλαίαν κατασκευάσαι καὶ χαλινὸν ἵππειον
κατὰ τὴν Ζαχαρίου προφητείαν, ᾧ δὴ προείρητο, ὡς ἐπὶ τοῦ
παρόντος καιροῦ « Ἔσται τὸ ἐπὶ τὸν χαλινὸν τοῦ ἵππου
ἅγιον τῷ κυρίῳ παντοκράτορι. » Ὧδε γὰρ αὐταῖς λέξεσιν ὁ
προφήτης φησί. 10 Ταῦτα πάλαι μὲν ἔγνωστο καὶ προείρητο
τοῖς ἱεροῖς προφήταις, εἰς ὕστερον δὲ διὰ θαυμασίων ἐβε-
βαιοῦτο τῶν ἔργων, ὅτε ἐν καιρῷ δοκοῦν εἶναι τῷ θεῷ κατε-
50 φαίνετο. | Καὶ θαυμαστὸν οὔπω τοσοῦτον, ὅπου γε καὶ πρὸς
αὐτῶν τῶν Ἑλλήνων συνωμολόγηται Σιβύλλης εἶναι τοῦτο·

Ὦ ξύλον μακαριστὸν ἐφ᾽ οὗ θεὸς ἐξετανύσθη.

Τοῦτο γὰρ καὶ σπουδάζων τις ἐναντίος εἶναι οὐκ ἂν ἀρνηθείη.
Προὐσήμαινεν οὖν τὸ τοῦ σταυροῦ ξύλον καὶ τὸ περὶ αὐτοῦ
σέβας.

11 Τάδε μὲν ἡμῖν, ὡς παρειλήφαμεν, ἱστόρηται ἀνδρῶν
τε ἀκριβῶς ἐπισταμένων ἀκούσασιν, εἰς οὓς ἐκ διαδοχῆς
πατέρων εἰς παῖδας τὸ μανθάνειν παρεγένετο, καὶ ὅσοι γε
αὐτὰ δὴ ταῦτα συγγράψαντες, ὡς δυνάμεως εἶχον, τοῖς
ἔπειτα καταλελοίπασιν.

2

1 Ἀμφὶ δὲ τοῦτον τὸν χῶρον προθέμενος ὁ βασιλεὺς ναὸν
ἐγεῖραι τῷ θεῷ προσέταξε τοῖς τῇδε ἄρχουσι προνοεῖν ὡς
ἂν μάλιστα μεγαλοφυὲς καὶ πολυτελὲς ἀποδειχθείη τὸ ἔργον.
Ἐν μέρει δὲ καὶ Ἑλένη ἡ αὐτοῦ μήτηρ δύο ναοὺς ᾠκοδόμησε,

1. Sozomène semble jouer ici de l'équivoque possible entre les
livres sibyllins, livres officiels dont l'autorité était reconnue par les
païens, et les *Oracles sibyllins*, compilation de textes judéo-chrétiens,
violemment anti-romains, que les païens ne pouvaient que récuser.
2. Sur les édifices constantiniens du Golgotha, voir PIGANIOL, p. 41-
42 : le Saint-Sépulcre fut abrité dans un édifice circulaire ; le Kranion
fut entouré d'une vaste place ornée de portiques ; la magnifique basilique promise à l'évêque Macaire ne fut achevée et dédiée qu'en 335.
D'une manière générale, sur les églises de Jérusalem, voir l'ouvrage

clous, à ce qu'on raconte, l'empereur fit faire un casque et
un frein de cheval, selon la prophétie de Zacharie, qui a
annoncé à l'avance, comme s'il s'agissait d'aujourd'hui :
« Ce qui est sur le frein du cheval sera consacré au Dieu
tout-puissant » *(Zach. 14, 20)* : ainsi parle, en propres
termes, le prophète. **10** Tout cela, de fait, était connu de
longtemps et prédit par les saints prophètes ; mais ce n'est
que plus tard que Dieu le confirmait par des prodiges, à
l'heure où il lui apparaissait que le temps en semblait être
venu. Et il n'y a rien là encore de si étonnant, puisque les
païens eux-mêmes conviennent que ce mot-ci est de la
Sibylle *(Orac. Sibyll. VI, 26)*[1] :

> O bois bienheureux, sur lequel un dieu a été étendu !

Cela, même quelqu'un qui chercherait à nous être contraire,
ne saurait le nier. La Sibylle donc a prédit le bois de la
Croix et la vénération qu'on aurait pour lui.

11 Tout cela, nous l'avons raconté, comme nous l'avons
reçu en transmission, pour l'avoir appris, d'une part
d'hommes tout à fait au courant, à qui il était advenu de
le savoir par une tradition passée de père en fils, d'autre
part de tous ceux qui ont écrit ces choses mêmes, le mieux
qu'ils pouvaient, et l'ont laissé pour les générations à venir.

Chapitre 2

Hélène, mère de l'empereur ; elle se rend à Jérusalem,
construit des églises et réalise d'autres œuvres pieuses ; sa mort.

1 C'est sur cet emplacement donc que l'empereur résolut
d'élever un temple à Dieu, et il ordonna aux gouverneurs
locaux de veiller à ce que l'ouvrage fût rendu le plus splen-
dide et riche possible[2]. De son côté Hélène aussi, sa mère,

classique de H. Vincent et F. M. Abel, *Jérusalem. Recherches de*
topographie, d'archéologie et d'histoire, Paris 1914-1926, 2 vol.

τὸν μὲν ἐν Βηθλεὲμ ἀμφὶ τὸ τῆς γεννήσεως τοῦ Χριστοῦ
σπήλαιον, τὸν δὲ πρὸς ταῖς ἀκρωρείαις τοῦ ὄρους τῶν
Ἐλαιῶν, ὅθεν ἐπὶ τὸν οὐρανὸν ἀνελήφθη.

2 Ταύτης δὲ πολλὰ μὲν καὶ ἄλλα δείκνυσι τὴν εὐσέβειαν
καὶ εὐλάβειαν, οὐχ ἥκιστα δὲ καὶ τόδε. Λέγεται γὰρ αὐτὴν
τότε ἐν Ἱεροσολύμοις διατρίβουσαν συγκαλέσαι πρὸς ἑστίασιν
τὰς ἱερὰς παρθένους καὶ ὑπηρέτιν γενέσθαι περὶ τὸ δεῖπνον,
παρατιθεῖσαν τὰ ὄψα καὶ ὕδωρ ταῖς χερσὶν ἐπιχέουσαν καὶ
936 τἆλλα ποιοῦσαν, ἃ θέμις διακονεῖσθαι τοὺς τῶν δαιτυμόνων
θεράποντας. 3 Τηνικαῦτα δὲ τὰς πόλεις τῆς ἕω περιιοῦσα
τὰς μὲν κατὰ πόλιν ἐκκλησίας ἀναθήμασι τοῖς προσήκουσιν
ἐτίμησε, πολλοὺς δὲ οὐσιῶν ἐκπεπτωκότας πλουσίους
ἐποίησε, πενομένοις δὲ τὰ ἐπιτήδεια ἀφθόνως διένειμε, τοὺς
δὲ χρονίων δεσμῶν καὶ ὑπερορίας φυγῆς καὶ μετάλλων ἠλευ-
51   θέρωσε. Καί μοι δοκεῖ τού|των ἀξίας ἀπειληφέναι τὰς
ἀμοιβάς· 4 τὴν μὲν γὰρ ἐνταῦθα βιοτήν, ὡς οὐ πλέον ἐνεδέχετο, λαμπρῶς καὶ λίαν ἐπισήμως διήνυσε· Σεβαστή τε
ἀνεκηρύχθη, καὶ εἰκόνι ἰδίᾳ χρυσοῦν νόμισμα κατεσήμανε,
καὶ βασιλικῶν θησαυρῶν ἐξουσίαν παρὰ τοῦ παιδὸς λαβοῦσα
κατὰ γνώμην ἐχρῆτο. Ἐπεὶ δὲ ἔδει τὸν τῇδε καταλιπεῖν
βίον, εὐκλεῶς ἐτελεύτησεν, ἔτη μὲν ἀμφὶ τὰ ὀγδοήκοντα
γεγονυῖα, τὸν δὲ παῖδα καταλιποῦσα ἅμα Καίσαρσιν αὐτῆς
ἐκγόνοις πάσης τῆς Ῥωμαίων οἰκουμένης ἡγούμενον. 5 Εἰ
δέ τίς ἐστι καὶ τούτων ὄνησις, οὐδὲ τελευτήσασαν ἡ λήθη
ἐκάλυψεν· ἔχει δὲ αὐτῆς διηνεκοῦς μνήμης ἐνέχυρον ὁ μέλλων

1. A Bethléem, Hélène fit ajouter une basilique à l'édifice octogonal
élevé, dès le IIIe siècle, près de la grotte de la Nativité. Sur le mont des
Oliviers fut élevée la basilique de l'Éléona (PIGANIOL, p. 43). Sur les
nombreuses églises de Jérusalem après le règne de Constantin, voir
ÉGÉRIE, *Journal de voyage*, 24-49, et l'introd. de P. MARAVAL à son
éd., *SC* 296, Paris 1982, p. 60-79, qui énumère l'Anastasis, la Croix et
le Martyrium, Sion, l'Éléona, l'église de l'agonie, Gethsémani.

2. La frappe des monnaies à l'effigie de Flauia Helena Augusta,
avec la devise *Securitas reipublicae* (cf. P. BRUUN, *The Roman Imperial
Coinage* : VII. *Constantinus and Licinius A.D. 313-337*, Londres 1966,

fit bâtir deux églises, l'une à Bethléem, près de la grotte
de la naissance du Christ, l'autre au sommet du mont des
Oliviers, d'où il s'éleva vers le ciel[1].

2 On a bien des preuves de la piété et des sentiments
de révérence d'Hélène, mais la moindre n'est pas celle-ci.
On dit qu'étant alors à Jérusalem elle invita à un festin
les vierges sacrées, qu'elle les servit durant le repas, qu'elle
leur présenta les mets et versa l'eau sur leurs mains, et fit
tout ce qu'ont l'habitude de faire ceux qui servent à table.
3 Tandis qu'elle parcourait en ces temps-là les villes
d'Orient, elle honora d'offrandes appropriées les églises
locales, elle enrichit beaucoup de gens qui avaient perdu
leur fortune, elle distribua libéralement le nécessaire aux
pauvres, et elle délivra d'autres personnes de longs empri-
sonnements, de l'exil et du travail aux mines. Or il me
semble qu'elle a reçu sa récompense d'une manière qui
correspondait à ces mérites. **4** Car d'une part elle a mené
jusqu'au bout sa vie mortelle dans un brillant et un éclat
insurpassables : elle fut proclamée *Augusta*, elle a fait
frapper la monnaie d'or de l'empreinte de sa propre image,
elle a reçu de son fils tout pouvoir sur le trésor royal et elle
y a puisé à son gré[2]. Et d'autre part, quand il lui a fallu
quitter cette vie, elle est morte en pleine gloire, ayant vécu
près de quatre-vingts ans et laissant son fils, avec les
Césars ses petits-fils, chef de tout l'Empire romain. **5** Et
s'il y a aussi quelque utilité en ces choses, même morte,
l'oubli ne l'a pas recouverte : car le siècle à venir possède,

---

p. 53 et p. 59) se poursuivit de 324/325 à 328/329, date présumée de
la mort d'Hélène. Le pèlerinage aux Lieux saints avait été accompli
aux frais du trésor impérial. Hélène possédait des terres dans le monde
entier (PIGANIOL, p. 39). Elle habitait à Rome le palais Sessorien
(cf. PIÉTRI, *Roma Christiana*, I, p. 14-15 : c'est dans la résidence
impériale qui fut occupée par Hélène que Constantin établit la *basilica
in palatio Sessoriano*, Sainte-Croix de Jérusalem).

αἰὼν τὴν ἐπὶ Βιθυνίας πόλιν καὶ ἑτέραν παρὰ Παλαιστίνοις,
ἀπ᾽ αὐτῆς λαβούσας τὴν προσηγορίαν. Ταῦτα μὲν ἡμῖν ὧδε
περὶ Ἑλένης εἰρήσθω.

3

1 Ὁ δὲ βασιλεὺς ἀεί τι πονῶν εἰς εὐσέβειαν συνετέλει καὶ
πανταχοῦ περικαλλεστάτους ναοὺς ἀνίστη τῷ Χριστῷ, δια-
φερόντως δὲ ἐν ταῖς μητροπόλεσιν, ὡς ἐπὶ τῆς Νικομηδέων
τῆς Βιθυνῶν καὶ Ἀντιοχείας τῆς παρὰ τὸν Ὀρόντην ποταμὸν
καὶ ἐπὶ τῆς Βυζαντίων πόλεως, ἣν ἴσα Ῥώμῃ κρατεῖν καὶ
κοινωνεῖν αὐτῇ τῆς ἀρχῆς κατεστήσατο. **2** Ἐπεὶ γὰρ κατὰ
γνώμην αὐτῷ πάντα προὔχώρει, κατώρθωτο δὲ καὶ τὰ πρὸς
τοὺς ἀλλοφύλους πολέμοις καὶ σπονδαῖς, ἔγνωκεν οἰκίσαι
πόλιν ὁμώνυμον ἑαυτῷ καὶ τῇ Ῥώμῃ ὁμότιμον. Καταλαβὼν
δὲ τὸ πρὸ τοῦ Ἰλίου πεδίον παρὰ τὸν Ἑλλήσποντον ὑπὲρ
937 τὸν Αἴαντος τάφον, οὗ δὴ λέγεται τὸν ναύσταθμον καὶ τὰς
σκηνὰς ἐσχηκέναι τοὺς ἐπὶ Τροίαν ποτὲ στρατευσαμένους

---

1. En Bithynie, c'est Drépanon, simple bourg où naquit Hélène.
Par suite agrandi et élevé au rang de ville par Constantin, sous le nom
d'Hélénopolis. Cf. K. Ruge, art. « Drepanon 4. », *PW* V, 2 (1905),
c. 1697. En Palestine, je ne saurais dire quelle fut la ville nommée
Hélénopolis. Rien en *PW* (A.-J. F.).

2. La principale église de Nicomédie avait été détruite lors de la
grande persécution de Dioclétien (303). Dix ans plus tard, Licinius
prit l'initiative de la reconstruction, que Constantin poursuivit et
acheva, d'après Eusèbe, *Vita Constantini*, 3, 49-50 : cf. *PW* XVII, 1
(1936), c. 468-492, notamment 477 (K. Ruge). A Antioche, Constantin
entreprit la construction de la « Grande Église », qui ne fut achevée
que sous le règne de Constance II. Elle fut fermée sur l'ordre de Julien
en manière de représailles contre l'incendie du temple d'Apollon à
Daphné, en oct. 362 (Ammien Marcellin, 22, 13, 2), rouverte par
Jovien, confisquée par Valens au bénéfice des ariens. Parmi les églises
de Constantinople, Sozomène a sans doute en vue celle de sainte
Irène, l'église épiscopale, enjeu des luttes entre nicéens et ariens, et
celle des saints Apôtres, où Constantin avait prévu et préparé son

comme gage de sa mémoire continuelle, la ville de Bithynie
et une autre en Palestine qui toutes deux lui ont emprunté
leur nom[1]. Voilà ce que je voulais dire sur Hélène.

Chapitre 3

Les églises construites par Constantin le Grand ;
fondation de la ville qui porte son nom ;
monuments qu'il fonda dans la ville ;
l'église de saint Michel archange en Sosthènion ;
les miracles qui eurent lieu en cette église.

1 L'empereur ne cessait un seul instant de se dépenser
pour la religion et il élevait partout de magnifiques églises
au Christ, principalement dans les métropoles, comme à
Nicomédie de Bithynie, à Antioche sur l'Oronte et à
Byzance[2], dont il avait décidé qu'elle serait à égalité avec
Rome et partagerait avec Rome le pouvoir[3]. **2** Comme en
effet toutes choses lui réussissaient à son gré, qu'avaient
été menées à bien, en guerres et en conclusions de traités,
les relations avec les Barbares, il résolut de fonder une ville
qui portât son nom et aurait même rang que Rome. S'étant
rendu à la plaine devant Ilion[4] près de l'Hellespont, au-delà
de la tombe d'Ajax, là où les Achéens jadis en guerre contre
Troie eurent, dit-on, leur mouillage et leurs baraquements,

tombeau : cf. JANIN, *Géographie*, p. 103-106 et 41-50 ; DAGRON,
p. 388 s., et surtout p. 401-409.

3. Sur les intentions de Constantin à l'égard de la nouvelle capitale,
intentions qui ne se dessinèrent que très progressivement, voir les
analyses de DAGRON (p. 43 s.).

4. En réalité, Constantin, pour marquer fortement la réunification
de l'Empire autant que pour affirmer sa propre légitimité et celle de
ses fils et successeurs, hésita entre plusieurs capitales, recommandées
par des raisons stratégiques ou symboliques : Sardique, Ilion, Chalcédoine, Thessalonique, Byzance. Cf. DAGRON, p. 29-30.

Ἀχαιούς, οἵαν ἐχρῆν καὶ ὅσην τὴν πόλιν διέγραψε· καὶ πύλας κατεσκεύασεν ἐν περιωπῇ, αἳ δὴ νῦν ἔτι ἀπὸ θαλάσσης φαίνονται τοῖς παραπλέουσι. **3** Ταῦτα δὲ αὐτῷ πονοῦντι |

52 νύκτωρ ἐπιφανεὶς ὁ θεὸς ἔχρησεν ἕτερον ἐπιζητεῖν τόπον. Καὶ κινήσας αὐτὸν εἰς τὸ Βυζάντιον τῆς Θράκης πέραν Χαλκηδόνος τῆς Βιθυνῶν, ταύτην αὐτῷ οἰκίζειν ἀπέφηνε πόλιν καὶ τῆς Κωνσταντίνου ἐπωνυμίας ἀξιοῦν. Ὁ δὲ τοῖς τοῦ θεοῦ λόγοις πεισθεὶς τὴν πρὶν Βυζάντιον προσαγορευομένην εἰς εὐρυχωρίαν ἐκτείνας μεγίστοις τείχεσι περιέβαλεν. **4** Ἐπεὶ δὲ τοὺς αὐτόχθονας οὐχ ἱκανοὺς ἐνόμισεν εἶναι πολίτας τῷ μεγέθει τῆς πόλεως, μεγίστας οἰκίας ἀνὰ τὰς ἀγυιὰς σποράδην οἰκοδομήσας, ἄνδρας ἐν λόγῳ σὺν τοῖς οἰκείοις δεσπότας ποιήσας ἐν ταύταις κατῴκισε, τοὺς μὲν ἐκ τῆς πρεσβυτέρας Ῥώμης, τοὺς δὲ ἐξ ἑτέρων ἐθνῶν μετακαλεσάμενος. **5** Φόρους δὲ τάξας, τοὺς μὲν εἰς οἰκοδομὰς καὶ κάλλη τῆς πόλεως, τοὺς δὲ εἰς ἀποτροφὴν τῶν πολιτῶν, ἅπασί τε τοῖς ἄλλοις τὰ περὶ τὴν πόλιν διαθεὶς ἱπποδρόμῳ τε καὶ κρήναις καὶ στοαῖς καὶ λοιποῖς οἰκοδομήμασι φιλοτίμως κοσμήσας, Νέαν Ῥώμην Κωνσταντινούπολιν ὠνόμασε, καὶ βασιλίδα κατέστησε τῶν ὅσοι τὴν Ῥωμαίων ὑπήκοον γῆν οἰκοῦσι πρὸς ἄρκτον καὶ νότον καὶ ἥλιον ἀνίσχοντα καὶ τὰ ἐν μέσῳ πελάγη ἐκ τῶν περὶ τὸν Ἴστρον πόλεων καὶ Ἐπιδάμνου τῶν <τε> πρὸς τῷ Ἰονίῳ κόλπῳ μέχρι Κυρήνης καὶ τῶν τῇδε Λιβύων παρὰ τὸ Βόρειον καλούμενον. **6** Βου-

940 λευτήριόν τε μέγα, ἣν σύγκλητον ὀνομάζουσιν, ἕτερον συνε-

---

1. Constantin a notamment transformé le ravitaillement des habitants de Constantinople en « droit politique » et a détourné vers sa capitale les convois de blé d'Égypte jusque-là réservés à Rome (cf. DAGRON, p. 530 s.).

2. Sur l'hippodrome, cf. DAGRON, p. 320 s. Parmi les principaux « embellissements », il faut citer la place de l'Augustéon, décorée d'une colonne de porphyre surmontée par la statue d'Hélène ; le grand bâtiment à abside destiné au sénat sur cette même place ; le nouveau forum, au centre duquel une colonne de porphyre était sommée d'une statue du Soleil (ou de Constantin) ; le palais avec ses deux portiques

il traça le plan de la ville, telle et aussi grande qu'elle devait
être ; et il fit bâtir des portes fortifiées sur une éminence,
qui se laissent voir aujourd'hui encore depuis la mer à
ceux qui naviguent au long de la côte. 3 Tandis qu'il était
occupé à cet ouvrage, Dieu la nuit lui apparut et lui rendit
oracle de chercher un autre lieu. Et l'ayant transporté
(en songe) à Byzance de Thrace sur la rive opposée à Chalcédoine de Bithynie, il lui révéla de fonder là sa ville et de
lui donner son nom de Constantin. Il obéit à l'oracle divin,
fit s'étendre sur un large espace la ville antérieurement
nommée Byzance et l'entoura de très puissants murs.
4 Estimant que les autochtones n'étaient pas un nombre
suffisant d'habitants pour la vaste étendue de la ville, il fit
bâtir çà et là le long des rues de très grandes maisons, il
établit comme maîtres en ces maisons, avec leurs domestiques, des hommes en renom, ayant fait venir les uns de
la Vieille Rome, les autres d'autres provinces. 5 Il imposa
des contributions[1], les unes pour les bâtiments et l'embel-
lissement de la ville, les autres pour l'alimentation des
habitants, et entre tous autres ornements, dans sa dispo-
sition de la ville, il la décora brillamment d'un hippodrome,
de fontaines, de portiques et des autres établissements[2],
il dénomma Constantinople Nouvelle Rome et il en fit la
capitale de tous les sujets de l'Empire romain au nord, au
sud et au levant, et de ceux qui habitent les mers inter-
médiaires depuis les villes du Danube et depuis Épidamne[3]
et les villes de la mer Ionienne jusqu'à Cyrène et les régions
de la Libye près du cap nommé Borée[4]. 6 Il y établit un
autre grand conseil, qu'on nomme Sénat, et il lui attribua

le reliant au forum : cf. PIGANIOL, p. 50, et le plan de R. JANIN,
Constantinople byzantine, Paris 1964[2] (carte I).

3. Nom ancien de Dyrrachium, sur la côte d'Illyrie. Épidamne fut
une colonie grecque fondée en 627 ; aujourd'hui Durrës en Albanie.

4. Ce cap était également un port de Cyrénaïque, à l'extrémité
orientale de la grande Syrte, légèrement au sud de Bérénikè ; aujour-
d'hui Ras Tejûnes. Voir *PW* III, 1 (1897), c. 730 (E. OBERHUMMER).

στήσατο, τὰς αὐτὰς τάξας τιμὰς καὶ ἱερομηνίας, ᾗ καὶ Ῥωμαίοις τοῖς πρεσβυτέροις ἔθος. Ἐν πᾶσι δὲ δεῖξαι σπουδάσας
ἐφάμιλλον τῇ παρὰ Ἰταλοῖς Ῥώμῃ τὴν ὁμώνυμον αὐτῷ
πόλιν οὐ διήμαρτεν. Εἰς τοσοῦτον γάρ, σὺν θεῷ φάναι,
ἐπέδωκεν, ὡς καὶ τοῖς σώμασι καὶ τοῖς χρήμασι μείζονα
συνομολογεῖσθαι. 7 Τούτου δὲ πρόφασιν ἡγοῦμαι τὸ τοῦ
οἰκιστῆρος καὶ τὸ τῆς πόλεως θεοφιλὲς καὶ τῶν οἰκητόρων
τὸν περὶ τοὺς ἐνδεεῖς ἔλεον καὶ φιλοτιμίαν. Εἰς τοσοῦτον
γὰρ τῆς εἰς Χριστὸν πίστεως ἐπαγωγός ἐστιν, ὡς πολλοὺς
μὲν Ἰουδαίους, Ἕλληνας δὲ σχεδὸν ἅπαντας αὐτόθι χριστιανίζειν. Ἀρξαμένη δὲ βασιλεύειν, καθ᾽ ὃν συνέβη χρόνον
καὶ τὴν θρησκείαν εἰς πλῆθος ἐπιδιδόναι, οὔτε βωμῶν οὔτε
53 Ἑλληνικῶν ναῶν ἢ θυσιῶν | ἐπειράθη, πλὴν ὅσον παρὰ
Ἰουλιανοῦ τοῦ βασιλεύσαντος ὕστερον πρὸς ὀλίγον ἐπ-
εχειρήθη καὶ αὐτίκα ἀπέσβη.

Ταύτην μὲν οὖν ὡσεί τινα νεοπαγῆ Χριστοῦ πόλιν καὶ
ὁμώνυμον ἑαυτῷ γεραίρων Κωνσταντῖνος πολλοῖς καὶ μεγά-
λοις ἐκόσμησεν εὐκτηρίοις οἴκοις. 8 Συνελαμβάνετο δὲ καὶ
τὸ θεῖον τῇ προθυμίᾳ τοῦ βασιλέως καὶ ταῖς ἐπιφανείαις
ἐπιστοῦτο ἁγίους καὶ σωτηρίους εἶναι τοὺς ἀνὰ τὴν πόλιν
εὐκτηρίους οἴκους. Ἐπισημοτάτην δὲ μάλιστα ξένοις τε καὶ
ἀστοῖς ἐξ ἐκείνου γενέσθαι συνωμολόγηται τὴν ἐν ταῖς
Ἑστίαις ποτὲ καλουμέναις ἐκκλησίαν. Τόπος δὲ οὗτος ὁ
νῦν Μιχαήλιον ὀνομαζόμενος ἐν δεξιᾷ καταπλέοντι ἐκ Πόντου

1. Dans son admiration pour Constantin et dans son patriotisme de
citoyen de Constantinople, Sozomène va ici trop loin. Constantin n'a
pas voulu créer un deuxième sénat qui concurrençât celui de Rome... ;
il y eut sans doute une période où seuls les sénateurs venus de Rome
étaient *clarissimi*, tandis que les nouveaux et les membres de l'ancienne *Boulè* de Byzance étaient simplement *clari*. Le « rattrapage »
eut lieu plus tard et progressivement et se réalisa sous Constance
(cf. DAGRON, p. 120 s.).

2. Ce mot désigne dans le vocabulaire religieux traditionnel des
Grecs les jours fériés, ou, par extension, la période consacrée pendant
laquelle se préparait ou se célébrait une fête. Sozomène fait peut-être
ici allusion aux jeux et à la procession commémorative annuelle de la
dédicace, le 11 mai, au sacrifice à la Tychè et à la vénération des
Dioscures à l'Hippodrome (cf. PIGANIOL, p. 54).

les mêmes honneurs[1] et les mêmes hiéroménies[2] que ce
qui est d'usage dans la Vieille Rome. Et son zèle à montrer
qu'en toutes choses la ville qui porte son nom était la rivale
de la Rome d'Italie ne fut pas déçu : car cette ville nouvelle, avec l'aide de Dieu, progressa si bien que, de l'avis
commun, elle est plus grande en habitants et en richesses.
7 La cause en est, à mon avis, la piété tant du fondateur
que de la ville, et la miséricorde et la libéralité des habitants à l'égard des pauvres. Elle attire en effet si fort à la
foi dans le Christ que beaucoup de Juifs et presque tous
les païens y deviennent chrétiens. Comme d'autre part elle
a commencé de devenir capitale en un temps où notre religion aussi s'accroissait en nombre, elle n'a fait l'expérience
ni des autels ni des temples ou sacrifices païens, sauf ce
qui y a été tenté plus tard, pour un peu de temps, par
Julien quand il fut empereur[3], et qui s'éteignit sur le champ.

Cette ville donc, l'honorant comme une cité nouvellement
construite pour le Christ et décorée de son nom, Constantin
l'orna de beaucoup de grandes églises. **8** La Divinité assistait l'empereur en son zèle et lui confirmait, par des épiphanies, que ces maisons de prière dans la ville étaient
saintes et salutaires. La plus remarquable, selon les dires
unanimes des étrangers et des habitants, a été depuis ce
temps l'église située dans le quartier qu'on nommait jadis
Hestiaë. Le lieu est aujourd'hui appelé Michaélion : pour
un navigateur qui vient du Pont à Constantinople, il est

---

3. Au cours du séjour que Julien fit dans la capitale, qui était aussi
sa ville natale, du 11 décembre 361 au mois de mai 362 ; ou bien un
peu plus tard, quand éclata, en 363, une émeute populaire provoquée
par un soulèvement des moines, en protestation contre la persécution
des chrétiens (cf. Dagron, p. 243). C'est au cours du séjour de Julien
à Constantinople qu'eut lieu l'altercation qui le mit aux prises avec
un évêque aveugle, Maris de Chalcédoine (cf. Socrate, III, 12, 1 s. ;
Sozomène, V, 4, 8). Mais Sozomène se garde de dire que Constantin
fit construire des temples à la Tychè de Rome et à la Grande Mère et
qu'il consacra des églises... à la Sagesse, à la Paix, à la Puissance.

εἰς Κωνσταντινούπολιν, διεστὼς αὐτῆς πλωτῆρι μὲν ἀμφὶ
τριάκοντα καὶ πέντε στάδια, ἑβδομήκοντα δὲ καὶ πρὸς
κύκλῳ περιοδεύοντι τὸν διὰ μέσου πορθμόν. 9 Ἔλαχε δὲ τὸ
χωρίον τοῦτο τὴν νυνὶ κρατοῦσαν προσηγορίαν, καθότι πεπίσ-
τευται ἐνθάδε ἐπιφαίνεσθαι Μιχαὴλ τὸν θεῖον ἀρχάγγελον.
Τοῦτο δὲ κἀγὼ εὐεργετημένος τὰ μέγιστα ἀληθὲς εἶναι
σύμφημι. Δεικνύει δὲ τοῦθ' οὕτως ἔχειν καὶ ἀπὸ πολλῶν
ἄλλων ἡ τῶν πραγμάτων πεῖρα· οἱ μὲν γὰρ περιπετείαις
δειναῖς ἢ κινδύνοις ἀφύκτοις, οἱ δὲ νόσοις ἢ πάθεσιν ἀγνώστοις
περιπεσόντες, εὐξάμενοι ἐνταῦθα τῷ θεῷ ἀπαλλαγὴν εὑρή-
κασιν τῶν συμφορῶν. 10 Ἀλλὰ τὰ μὲν καθ' ἕκαστον ὅπως
συνέβη καὶ τίσι, μακρὸν ἂν εἴη λέγειν· οἷον δὲ Ἀκυλίνῳ
ὑπῆρξεν, ἀνδρὶ εἰσέτι νῦν ἡμῖν συνδιατρίβοντι καὶ ἐν τοῖς
αὐτοῖς δικαστηρίοις δίκας ἀγορεύοντι, τὰ μὲν παρ' αὐτοῦ
ἀκούσας, τὰ δὲ καὶ θεασάμενος, ἀναγκαίως ἐρῶ. Ἐπεὶ γὰρ
λάβρος πυρετὸς ὑπὸ ξανθῆς χολῆς κινηθεὶς ἐπέλαβεν αὐτόν,
ἐπίλυτόν* τι φάρμακον δεδώκασιν αὐτῷ πιεῖν οἱ ἰατροί· καὶ
941 τοῦτο ἐξήμεσεν, ἅμα δὲ τῷ ἐμέτῳ ἐκχυθεῖσα ἡ χολὴ πρὸς
ὁμόχροον ἰδέαν ἔβαψε τὴν ἐπιφάνειαν· ἐκ τούτου δὲ πᾶν
ὄψον καὶ ποτὸν ἐξήμει. Ὡς δὲ ἐπὶ πολλῷ τῷ χρόνῳ τοῦτο
ὑπέμενε, μὴ ἠρεμούσης τε ἐν αὐτῷ τῆς τροφῆς ἠπόρει πρὸς
54 τὸ πάθος ἡ | τῶν ἰατρῶν τέχνη, 11 ἤδη ἡμιθανὴς ὢν παρεκε-
λεύσατο τοῖς οἰκείοις φέρειν αὐτὸν εἰς τὸν εὐκτήριον οἶκον,
ἰσχυρισάμενος ἢ αὐτόθι ἀποθανεῖσθαι ἢ τῆς νόσου ἀπαλ-
λαγήσεσθαι. Κειμένῳ δὲ ἐνθάδε νύκτωρ ἐπιφανεῖσα θεία

*ὑπήλατόν Christopherson Festugière.

---

1. Si Sozomène met en relief cette église Saint-Michel, c'est à
cause des grâces qu'il y a reçues. Le lieu Hestiaë se voit sur la carte XI
de R. JANIN, *Constantinople byzantine*, Paris 1964², et l'église est celle
de saint Michel de l'Anaplous ; cf., du même, *Géographie*, p. 351 :
« Le premier auteur à parler d'une église Saint-Michel sur la côte
européenne du Bosphore est Sozomène vers 440... C'est avec une
certitude presque absolue que l'on identifie la localité nommée Hestiae
par Sozomène, qui présente d'ailleurs cette dénomination comme

à droite à environ trente-cinq stades par mer, mais à plus
de soixante-dix stades pour qui fait le trajet par terre en
contournant le détroit *(la Corne d'Or)*. **9** Le lieu a reçu
sa dénomination actuelle du fait qu'on croit que le divin
archange Michel y est apparu. Et de cela je m'accorde à
certifier la vérité, car j'y ai été l'objet moi aussi de très
grands bienfaits ; et ce qu'ont éprouvé aussi beaucoup
d'autres montre que c'est vrai ; car les uns qui étaient victimes de terribles malheurs soudains ou de dangers inévi-
tables, et d'autres qui étaient tombés en des maladies et
des maux inconnus, après avoir là prié Dieu, ont été débar-
rassés de leurs infortunes[1]. **10** Mais dire pour chaque cas
ce qui est arrivé, et à qui, ce serait trop long. Cependant
ce qui est advenu à Aquilinus, qui est encore en vie et
mon collègue dans les tribunaux, il me faut le raconter :
je l'ai entendu en partie de sa bouche, le reste, je l'ai vu.
Comme une forte fièvre, suscitée par de la bile jaune,
l'avait saisi, les médecins lui donnèrent à boire un remède
purgatif[2]. Il le vomit, et la bile sortie dans le vomissement
fit que la peau prit elle aussi le même teint bilieux. De ce
moment il vomissait toute nourriture et toute boisson.
Comme le mal se prolongeait longtemps et qu'il ne gardait
aucune nourriture, la science des médecins ne savait que
faire eu égard au mal ; **11** à demi-mort déjà, il ordonna
à ses domestiques de le transporter à cette église : ou bien
il allait mourir là, soutenait-il, ou il guérirait. Comme
il y était couché, la nuit une Puissance divine lui apparut

---

vieillie, avec l'Anaplous des auteurs plus récents. » Dans cet ouvrage
aussi, le Michaélion se voit très nettement, sur la côte européenne du
Bosphore, près du lieu-dit Hestiae Asomatos, sur la carte intitulée le
Bosphore (A.-J. F.). Toutefois, d'après DAGRON, p. 391-392 et surtout
p. 396, c'est à tort que Sozomène attribue à Constantin la construction
du Michaélion.

2. Ἐπίλυτόν τι φάρμακον Bidez : mais ἐπίλυτον n'offre aucun
sens. Diverses conjectures, nulle plausible ; la meilleure est ὑπήλατον,
« qui purge par le bas », de Christopherson (A.-J. F.).

δύναμις προσέταξε τὰ ἐσθιόμενα πόματι βάπτειν τοιούτῳ, ὃ σύνθετον ἐκ μέλιτος καὶ οἴνου καὶ πεπέρεως ἀναμιγνυμένων ἅμα τὴν κατασκευὴν ἔχει. Ὁ δὴ τῆς νόσου ἀπήλλαξε τὸν ἄνθρωπον· καίτοι γε τοῖς ἰατροῖς κατὰ λόγον τῆς τέχνης ἐναντίον ἐδόκει παθήμασι ξανθῆς χολῆς πομάτων τὸ θερμότατον. 12 Ἐπυθόμην δὲ καὶ Προβιανόν, ἄνδρα τῶν ἐν τοῖς βασιλείοις στρατευσαμένων ἰατρῶν, χαλεπῶς ὑπὸ πάθους ποδῶν ὀδυνώμενον ἐνθάδε τῶν ἀλγηδόνων ἀπαλλαγῆναι καὶ παραδόξου θείας ὄψεως ἀξιωθῆναι. Ἑλληνίζοντι γὰρ αὐτῷ τὰ πρῶτα, ἐπεὶ χριστιανίζειν ἤρξατο, τὰ μὲν ἄλλα τοῦ δόγματος ἀμωσγέπως πιθανὰ ἐδόκει, τὸ δὲ τῆς πάντων σωτηρίας αἴτιον γενέσθαι τὸν θεῖον σταυρὸν οὐ προσίετο. 13 Ὧδε δὴ ἔχοντι γνώμης θεία προφανεῖσα ὄψις ἔδειξέ τι σταυροῦ σύμβολον τῶν ἀνακειμένων ἐν τῷ θυσιαστηρίῳ τῆς ἐνθάδε ἐκκλησίας, καὶ διαρρήδην ἀπεφήνατο, ἀφ' οὗ ἐσταυρώθη ὁ Χριστός, τῶν ὅσα γέγονεν ἐπ' ὠφελείᾳ κοινῇ τοῦ ἀνθρωπείου γένους ἢ ἰδίᾳ τινῶν, ἄνευ τῆς τοῦ σεβασμίου σταυροῦ δυνάμεως μηδὲν κατορθῶσαι μήτε τοὺς θείους ἀγγέλους μήτε τοὺς εὐσεβεῖς καὶ ἀγαθοὺς ἀνθρώπους. Ἀλλὰ ταῦτα μέν, ὅτι μὴ πάντα καταλέγειν καιρός, ἐξ ὧν ἔγνων συμβεβηκέναι ἐν τῷδε τῷ νεῷ εἰπεῖν προήχθην.

4

1 Ἀναγκαῖον δὲ διεξελθεῖν καὶ τὰ περὶ τὴν δρῦν τὴν Μαμβρῆ καλουμένην βεβουλευμένα Κωνσταντίνῳ τῷ βασιλεῖ. Τόπος δὲ οὗτος, ὃν νῦν Τερέβινθον προσαγορεύουσιν, ἀπὸ δέκα καὶ πέντε σταδίων γείτονα τὴν Χεβρὼν πρὸς μεσημ-

---

1. Le témoignage d'Eusèbe, *Vita Constantini*, 3, 51-53, ainsi que celui de Jérôme, *in Zach.*, 3, 11, 45, confirment que la « panégyrie » que Sozomène décrit avec précision et pittoresque était une foire du térébinthe, que l'empereur Hadrien transforma en un marché d'esclaves.

et lui commanda de tremper les aliments avec une potion composée d'un mélange de miel, de vin et de poivre. Cela le débarrassa de la maladie ; pourtant, aux yeux des médecins, selon les principes de leur art, ce sont des potions extrêmement chaudes qui semblaient devoir s'opposer aux effets de la bile jaune. **12** J'ai appris aussi que Probianus, l'un des médecins du palais, qui souffrait d'un mal pénible aux pieds, y fut délivré de ses souffrances et gratifié d'une vision miraculeuse. D'abord païen, il était devenu chrétien ; mais, au début, s'il acceptait tant bien que mal le reste du dogme, il ne pouvait admettre que la divine Croix eût été le principe du salut de tous. **13** Comme il était en ces dispositions, une vision divine lui montra une image de la Croix parmi les offrandes sises dans le sanctuaire de l'église de saint Michel et lui révéla ouvertement que depuis la crucifixion du Christ, de tout ce qui avait été fait pour l'utilité commune du genre humain ou pour l'intérêt particulier de quelques personnes, ni les saints anges ni les hommes pieux et bons n'avaient pu le mener à bien sans la puissance de la vénérable Croix. Voilà, parmi les événements qui à ma connaissance se sont passés en cette église — car ce n'est pas le moment de les dénombrer tous —, ceux que je me suis laissé aller à rapporter.

Chapitre 4

Réalisations de Constantin le Grand
concernant le chêne de Mambré ;
édification d'une église.

1 Il faut aussi que je raconte ce que l'empereur Constantin délibéra au sujet du chêne dit de Mambré. Ce lieu, qu'on nomme aujourd'hui Térébinthe[1], a dans son voisinage, au midi, à une distance de quinze stades, la ville d'Hébron,

βρίαν ἔχων, Ἱεροσολύμων δὲ διεστὼς ἀμφὶ διακόσια καὶ
944 πεντήκοντα στάδια. 2 Οὗ δὴ λόγος ἐστὶν ἀληθὴς ἅμα τοῖς
κατὰ Σοδομιτῶν ἀποσταλεῖσιν ἀγγέλοις καὶ τὸν υἱὸν τοῦ
θεοῦ φανῆναι τῷ Ἀβραὰμ καὶ προειπεῖν αὐτῷ τοῦ παιδὸς
τὴν γέννησιν. Ἐνταῦθα δὲ λαμπρὰν εἰσέτι νῦν ἐτήσιον πανήγυριν ἄγουσιν ὥρᾳ θέρους οἱ ἐπιχώριοι καὶ οἱ προσωτέρω
Παλαιστῖνοι καὶ Φοίνικες καὶ Ἀράβιοι· 3 συνίασι δὲ πλεῖστοι
55 καὶ ἐμπορείας ἕνεκα πωλή|σοντες καὶ ἀγοράσοντες. Πᾶσι
δὲ περισπούδαστος ἡ ἑορτή, Ἰουδαίοις μὲν καθότι πατριάρ-
χην αὐχοῦσι τὸν Ἀβραάμ, Ἕλλησι δὲ διὰ τὴν ἐπιδημίαν
τῶν ἀγγέλων, τοῖς δ᾽ αὖ Χριστιανοῖς ὅτι καὶ τότε ἐπεφάνη
τῷ εὐσεβεῖ ἀνδρὶ ὁ χρόνοις ὕστερον ἐπὶ σωτηρίᾳ τοῦ ἀνθρωπείου γένους διὰ τῆς παρθένου φανερῶς ἑαυτὸν ἐπιδείξας.
Προσφόρως δὲ ταῖς θρησκείαις τιμῶσι τοῦτον τὸν χῶρον,
οἱ μὲν εὐχόμενοι τῷ πάντων θεῷ, οἱ δὲ τοὺς ἀγγέλους ἐπικαλούμενοι καὶ οἶνον σπένδοντες καὶ λίβανον θύοντες ἢ βοῦν
ἢ τράγον ἢ πρόβατον ἢ ἀλεκτρυόνα. 4 Ὁ γὰρ ἕκαστος ἐσπου-
δασμένον καὶ καλὸν εἶχε, διὰ παντὸς τοῦ ἔτους ἐπιμελῶς
τρέφων, καθ᾽ ὑπόσχεσιν εἰς εὐωχίαν τῆς ἐνθάδε ἑορτῆς
ἐφύλαττεν ἑαυτῷ τε καὶ τοῖς οἰκείοις. Τιμῶντες δὲ τὸν τόπον
πάντες ἢ διὰ θεομηνίας κακῶς παθεῖν φυλαττόμενοι οὔτε
γυναιξὶν ἐνθάδε συνουσιάζουσιν, ὡς ἐν ἑορτῇ κάλλους καὶ
κόσμου πλείονος ἐπιμελουμέναις καὶ ᾗ ἔτυχε φαινομέναις τε
καὶ προϊούσαις, οὔτε ἄλλως ἀκολασταίνουσι, καὶ ταῦτα ὡς
ἐπίπαν ὁμοῦ τὰς σκηνὰς ἔχοντες καὶ ἀναμὶξ καθεύδοντες.
5 Αἴθριος γὰρ καὶ ἀρόσιμός ἐστιν ὁ χῶρος καὶ οὐκ ἔχων
οἰκήματα ἢ μόνον τὰ παρ᾽ αὐτὴν τὴν δρῦν πάλαι τοῦ Ἀβραὰμ
γενόμενα καὶ τὸ φρέαρ τὸ παρ᾽ αὐτοῦ κατασκευασθέν· περὶ
δὲ τὸν καιρὸν τῆς πανηγύρεως οὐδεὶς ἐντεῦθεν ὑδρεύετο.
Νόμῳ γὰρ Ἑλληνικῷ οἱ μὲν λύχνους ἡμμένους ἐνθάδε ἐτί-
θεσαν, οἱ δὲ οἶνον ἐπέχεον ἢ πόπανα ἔρριπτον, ἄλλοι δὲ

1. Cf. Gen. 18, 1-16.

et il est distant de Jérusalem d'environ deux cent cinquante stades. **2** C'est là, dit-on de façon véridique, qu'en
même temps que les anges envoyés contre les Sodomites,
apparut aussi à Abraham le Fils de Dieu et qu'il lui prédit
la naissance de son fils[1]. Aujourd'hui encore il se célèbre
là chaque année en été une panégyrie brillante des gens du
lieu et d'autres venus de plus loin, Palestiniens, Phéniciens et Arabes. **3** Beaucoup s'y réunissent aussi en vue
du marché, pour vendre et acheter. La fête est recherchée
de tous avec empressement, des Juifs en tant qu'ils se
vantent d'avoir Abraham comme patriarche, des païens
à cause de la visitation des anges, des chrétiens à leur tour
parce qu'est apparu alors à cet homme pieux celui qui plus
tard s'est manifesté pour le salut du genre humain en naissant de la Vierge. Tous donc rendent des honneurs appropriés à ce lieu, les uns priant le Dieu de l'univers, les autres
invoquant les anges, leur offrant des libations de vin, leur
sacrifiant ou un bœuf ou un bouc ou un mouton ou un coq.
4 Ce que chacun en effet avait de plus cher et de meilleur
comme bête, il le nourrissait avec soin durant toute l'année,
et, en vertu d'une promesse, le gardait pour lui et les siens
en vue de se régaler à la fête de là-bas. Par honneur pour
le lieu ou par crainte d'y éprouver un malheur par une
colère divine, nul là-bas n'y couche avec une femme, bien
que, comme il arrive en une fête, elles y prennent davantage soin de leur beauté et de leur parure et, à l'occasion,
s'y montrent et s'y produisent ; nul non plus ne s'y abandonne d'autre façon à la licence, et cela bien que, en général, ils y aient tous leurs tentes proches les unes des autres
et y couchent pêle-mêle. **5** Ce n'est en effet là qu'un champ
à ciel ouvert, il ne s'y trouve pas de constructions sauf
celles qu'on a bâties jadis près du chêne même d'Abraham
et le puits qui y a été creusé par lui. A ce puits d'ailleurs,
au temps de la panégyrie, nul ne puisait. Selon une coutume
païenne en effet, les uns y plaçaient des lampes allumées,
d'autres y jetaient du vin ou des gâteaux, d'autres des

νομίσματα ἢ μύρα ἢ θυμιάματα. Καὶ διὰ τοῦτο, ὥς γε εἰκός, ἀχρεῖον τὸ ὕδωρ ἐγίνετο τῇ μετουσίᾳ τῶν ἐμβαλλομένων. 6 Ταῦτα δὲ τὸν εἰρημένον τρόπον ἡδέως ᾗ θέμις Ἕλλησιν ἐπιτελούμενα παραγενομένη ποτὲ ἐνθάδε κατ᾽ εὐχὴν ἡ τῆς γαμετῆς Κωνσταντίνου μήτηρ τῷ βασιλεῖ κατήγγειλεν. Ὁ δὲ πυθόμενος οὐ μετρίως ᾐτιᾶτο τοὺς ἐπισκόπους Παλαιστίνης ὡς τοῦ προσήκοντος ὀλιγωρήσαντας καὶ τὸν τόπον ἅγιον ὄντα ὑπεριδόντας σπονδαῖς καὶ θύμασι βεβήλοις μιαίνεσθαι. 7 Δείκνυσι δὲ αὐτοῦ τὴν εὐσεβῆ μέμψιν ἡ περὶ τούτου γρα-φεῖσα ἐπιστολὴ Μακαρίῳ τῷ Ἱεροσολύμων ἐπισκόπῳ καὶ
56 Εὐσεβίῳ τῷ Παμφίλου | καὶ τοῖς ἄλλοις Παλαιστίνων ἐπισκόποις· οὓς κατὰ ταὐτὸν συνελθεῖν προσέταξε τοῖς ἐκ
945 Φοινίκης ἐπισκόποις, ὥστε πρότερον τοῦ ἐνθάδε βωμοῦ ἀνα-καθαιρομένου ἐκ βάθρων πυρί τε τῶν ξοάνων παραδιδομένων ἐκκλησίαν αὐτόθι διαγράψαι τῆς τοῦ τόπου ἀρχαιότητος καὶ σεμνότητος ἀξίαν, καὶ τοῦ λοιποῦ προνοεῖν ἐλεύθερον σπονδῶν καὶ θυμάτων τοῦτον εἶναι, ὥστε μηδὲν ἕτερον πράττεσθαι ἢ τὸν θεὸν θρησκεύειν κατὰ τὸν τῆς ἐκκλησίας νόμον. 8 Εἰ δὲ τὰ πρότερόν τις ἐπιχειρῶν ἀλοίη, τοὺς ἐπισκόπους μηνύειν, ὥστε αὐτῷ μεγίστην τιμωρίαν ἐπαγαγεῖν. Κατὰ ταύτην τὴν βασιλέως ἐπιστολὴν ἄρχοντες καὶ ἱερεῖς Χριστοῦ ἔργῳ τὰ προστεταγμένα παρέδοσαν.

---

1. Eusèbe ne dit pas autre chose dans la *Vita Constantini* (3, 52) : c'est sur l'intervention de sa belle-mère, Eutropia, scandalisée de la situation à Mambré, que l'empereur est intervenu. Eutropia, veuve de Maximien Hercule, le collègue de Dioclétien, n'avait donc pas rompu toutes relations avec son gendre après l'exécution de Fausta en 326.

2. La lettre de Constantin à Macaire de Jérusalem, à Eusèbe de Césarée et aux autres évêques de Palestine a été conservée par Eusèbe, *ibid.*, 3, 52-53.

pièces de monnaie ou des parfums ou de l'encens. Et pour
cette raison, comme il est naturel, l'eau devenait inutili-
sable, à cause du contact de ce qu'on y jetait. 6 Tout cela,
qu'en la manière susdite les païens accomplissaient avec
plaisir selon leur coutume, la mère de l'épouse de Constantin[1], s'étant rendue là un jour par vœu, le rapporta à
l'empereur. A cette nouvelle, il accusa sans ménagement
les évêques de Palestine d'avoir négligé leur devoir et
d'avoir supporté que ce lieu, bien qu'il fût saint, fût souillé
de libations et de sacrifices profanes. 7 Ses pieux reproches
sont attestés par la lettre qu'il écrivit à ce sujet à Macaire,
évêque de Jérusalem[2], à Eusèbe de Pamphile et aux autres
évêques de Palestine. Il leur ordonna de se réunir avec les
évêques de Phénicie, de telle sorte que, une fois détruit
de fond en comble l'autel qui se trouvait là et livrées au
feu les idoles de bois, on traçât à cet endroit le plan d'une
église digne de l'antiquité et de la majesté du lieu[3], on
veillât à ce qu'il fût désormais libre de libations et de sacrifices, en sorte qu'on n'y fît rien d'autre que d'adorer Dieu
selon les rites de l'Église. 8 Si quelqu'un était pris sur le
fait de tenter les usages d'autrefois, les évêques devaient
le dénoncer, en sorte qu'on lui infligeât le châtiment le
plus grave. En vertu de cette lettre impériale, les gouverneurs et les évêques du Christ mirent à exécution les ordres
reçus.

3. En fait, les fouilles des modernes ont reconnu que la basilique
« était de dimensions modestes et de construction bâclée » (cf. Piganiol, p. 43).

5

1 Ἐπειδὴ δὲ πολλοὶ δῆμοι καὶ πόλεις ἀνὰ πᾶσαν τὴν
ὑπήκοον, εἰσέτι δεῖμα καὶ σέβας ἔχοντες τῆς περὶ τὰ ξόανα
φαντασίας, ἀπεστρέφοντο τὸ δόγμα τῶν Χριστιανῶν, ἀρχαιό-
τητός τε ἐπεμελοῦντο καὶ τῶν πατρίων ἐθῶν καὶ πανηγύρεων,
ἀναγκαῖον αὐτῷ ἐφάνη παιδεῦσαι τοὺς ἀρχομένους ἀμελεῖν
τῶν θρησκευομένων. Εἶναι δὲ τοῦτο εὐπετές, εἰ πρῶτον
αὐτοὺς ἐθίσειε καταφρονεῖν τῶν ναῶν καὶ τῶν ἐν αὐτοῖς
ἀγαλμάτων. **2** Ἐννοηθέντι δὲ ταῦτα στρατιωτικῆς χειρὸς
οὐκ ἐδέησεν, ἀλλ' ἄνδρες Χριστιανοὶ ἐν τοῖς βασιλείοις
ἐπετέλουν τὰ δόξαντα διαβάντες τὰς πόλεις ἅμα γράμμασι
βασιλικοῖς. Οἱ μὲν γὰρ δῆμοι περὶ αὐτῶν καὶ παίδων καὶ
γυναικῶν δεδιότες, μή τι κακὸν πάθωσιν ἐναντιούμενοι,
ἡσυχίαν ἦγον. Γυμνωθέντες δὲ τῆς τοῦ πλήθους ῥοπῆς οἱ
νεωκόροι καὶ οἱ ἱερεῖς προὔδωκαν τὰ παρ' αὐτοῖς τιμιώτατα
καὶ τὰ διοπετῆ καλούμενα, καὶ δι' ἑαυτῶν ταῦτα προῆγον
ἐκ τῶν ἀδύτων καὶ τῶν ἐν τοῖς ναοῖς κρυφίων μυχῶν. **3** Βατά
τε λοιπὸν ἦν τοῖς θέλουσι τὰ πρὶν ἄβατα καὶ μόνοις ἱερεῦσιν
ἐγνωσμένα· τῶν δ' αὖ ξοάνων τὰ ὄντα τιμίας ὕλης καὶ τῶν
ἄλλων, ὅσον ἐδόκει χρήσιμον εἶναι, πυρὶ διεκρίνετο καὶ
δημόσια ἐγίνετο χρήματα, τὰ δὲ ἐν χαλκῷ θαυμασίως
εἰργασμένα πάντοθεν εἰς τὴν ἐπώνυμον πόλιν τοῦ αὐτοκρά-
57 τορος μετεκομίσθη πρὸς | κόσμον· **4** καὶ εἰσέτι νῦν δημοσίᾳ
ἵδρυνται κατὰ τὰς ἀγυιὰς καὶ τὸν ἱππόδρομον καὶ τὰ βασίλεια

---

1. Le mot néocore peut désigner le prêtre chargé d'administrer un
naos. Mais ici il s'applique plutôt au simple gardien d'un temple.
2. Sozomène présente de façon anodine et optimiste la confiscation
des biens et des revenus des temples dont le païen LIBANIOS se plaint
amèrement dans le *Pro templis* (*Or.* XXX, 6).

Chapitre 5

Constantin fait détruire les temples des idoles
et encourage ainsi davantage les populations à être chrétiennes.

1 Comme beaucoup des populations des campagnes et des villes avaient encore dans tout l'Empire crainte révérentielle et vénération pour la vanité des idoles et qu'ainsi elles se détournaient de la religion chrétienne, mais demeuraient attachées à leurs antiques traditions et aux coutumes et panégyries ancestrales, il parut nécessaire à l'empereur d'apprendre aux sujets à perdre le goût de leurs pratiques religieuses. Or c'était facile si on les accoutumait d'abord à mépriser les temples et les statues qui s'y trouvaient. **2** Cette idée lui étant venue, l'empereur ne fit pas appel à la troupe, mais c'étaient des chrétiens de son palais qui accomplissaient ses desseins en parcourant les villes avec des lettres impériales. Les gens en effet, craignant pour eux, leurs enfants et leurs femmes d'éprouver un malheur s'ils faisaient opposition, se tenaient en paix. Quant aux néocores[1] et aux prêtres, n'ayant plus derrière eux le soutien du peuple, ils livraient ce qu'il y avait chez eux de plus précieux et ce qu'on appelle objets tombés du ciel, et ils les tiraient d'eux-mêmes[2] du fond des sanctuaires et des retraites cachées dans les temples. **3** Étaient désormais accessibles à qui voulait les lieux auparavant inaccessibles et connus des seuls prêtres. Des statues à leur tour, celles qui étaient en métal précieux, ou la partie des autres qui semblait être utile, étaient fondues et devenaient de l'argent du fisc, et celles qui, de bronze, étaient de belles œuvres d'art étaient transportées de partout à la ville dénommée d'après Constantin pour y servir d'ornement. **4** Aujourd'hui encore se dressent en public le long des rues,

τὰ μὲν τοῦ Πυθίασι μαντικοῦ Ἀπόλλωνος καὶ Μοῦσαι αἱ
Ἑλικωνιάδες καὶ οἱ ἐν Δελφοῖς τρίποδες καὶ ὁ Πὰν ὁ βοώμε-
νος, ὃν Παυσανίας ὁ Λακεδαιμόνιος καὶ αἱ Ἑλληνίδες πόλεις
948 ἀνέθεντο μετὰ τὸν πρὸς Μήδους πόλεμον. Νεῶν δὲ οἱ μὲν
θυρῶν, οἱ δὲ ὀρόφων ἐγυμνώθησαν, οἱ δὲ καὶ ἄλλως ἀμελού-
μενοι ἠρείποντό τε καὶ διεφθείροντο. 5 Κατεσκάφησαν δὲ
τότε καὶ ἄρδην ἠφανίσθησαν ὁ ἐν Αἰγαῖς τῆς Κιλικίας Ἀσκλη-
πιοῦ ναὸς καὶ ὁ ἐν Ἀφάκοις τῆς Ἀφροδίτης παρὰ τὸν
Λίβανον τὸ ὄρος καὶ Ἄδωνιν τὸν ποταμόν. Ἄμφω δὲ ἐπιση-
μοτάτω νεὼ ἐγενέσθην καὶ σεβασμίω τοῖς πάλαι, καθότι
Αἰγεᾶται μὲν ηὔχουν τοὺς κάμνοντας τὰ σώματα νόσων
ἀπαλλάττεσθαι παρ' αὐτοῖς, ἐπιφαινομένου νύκτωρ καὶ
ἰωμένου τοῦ δαίμονος· ἐν Ἀφάκοις δὲ κατ' ἐπίκλησίν τινα
καὶ ῥητὴν ἡμέραν ἀπὸ τῆς ἀκρωρείας τοῦ Λιβάνου πῦρ
διᾷσσον καθάπερ ἀστὴρ εἰς τὸν παρακείμενον ποταμὸν
ἔδυνεν. Ἔλεγον δὲ τοῦτο τὴν Οὐρανίαν εἶναι, ὡδὶ τὴν Ἀφροδίτην καλοῦντες. 6 Τούτων οὕτω συμβάντων κατὰ σκοπὸν
προὐχώρει τῷ βασιλεῖ τὸ σπουδαζόμενον. Οἱ μὲν γὰρ τὰ
πρὶν σεμνὰ καὶ φοβερὰ εἰκῇ ἐρριμμένα καὶ καλάμης καὶ
φορυτοῦ ἔνδοθεν βεβυσμένα ὁρῶντες εἰς καταφρόνησιν
ἦλθον τῶν προτέρων σεβασμίων καὶ πλάνην τοῖς προγόνοις
ἐμέμφοντο, οἱ δὲ ζηλώσαντες τοὺς Χριστιανοὺς τῆς παρὰ
τῷ βασιλεῖ τιμῆς ἀναγκαῖον ᾠήθησαν τὰ τοῦ κρατοῦντος

---

1. Ces Muses de Béotie, qui séjournaient sur les pentes du massif
montagneux de l'Hélicon, étaient distinguées des Piérides, les Muses
de Thrace. Leurs statues se trouvaient vraisemblablement dans le
temple de Delphes (PAUSANIAS, X, 19, 4), d'où Constantin les fit
retirer.

2. Le roi de Lacédémone Pausanias commandait l'armée grecque
victorieuse à Platées en 479. La statue de Pan doit, elle aussi, être
delphique ; mais elle n'est pas mentionnée par le géographe Pausanias.
On connaît beaucoup mieux la statue de Pan, en marbre de Paros, que
l'Athénien Miltiade fit placer dans la grotte de l'Acropole, pour com-
mémorer l'apparition du dieu à Philippidès, non loin de l'Asclépeion,
après la victoire de Marathon. Erreur de Sozomène ? Comme ESCHYLE,
dans les *Perses* (v. 448), mêle le dieu Pan, très antique et dont le culte
dépassait les limites du monde hellénique, à la victoire de... Salamine,

à l'hippodrome et au palais, les statues de l'Apollon don-
neur d'oracles à Delphes, les Muses de l'Hélicon[1], les tré-
pieds de Delphes et le célèbre Pan que Pausanias de Lacédémone et les villes grecques dédièrent après la guerre
contre les Mèdes[2]. Parmi les temples, les uns furent privés
de leurs portes, d'autres de leurs toits, d'autres, par ailleurs
négligés, étaient démolis et détruits. **5** Furent alors détruits
de fond en comble et disparurent complètement le temple
d'Asclépios à Aegaë de Cilicie et celui d'Aphrodite à
Aphaka près de la montagne du Liban et du fleuve Adonis[3].
Ces deux temples avaient été tout à fait illustres et en vénération pour les gens d'autrefois, attendu que les Égéates se
vantaient de ce que chez eux les malades étaient délivrés
de leurs maladies, Asclépios apparaissant la nuit et les
guérissant ; à Aphaka d'autre part, après une certaine
invocation, à un jour fixe, un feu s'élançait comme un
astre depuis le sommet du Liban et il s'enfonçait dans le
fleuve qui est auprès. Les gens disaient que c'était Ourania :
c'est ainsi qu'ils nomment Aphrodite. **6** Après ces événements, tout alla à souhait selon les désirs du prince. Les
uns en effet, voyant les lieux jadis traités par eux avec
vénération et crainte renversés au sol et remplis au-dedans
de chaume et d'immondices[4], en vinrent à mépriser les
sanctuaires auparavant révérés et ils reprochaient aux
ancêtres leur égarement ; les autres, jalousant chez les
chrétiens l'honneur où les tenait le prince, jugèrent nécessaire d'imiter les sentiments de l'empereur. D'autres,

il est possible d'accepter le témoignage de notre historien : il permet
d'apercevoir que Pan fut associé aux trois victoires, Marathon,
Salamine et Platées, remportées par les Grecs sur les « Mèdes ».

   3. Aegaë, sur le golfe d'Issos, était un port important à l'époque
romaine : cf. *PW* I, 1 (1893), c. 945 (O. Hirschfeld). Aphaka (aujour-
d'hui Afkâ), située d'après Zosime, I, 58, entre Héliopolis et Byblos
à la source du fleuve Adonis, était célèbre par son temple de Vénus
Aphakitis, temple à prostituées sacrées, où se localise le mythe de
Vénus et d'Adonis : cf. *PW* I, 2 (1894), c. 2709 (Benzinger).

   4. Cf. Eusèbe, *Vita Constantini*, 3, 54.

ἤθη μιμήσασθαι. Ἄλλοι δὲ καθέντες ἑαυτοὺς εἰς διάσκεψιν
τοῦ δόγματος ἢ σημείοις ἢ ὀνείρασιν ἢ ἐπισκόπων ἢ μοναχῶν
συνουσίαις ἐδοκίμασαν ἄμεινον εἶναι χριστιανίζειν. 7 Ἐξ
ἐκείνου τε δῆμοι καὶ πόλεις ἑκοντὶ τῆς προτέρας μετέθεντο
γνώμης· ἡνίκα δὴ τὸ ἐπίνειον τῆς Γαζαίων πόλεως, ὁ
Μαϊουμᾶν προσαγορεύουσιν, εἰσάγαν δεισιδαιμονοῦν καὶ τὰ
ἀρχαῖα πρὸ τούτου θαυμάζον εἰς Χριστιανισμὸν ἀθρόον
πανδημεὶ μετέβαλεν. 8 Ἀμειβόμενος δὲ αὐτοὺς τῆς εὐσε-
58 βείας ὁ βασιλεὺς πλείστης | τιμῆς ἠξίωσε καὶ πόλιν οὐ
πρότερον ὂν τὸ χωρίον ἀπέφηνε, καὶ Κωνστάντιαν ἐπωνό-
μασε, τῷ τιμιωτάτῳ τῶν παίδων γεραίρων τὸν τόπον διὰ
τὴν θρησκείαν. Ἐκ τοιαύτης δὲ αἰτίας καὶ Κωνσταντίναν
τὴν παρὰ Φοίνιξιν ἔγνων ἐπιγράψασθαι τὴν τοῦ βασιλέως
ἐπωνυμίαν. 9 Ἀλλὰ γὰρ ἕκαστα συγγράφειν οὐκ εὐχερές·
πλεῖσται γὰρ δὴ καὶ ἄλλαι πόλεις τηνικαῦτα πρὸς τὴν
θρησκείαν ηὐτομόλησαν καὶ αὐτόματοι βασιλέως μηδὲν ἐπι-
τάττοντος τοὺς παρ' αὐτοῖς ναοὺς καὶ ξόανα καθεῖλον καὶ
εὐκτηρίους οἴκους ᾠκοδόμησαν.

6

1 Πληθυνούσης δὲ τῆς ἐκκλησίας τοῦτον τὸν τρόπον ἀνὰ
949 πᾶσαν τὴν Ῥωμαίων οἰκουμένην, καὶ δι' αὐτῶν τῶν βαρβάρων ἡ θρησκεία ἐχώρει. Ἤδη γὰρ τά τε ἀμφὶ τὸν Ῥῆνον
φῦλα ἐχριστιάνιζον, Κελτοί τε καὶ οἱ Γαλατῶν ἔνδον τελευ-
ταῖοι τὸν ὠκεανὸν προσοικοῦσι, καὶ Γότθοι, καὶ ὅσοι τούτοις

1. Cf. Eusèbe, *Vita Constantini*, 4, 38. Mais en 363, Julien récompensa Gaza, restée ou redevenue païenne, « en lui donnant le port
chrétien de Constantia, l'ancienne Maiuma » (Piganiol, p. 156, se
fondant sur Sozomène, *H.E.* V, 3). Sozomène donne ce renseignement
très précis à cause de ses accointances personnelles avec Maïouma, le
port de Gaza, en Palestine, non loin de Béthéléa, son village natal.

2. Antarados (A.-J. F.), le port d'Arados, à la frontière nord de la
Phénicie, aujourd'hui Tartûs : cf. *PW* I, 2 (1894), c. 2347 (Benzinger) ? Voir note complémentaire 1, p. 387.

s'étant appliqués à l'examen de la doctrine, furent conduits
ou par des prodiges ou par des songes ou par des entretiens
avec des évêques ou des moines à estimer qu'il valait mieux
pour eux devenir chrétiens. **7** De ce moment les populations
des campagnes et des villes abandonnèrent de bon gré leurs
dispositions antérieures ; c'est en ce temps par exemple que
le mouillage de Gaza, qu'on nomme Maïouma, très adonné
à la superstition et qui, avant cela, honorait les anciennes
coutumes, se convertit en masse au christianisme. **8** Pour
les récompenser de leur piété, l'empereur leur accorda un
très grand privilège, il fit de ce bourg une ville[1], alors
qu'elle ne l'était pas, et il la dénomma Constantia, honorant
ainsi ce lieu, à cause de sa religion, du nom du plus cher
de ses fils. Pour la même raison, à ce que j'ai appris, la ville
de Constantina en Phénicie[2] a pris pour elle le nom de
l'empereur. **9** Mais il n'est pas facile de tout raconter en
détail : car c'est un très grand nombre encore d'autres
villes qui alors vinrent d'elles-mêmes à notre religion, et
de leur propre mouvement, sans nul ordre du prince, les
gens détruisirent les temples et les statues divines chez eux
et bâtirent des églises.

Chapitre 6

Pour quels motifs, sous le règne de Constantin,
le nom du Christ se répand dans le monde entier.

1 Alors que l'Église se multipliait ainsi dans tout l'Empire, la religion s'étendait aussi parmi les Barbares mêmes.
Déjà, de fait, les tribus des bords du Rhin étaient chrétiennes ; les Celtes, et ceux des Gaulois qui habitent à
l'extrémité des terres près de l'Océan, les Goths, et toutes
les peuplades limitrophes qui étaient jadis près des rives

ὅμοροι τὸ πρὶν ἦσαν ἀμφὶ τὰς ὄχθας Ἴστρου ποταμοῦ, πάλαι
μετασχόντες τῆς εἰς Χριστὸν πίστεως ἐπὶ τὸ ἡμερώτερον
καὶ λογικὸν μεθηρμόσαντο. 2 Πᾶσι δὲ βαρβάροις σχεδὸν
πρόφασις συνέβη πρεσβεύειν τὸ δόγμα τῶν Χριστιανῶν οἱ
γενόμενοι κατὰ καιρὸν πόλεμοι Ῥωμαίοις καὶ τοῖς ἀλλοφύλοις ἐπὶ τῆς Γαλλιήνου ἡγεμονίας καὶ τῶν μετ' αὐτὸν
βασιλέων. Ἐπεὶ γὰρ τότε πλῆθος ἄφατον μιγάδων ἐθνῶν
ἐκ τῆς Θράκης περαιωθὲν τὴν Ἀσίαν κατέδραμεν ἄλλοι τε
ἀλλαχῇ βάρβαροι ταὐτὸν εἰργάσαντο τοὺς παρακειμένους
Ῥωμαίους, πολλοὶ τῶν ἱερέων τοῦ Χριστοῦ αἰχμάλωτοι
γενόμενοι σὺν αὐτοῖς ἦσαν. 3 Ὡς δὲ τοὺς αὐτόθι νοσοῦντας
ἰῶντο καὶ τοὺς δαιμονῶντας ἐκάθαιρον Χριστὸν μόνον ὀνο-
μάζοντες καὶ υἱὸν θεοῦ ἐπικαλούμενοι, προσέτι δὲ καὶ πολιτείαν ἄμεμπτον ἐφιλοσόφουν καὶ ταῖς ἀρεταῖς τὸν μῶμον
ἐνίκων, θαυμάσαντες οἱ βάρβαροι τοὺς ἄνδρας τοῦ βίου καὶ
τῶν παραδόξων ἔργων εὖ φρονεῖν συνεῖδον καὶ τὸν θεὸν
ἵλεων ἔχειν, εἰ τοὺς ἀμείνους φανέντας μιμήσαιντο καὶ
ὁμοίως αὐτοῖς τὸ κρεῖττον θεραπεύοιεν. Προβαλλόμενοι
οὖν αὐτοὺς τοῦ πρακτέου καθηγητὰς ἐδιδάσκοντο καὶ ἐβαπτί-
ζοντο, καὶ ἀκολούθως ἐκκλησίαζον.

1. Sur les multiples invasions qui marquèrent le règne de Gallien
(253-268), voir R. Rémondon, *La crise de l'Empire romain*, Paris 1970 :
invasion des Alamans et des Francs en Gaule (253) ; raid des Goths sur
les côtes d'Asie mineure et sur la rive droite du Danube (253) ; invasion
de la Dacie par les Goths qui atteignent Salonique et font des raids
en mer Noire et en Asie mineure (256) ; pillage de l'Asie mineure par
les Goths (258) ; invasion de la Gaule par les Alamans et les Francs
qui poussent jusqu'aux Pyrénées (259) ; invasion de l'Italie par les
Alamans en 261 ; invasion des Balkans et de la Grèce par les Goths
en 267 ; sans oublier les invasions victorieuses des Perses qui par-
viennent jusqu'à Antioche en 256 et qui, en 260, pénètrent en Cilicie
et en Cappadoce.
2. Sozomène n'est pas le seul à attribuer la première évangélisation
des Barbares et notamment des Goths à des prisonniers romains parmi

du Danube, participaient depuis longtemps à la foi dans le Christ et ainsi avaient pris de nouvelles façons d'être, plus civilisées et plus raisonnables. 2 Pour presque tous les Barbares, c'est un motif tout extérieur qui les amena à révérer la doctrine des chrétiens : les guerres successives qui se produisirent entre les Romains et les Barbares sous le règne de Gallien et de ses successeurs[1]. Comme en effet, à cette époque, une foule indicible de peuplades mélangées se transporta depuis la Thrace pour faire des incursions en Asie et que d'autres Barbares, en d'autres lieux, attaquèrent de la même manière les Romains de leur voisinage, beaucoup de prêtres chrétiens, faits prisonniers par les Barbares, se trouvèrent avec eux. 3 Comme ils guérissaient les malades de chez les Barbares et purifiaient les possédés par le seul nom du Christ et l'invocation du Fils de Dieu, qu'en outre ils menaient avec sagesse une vie irréprochable et s'élevaient par leurs vertus au-dessus du blâme, les Barbares, ayant admiré ces hommes pour leur vie et leurs actions miraculeuses, comprirent qu'ils seraient avisés et qu'ils se rendraient Dieu propice s'ils imitaient ces hommes qui leur avaient paru meilleurs et s'ils adoraient la Divinité comme eux. Ils se donnaient donc ces prêtres comme guides de la conduite à tenir, ils étaient ainsi instruits et baptisés, et célébraient le culte religieux en conséquence[2].

lesquels se trouvaient des clercs : voir aussi le témoignage de COMMO-DIEN, *Apologeticum*, v. 810 — si cet ouvrage est bien du IIIe s. —, de PHILOSTORGE, *H.E.* II, 5. BASILE DE CÉSARÉE loue le cappadocien Eutychès comme l'un de ces prisonniers devenus apôtres (*Ep.* 155) ; le célèbre Ulfila, évangélisateur des Goths au IVe siècle, était le petit-fils de prisonniers cappadociens qui avaient commencé à diffuser le message chrétien au siècle précédent. Voir ZEILLER, p. 139-143 et l'ouvrage essentiel de E. A. THOMPSON, *The Visigoths in the time of Ulfila*, Oxford 1966.

7

59 | **1** Ἐπὶ δὲ τῆς προκειμένης βασιλείας λέγεται τοὺς
Ἴβηρας τὸν Χριστὸν ἐπιγνῶναι. Ἔθνος δὲ τοῦτο βάρβαρον
μέγα τε καὶ μαχιμώτατον, οἰκεῖ δὲ τῆς Ἀρμενίων ἐνδότερον
πρὸς ἄρκτον. Παρεσκεύασε δὲ αὐτοὺς τῆς πατρῴας θρησκείας
ὑπεριδεῖν Χριστιανὴ γυνὴ αἰχμάλωτος· ἣ δὴ πιστοτάτη καὶ
θεοσεβὴς ἄγαν οὖσα οὐδὲ παρὰ τοῖς ἀλλοφύλοις καθυφῆκε
τῆς συνήθους πολιτείας. Φίλον δέ τι αὐτῇ χρῆμα ἐτύγχανε
νηστεία καὶ νύκτωρ καὶ μεθ᾽ ἡμέραν εὔχεσθαι καὶ τὸν θεὸν
εὐλογεῖν. Οἱ δὲ βάρβαροι ἐπυνθάνοντο μὲν ὅτου χάριν τοῦτο
ὑπομένοι· τῆς δὲ ἁπλούστερον λεγούσης οὕτω χρῆναι σέβειν
τὸν Χριστὸν τὸν υἱὸν τοῦ θεοῦ, ξένον αὐτοῖς ἐδόκει καὶ τοῦ
θρησκευομένου τὸ ὄνομα καὶ τῆς θρησκείας ὁ τρόπος.
2 Συμβὰν δὲ μειράκιον ἐνταῦθα δεινῶς ἀσθενεῖν, περιφέ-
ρουσα καθ᾽ ἕκαστον οἶκον ἡ μήτηρ ἐπεδείκνυ· ἔθος γὰρ
Ἴβηρσι τοῦτο ποιεῖν, ἵν᾽ εἴ τις εὑρεθείη τοῦ νοσήματος
ἰατρός, εὐπόριστος γένηται τοῖς κάμνουσιν ἡ τοῦ πάθους
ἀπαλλαγή. **3** Ἐπεὶ δὲ μηδαμοῦ θεραπευθὲν καὶ παρὰ τὴν
αἰχμάλωτον ἐκομίσθη τὸ παιδίον· « Φαρμάκων μέν, ἔφη,
952 οὔτε χριστῶν οὔτε ἐπιπλάστων εἴδησιν ἢ πεῖραν ἔχω·
πιστεύω δὲ τὸν Χριστὸν ὃν σέβω, τὸν ἀληθινὸν καὶ μέγαν
θεόν, σωτῆρα τοῦ σοῦ παιδὸς γενέσθαι, ὦ γύναι. » Παρα-

---

1. Le témoignage de Sozomène sur la conversion des Ibères (les
habitants de l'actuelle Géorgie) remonte au récit de RUFIN, *H.E.* I
[X], 11, que ce dernier affirme tenir du roi des Ibères, Bacurius,
commandant des scutaires à la bataille d'Andrinople (AMM., 31, 12, 16)
et qui fut, sous Théodose I, duc de Palestine et comte des domestiques.
D'une manière générale, sur la conversion des Ibères par une captive
chrétienne nommée Nino, qui aurait décidé le roi Mirian à embrasser
la foi du Christ, voir PALANQUE, p. 492, et DANIÉLOU-MARROU, p. 325.
Beaucoup plus affinées sont les analyses du récit de Rufin — qui valent
également pour celui de Sozomène — données par F. THÉLAMON,

Chapitre 7

Les Ibères reçoivent la foi dans le Christ.

1 C'est, dit-on, sous ce présent règne que les Ibères firent la connaissance du Christ[1]. Ce peuple barbare est grand et très belliqueux, il habite à l'intérieur de l'Arménie vers le Nord. La personne qui leur fit quitter leur religion ancestrale fut une femme chrétienne faite prisonnière. Comme elle était très croyante et très pieuse, elle ne se relâcha pas, même chez les Barbares, de sa conduite habituelle. Elle aimait à jeûner, et, nuit et jour, à prier et bénir Dieu. Les Barbares lui demandaient pourquoi elle supportait ces pratiques : comme elle leur répondait naïvement qu'il faut adorer ainsi le Christ Fils de Dieu, ils trouvaient étranges et le nom de l'être adoré et le mode de l'adoration. **2** Il advint qu'un jeune garçon tomba là gravement malade, et sa mère le portait de maison en maison et le montrait : les Ibères ont en effet coutume d'agir ainsi pour que, s'il se trouve quelque médecin du mal, la guérison soit pour les malades facile à se procurer. **3** Or quand, n'ayant été nulle part guéri, l'enfant eut été porté aussi chez la prisonnière : « Je n'ai, dit-elle, mon amie, connaissance ou expérience ni de remède, ni de baumes ni d'emplâtres ; mais je crois que le Christ que j'adore, le Dieu vrai et grand, va être[2] le sauveur de ton fils. » Aussitôt, ayant prié pour

---

p. 85-122 (« La conversion des Ibères »). En résumé, « le récit de Rufin est la transposition (dans des catégories romaines et chrétiennes) d'un mythe géorgien de fondation d'un système religieux ».

2. Πιστεύω... γενέσθαι. Sozomène emploie l'infinitif présent ou aoriste au lieu d'un infinitif futur après les verbes *dicendi* et *sentiendi*, auxquels se rattache πιστεύειν ; cf. G. C. HANSEN, *Grammatikalisches Register* de l'éd. de Sozomène *(GCS)*, p. 524 (A.-J. F.).

χρῆμά τε ὑπὲρ αὐτοῦ εὐξαμένη τῆς νόσου ἀπήλλαξεν αὐτὸν
ὅσον οὔπω τεθνήξεσθαι προσδοκώμενον. 4 Οὐ πολλῷ δὲ
ὕστερον καὶ τὴν γαμετὴν τοῦ κρατοῦντος τοῦ ἔθνους ἀνιάτῳ
πάθει διόλλυσθαι μέλλουσαν τῷ ἴσῳ τρόπῳ διέσωσε, καὶ
τὴν τοῦ Χριστοῦ γνῶσιν ἐπαίδευσεν, ὑγείας ταμίαν καὶ
ζωῆς καὶ βασιλείας καὶ πάντων κύριον αὐτὸν εἰσηγουμένη.
Καὶ ἡ μὲν τῇ πείρᾳ τοῦ ἐπ' αὐτῇ συμβεβηκότος ἀληθεῖς εἶναι
πιστεύσασα τοὺς τῆς αἰχμαλώτου λόγους, τὴν Χριστιανῶν
θρησκείαν ἐπρέσβευε καὶ διὰ πολλῆς τιμῆς εἶχε τὴν ἄνθρωπον. 5 Ὁ δὲ βασιλεὺς θαυμάσας τὸ ταχὺ καὶ παράδοξον τῆς
πίστεως καὶ ἰάσεως ἔμαθε τὴν αἰτίαν παρὰ τῆς γαμετῆς καὶ
δώροις ἐκέλευσεν ἀμείβεσθαι τὴν αἰχμάλωτον. « Ἀλλὰ
τούτων, ἔφη ἡ βασιλίς, ὀλίγος αὐτῇ λόγος, κἂν πάνυ τίμια
νομίζηται· μόνην δὲ περὶ πολλοῦ ποιεῖται τὴν εἰς τὸν ἴδιον
θεὸν θεραπείαν. Ἣν οὖν αὐτῇ χαριεῖσθαι βουλοίμεθα καὶ
ἀσφαλῶς πράττειν καὶ καλῶς σπουδάζοιμεν, ἄγε δὴ καὶ
ἡμεῖς τοῦτον σεβώμεθα, κραταιὸν θεὸν ὄντα καὶ σωτῆρα καὶ
βασιλέας, ἣν βούληται, ἐν οἷς εἰσι διαμένειν ποιοῦντα, πάλιν
60 τ' αὖ ἱκανὸν | ῥᾳδίως τοὺς μεγάλους μικροὺς ἀποφαίνειν
καὶ τοὺς ἀδόξους ἐπιφανεῖς καὶ τοὺς ἐν δεινοῖς ὄντας σώζειν. »
6 Τοιαῦτα πολλάκις εὖ λέγειν δοκούσης τῆς γυναικὸς ἀμφί-
βολος ἦν ὁ τῆς Ἰβηρίας ἡγούμενος καὶ οὐ πάνυ ἐπείθετο,
τοῦ πράγματος τὸ νεώτερον ὑπονοῶν καὶ τὴν πατρῴαν
θρησκείαν αἰδούμενος. Μετ' οὐ πολὺ δὲ ἅμα τοῖς ἀμφ' αὐτὸν
εἰς ὕλην ἐλθὼν ἐθήρα. Ἐξαπίνης οὖν ἀχλὺς πυκνοτάτη καὶ
παχὺς ἀὴρ ἐπιχυθεὶς αὐτοῖς πάντοθεν τὸν οὐρανὸν καὶ τὸν
ἥλιον ἐκάλυψε· νὺξ δὲ βαθεῖα καὶ σκότος πολὺ τὴν ὕλην
κατεῖχεν. Ἐνταῦθα δὲ περὶ ἑαυτῷ δείσας ἕκαστος διεσκεδά-
σθησαν ἀλλήλων. 7 Ὁ δὲ βασιλεὺς μόνος ἀλώμενος, οἷα φιλεῖ
συμβαίνειν τοῖς ἀνθρώποις ἀμηχανοῦσιν ἐν τοῖς δεινοῖς,
ἐνενοήθη τὸν Χριστόν· καὶ θεὸν αὐτὸν ἡγεῖσθαι καὶ τοῦ
λοιποῦ σέβειν κατὰ νοῦν ἐδοκίμασεν, εἰ τὸ παρὸν διαφύγοι
κακόν. Ἔτι δὲ αὐτοῦ ταῦτα ἐνθυμουμένου παραχρῆμα δι-

lui, elle le débarrassa de sa maladie alors qu'on s'attendait à ce qu'il dût bientôt mourir. 4 Peu après, alors que l'épouse aussi du roi de ce peuple allait périr d'un mal inguérissable, elle la sauva de la même manière, et elle l'instruisit dans la connaissance du Christ, lui ayant expliqué qu'il est le gardien de la santé, de la vie, de la royauté, et le Seigneur de toutes choses. Par l'expérience de ce qui lui était arrivé, la reine crut que les paroles de la prisonnière étaient vraies, elle adhéra à la religion chrétienne et tint en grand honneur la femme. 5 Tout étonné de la rapidité et du caractère paradoxal du changement de foi et de la guérison de son épouse, le roi en apprit d'elle la cause et il ordonna de récompenser la prisonnière par des présents. « Mais elle s'en soucie fort peu, dit la reine, même si on les estime très précieux. Elle ne fait cas que d'une chose, le culte à l'égard de son propre Dieu. Si nous voulons lui faire plaisir et si nous souhaitons de vivre avec sécurité et bonheur, eh bien donc, nous aussi, adorons-le, lui qui est un dieu puissant et sauveur, qui, s'il le veut, maintient les rois dans leur état et en retour est capable de rendre petits les grands, de donner gloire aux obscurs et de sauver ceux qui sont en péril. » 6 Bien que la reine lui parût souvent avoir raison, le roi des Ibères demeurait dans l'incertitude. Il ne se laissait pas entièrement persuader ; il se méfiait de la nouveauté de la chose et il avait scrupule à l'égard de la religion traditionnelle. Or, peu après, avec sa suite, il entra dans une forêt pour y chasser. Soudain un brouillard très dense et une nuée épaisse se répandirent sur eux de tout côté, cachant le ciel et le soleil : une nuit profonde, une forte obscurité couvraient toute la forêt. Chacun alors craignant pour lui-même, tous se dispersèrent. 7 Le roi errait seul et, comme il arrive aux gens ne sachant que faire dans les périls, il songea au Christ. Il résolut en esprit de le tenir pour Dieu et de l'adorer désormais s'il échappait au présent malheur. Alors qu'il y songeait encore, le brouillard soudain se dissipa, la nuée fit place à un ciel clair et, le

ελύθη ἡ ἀχλὺς καὶ ὁ ἀὴρ εἰς αἰθρίαν μετέβαλεν, ἐμβαλούσης
τε τῆς ἀκτῖνος τῇ ὕλῃ διεσώθη ἐνθάδε. 8 Καὶ τὸ συμβὰν τῇ
γαμετῇ κοινωσάμενος μετεπέμψατο τὴν αἰχμάλωτον καὶ
τίνα τρόπον προσήκει τὸν Χριστὸν θρησκεύειν ἐκέλευσε
διδάσκειν. Τῆς δὲ ὅσα γυναικὶ θέμις λέγειν τε καὶ ποιεῖν
εἰσηγησαμένης ἀγείρας τοὺς ὑπηκόους ἐκεῖνος τὰς συμβάσας
953 αὐτῷ τε καὶ τῇ γαμετῇ θείας εὐεργεσίας εἰς κοινὸν ἐξήγγειλε·
μήπω δὲ μυηθεὶς τὰ περὶ τοῦ δόγματος μετέδωκε τοῖς ἀρχο-
μένοις· καὶ τὸν Χριστὸν πανδημεὶ σέβειν πείθουσιν, αὐτὸς
μὲν τοὺς ἄνδρας, ἡ δὲ βασίλισσα ἅμα τῇ αἰχμαλώτῳ τὰς
γυναῖκας. 9 Καὶ ἐν τάχει κοινῇ συνθήκῃ παντὸς τοῦ ἔθνους
φιλοτιμότατα παρεσκευάσαντο ἐκκλησίαν οἰκοδομεῖν. Ἐπεὶ
δὲ κύκλῳ τοῦ νεὼ τὸν περίβολον ἤγειραν, στήσαντες μηχανὰς
ἀνίμων τοὺς κίονας καὶ ἐπὶ τῶν βάσεων ἐστήριζον. Λέγεται
δὲ τοῦ τε πρώτου καὶ δευτέρου ὀρθωθέντος ἐργώδη γενέσθαι
τοῦ τρίτου κίονος τὴν στάσιν καὶ μήτε τέχνῃ τῶν ἐπιστημόνων
κατορθωθῆναι μήτε ἰσχύι βιασθῆναι, καίπερ πολλῶν ὄντων
τῶν ἑλκόντων. 10 Ἑσπέρας δὲ ἐπιγενομένης μόνη ἡ αἰχμάλωτος αὐτόθι διενυκτέρευεν ἱκετεύουσα τὸν θεὸν εὐπετῆ
γενέσθαι τῶν κιόνων τὴν διόρθωσιν, οἱ δὲ ἄλλοι πάντες
ἀνεχώρησαν δυσφοροῦντες καὶ μάλιστα ὁ βασιλεύς· ὀρθωθεὶς
γὰρ μέχρι τοῦ μέσου ὁ κίων ἐγκάρσιος ἔμενε καὶ τῷ ἐδάφει
ἐμπαγεὶς ἐκ τῆς κάτωθεν ἀρχῆς ἀκίνητος ἦν. Ἔμελλε δὲ
διὰ τοῦτο ἢ τὰ πρὸ τούτου παράδοξα βεβαιοτέρους καὶ περὶ
τὸ θεῖον ποιήσειν τοὺς Ἴβηρας. 11 Περὶ γὰρ τὴν ἕω παρα-
γενομένων αὐτῶν εἰς τὴν ἐκκλησίαν — θαυμάσιόν τι χρῆμα
καὶ ὀνείρῳ προσεοικός — ὀρθὸς ἐφάνη ὁ τῇ προτεραίᾳ ἀκίνητος
κίων ἀπὸ μικροῦ διαστήματος ἐπὶ τῆς ἰδίας βάσεως αἰωρού-
61 μενος. | Καταπλαγέντων δὲ πάντων καὶ μόνον εἶναι θεὸν
ἀληθινὸν συνομολογούντων τὸν Χριστόν, θεωμένων πάντων
ἡσυχῇ διολισθήσας αὐτομάτως ὡς ἀπὸ τέχνης τῇ βάσει

rayon ayant percé la forêt, il fut sauvé en ce lieu-même.
8 Il raconta la chose à son épouse, fit venir la prisonnière,
et lui demanda de leur enseigner comment il fallait adorer
le Christ. Quand elle leur eut expliqué, dans la mesure
légitime à une femme, ce qu'il fallait dire et faire, il rassembla ses sujets et leur rapporta publiquement les bienfaits divins dont ils avaient joui, lui et sa femme. Bien que
non baptisé encore, il fit connaître à ses sujets ce qui
regarde la doctrine ; tous deux les persuadent d'adorer
en masse le Christ, lui les hommes, et la reine avec la prisonnière, les femmes. **9** Rapidement, par une convention
commune de tout le peuple, on s'apprêta à bâtir le plus
brillamment possible une église. Lorsqu'ils érigèrent en
cercle le péribole du temple, ayant mis en place des machines
ils tiraient en haut les colonnes et les fixaient sur leurs
bases. A ce qu'on raconte, une fois dressées la première
et la deuxième colonnes, il y eut difficulté pour l'établisse-
ment de la troisième, et l'on ne put y réussir ni par l'art des
gens du métier ni par un déploiement de force, bien que
fussent nombreux ceux qui tiraient. **10** Le soir venu, il n'y
eut plus là que la prisonnière qui passait la nuit à supplier
Dieu qu'on pût aisément dresser les colonnes, tous les
autres s'étaient retirés en grand chagrin, et en particulier
le roi : car, dressée jusqu'à mi-hauteur, la colonne restait
dans une position oblique, et, comme elle était fixée au
sol, il était impossible de la mouvoir du bas. Or cette
femme allait, grâce à ce dernier miracle ou aux miracles
précédents, confirmer les Ibères dans leur foi. **11** Quand
en effet les gens furent arrivés à l'aube à l'église — prodige
admirable et semblable à un songe —, la colonne que, la
veille, on ne pouvait mouvoir, apparut toute droite, se
balançant à une petite distance au-dessus de sa propre
base. Cependant que tous, frappés de stupeur, confessaient
que seul le Christ est le vrai Dieu, à la vue de tous, la
colonne, ayant glissé à travers l'air, vint s'ajuster tranquil-
lement d'elle-même à sa base, comme par une machine.

προσηρμόσθη. Μετὰ δὲ ταῦτα εὐπετῶς οἱ ἄλλοι ὠρθώθησαν,
καὶ προθυμότερον οἱ Ἴβηρες τὰ λοιπὰ ἐπετέλουν. **12** Σπουδῇ
δὲ τῆς ἐκκλησίας οἰκοδομηθείσης, ὑποθεμένης τῆς αἰχμαλώτου πέμπουσι πρέσβεις πρὸς Κωνσταντῖνον τὸν βασιλέα
Ῥωμαίων συμμαχίαν καὶ σπονδὰς φέροντας, ἀντὶ δὲ τούτων
ἱερέας τῷ ἔθνει ἀποσταλῆναι δεομένους. Διεξελθόντων δὲ
τῶν πρέσβεων οἷα παρ' αὐτοῖς συνέβη, καὶ ὡς τὸ πᾶν ἔθνος
ἐν ἐπιμελείᾳ πολλῇ σέβει τὸν Χριστόν, ἥσθη τῇ πρεσβείᾳ ὁ
Ῥωμαίων βασιλεύς, καὶ πάντα κατὰ γνώμην πράξαντας
τοὺς πρέσβεις ἀπέπεμψεν. Ὧδε μὲν Ἴβηρες τὸν Χριστὸν
ἐπέγνωσαν, καὶ εἰσέτι νῦν ἐπιμελῶς σέβουσιν.

8

1 [Ἐφεξῆς δὲ καὶ διὰ τῶν ὁμόρων φυλῶν τὸ δόγμα διέβη
καὶ εἰς πλῆθος ἐπέδωκεν.] Ἀρμενίους δὲ πάλιν πρότερον
ἐπυθόμην χριστιανίσαι. Λέγεται γὰρ Τηριδάτην τὸν ἡγούμενον
956 τότε τοῦ ἔθνους ἔκ τινος παραδόξου θεοσημείας συμβάσης περὶ
τὸν αὐτοῦ οἶκον ἅμα τε Χριστιανὸν γενέσθαι καὶ πάντας τοὺς
ἀρχομένους ὑφ' ἑνὶ κηρύγματι προστάξαι ὁμοίως θρησκεύειν.
2 Ἐφεξῆς δὲ καὶ διὰ τῶν ὁμόρων φυλῶν τὸ δόγμα διέβη
καὶ εἰς πλῆθος ἐπέδωκε. Καὶ Περσῶν δὲ χριστιανίσαι τὴν
ἀρχὴν ἡγοῦμαι, ὅσοι προφάσει τῆς Ὀσροηνῶν καὶ Ἀρμενίων
ἐπιμιξίας, ὡς εἰκός, τοῖς αὐτόθι θείοις ἀνδράσιν ὡμίλησαν
καὶ τῆς αὐτῶν ἀρετῆς ἐπειράθησαν.

1. En effet, « la christianisation de l'Arménie, vraisemblablement
entamée dès le commencement du iiie siècle par des missionnaires
syriens venus d'Édesse, fut l'œuvre de Grégoire l'Illuminateur dont on
place la naissance en 257 » (ZEILLER, p. 141). Le baptême du roi
Tiridate et de la famille royale se situe entre 290 et 310. Plus précisément, M.-L. CHAUMONT (*Recherches sur l'histoire de l'Arménie de
l'avènement des Sassanides à la conversion du royaume*, Paris 1969,
p. 163) place leur adhésion au christianisme entre l'abdication de
Dioclétien (1er mai 305) et la guerre de Maximin Daïa (311/312).

2. La religion chrétienne étant présente dès 220 jusque dans les
provinces orientales de la Perse, cela suppose une évangélisation
remontant à la fin du siècle précédent (cf. ZEILLER, p. 141). A côté

Après cela, toutes les autres colonnes furent aisément dressées, et les Ibères n'en avaient que plus d'ardeur à achever l'ouvrage. **12** Quand donc l'église eut été bâtie avec empressement, sur le conseil de la prisonnière on députe des ambassadeurs à l'empereur Constantin, lui portant alliance et traité, et demandant en retour que soient envoyés au peuple des prêtres. Quand les ambassadeurs eurent relaté ce qui s'était passé chez eux et comment tout le peuple adorait le Christ avec grand soin, l'empereur des Romains se réjouit de cette ambassade, et il renvoya les ambassadeurs, qui avaient tout réglé selon leurs vœux. C'est ainsi que les Ibères reconnurent le Christ, et aujourd'hui encore ils l'honorent avec grand zèle.

Chapitre 8

Conversion au christianisme des Arméniens et des Perses.

1 J'ai entendu dire en revanche qu'auparavant déjà les Arméniens ont été chrétiens[1]. On dit en effet que Tiridate, qui était alors le chef de ce peuple, à la suite d'un miracle qui s'était produit relativement à sa maison, était lui-même devenu chrétien et qu'en même temps il avait ordonné, par le fait d'une unique proclamation, que tous ses sujets partageassent le même culte que lui.

2 Par la suite, c'est aussi chez les peuplades limitrophes que pénétra la doctrine et qu'elle y fit des progrès. Et à mon avis, chez les Perses même, commencèrent à devenir chrétiens tous ceux qui, à cause de l'échange de relations entre Osroéniens et Arméniens, prirent contact, comme il est naturel, avec les saints hommes qui étaient chez ceux-ci et firent l'expérience de leurs vertus[2].

des relations de voisinage entre les habitants de l'Arménie chrétienne et de la province frontalière la plus occidentale de l'Empire perse, l'Oshroène, il faut faire aussi une place au rôle joué par les prisonniers chrétiens ramenés par Sapor I, après sa victoire sur Valérien en 260, et internés en Mésopotamie et en Perse.

9

1 Ἐπεὶ δὲ τῷ χρόνῳ πλεῖστοι ἐγένοντο καὶ ἐκκλησιάζειν ἤρξαντο καὶ ἱερέας καὶ διακόνους εἶχον, ἐλύπει τοῦτο οὐ μετρίως τοὺς μάγους, οἳ τὴν Περσῶν θρησκείαν ὥσπερ τι φῦλον ἱερατικὸν κατὰ διαδοχὴν γένους ἀρχῆθεν ἐπιτροπεύουσιν. Ἐλύπει δὲ καὶ Ἰουδαίους, τρόπον τινὰ φύσει ὑπὸ βασκανίας πρὸς τὸ δόγμα τῶν Χριστιανῶν ἐκπεπολεμωμένους. Καὶ διαβάλλουσι πρὸς Σαβώρην τὸν τότε βασιλέα

62 Συμεώνην τὸν ἀρχιεπίσκοπον Σελευκείας | καὶ Κτησιφῶντος τῶν ἐν Περσίδι βασιλευουσῶν πόλεων ὡς φίλον ὄντα τῷ Καίσαρι Ῥωμαίων καὶ τὰ Περσῶν πράγματα τούτῳ καταμηνύοντα. **2** Πεισθεὶς δὲ ταῖς διαβολαῖς ὁ Σαβώ-

---

1. Les traditions religieuses des mages, prêtres du mazdéisme, étaient encore antérieures au zoroastrisme qu'introduisit le réformateur Zarathustra entre 700 et 600 avant J.-C. Mais les « mages », organisés dans une hiérarchie très stricte qui s'étendait sur tout l'Empire perse, ne furent jamais aussi puissants que sous la dynastie sassanide, du IIIᵉ au IVᵉ siècle. Le chef des « évêques » *(mobeds)* de cette véritable Église, le *mobedan mobed*, prenait rang parmi les plus hauts dignitaires de l'État (cf. LABOURT, p. 5). Sur les mages, voir aussi A. CHRISTENSEN, *L'Iran sous les Sassanides*, Copenhague 1944², chap. 3, la notice de P. CLEMEN dans *PW* XIV, 1 (1928), c. 510-518, et les notes substantielles de J. FONTAINE à son éd. d'Ammien Marcellin, *Coll. des Univ. de France*, Paris 1977, 2ᵉ partie, p. 82-86 (ad AMM., 23, 6, 32-35). — Ouvrage de référence en la matière : J. DUCHESNE-GUILLEMIN, *La religion de l'Iran*, Paris 1962.

2. Sur la situation des communautés juives, concentrées surtout dans une bande de territoire d'une longueur de 120 km environ, à l'Est et le long de l'Euphrate, depuis Néhardéa au Nord jusqu'à Sora au Sud en passant par Perozšabur, Pumbadita, et Mahoze, voir LABOURT, p. 7 : exerçant tous les métiers et pratiquant l'agriculture, importants aussi numériquement, les Juifs, dont le chef politique, l'Exilarque, descendait de la famille de David depuis la déportation générale du VIIᵉ siècle, jouissaient d'une relative indépendance ; leur vassalité se bornait à verser certains impôts aux seigneurs du pays.

Chapitre 9

Sapor, roi de Perse, est excité contre les chrétiens ;
l'évêque perse Syméon ;
martyre d'Ouasthazadès, eunuque du palais.

1 Mais comme avec le temps ils étaient devenus très nombreux, qu'ils avaient commencé de célébrer le culte et qu'ils avaient prêtres et diacres, cela fâchait extrêmement les mages qui, depuis l'origine, dirigent la religion des Perses comme une sorte de race sacrée où l'on se succède de père en fils[1]. Cela fâchait aussi les Juifs[2] qui, d'une certaine manière, mûs par jalousie, sont naturellement les ennemis de la religion chrétienne. Ils calomnient auprès de Sapor, le roi d'alors, Syméon, l'archevêque de Séleucie et de Ctésiphon, villes principales de la Perse, comme étant l'ami du César romain et lui dénonçant les affaires des Perses. **2** Persuadé par ces calomnies, Sapor[3], tout d'abord,

---

Les mauvais rapports des chrétiens et des juifs dans l'Empire perse sont attestés, précisément pour la période qui nous occupe, par la polémique anti-juive du sermonnaire chrétien Afraat (cf. LABOURT, p. 39). Sur le « judaïsme babylonien », voir le sommaire de A. CHOURAQUI, *Histoire du judaïsme*, Paris 1957, p. 29. Pour une étude détaillée, voir l'œuvre monumentale de J. NEUSNER, *A history of the Jews in Babylonia*, Leyde 1966-1970, en 5 vol., en particulier le vol. 4 (1969) : *The age of Shapur II.*

3. Pour une vue d'ensemble de la persécution de Sapor II (309-378) contre les chrétiens, depuis la lettre que Constantin eut l'imprudence de lui adresser en leur faveur et qui, en fait, les désigna à sa vindicte comme des traîtres en puissance, voir PALANQUE, p. 492-493. La persécution commença vraiment à partir de 340, donc à l'époque de Constance II, et se poursuivit pendant 40 ans, donc au-delà de la mort de Sapor en 378.

ρης τὰ μὲν πρῶτα φόροις ἀμέτροις ἐπέτριβε τοὺς Χριστιανούς, καθότι τοὺς πλείστους ἔγνω ἀκτημοσύνην ἀσκεῖν, καὶ
χαλεποῖς ἀνδράσιν ἐπέτρεψε τὴν εἴσπραξιν, ὥστε ἐνδείᾳ
χρημάτων καὶ ἀπηνείᾳ τῶν εἰσπρακτόρων βιαζομένους ὑπεριδεῖν τὴν οἰκείαν θρησκείαν· τοῦτο γὰρ αὐτῷ ἐσπουδάζετο.
Μετὰ δὲ ταῦτα τοὺς ἱερέας καὶ λειτουργοὺς τοῦ θεοῦ ἀναιρεθῆναι ξίφει προσέταξε, τὰς δὲ ἐκκλησίας κατασκαφῆναι καὶ
τὰ κειμήλια δημόσια γενέσθαι, τὸν δὲ Συμεώνην ἄγεσθαι,
ὡς προδότην τῆς Περσῶν βασιλείας καὶ θρησκείας γεγενημένον. 3 Οἱ μὲν οὖν μάγοι, συλλαμβανομένων αὐτοῖς τῶν
Ἰουδαίων, σπουδῇ τοὺς εὐκτηρίους οἴκους καθεῖλον. Συμεώνης δὲ συλληφθεὶς σιδηροδεσμώτης ὡς βασιλέα ἤχθη· ἔνθα
δὴ γίνεται ἀνὴρ ἀγαθὸς καὶ ἀνδρεῖος. Ἐπεὶ γὰρ βασανίσων
αὐτὸν εἰσάγεσθαι προσέταξεν ὁ Σαβώρης, οὔτε ἔδεισεν οὔτε
προσεκύνησεν. 4 Ἐφ᾽ ᾧ σφόδρα χαλεπήνας ὁ βασιλεὺς
ἐπύθετο· « Τί δή ποτε νῦν οὐ προσεκύνησας, πρότερον τοῦτο
ποιῶν; » « Ὅτι πρότερον, ἔφη ὁ Συμεώνης, οὐ δεσμώτης
ἠγόμην ἐπὶ προδοσίᾳ τοῦ ἀληθοῦς θεοῦ, καὶ μηδὲν διαφε-
957 ρόμενος τὰ νενομισμένα περὶ τὴν βασιλείαν ἐπλήρουν· νῦν
δέ μοι οὐ θέμις τοῦτο ποιεῖν· ἥκω γὰρ ἀγωνιούμενος ὑπὲρ
τῆς εὐσεβείας καὶ τοῦ ἡμετέρου δόγματος. » 5 Τοιαῦτα
εἰπόντα παρεκελεύσατο ὁ βασιλεὺς προσκυνῆσαι τὸν ἥλιον,
καὶ πειθομένῳ μὲν πολλὰ δῶρα δώσειν ὑπισχνεῖτο καὶ ἐν
τιμῇ ἕξειν, ἀπειθοῦντα δὲ ἀπολέσειν ἠπείλησεν αὐτόν τε καὶ
πᾶν τὸ Χριστιανῶν φῦλον. Ἐπεὶ δὲ οὔτε ταῖς ἀπειλαῖς
κατεκτύπει τὸν Συμεώνην οὔτε ταῖς ἐπαγγελίαις ἐμάλασσεν,
ἀλλ᾽ ἀνδρείως ἔμενεν ἰσχυριζόμενος μήποτε προσκυνήσειν

---

1. Sozomène est le seul des historiens grecs du vᵉ siècle à donner
un récit complet de la persécution de Sapor. Il ne se fonde plus ici sur
Eusèbe, Socrate ou Rufin, mais, selon toutes apparences, sur des
documents originaux, des Actes des martyrs orientaux, auxquels il
fait clairement référence à la fin de son récit (*infra*, chap. 14, 5 :
« énumérer les noms des martyrs a paru une tâche difficile aux Perses,
aux Syriens et aux habitants d'Édesse, qui ont pris grand soin de la
chose »). D'après Labourt, p. 55, ces Passions ont « une grande valeur
historique ». Voir les textes dans Delehaye. Le récit de la passion de

se mit à écraser les chrétiens par des impôts démesurés
— il savait que la plupart d'entre eux pratiquent la pauvreté — et il confia le recouvrement des impôts à des
hommes très durs, en sorte que, forcés par l'indigence et
par la cruauté des percepteurs, ils finissent par laisser de
côté leur religion : c'est à quoi en effet il visait. Après cela,
il ordonna de passer au fil de l'épée les prêtres et serviteurs
de Dieu, de détruire les églises de fond en comble, de
déclarer les vases sacrés propriété publique et de traduire
en justice Syméon, comme ayant trahi le royaume des
Perses et leur religion. 3 Les mages donc, avec le concours
des Juifs, détruisirent avec empressement les églises.
Syméon fut saisi[1] et traîné, chargé de chaînes, devant le roi.
Mais là, il se conduisit en homme de grand mérite et en
brave. En effet, quand Sapor ordonna qu'on l'amenât pour
qu'il le fît torturer, ni il n'eut de crainte ni il ne fit le
geste d'adoration. 4 Sur quoi, fortement irrité, Sapor lui
demanda : « Pourquoi donc ne t'es-tu pas prosterné aujour-
d'hui, alors que tu faisais ce geste auparavant ? » « Parce
qu'auparavant, dit Syméon, je n'étais pas traîné en justice
comme prisonnier pour que je trahisse le vrai Dieu, et,
sans me distinguer en rien des autres, je suivais les usages
reçus touchant la majesté royale ; mais aujourd'hui il ne
m'est pas permis de le faire, car je viens soutenir un combat
pour la défense de la piété et de notre doctrine. » 5 Sur ces
mots, le roi l'engagea à adorer le soleil : s'il obéissait, le roi
lui promettait de lui faire de grands dons et de le tenir en
honneur ; s'il désobéissait, le roi le menaça de le faire périr,
lui et tout le peuple des chrétiens. Comme ni il ne le frappait
par ses menaces ni il ne l'amollissait par ses promesses,
mais que Syméon continuait à soutenir courageusement
qu'il n'adorerait jamais le soleil et ne se montrerait pas

l'évêque de Séleucie, Simon Barsabba'é, dérive précisément des Actes
de la passion de ce martyr conservés dans la collection d'ASSEMANI,
p. 15-40.

τὸν ἥλιον μηδὲ προδότης φανήσεσθαι τῆς αὐτοῦ θρησκείας,
προσέταξεν αὐτὸν τέως ἐν δεσμοῖς εἶναι, λογισάμενος ὡς
εἰκὸς αὐτὸν μεταμεληθήσεσθαι.

6 Ἀπαγόμενον δὲ εἰς τὸ δεσμωτήριον ἰδὼν Οὐσθαζάδης
63 πρεσβύτης τις εὐ|νοῦχος, τροφεὺς Σαβώρου καὶ μείζων τῆς
βασιλέως οἰκίας, προσεκύνησεν αὐτὸν ἀναστάς· ἔτυχε γὰρ
πρὸ τῶν βασιλείων θυρῶν καθήμενος. Ὁ δὲ Συμεώνης
ὑβριστικῶς ἐπετίμησεν αὐτῷ καὶ θυμωθεὶς ἀνεβόησε καὶ
ἀποστραφεὶς παρήμειψε· Χριστιανὸς γὰρ ὢν οὐ πρὸ πολλοῦ
ἐβιάσθη προσκυνῆσαι τὸν ἥλιον. 7 Αὐτίκα δὲ δακρύσας μετ'
οἰμωγῆς ὁ εὐνοῦχος, ἣν μὲν ἠμφίεστο λαμπρὰν ἐσθῆτα ἀπ-
έθετο, οἷα δὲ πενθῶν μέλαιναν περιβαλλόμενος πρὸ τῆς βασιλέως οἰκίας ἐκαθέζετο κλαίων καὶ στένων· « Οἴμοι ἐγώ,
λέγων, οἷον χρὴ προσδοκᾶν εἶναι περὶ ἐμὲ ὃν ἠρνησάμην
θεόν; Ὅπου γε τούτου χάριν ἐντεῦθεν ἤδη πάλαι μοι συνήθης
γεγονὼς Συμεώνης, οὐδὲ λόγου μεταδούς, ὧδέ με ἀπεστράφη
καὶ παρέδραμεν. » Ἐπεὶ δὲ ἔγνω ταῦτα Σαβώρης, μετακαλεσάμενος αὐτὸν ἐπυνθάνετο τὴν αἰτίαν τοῦ πένθους, καὶ
εἰ συμφορᾷ τινι περὶ τὸν οἶκον ἐχρήσατο. 8 Ὑπολαβὼν δὲ
Οὐσθαζάδης εἶπεν· « Ὦ βασιλεῦ, οὐδὲν περὶ τὸν ἐνθάδε
οἶκον ἠτύχησα· εἴθε γὰρ ἀντὶ τοῦ συμβεβηκότος μοι παντοδαπαῖς ἀλλοίαις περιπέπτωκα συμφοραῖς, καὶ ῥᾷον ἦν.
Πενθῶ δὲ νῦν ὅτι ζῶ καὶ πάλαι τεθνάναι ὀφείλων ὁρῶ τὸν
ἥλιον, ὃν σοὶ χαριζόμενος, οὐκ ἀπὸ γνώμης, προσεκύνησα
τῷ δοκεῖν, ὥστε κατ' ἀμφότερον δίκαιον εἶναί με ἀποθανεῖν,
προδότην Χριστοῦ γεγενημένον καὶ περὶ σὲ ἀπατεῶνα. »
Καὶ ὁ μὲν τοιάδε εἰπὼν ὤμοσεν οὐρανοῦ καὶ γῆς δημιουργὸν
μὴ μεταθήσεσθαι λοιπὸν τῆς γνώμης. 9 Σαβώρης δὲ πρὸς τὸ
παράδοξον τῆς μεταβολῆς τοῦ εὐνούχου τεθηπὼς ἔτι μᾶλλον
ἐχαλέπαινε τοῖς Χριστιανοῖς ὡς γοητείαις τὰ τοιαῦτα κατορ-
θοῦσι. Φειδοῖ δὲ τῇ περὶ τὸν πρεσβύτην πῇ μὲν πρᾶος, πῇ δὲ

traître à sa religion, le roi ordonna pour l'instant de le
laisser dans les chaînes : il se dit que vraisemblablement
Syméon changerait d'opinion.

6 Tandis qu'on l'entraînait à la prison, un vieil eunuque,
Ouasthazadès, nourricier de Sapor et chef de la maison
royale, l'aperçut, se leva et se prosterna devant lui : il se
trouvait par hasard assis devant les portes du palais. Mais
Syméon lui fit de violents reproches, poussa un grand cri
de colère, se détourna et passa outre ; bien qu'en effet il fût
chrétien, il avait peu auparavant, par contrainte, adoré
le soleil. **7** Aussitôt l'eunuque, avec larmes et lamentation,
se dépouilla de sa robe brillante, et revêtu, comme un
homme en deuil, d'une robe noire, il se tenait assis devant
la maison royale, pleurant et gémissant. « Malheur à moi,
disait-il, que ne dois-je pas craindre que soit à mon égard
le Dieu que j'ai renié ? Puisqu'à cause de cela, Syméon,
depuis longtemps mon familier, sans même m'avoir adressé
une parole, s'est déjà détourné de moi ainsi et a passé
outre. » Sapor apprit la chose, fit venir l'eunuque et lui
demanda la raison de son chagrin : lui était-il survenu
quelque malheur concernant sa maison ? **8** Ouasthazadès
prit la parole et dit : « Je n'ai encouru, ô roi, nulle mal-
chance en ce qui regarde la maison d'ici-bas. Plût au ciel
qu'à la place de ce qui m'est arrivé je fusse tombé en toute
sorte de malheur d'un autre genre ! ce serait plus facile à
supporter. Mon chagrin maintenant vient de ce que je vis
et de ce que, moi qui aurais dû être mort depuis longtemps,
je vois le soleil que, pour te faire plaisir et non de mon
propre mouvement, j'ai fait semblant d'adorer ; aussi
est-il doublement juste que je meure, et pour avoir trahi
le Christ et pour t'avoir trompé. » Sur ces mots il prit à
témoin le Créateur du ciel et de la terre qu'il ne changerait
plus d'opinion. **9** Stupéfait de la conversion paradoxale de
l'eunuque, le roi n'en fut que plus irrité contre les chrétiens, dans la pensée qu'ils obtenaient de tels succès par des
artifices magiques. Pour épargner le vieillard, se montrant

ἀπηνὴς φαινόμενος παντὶ σθένει μεταπείθειν αὐτὸν ἐπειρᾶτο.
10 Ὡς δὲ οὐδὲν ἤνυεν, ἰσχυριζομένου Οὐσθαζάδου μήποτε
τοσοῦτον εὐήθη ἔσεσθαι, ὡς ἀντὶ τοῦ πάντων δημιουργοῦ
θεοῦ τὰ πρὸς αὐτοῦ δεδημιουργημένα σέβειν, τότε δὴ πρὸς
ὀργὴν κινηθεὶς προσέταξεν αὐτοῦ ξίφει τὴν κεφαλὴν ἀποτμη-
θῆναι. Ἐπὶ τοῦτο δὲ ἀγόμενος παρὰ τῶν δημίων, ἐπισχεῖν
μικρὸν αὐτῶν ἐδεήθη, ὡς περί του βασιλεῖ δηλώσων. **11** Καὶ
προσκαλεσάμενός τινα τῶν πιστοτάτων εὐνούχων ἐκέλευσε
960 τάδε εἰπεῖν Σαβώρῃ· « Ἦν μὲν ἐκ νέου μέχρι τοῦ νῦν εὔνοιαν
ἔσχον, ὦ βασιλεῦ, περὶ τὸν ὑμέτερον οἶκον, πατρί τε σῷ καὶ
σοὶ σπουδῇ τῇ προσηκούσῃ διακονούμενος, οὔ μοι δοκεῖ
μαρτύρων παρὰ σοὶ εὖ ταῦτα ἐπισταμένῳ δεῖσθαι. Ἀντὶ
πάντων δὲ ὧν πώποτε κεχαρισμένος ὑμῖν ἐγενόμην, ἀπόδος
μοι ταύτην τὴν ἀμοιβήν, τὸ μὴ δόξαι τοῖς ἀγνοοῦσι τιμωρίαν
64 ὑπέχειν ὡς ἄπιστον περὶ τὴν βασιλείαν ἢ | ἄλλως κακοῦργον
ἁλόντα. **12** Καὶ ὥστε δῆλον τοῦτο γενέσθαι, κῆρυξ βοῶν
σημανεῖ πᾶσιν ὅτι Οὐσθαζάδης τὴν κεφαλὴν ἀποτέμνεται
μοχθηρὸς μὲν οὐδαμῶς ἔν τινι ἐν τοῖς βασιλείοις φανείς,
Χριστιανὸς δὲ ὢν καὶ τὸν ἴδιον θεὸν ἀπαρνεῖσθαι τῷ βασιλεῖ
μὴ πειθόμενος. » **13** Καὶ ὁ μὲν εὐνοῦχος ἤγγειλε ταῦτα.
Σαβώρης δὲ κατὰ τὴν αἴτησιν Οὐσθαζάδου κήρυκα βοῆσαι
προσέταξεν. Ὤιετο γὰρ τοὺς ἄλλους ἑτοίμως παύεσθαι χριστιανίζειν, εἰ κατὰ νοῦν λάβοιεν ὡς οὐδενὸς Χριστιανοῦ φείσε-
ται πρεσβύτην τροφέα καὶ οἰκεῖον εὔνουν ἀνελών. Οὐσθαζάδης δὲ ἐσπούδαζεν ἀνακηρυχθῆναι τὴν αἰτίαν τῆς αὐτοῦ
τιμωρίας, λογισάμενος ὡς, ἡνίκα εὐλαβηθεὶς προσεκύνησε
τὸν ἥλιον, πολλοὺς Χριστιανῶν εἰς δέος κατέστησε, νυνὶ δὲ
εἰ μάθοιεν αὐτὸν ὑπὲρ τῆς θρησκείας ἀναιρεθέντα, μιμητὰς
πολλοὺς ποιήσει τῆς οἰκείας ἀνδρείας.

---

1. La protestation de loyalisme de l'eunuque Ouasthazadès répond,
pour l'ensemble des chrétiens de l'Empire perse, à l'imputation de
Sapor : « Ils habitent notre territoire et partagent les sentiments de
César, notre ennemi » (cf. PALANQUE p. 492-493).

tantôt doux, tantôt intraitable, il essayait à toutes forces de le faire changer d'idée. **10** Comme il n'aboutissait à rien, que Ouasthazadès soutenait qu'il ne serait jamais assez sot pour adorer, en lieu et place du Dieu créateur universel, les œuvres qu'il a créées, alors, dans un mouvement de colère, le roi ordonna qu'il eût la tête tranchée. Comme il était conduit par les geôliers au supplice, il leur demanda d'attendre un instant : il avait quelque chose à faire dire au roi. **11** Il fit venir alors l'un des eunuques les plus fidèles et lui ordonna de dire ceci à Sapor : « La bienveillance que depuis l'enfance jusqu'à ce jour, ô roi, j'ai eue pour votre maison, en me mettant avec le zèle approprié au service de ton père et au tien, n'a pas besoin, me semble-t-il, de témoins auprès de toi puisque tu sais bien tout cela. En retour de tous les plaisirs que j'ai pu vous faire, rends-moi le service que voici : que je ne paraisse pas, aux yeux de ceux qui ne savent pas, encourir un châtiment comme ayant été infidèle à l'égard du trône[1] ou autrement pris en flagrant délit de crime. **12** Et pour que ce soit évident, un héraut ira criant à tous que Ouasthazadès a la tête tranchée, non pour avoir été convaincu d'une faute en quoi que ce soit dans le palais, mais parce qu'il est chrétien et qu'il refuse au roi de renier son propre Dieu. » **13** L'eunuque transmit ces mots, et Sapor, sur la demande de Ouasthazadès, ordonna de faire cette proclamation. Il estimait, de fait, que les autres cesseraient volontiers d'être chrétiens s'ils se mettaient dans l'esprit que le roi n'épargnerait aucun chrétien, puisqu'il avait fait périr un vieillard qui était son nourricier et un familier plein de bienveillance. Ouasthazadès en revanche tenait à ce que fût proclamée la cause de son châtiment, car il faisait ce calcul : quand il avait par pusillanimité adoré le soleil, il avait poussé à la crainte beaucoup de chrétiens, mais maintenant qu'ils apprendraient qu'il avait péri pour la religion, beaucoup imiteraient son courage.

10

1 Ὧδε μὲν Οὐσθαζάδης ἐνδοξότατα τὴν ἐνθάδε βιοτὴν
κατέλιπε· Συμεώνης δὲ μαθὼν ἐν τῷ δεσμωτηρίῳ εὐχα-
ριστήρια περὶ αὐτοῦ τῷ θεῷ ηὔξατο. Τῇ δὲ ἑξῆς ἡμέρᾳ
— ἔτυχε δὲ ἕκτην τῆς ἑβδομάδος εἶναι, καθ' ἣν πρὸ τῆς
ἀναστασίμου πανηγύρεως ἡ ἐτήσιος τοῦ σωτηρίου πάθους
ἀνάμνησις ἐπιτελεῖται — καὶ τὸν Συμεώνην ἐψηφίσατο ὁ
βασιλεὺς ξίφει ἀναιρεθῆναι. Προαχθεὶς γὰρ αὖθις ἐκ τοῦ
δεσμωτηρίου εἰς τὰ βασίλεια γενναίως μάλα προσδιελέχθη
Σαβώρῃ περὶ τοῦ δόγματος καὶ οὔτε αὐτὸν οὔτε τὸν ἥλιον
προσκυνῆσαι ἠνέσχετο. 2 Κατὰ δὲ τὴν αὐτὴν ἡμέραν ὁμοίως
ἀναιρεθῆναι προσετάχθησαν καὶ ἄλλοι ἑκατὸν ἐν τῷ δεσμωτηρίῳ ὄντες, τελευταῖον δὲ αὐτοῖς ἐπισφαγῆναι Συμεώνην
τὸν πάντων θάνατον θεασάμενον. Ἦσαν δὲ τούτων οἱ μὲν
ἐπίσκοποι, οἱ δὲ πρεσβύτεροι καὶ ἄλλοι ἄλλων κληρικῶν
ταγμάτων. 3 Ὡς δὲ πάντες τὴν ἐπὶ θάνατον ἤγοντο, παραγενόμενος ὁ μέγας ἀρχίμαγος ἤρετο αὐτούς, εἰ βούλοιντο
961 ζῆν καὶ βασιλεῖ παραπλησίως θρησκεύειν καὶ τὸν ἥλιον
σέβειν. Οὐδενὸς δὲ τὴν ἐπὶ τούτοις ζωὴν ἑλομένου, ὡς εἰς τὸν
τόπον ἤχθησαν οὗ κτείνεσθαι ἔμελλον, οἱ μὲν δήμιοι ἔργου
εἴχοντο καὶ περὶ τὴν σφαγὴν τῶν μαρτύρων ἐπόνουν, 4 Συμεώνης δὲ παρεστὼς αὐτοῖς ἀναιρουμένοις παρεκελεύετο
65 θαρρεῖν, καὶ περὶ θανάτου καὶ περὶ ἀναστάσεως | καὶ περὶ
εὐσεβείας διελέγετο· καὶ ἐκ τῶν ἱερῶν γραφῶν πιστούμενος
ἐδείκνυ ζωὴν μὲν ἀληθῶς εἶναι τὸ ὧδε ἀποθανεῖν, τὸ δὲ διὰ
δειλίαν προδοῦναι θεὸν ὁμολογουμένως θάνατον· μετ' οὐ

---

1. C'est le 21 avril 344 (ou 341 ?), d'après E. HAMMERSCHMIDT,
art. « Simon » du *Lexikon f. Theol.* 9 (1964), c. 764.

2. Sozomène appelle ainsi non le *mobedan mobed*, chef suprême du
clergé mazdéen, qu'il désigne en 13,3 par le titre de « grand archi-

Chapitre 10

Exécution de chrétiens par Sapor en Perse.

1 C'est ainsi que, de la façon la plus glorieuse, Ouasthazadès quitta la vie d'ici-bas : Syméon, lui, quand il eut appris
la nouvelle en prison, rendit à Dieu, pour lui, des actions
de grâces. Le lendemain — c'était le sixième jour de la
semaine, auquel, avant la fête de la Résurrection, on
célèbre chaque année la mémoire de la Passion du Sauveur[1] —, le roi décida que Syméon aussi périrait par le
glaive. Comme en effet on l'avait ramené de la prison au
palais, il avait très courageusement discuté sur le dogme
avec Sapor, et il n'avait accepté ni de l'adorer ni d'adorer
le soleil. **2** Il fut ordonné que le même jour périraient sem-
blablement cent autres chrétiens qui se trouvaient en
prison ; Syméon devait être égorgé le dernier de tous après
avoir assisté à la mort de tous ses compagnons. De ceux-ci,
les uns étaient évêques, d'autres prêtres, d'autres en
d'autres degrés du clergé. **3** Alors qu'ils étaient tous
conduits à la mort, survint l'archimage[2] qui leur demanda
s'ils voulaient vivre, partager la religion du roi et adorer
le soleil. Aucun d'eux ne choisit de vivre à ces conditions :
quand on les eut conduits au lieu où ils devaient être tués,
cependant que les bourreaux s'appliquaient à leur ouvrage
et s'occupaient d'égorger les martyrs, **4** Syméon, debout
près des victimes, les exhortait à avoir du courage, il leur
parlait de la mort, de la résurrection et de la piété ; tirant
son assurance des saintes Écritures, il leur montrait que
mourir ainsi était la vraie vie, mais que trahir Dieu par
lâcheté était, de l'aveu général, la mort ; peu après en effet,

mage », mais l'un des *mobeds*, sorte d'évêques, résidant à la Cour, si
l'on en croit aussi le pluriel employé en 12, 4.

πολὺ γὰρ καὶ μηδενὸς ἀποκτέννοντος αὐτομάτως τεθνή-
ξονται· τοῦτο γὰρ ἄφυκτον παντὶ τικτομένῳ τέλος. Τὰ μετὰ
ταῦτα δὲ διηνεκῆ ὄντα οὐ πᾶσιν ἀνθρώποις ὁμοίως ἀπαντήσει,
ἀλλ' ὡς ἀπὸ στάθμης τινὸς ἀκριβῆ λόγον δώσουσι τῆς
ἐνθάδε βιοτῆς. Καὶ ἀθανάτους ὧν ἕκαστος εὖ ἐποίησε τὰς
ἀμοιβὰς λήψεται καὶ τὰς εὐθύνας τῶν ἐναντίων ὑφέξει.
Μεῖζον δὲ πάντων ἐν ἀγαθοῖς καὶ μακαριώτατον ὑπὲρ θεοῦ
ἑλέσθαι ἀποθανεῖν. 5 Τοιαῦτα Συμεώνου διεξιόντος, οἷα
παιδοτρίβου¹ παρακελευομένου ἐν τοῖς ἀγῶσιν ὃν χρὴ τρόπον
ἐλθεῖν, ἕκαστος ἐπαΐων προθύμως ἐπὶ τὴν σφαγὴν ἐχώρει.
Ἐπεὶ δὲ τοὺς ἑκατὸν διῆλθεν ὁ δήμιος, τελευταῖον καὶ αὐτὸν
Συμεώνην ἔκτεινε καὶ Ἀβεδεχαλάαν καὶ Ἀννίναν. Ἀμφότεροι δὲ γηραλέοι πρεσβύτεροι τῆς ὑπ' αὐτὸν ἐκκλησίας ἅμα
αὐτῷ συνελήφθησαν καὶ ἐν δεσμοῖς ἦσαν.

11

1 Τηνικαῦτα δὲ Πουσίκης, ὃς πάντων ἦρχε τῶν τοῦ
βασιλέως τεχνιτῶν, αὐτόθι ἑστώς, ἰδὼν Ἀννίναν τρέμοντα
ὡς ηὐτρεπίζετο ἐπὶ τὴν σφαγήν· « Πρὸς βραχύ, ἔφη, ὦ
γέρον, μῦσον τοὺς ὀφθαλμούς σου καὶ θάρρει· αὐτίκα γὰρ
ὄψει τοῦ Χριστοῦ τὸ φῶς. » Ἅμα δὲ τοῦτο εἰπὼν συνελήφθη καὶ ὡς βασιλέα ἤχθη. **2** Καὶ Χριστιανὸς εἶναι ὁμολογήσας, καθότι ἐλευθεροστομῶν ὑπὲρ τοῦ δόγματος καὶ τῶν
μαρτύρων προσδιελέχθη τῷ βασιλεῖ, ὡς οὐ δέον παρρη-
σιασάμενον παραξένῳ καὶ ὠμοτάτῳ τρόπῳ ἀποθανεῖν προσέταξεν. Περὶ γὰρ τὸν τένοντα διορύξαντες αὐτοῦ τὸν

---

1. Ce mot désigne le maître de gymnastique des enfants. Mais dans
un emploi figuré, il désigne le maître, qui peut être Dieu lui-même,
qui entraîne les athlètes de la foi que sont les martyrs : cf. LAMPE,
s.v., citant Grégoire de Nysse, Théodoret, Jean Chrysostome.

2. Sozomène résume très sommairement le long affrontement ver-
bal qui mit aux prises le *quarugbed* (= chef des artisans) Pusaïk et
le roi Sapor ; mais il indique précisément le supplice prescrit par le roi
à la fin du dialogue : « Parce qu'il a méprisé ma Majesté et parlé avec
moi d'égal à égal, arrachez, déracinez sa langue au travers de son cou »

même si nul ne les tuait, ils mourraient d'eux-mêmes, car c'est là le terme inévitable pour quiconque est né ; la vie future en revanche, qui est continuelle, ne se présentera pas pour tous les hommes de la même façon, mais les hommes rendront un compte exact, comme tiré au cordeau, de leur conduite ici-bas ; et c'est de façon éternelle que l'un recevra la récompense de ses bonnes actions et l'autre, le châtiment de ses mauvaises ; ce qui prévaut donc sur tout parmi les biens, ce qui est la condition la plus heureuse, c'est de choisir de mourir pour Dieu. 5 Voilà ce que disait Syméon, qui, tel un pédotribe[1], montrait comment il faut entrer dans le combat ; et chacun, en entendant ces paroles, marchait avec ardeur au massacre. Quand le bourreau eut fait sa tâche pour les cent, il tua en dernier Syméon aussi et Abdéchalaas et Anninas : c'étaient là deux prêtres âgés de son église, qui avaient été, en même temps que lui, saisis et mis en prison.

Chapitre 11

Pousikès, chef des artisans de Sapor.

1 A ce moment, comme Pousikès, qui était le chef des artisans du palais, présent à la scène, avait vu Anninas tremblant quand il était préparé pour l'égorgement, il lui dit : « Ferme pour un instant tes yeux, vieillard, et prends courage : sur le champ tu verras la lumière du Christ. » Dès qu'il eut dit ces mots, il fut saisi et emmené chez le roi. **2** Il confessa qu'il était chrétien, et comme, avec grande liberté de langage, il avait parlé au roi pour la défense de la doctrine et des martyrs, Sapor, estimant qu'il avait usé d'une franchise inconvenante, ordonna qu'il mourût d'un genre de mort étrange et très cruel[2]. Les bourreaux lui

(cf. LABOURT, p. 68, citant la Passion de Syméon, éd. ASSEMANI, p. 15-40).

αὐχένα οἱ δήμιοι τῇδε αὐτοῦ τὴν γλῶτταν ἐξείλκυσαν· ἐκ
διαβολῆς δέ τινων καὶ θυγάτηρ αὐτοῦ παρθένος ἱερὰ συλ-
ληφθεῖσα τότε ἀνῃρέθη.

3 Τοῦ δὲ ἐπιγενομένου ἔτους κατὰ τὴν ἡμέραν, ᾗ τοῦ μὲν
πάθους τοῦ Χριστοῦ ἡ ἀνάμνησις ἐπετελεῖτο, τῆς δὲ ἐκ
964 66 νεκρῶν ἀναστάσεως ἡ πανήγυρις | προσεδοκᾶτο, ὠμοτάτη
Σαβώρου πρόσταξις ἀνὰ πᾶσαν τὴν Περσῶν γῆν ἐφοίτα
καταδικάζουσα θάνατον τῶν ἑαυτοὺς Χριστιανοὺς εἶναι ὁμο-
λογούντων· ἡνίκα δὴ λέγεται ἀριθμοῦ κρείττονα πληθὺν
Χριστιανῶν ὑπὸ ξίφους πεσεῖν. 4 Οἵ τε γὰρ μάγοι κατὰ
πόλεις καὶ κώμας ἐπιμελῶς ἐθήρων τοὺς λανθάνοντας, οἱ δὲ
καὶ αὐτόματοι μηδενὸς ἄγοντος ἑαυτοὺς κατεμήνυον, ὥστε
μὴ τῇ σιγῇ δόξαι τὸν Χριστὸν ἀπαρνεῖσθαι. Ἀφειδῶς δὲ
πάντων Χριστιανῶν κτιννυμένων πλεῖστοι καὶ ἐν αὐτοῖς τοῖς
βασιλείοις ἀνῃρέθησαν καὶ Ἀζάδης ὁ εὐνοῦχος, τὰ μάλιστα
βασιλεῖ κεχαρισμένος ὤν. 5 Ὃν ἐπείπερ ἀποθανεῖν ὁ Σαβώρης ἐπύθετο, περίλυπος εἰσάγαν ἐγένετο, καὶ τὴν δημώδη
ταύτην σφαγὴν ἔστησε, μόνους δὲ τοὺς καθηγητὰς τῆς
θρησκείας ἀναιρεῖσθαι προσέταξε.

12

1 Κατ' ἐκεῖνο δὲ καιροῦ νόσῳ περιπεσούσης τῆς βασι-
λίδος συλλαμβάνεται ἡ Συμεώνου τοῦ ἐπισκόπου ἀδελφή,
Ταρβούλα τοὔνομα, ἱερὰ παρθένος, σὺν θεραπαίνῃ τὸν αὐτὸν
μετιούσῃ βίον καὶ ἀδελφῇ μετὰ θάνατον ἀνδρὸς γάμῳ ἀπαγο-
ρευσάσῃ καὶ ὁμοίως ἀγομένῃ. Ἐγένετο δὲ αὐτῶν ἡ σύλληψις
ἐκ διαβολῆς τῶν Ἰουδαίων, ἐπαιτιωμένων ὡς φαρμάκοις τῇ
κρατούσῃ ἐπεβούλευσαν διὰ τὸν Συμεώνου θάνατον μηνιῶσαι.
2 Ἡ δὲ βασιλίς — φιλεῖ γάρ πως τὸ νοσοῦν τοῖς ἀπευκταίοις
παρέχειν τὴν ἀκοήν — ὑπέλαβεν ἀληθῆ εἶναι τὴν διαβολὴν

---

1. Sozomène est, ici encore, directement redevable aux Actes des
martyrs : cf. Assemani, p. 54-59, et Delehaye, p. 439-444.

percèrent le cou au tendon cervical et par là lui arrachèrent la langue. Sur une dénonciation de certains, sa fille aussi, qui était vierge sacrée, fut alors saisie et mise à mort.

3 L'année suivante, au jour même où d'une part on célébrait la mémoire de la Passion du Christ et où d'autre part on attendait la fête de sa Résurrection d'entre les morts, un ordre très cruel de Sapor se répandit dans toute la Perse, condamnant à mort ceux qui se confessaient chrétiens : à ce moment-là une foule innombrable de chrétiens périt, dit-on, par le glaive. **4** Les mages en effet, par les villes et les villages, poursuivaient avec soin ceux qui se cachaient ; les autres, sans que nul ne les poussât, se dénonçaient eux-mêmes, pour ne pas paraître renier le Christ par leur silence. Comme on tuait sans merci tous les chrétiens, beaucoup aussi périrent dans le palais même, entre autres l'eunuque Azadès, qui était très cher au roi. **5** Quand Sapor apprit sa mort, il en fut extrêmement peiné, et il arrêta ce massacre public, ordonnant que fussent seuls mis à mort les chefs de notre religion.

Chapitre 12

Tarboula, sœur de Syméon ; son martyre.

1 Vers ce temps-là[1], la reine étant tombée malade, on saisit la sœur de l'évêque Syméon, nommée Tarboula, vierge sacrée, ainsi que sa servante qui menait le même genre de vie, et une sœur qui, après la mort de son époux, avait renoncé au mariage et qui fut traduite également en justice. L'arrestation eut lieu à la suite d'une calomnie des Juifs, qui les accusaient d'avoir, par des poisons, machiné la mort de la reine par ressentiment de la mort de Syméon. **2** La reine — tout être malade prête usuellement l'oreille aux bruits odieux — conjectura que cette calomnie était

καὶ μάλιστα παρὰ Ἰουδαίων γεγενημένην, ἐπεὶ τὰ αὐτῶν
ἐφρόνει καὶ Ἰουδαϊκῶς ἐβίω καὶ ἀψευδεῖς αὐτοὺς ἡγεῖτο καὶ
εὔνους αὐτῇ. Παραλαβόντες δὲ οἱ μάγοι Ταρβούλαν καὶ τὰς
ἄλλας καταδικάζουσιν αὐτῶν θάνατον· καὶ πρίονι διχῆ τεμόν-
τες ἀνεσκολόπισαν, καὶ ὡς ἀποτρόπαιον νόσου διὰ μέσου
τῶν σκολόπων τὴν βασιλίδα παρελθεῖν ἐποίησαν. 3 Λέγεται
δὲ Ταρβούλαν ταύτην εὐπρεπῆ καὶ μάλα καλὴν τὸ εἶδος
γενέσθαι, ἐρασθῆναί τε αὐτῆς τινας τῶν μάγων καὶ περὶ
67 συνουσίας λάθρα προσπέμψασθαι μισ|θὸν ἐπαγγειλαμένους,
εἰ πεισθείη, σωτηρίαν αὐτῇ καὶ ταῖς συνούσαις· τὴν δὲ μήτε
ἀσελγοῦς ἀκοῆς ἀνασχομένην ἐνυβρίσαι μὲν αὐτοῖς καὶ
ἀκολασίαν ὀνειδίσαι, προθυμότατα δὲ μᾶλλον ἑλέσθαι ἀπο-
965 θανεῖν ἢ τὴν παρθενίαν προδοῦναι.

4 Κρατήσαντος δὲ κατὰ τὴν Σαβώρου πρόσταξιν, ὡς ἐν
τοῖς πρόσθεν εἴρηται, τοὺς ἄλλους ἐᾶν, μόνους δὲ συλλαμ-
βάνεσθαι τοὺς ἱερέας καὶ τοὺς ὑφηγητὰς τοῦ δόγματος,
περιόντες μάγοι τε καὶ ἀρχίμαγοι ἀνὰ τὴν Περσῶν γῆν
ἐπιμελῶς ἐκακούργουν τοὺς ἐπισκόπους καὶ πρεσβυτέρους,
καὶ μάλιστα κατὰ τὴν Ἀδιαβηνῶν χώραν· κλίμα δὲ τοῦτο
Περσικὸν ὡς ἐπίπαν χριστιανίζον.

1. Le martyre de Tarboula (ou Tarbō, ou Therma, ou Φερβοῦς) eut
lieu, si l'on en croit la date de la fête de cette sainte chez les Syriens,
le 5 mai 345 : cf. l'art. « Tarbō » du Lexikon f. Theol. 9 (1964), c. 1299,
(E. HAMMERSCHMIDT), renvoyant à LABOURT, p. 69 s. L'histoire de
Tarboula éveillant par sa beauté la concupiscence des mages est
inspirée de celle de Suzanne.

2. Sur cette province d'Assyrie, limitrophe de l'Empire romain,
située à cheval sur le Tigre, qui doit son nom aux fleuves qui la tra-
versent, le Grand et le Petit Zab (en grec Diabas et Adiabas ; cf.
AMM., 23, 6, 21), et qui subit l'influence de la Syrie chrétienne et de sa
métropole Antioche, voir l'art. de FRAENKEL, PW I, 1 (1893), c. 360,

fondée, surtout en ce qu'elle était venue de Juifs, car elle partageait leurs croyances, elle vivait à la juive, et elle les tenait pour incapables de mensonge et bienveillants à son égard. Les mages donc, les ayant reçues de la main des soldats, condamnent à mort Tarboula et les autres. Elles furent sciées en deux, les tronçons furent empalés, et les mages firent passer la reine entre les pieux dans la pensée que cela éloignerait le mal[1]. **3** Cette Tarboula avait été, dit-on, de noble apparence et très belle ; certains des mages s'étaient épris d'elle et lui avaient envoyé des messages secrets en vue de s'unir à elle, lui promettant en salaire, si elle les écoutait, le salut pour elle et ses compagnes : mais elle, sans même supporter d'écouter ces propositions impudiques, les avait traités avec mépris et blâmés pour leur licence, et avec ardeur avait mieux aimé mourir que de trahir sa virginité.

4 Comme, selon l'ordre de Sapor, ainsi que je l'ai dit plus haut *(chap. 11, 5)*, la règle était de laisser aller les autres et de ne saisir que les prêtres et les maîtres de la doctrine, les mages et archimages parcouraient la Perse et y molestaient avec soin les évêques et les prêtres, et cela surtout dans l'Adiabène : c'est une région de Perse qui est presque entièrement chrétienne[2].

citant PLINE, *nat.*, 5, 66 ; 6, 25 etc., et AMM., 23, 6, 20 s. Les noms de plusieurs martyrs d'Adiabène sont donnés par LABOURT, p. 74-77 : Jean, évêque d'Arbel, Abraham, son successeur, le laïc Hanania, le prêtre Jacques, sa sœur, la religieuse Marie, cinq autres religieuses, Barhadbešabba, diacre d'Arbel, Aithala, prêtre d'Arbel, le diacre Hafsaï. Le prêtre Jacques et le diacre Azad clôturent la liste des martyrs d'Adiabène, en 372.

13

1 Ὑπὸ δὲ τοῦτον τὸν χρόνον καὶ Ἀκεψιμᾶν τὸν ἐπίσκοπον
συνελάβοντο καὶ πολλοὺς τῶν ὑπ' αὐτὸν κληρικῶν. Ἐπι-
λογισάμενοι δὲ τῇ ἄγρᾳ τοῦ ἡγουμένου ἠρκέσθησαν, τοὺς
δὲ ἄλλους ἀφῆκαν τὰς οὐσίας αὐτῶν ἀφελόμενοι. 2 Ἰάκωβος
δέ τις πρεσβύτερος ἑκοντῆς εἵπετο τῷ Ἀκεψιμᾷ, καὶ δεηθεὶς
τῶν μάγων ὑπὸ τὸν αὐτὸν ἐγένετο δεσμόν· καὶ οἷα γηραλέῳ
προθύμως ὑπηρετεῖτο καὶ τὰς συμφορὰς αὐτῷ ἐκούφιζεν,
ὡς ἐνῆν, καὶ τὰς πληγὰς ἐθεράπευε. Μετ' οὐ πολὺ δὲ τῆς
συλλήψεως ἱμᾶσιν ὠμοῖς χαλεπῶς αὐτὸν ἐβασάνισαν οἱ μάγοι
βιαζόμενοι προσκυνῆσαι τὸν ἥλιον· ὡς δὲ οὐκ εἶξε, πάλιν
αὐτὸν ἐν δεσμοῖς εἶχον. 3 Κατ' ἐκεῖνο δὲ καιροῦ καὶ Ἀειθαλᾶς
καὶ Ἰάκωβος πρεσβύτεροι, Ἀζαδάνης τε καὶ Ἀβδιησοῦς
διάκονοι διὰ τὸ δόγμα δεσμωτήριον ᾤκουν, χαλεπώτατα
ὑπὸ τῶν μάγων μαστιγωθέντες. Χρόνου δὲ πολλοῦ παρελ-
θόντος ἐκοινώσατο περὶ αὐτῶν βασιλεῖ ὁ μέγας ἀρχίμαγος.
Καὶ ἐπιτραπεὶς ὡς βούλεται τιμωρήσασθαι αὐτούς, εἰ μὴ
τὸν ἥλιον προσκυνήσουσι, δήλην τοῖς ἐν τῷ δεσμωτηρίῳ
ἐποιήσατο τὴν Σαβώρου πρόσταξιν. 4 Ὡς δὲ ἀναφανδὸν
ἀπεκρίναντο μήποτε σφᾶς προδότας φανήσεσθαι τοῦ Χριστοῦ
μηδὲ τὸν ἥλιον προσκυνήσειν, ἀφειδῶς αὐτοὺς ἐβασάνισε.
68 Καὶ Ἀκεψιμᾶς | μὲν ἐν ταῖς τοῦ δόγματος ὁμολογίαις
ἀνδρεῖος διαμείνας ἐτελεύτησε. Τινὲς δὲ τῶν ἐξ Ἀρμενίας
παρὰ Πέρσαις ὁμήρων τὸ λείψανον αὐτοῦ λάθρα ἀνελόμενοι
ἔθαψαν. 5 Οἱ δὲ ἄλλοι, καίπερ οὐχ ἧττον μαστιγωθέντες,

1. Akepsimas, évêque d'Anitha (Revanduz) passa 3 années en
prison avant d'être exécuté en 378, le 10 octobre d'après la Vie
grecque ; avec le prêtre Joseph et le diacre Aithalāhā, il compte parmi
les dernières victimes de la persécution de Sapor II : cf. la notice du
Lexikon f. Theol. 1 (1957), c. 236 (J. MÉCÉRIAN), renvoyant à DE-
LEHAYE, p. 478-557 (qui présente 4 recensions de la passion d'Akepsimas, la première accompagnée d'une trad. latine moderne).
2. Comme l'indique LABOURT, p. 62-63, les corps des suppliciés

Chapitre 13

Martyre de saint Akepsimas et de ses compagnons.

1 Vers ce temps-là ils saisirent aussi l'évêque Akepsimas[1] et beaucoup de membres de son clergé. A la réflexion,
ils se contentèrent du butin que constituait l'évêque et
ils relâchèrent les autres après avoir confisqué leurs biens.
2 Un certain prêtre, Jacob, voulut accompagner Akepsimas et, sur la demande qu'il fit aux mages, il fut mis sous
les mêmes chaînes. Et, comme Akepsimas était âgé, il le
servait avec ardeur, il allégeait, autant qu'il le pouvait,
ses misères et il soignait ses plaies. Peu de temps après
son arrestation, les mages torturèrent l'évêque de coups
de lanière très cruels pour le forcer à adorer le soleil. Il ne
céda pas, et ils le remirent dans les fers. **3** Il y avait à ce
moment aussi en prison, à cause de la foi, les prêtres
Aeithalas et Jacob, les diacres Azadanès et Abdièzous :
ils avaient été très cruellement fouettés par les mages.
Pas mal de temps s'étant passé, le grand archimage alla
s'entretenir avec le roi à leur sujet. L'archimage ayant reçu
permission de les châtier comme il voudrait s'ils n'adoraient pas le soleil, il fit afficher dans la prison l'ordre de
Sapor. **4** Comme ils répondirent ouvertement qu'ils ne
se montreraient jamais traîtres au Christ ni n'adoreraient
le soleil, il les fit torturer sans merci. Akepsimas mourut
ainsi après avoir persévéré avec courage dans sa confession
de la foi. Certains des otages arméniens chez les Perses
enlevèrent secrètement ses restes et les enterrèrent[2]. **5** Les

étant livrés par les Perses aux bêtes sauvages, « les martyrs étaient
pieusement recueillis par leurs frères... ; les chrétiens s'ingéniaient
à séduire et à corrompre les gardes. » En l'occurrence, la Passion
d'Akepsimas (cf. ASSEMANI, p. 171, cité par LABOURT, p. 80-81)
précise que le corps de l'évêque martyr fut « soustrait à la vigilance des
soldats par la fille du roi d'Arménie qui vivait comme otage dans une

παραδόξως ἔζων· καὶ μὴ μεταθέμενοι τῆς γνώμης πάλιν ἐν
δεσμοῖς ἐγένοντο. Σὺν αὐτοῖς δὲ ἦν καὶ ᾿Αειθαλᾶς, ὃς ἐν τῷ
τύπτεσθαι τεινόμενος, ὑπὸ τοῦ ἄγαν ἑλκυσμοῦ ἀπὸ τῶν
ὤμων διεσπάσθη τοὺς βραχίονας καὶ νεκρὰς καὶ μόνον ἠωρη-
μένας τὰς χεῖρας περιέφερεν, ὡς ἄλλους τῷ στόματι αὐτοῦ
τὴν τροφὴν προσάγειν.

6 ᾿Επὶ ταύτης τῆς ἡγεμονίας μαρτυρίᾳ τοῦ βίου περιέ-
στησαν πρεσβυτέρων τε καὶ διακόνων καὶ μοναχῶν καὶ ἱερῶν
παρθένων καὶ τῶν ἄλλως περὶ τὰς ἐκκλησίας ὑπηρετουμένων
968 καὶ περὶ τὸ δόγμα διακειμένων πλῆθος ἀναρίθμητον, 7 ἐπίσκοποι δὲ ὧν ἐπυθόμην Βαρβασύμης καὶ Παῦλος καὶ Γαδδι-
άβης καὶ Σαβῖνος καὶ Μαρέας καὶ Μώκιμος καὶ ᾿Ιωάννης καὶ
῾Ορμίσδας καὶ Βουλιδᾶς, Πάπας τε καὶ ᾿Ιάκωβος καὶ
῾Ρώμας καὶ Μαάρης καὶ ῎Αγας καὶ Βόχρης καὶ ᾿Αβδᾶς καὶ
᾿Αβδιησοῦς, ᾿Ιωάννης τε καὶ ᾿Αβράμιος καὶ ᾿Αβδελᾶς καὶ
Σαβώρης καὶ ᾿Ισαὰκ καὶ Δαυσᾶς, ὃς αἰχμάλωτος μὲν ἦν
γενόμενος ὑπὸ Περσῶν ἀπὸ Ζαβδαίου χωρίου ὧδε προσ-
αγορευομένου, κατ᾽ ἐκεῖνο δὲ καιροῦ ὑπὲρ τοῦ δόγματος
τέθνηκεν ἅμα Μαρεάβῃ χωρεπισκόπῳ καὶ κληρικοῖς τῶν
ὑπ᾽ αὐτὸν ἀμφὶ διακοσίοις πεντήκοντα, οἳ παρὰ Περσῶν
αἰχμάλωτοι σὺν αὐτῷ συνελήφθησαν.

forteresse de Médie ». La présence d'otages arméniens en Perse en 378,
date de la passion d'Akepsimas, est une conséquence des affaires
d'Arménie qui opposèrent Perses et Romains à partir de 368/370
(cf. Amm., 27, 12, où il est dit que Sapor, après s'être emparé d'Arto-
gerassa, enleva l'épouse du roi d'Arménie, Arsace III [peut-être avec
sa fille ?] ; suite des opérations rapportée en 29, 1, 1-4) et qui connurent
une recrudescence entre 376 et 378, avant que l'empereur romain
Valens fût obligé de bâcler un accord avec la Perse (Zosime, IV, 22),
pour pouvoir revenir en Europe (un tel accord peut impliquer un
échange d'otages).
     1. Cf. Assemani, p. 134-139, et Delehaye, p. 453.
     2. Zabdaïon, localité à identifier vraisemblablement avec Bézabdé,
ville souvent nommée par Ammien Marcellin (20, 7, 1 ; 11, 6 s. ;
21, 13, 11), devait être située en Zabdicène, l'une des cinq provinces
« transtigritanes » (avec l'Arzanène, la Moxoène, la Réhimène et la
Corduène) cédées par Jovien à la Perse par le traité de Nisibe en 363,
à la suite de l'échec de l'expédition de Julien (Amm., 25, 7, 9). Pour

autres, bien qu'ils n'eussent pas été moins fouettés, restèrent en vie, contre toute attente ; et comme ils n'avaient
pas changé d'opinion, on les remit dans les fers. Avec eux
était aussi Aeithalas : pendant qu'on le frappait, on lui
tendait les membres, et on avait tiré si fort que ses bras
avaient été arrachés des épaules et qu'il promenait partout
des mains comme mortes et seulement pendantes, en sorte
que d'autres lui mettaient les aliments dans la bouche.

6 Sous ce règne de Sapor passèrent, par le martyre, de
cette vie dans l'autre un nombre incalculable de prêtres,
de diacres, de moines, de vierges sacrées et de ceux qui,
dans d'autres fonctions, servaient dans les églises et soutenaient la doctrine orthodoxe. **7** Les évêques dont j'ai
appris le nom[1] sont Barbasymès, Paul, Gaddiabès, Sabinos,
Maréas, Môkimos, Jean, Hormisdas, Boulidas, Papas,
Jacob, Rômas, Maarès, Agas, Bochrès, Abdas, Abdièsous,
Jean, Abramios, Abdélas, Sabôrès, Isaac, Dausas : celui-ci
avait été fait prisonnier par les Perses au lieu-dit Zabdaïon[2],
et il mourut à ce moment pour la foi en même temps que
le chorévêque Maréabès[3] et environ deux cent cinquante
membres du clergé de ce chorévêque, qui avaient été faits
prisonniers par les Perses avec lui.

que la Zabdicène ne soit pas encore province perse, il faut que le
martyre de l'évêque Dausas soit *antérieur* à 363. Cela confirme que,
comme il a été dit à propos de la passion d'Akepsimas, Sozomène a
l'intention non pas de rapporter ici les seules persécutions exercées par
les Perses à l'époque de Constantin, mais bien de donner un tableau
d'ensemble, à ses yeux beaucoup plus édifiant, de la persécution
longue de 40 ans, qui, en fait, ne sévit vraiment qu'après la mort de
Constantin.

3. Formé à partir du mot χώρα (= la campagne), ce titre a une
valeur précise et presque technique dans l'organisation ecclésiastique.
Il désigne des personnages, très nombreux en Orient au ive s., qui,
ayant reçu l'ordination épiscopale, n'avaient pas de diocèse propre
mais aidaient les évêques titulaires de diocèses en exerçant pour eux
le ministère religieux à la campagne ; cette sorte d'évêque coadjuteur
de campagne subsista jusqu'à la fin du xie siècle.

14

1 Ὑπὸ τοῦτον τὸν χρόνον καὶ Μίλης ἐμαρτύρησεν· ὃς τὰ μὲν πρῶτα παρὰ Πέρσαις ἐστρατεύετο, μετὰ δὲ ταῦτα καταλιπὼν τὴν στρατείαν τὴν ἀποστολικὴν πολιτείαν ἐζήλωσε. Λέγεται δὲ πόλεως Περσικῆς ἐπίσκοπος χειροτονηθεὶς πολλὰ πολλάκις παθεῖν καὶ πληγὰς ὑπομεῖναι καὶ ἑλκυσμούς. Ὡς
69 | δὲ οὐδένα ἔπεισε χριστιανίσαι, χαλεπῶς ἐνεγκὼν κατηράσατο τῇ πόλει καὶ ἀνεχώρησε. **2** Μετ' οὐ πολὺ δὲ τῶν ἐνθάδε πρωτευόντων ἐξαμαρτόντων εἰς βασιλέα παραγενομένη στρατιὰ μετὰ τριακοσίων ἐλεφάντων τὴν πόλιν κατέστρεψαν καὶ οἷα ἄρουραν γεωργήσαντες ἔσπειραν. **3** Μίλης
969 δὲ μόνον πήραν ἐπιφερόμενος, ἐν ᾗ τὴν ἱερὰν βίβλον τῶν εὐαγγελίων εἶχεν, εἰς Ἱεροσόλυμα ἀπῆλθεν εὐξόμενος, κἀκεῖθεν εἰς Αἴγυπτον ἐπὶ θέα τῶν αὐτόθι μοναχῶν. Οἵων δὲ τοῦτον τὸν ἄνδρα θεσπεσίων καὶ παραδόξων ἔργων δημιουργὸν γενέσθαι παρειλήφαμεν, μαρτυροῦσι Σύρων παῖδες, οἳ τὰς αὐτοῦ πράξεις καὶ τὸν βίον ἀνεγράψαντο. **4** Ἐμοὶ δὲ ἀρκεῖν ἡγοῦμαι ταῦτα τέως περὶ αὐτοῦ διεξελθεῖν καὶ τῶν ἐν Περσίδι μαρτυρησάντων ἐπὶ τῆς Σαβώρου βασιλείας. Σχολῇ γὰρ ἄν τις ἅπαντα τὰ ἐπ' αὐτοῖς γεγενημένα ἀπαριθμήσαι, τίνες τε ἦσαν καὶ πόθεν ἢ πῶς τὴν μαρτυρίαν ἐπετέλεσαν καὶ ποίας τιμωρίας ὑπέμειναν· παντοδαποὶ γὰρ τῶν τοιούτων τρόποι παρὰ Πέρσαις εἰς ὠμότητα φιλοτιμουμένοις. **5** Ὡς ἔνι δὲ συλλήβδην εἰπεῖν, λέγεται τῶν τότε

---

1. Le martyre de Milès eut lieu la même année (345) que celui de Tarboula : comparer le récit de Sozomène aux Actes des martyrs orientaux (ASSEMANI, p. 66-79), auxquels Sozomène se réfère explicitement au § 3 (« les Syriens en témoignent, qui ont écrit ses actes et sa vie »). LABOURT, p. 70, énumère, d'après ces Actes, les « exploits saints et miraculeux » de Milès, que Sozomène se contente d'évoquer en une phrase prudemment générale : il lutta victorieusement contre un dragon, franchit à pied un fleuve en furie, frappa de paralysie

Chapitre 14

Martyre de l'évêque Milès ; son genre de vie ;
Sapor fait subir le martyre en Perse à seize mille nobles,
sans parler des gens d'obscure origine.

1 En ce temps-là aussi Milès témoigna pour la foi[1]. Il
avait d'abord servi dans l'armée des Perses, puis il quitta
l'armée et voulut mener la vie d'un apôtre. On dit que,
ordonné évêque d'une ville de Perse, il y endura souvent
bien des maux, subit des coups et le supplice du chevalet.
Comme il ne parvenait à ne faire aucun chrétien, il en fut
courroucé, maudit la ville et s'en alla. **2** Peu de temps
après, comme les premiers de cette ville s'étaient révoltés
contre le roi, une armée y survint avec trois cents élé-
phants, qui détruisit la ville, y fit passer la charrue comme
en une terre cultivée et l'ensemença. **3** Milès, ne portant
avec lui qu'une besace où il tenait le saint livre des évangiles, s'en alla à Jérusalem pour y prier, et de là en Égypte
pour y visiter les moines de ce pays. De quels exploits saints
et miraculeux nous avons appris que cet homme fut l'auteur, les Syriens en témoignent, qui ont écrit ses actes et
sa vie. **4** M'est avis, quant à moi, que pour l'instant ce récit
suffit sur lui et sur les martyrs de Perse sous le règne de
Sapor. Car c'est avec peine qu'on dénombrerait tout ce qui
leur est arrivé, qui ils étaient, d'où ils venaient, comment
ils furent martyrisés et quels supplices ils subirent : les
modes de ces supplices sont de toute sorte chez les Perses,
car ils rivalisent de cruauté. **5** Autant qu'il est possible
de le dire en résumé, on rapporte que ceux des martyrs

l'évêque Papa en lui lançant l'anathème, exerça son pouvoir de prophétie contre un diacre incestueux et contre ses propres juges qui,
rendus furieux, le tuèrent.

μαρτύρων τοὺς ὀνομαστὶ φερομένους, ἄνδρας τε καὶ γυναῖκας,
εἶναι εἰς μυρίους ἑξακισχιλίους, τὴν δὲ ἐκτὸς τούτων πληθὺν
κρείττω ἀριθμοῦ, καὶ διὰ τοῦτο ἐργῶδες φανῆναι τὰς αὐτῶν
προσηγορίας ἀπαριθμήσασθαι Πέρσαις τε καὶ Σύροις καὶ
τοῖς ἀνὰ τὴν Ἔδεσσαν οἰκοῦσιν, οἳ πολλὴν τούτου ἐπιμέλειαν
ἐποιήσαντο.

15

1 Ἐπεὶ δὲ ὧδε πολεμεῖσθαι τοὺς ἐν Περσίδι Χριστιανοὺς
ἔγνω Κωνσταντῖνος ὁ Ῥωμαίων βασιλεύς, ἤσχαλλέ τε καὶ
σφόδρα ἐδυσφόρει. Καὶ βοηθεῖν αὐτοῖς σπουδάζων ἠπόρει
ὅ τι ποιήσοι, ὡς ἂν καὶ αὐτοὶ βεβαίως διάγοιεν. Καὶ συμβὰν
κατ' ἐκεῖνο καιροῦ πρέσβεις παρ' αὐτὸν ἐλθεῖν τοῦ Περσῶν
βασιλέως, ἐπινεύσας τοῖς αἰτουμένοις κατὰ γνώμην πράξαντας ἀπέπεμψεν. **2** Εὔκαιρον δὲ τότε νομίσας παραθέσθαι
Σαβώρῃ τοὺς ἐν Περσίδι Χριστιανούς, ἔγραψε πρὸς αὐτόν,
70 μεγίστην καὶ ἀνάγραπτον ἀεὶ χάριν ὁμολογῶν ἕξειν, | εἰ

1. D'après LABOURT, p. 81, ce chiffre est « peut-être quelque peu
exagéré ». Toutefois, dès le début de la crise, le sermonnaire chrétien
Afraat, témoin direct des événements, déclarait la persécution de
Sapor aussi cruelle que celle de Dioclétien.

2. Sozomène en effet ne peut rien dire de plus précis puisque l'auteur
de la Passion de Simon Barsabba'é lui-même, sur laquelle fait fond
notre historien, déclare : « Quant aux noms des hommes, des femmes,
des enfants qui ont été tués pendant cette persécution, on ne les
connaît pas » (voir LABOURT, p. 68-69).

3. Régression chronologique considérable. On pourrait même y voir
une erreur caractérisée, si l'on perdait de vue que l'intention de
Sozomène est ici plus édifiante que purement historique. En effet,
Constantin est mort *trois ans avant* le début de la persécution générale
et acharnée. La lettre de Constantin que résume Sozomène est à
identifier avec celle, citée par EUSÈBE dans la *Vita Constantini*,
4, 8-9, datée de 330 environ, dans laquelle l'empereur romain « félicitait Sapor de la bienveillance qu'il témoignait aux chrétiens et se
réjouissait de la prospérité des églises persanes et de leur accroissement
continu » (cf. LABOURT, p. 43-44). Mais en 336, Constantin, prévoyant
des changements négatifs dans l'attitude des autorités perses à l'égard

d'alors dont le nom circule furent, hommes et femmes, au nombre de seize mille[1], que la foule des martyrs, outre ceux-là, est incalculable, et, pour cette raison, dénombrer leurs noms a paru une tâche difficile aux Perses, aux Syriens et aux habitants d'Édesse, qui ont pris grand soin de la chose[2].

Chapitre 15

Lettre de Constantin à Sapor
pour mettre un terme à la persécution des chrétiens.

1 Quand l'empereur des Romains Constantin eut appris que les chrétiens de Perse étaient ainsi persécutés, il en fut attristé et grandement irrité[3]. Il cherchait à leur venir en aide, mais ne savait que faire pour qu'eux aussi vécussent en sécurité. Par accident, vers ce temps, des ambassadeurs du roi des Perses vinrent à lui. Il donna son consentement à leurs demandes et les renvoya ayant mené à leur gré leur affaire. **2** Mais il estima que c'était une bonne occasion de recommander les chrétiens de Perse à Sapor, et il lui écrivit une lettre professant qu'il lui aurait une reconnaissance immense et inscrite en sa mémoire[4], s'il montrait de

de la minorité chrétienne, dès lors que ses relations avec le puissant voisin sassanide avaient commencé, à partir de 334, à se détériorer, adressa une autre lettre où il se posait, cette fois, en protecteur universel des chrétiens. C'est donc plutôt à cette seconde lettre que conviendrait l'expression de Sozomène à la fin du § 5 : « Il avait la plus grande sollicitude pour les chrétiens de partout, tant sujets de l'Empire que Barbares. » Voir Palanque, p. 59, n. 5, et p. 493.

4. C'est le sens, je suppose, de ἀνάγραπτον (χάριν). Ailleurs (I, 14, 11 ; IX, 1, 11) le sens est le normal, « mis par écrit ». Eusèbe, dans le parallèle, *Vita Constantini*, 4, 13, écrit ἀπερίγραπτον. Liddell-Scott (*s.v.* I a) donne le sens d' « immortalisé » (Himérius), du fait que c'est mis par écrit. Valois traduit *immortalem*. (A.-J. F.).

972 φιλάνθρωπος γένοιτο περὶ τοὺς ὑπ' αὐτὸν τὸ δόγμα τῶν
Χριστιανῶν θαυμάζοντας· ἐπεὶ καὶ τῷ τρόπῳ, φησί, τῆς
θρησκείας οὐδὲν ἐγκαλεῖν ἔστιν, εἴ γε μόναις εὐχαῖς ἀναι-
μάκτοις πρὸς ἱκεσίαν θεοῦ ἀρκοῦνται. Οὐ γὰρ αὐτῷ φίλον
αἱμάτων χύσις, μόνῃ δὲ χαίρει ψυχῇ καθαρᾷ πρὸς ἀρετὴν
καὶ εὐσέβειαν ὁρώσῃ, ὥστε καὶ ἐπαινεῖν χρῆναι τοὺς ὧδε
πιστεύοντας. 3 Ἔπειτα δὲ τῇ περὶ τὸ δόγμα προνοίᾳ ἵλεω
καὶ αὐτὸ ἕξειν τὸ θεον ὑπισχνεῖτο, τεκμηρίοις χρώμενος τοῖς
Οὐαλλεριανῷ καὶ αὐτῷ συμβεβηκόσιν. Αὐτὸς μὲν γὰρ διὰ
τὴν εἰς Χριστὸν πίστιν συμμάχῳ χρώμενος τῇ θεόθεν ῥοπῇ ἐκ
τοῦ πρὸς δύσιν ὠκεανοῦ ἀρξάμενος τὴν πᾶσαν Ῥωμαίων
οἰκουμένην ὑφ' ἑαυτὸν ἐποιήσατο καὶ πολλοὺς πολέμους
κατώρθωσε, πρὸς ἀλλοφύλους καὶ τοὺς τότε τυράννους
μαχόμενος· καὶ μὴ δεηθῆναι σφαγίων ἢ μαντείων τινῶν, ἀλλ'
ἀποχρῆσαι αὐτῷ εἰς νίκην τὸ τοῦ σταυροῦ σύμβολον τῶν
οἰκείων στρατευμάτων προηγούμενον καὶ εὐχὴν καθαρὰν
αἱμάτων καὶ ῥύπου. 4 Ὁ δὲ Οὐαλλεριανός, ἐφ' ὅσον οὐκ
ἐκακούργει τὰς ἐκκλησίας, εὐημερῶν διετέλει τὴν ἀρχήν·
ἐπεὶ δὲ διωγμὸν ἐγείρειν ἐβουλεύσατο κατὰ τῶν Χριστιανῶν,
θεία μῆνις ἐλάσασα αὐτὸν ὑπὸ Πέρσας ἐποίησε, παρ' ὧν

---

1. Constantin fait allusion à ses victoires sur les Goths, les Alamans,
les Sarmates (cf. l'inscription datée de 337 dans l'*Année épigraphique*,
1934, 158 : *Imp. Caes. Fl. Constantinus p.f. vict. ac triumfat. August.*,
pont. max., *Germ. max. IIII, Sarm. max. II, Gothic. max. II, Dac.*
max.....). Les « tyrans » (= usurpateurs) sont Maximien Hercule, le
beau-père de Constantin qui, pour avoir comploté contre son gendre,
dut se donner la mort ou fut assassiné (310); Maxence, fils du précédent, battu et tué à la bataille du Pont Milvius (312) ; Licinius, défait
et exécuté en 324 ; peut-être aussi l'obscur Calocaerus (cf. PIGANIOL,
p. 60) qui se proclama empereur à Chypre en 334 et fut exécuté en 335.
    2. Jusqu'en 257 les chrétiens avaient été bien traités par Valérien
— certains d'entre eux occupaient même des fonctions au Palais —
et ils étaient protégés par l'impératrice Salonina, épouse de Gallien,
fils de Valérien et élevé par lui à l'augustat. Mais les difficultés mili-
taires, les grandes invasions, l'influence du préfet Macrin amenèrent
en août 257 la publication d'un premier édit visant le haut clergé
chrétien ; puis en 258, un édit beaucoup plus général et rigoureux
provoqua des martyres à Rome, en Afrique (celui de Cyprien, évêque
de Carthage), en Espagne, en Gaule et en Orient. La fin de la persé-

l'humanité à l'égard de ceux qui, dans son royaume,
pratiquaient la religion chrétienne : car il n'y avait, disait-il,
rien à reprocher au mode de leur culte, s'il est vrai qu'ils se
bornaient à implorer Dieu par des prières non accompagnées
de sacrifices sanglants. Car Dieu ne se plaisait pas aux
effusions de sang, seule lui était agréable une âme pure
tournée vers la vertu et la piété, en sorte qu'il fallait
approuver ceux qui croyaient de cette manière. **3** Outre
cela, Constantin promettait que Sapor, s'il avait sollicitude
pour la foi chrétienne, aurait la Divinité elle-même pour
propice : il donnait comme preuve ce qui était arrivé à
Valérien et à lui-même. Lui-même, à cause de sa foi dans le
Christ, favorisé de l'alliance du secours divin, avait mis
sous son autorité tout l'Empire romain en commençant
depuis l'Océan à l'ouest, et il avait réussi en de nombreuses
guerres, luttant contre les Barbares et les tyrans d'alors[1] ;
et il n'avait eu besoin ni de sacrifices sanglants ni d'oracles,
mais il lui avait suffi pour vaincre du symbole de la croix
qui marchait en tête de ses propres troupes et d'une prière
pure de sang et d'ordure. **4** Valérien d'autre part, tant qu'il
n'avait pas maltraité les Églises, avait gouverné avec succès ;
mais du jour où il avait délibéré de susciter une persécution
contre les chrétiens, la vengeance divine l'avait poussé
pour le faire tomber sous le joug des Perses, il avait été
capturé par eux et avait fini misérablement sa vie[2].

cution (édit de tolérance de Gallien en 260) ne survint que lorsque
Valérien eut été défait et capturé par Sapor I, qui fit de lui son
esclave et lui infligea des traitements ignominieux même après sa
mort (cf. les fameux reliefs de Naqsh-I-Rustam) : cf. ZEILLER, p. 152.
Il y a sans doute une part d'exagération et de légende dans le récit de
LACTANCE, *mort. pers.*, 5 (voir le comm. de J. MOREAU dans son éd.,
SC 39, Paris 1954, p. 221-225). Sur le problème de la captivité de
Valérien, voir J. GAGÉ, « Comment Sapor a-t-il « triomphé » de Valé-
rien ? », *Syria* 42 (1965), p. 343-388, avec la conclusion : « Valérien dut
avoir non seulement la vie sauve, mais le corps intact. » Note très
substantielle de F. PASCHOUD dans son éd. de Zosime, *Coll. des
Univ. de France*, Paris 1971, p. 154-156 (ad ZOS., 1, 36, 2).

αἰχμάλωτος ληφθεὶς ἐλεεινῶς τὸν βίον κατέπαυσε. 5 Τοιαῦτα
Σαβώρῃ γράψας Κωνσταντῖνος ἐπειρᾶτο πείθειν αὐτὸν
εὐνοεῖν τῇ θρησκείᾳ. Πλείστῃ γὰρ ἐχρῆτο κηδεμονίᾳ περὶ
τοὺς πανταχοῦ Χριστιανούς, Ῥωμαίους καὶ ἀλλοφύλους.

16

1 Οὐ πολλῷ δὲ ὕστερον τῆς ἐν Νικαίᾳ συνόδου Ἄρειος
μὲν ἐπὶ τὴν ἐξορίαν ἀπαγόμενος ἀνεκλήθη, Ἀλεξανδρείας
δὲ ἔτι ἐπιβαίνειν κεκώλυτο. Ἀμέλει τοι ὕστερον ἡ εἰς Αἴγυπτον αὐτῷ κάθοδος ἐσπουδάσθη, ὡς ἐν καιρῷ λελέξεται.
973 2 Οὐκ εἰς μακρὰν δὲ τὰς αὐτῶν ἐκκλησίας ἀπέλαβον Εὐσέβιός τε ὁ Νικομηδείας, Ἀμφίωνα τὸν ἀντ᾽ αὐτοῦ χειροτονη-
θέντα ἐκβαλών, καὶ Θέογνιος δὲ ὁ Νικαίας, Χρῆστον. Ἀν-
εκλήθησαν δὲ μετανοίας βιβλίον ὧδε ἔχον τοῖς ἐπισκόποις
ἐπιδόντες·
71 | 3 « Ἤδη μὲν καταψηφισθέντες πρὸ κρίσεως παρὰ τῆς
εὐλαβείας ὑμῶν, ὠφείλομεν σιωπᾶν τὰ κεκριμένα παρὰ τῆς
εὐλαβείας ὑμῶν. Ἀλλ᾽ ἐπειδὴ ἄτοπον καθ᾽ ἑαυτῶν δοῦναι
τῶν συκοφαντούντων τὴν ἀπόδειξιν τῇ σιωπῇ, τούτου
ἕνεκεν ἀναφέρομεν, ὡς ἡμεῖς καὶ τῇ πίστει συνεδράμομεν καὶ

1. Sozomène semble bien ici faire allusion à la lettre de rappel,
adressée par Constantin à Arius, que donne SOCRATE, *H.E.* I, 25, en la
datant au jour près (le 5ᵉ jour avant les calendes de décembre =
27 novembre), sans malheureusement spécifier l'année : depuis
SCHWARTZ (*Gesamm. Schriften*, p. 208), on admet généralement qu'il
s'agit du 27 nov. 327, mais BARDY, p. 107, n. 3, la date de 334, à tort,
semble-t-il (voir à propos du § 5 *infra*, la discussion détaillée d'A.-J.
Festugière).
2. Très peu de temps après le rappel d'Arius mentionné dans le
libelle de repentance (*infra*, § 6), donc en 328 (cf. PHILOSTORGE,
H.E. II, 7). N'admettant pas l'existence d'une seconde session du
concile de Nicée en 327, BARDY, p. 100-101, attribue ce rappel des
exilés non pas à un rapprochement doctrinal, mais à des raisons

5 Voilà ce que Constantin écrivit à Sapor dans son désir de
le persuader d'avoir bienveillance pour notre religion. Il
avait en effet la plus grande sollicitude pour les chrétiens
de partout, tant sujets de l'Empire que Barbares.

Chapitre 16

*Les ariens Eusèbe (de Nicomédie)
et Théognios (de Nicée),
après avoir remis un libelle de soumission
aux décisions du concile de Nicée,
retrouvent leurs sièges épiscopaux.*

1 Peu de temps après le concile de Nicée, Arius, envoyé
en exil, fut rappelé, mais avec défense encore d'entrer à
Alexandrie[1]. N'empêche que plus tard on fit effort pour
qu'il revînt en Égypte, comme nous le dirons le moment
venu *(chap. 22, 1)*. **2** Non longtemps ensuite[2], Eusèbe de
Nicomédie et Théognios de Nicée reprirent leurs sièges,
après avoir chassé, l'un Amphion qui avait été ordonné
à sa place, l'autre, Chrestos. Ils furent rappelés après
avoir remis aux évêques le libelle de repentance[3] dont
voici les termes :

3 « Lorsque nous fûmes récemment condamnés, avant
jugement, par vos Révérences, nous devions nous taire
sur les décisions prises par vos Révérences. Mais comme il
serait absurde de notre part de fournir contre nous-mêmes,
par notre silence, la preuve aux calomniateurs, pour cette
raison nous déclarons et que nous avons donné notre accord
à la formule de foi et que, après avoir examiné le sens du

personnelles : l'influence exercée par Hélène, mère de Constantin, et
par Constantia, sœur de ce dernier, en faveur des exilés.

3. Le texte de ce libelle (voir Opitz, p. 65) se trouve aussi chez
Socrate, *H.E.* I, 14, 2-6, auquel Sozomène l'a sans doute emprunté.

τὴν ἔννοιαν ἐξετάσαντες ἐπὶ τῷ ὁμοουσίῳ ὅλοι ἐγενόμεθα
τῆς εἰρήνης, μηδαμοῦ τῇ αἱρέσει ἐξακολουθήσαντες. 4 Ὑπο-
μνήσαντες δὲ ἐπὶ ἀσφαλείᾳ τῶν ἐκκλησιῶν, ὅσα τὸν λογισμὸν
ἡμῶν ὑπέτρεχε, καὶ πληροφορηθέντες καὶ πληροφορήσαντες
τοὺς δι' ἡμῶν πεισθῆναι ὀφείλοντας, ὑπεσημηνάμεθα τῇ
πίστει· τῷ δὲ ἀναθεματισμῷ οὐχ ὑπεγράψαμεν, οὐχ ὡς τῆς
πίστεως κατηγοροῦντες, ἀλλ' ὡς ἀπιστοῦντες τοιοῦτον εἶναι
τὸν κατηγορηθέντα, ἐκ τῶν ἰδίᾳ πρὸς ἡμᾶς παρ' αὐτοῦ διά τε
ἐπιστολῶν καὶ τῶν εἰς πρόσωπον διαλέξεων πεπληροφορη-
μένοι μὴ τοιοῦτον εἶναι. 5 Εἰ δὲ ἐπείσθη ἡ ἁγία ὑμῶν σύνοδος,
οὐκ ἀντιτείνοντες, ἀλλὰ συντιθέμενοι τοῖς παρ' ὑμῶν κεκριμένοις καὶ διὰ τοῦ γράμματος πληροφοροῦμεν τὴν συγκατάθεσιν, οὐ τὴν ἐξορίαν βαρέως φέροντες, ἀλλὰ τὴν ὑπόνοιαν
τῆς αἱρέσεως ἀποδυόμενοι. 6 Εἰ γὰρ καταξιώσητε νῦν γοῦν
εἰς πρόσωπον ἐπαναλαβεῖν ἡμᾶς, ἕξετε ἐν ἅπασι συμψύχους,
ἀκολουθοῦντας τοῖς παρ' ὑμῖν κεκριμένοις, καὶ μάλιστα ὅτε
αὐτὸν τὸν ἐπὶ τούτοις ἐναγόμενον ἔδοξεν ὑμῶν τῇ εὐλαβείᾳ

1. Ce passage est difficile, parce que le langage est imprécis et que
nous connaissons mal les faits ; de plus, il a donné lieu à des interprétations diverses, de la part de Schwartz (*Gesamm. Schriften*,
p. 205 s. et 205, n. 3) et de Bardy (p. 100 s.) par exemple. Deux points
me paraissent sûrs : 1) εἰ δὲ ἐπείσθη... marque une opposition avec
ce qui précède, où les évêques disaient qu'ils n'avaient pas souscrit
à l'excommunication d'Arius. Ils ne peuvent donc dire maintenant :
Si le saint concile s'est laissé persuader d'*excommunier* Arius, nous
sommes entièrement d'accord. Le sens ne peut être que : Si le saint
concile (ou : Puisque...) s'est laissé persuader de *réhabiliter Arius,*
nous sommes entièrement d'accord. Ce sens est confirmé par la suite
(§ 7), où ils disent : « Il serait absurde, *alors que celui qui paraissait
être coupable (Arius) a été rappelé et a présenté sa défense sur les points
où on le calomniait,* que nous gardions, nous, le silence... » Je ne
m'accorde donc pas avec Schwartz qui entend εἰ δὲ ἐπείσθη comme
de l'excommunication d'Arius (cf. *l.c.*, p. 205, n. 3 : « εἰ δὲ ἐπείσθη
(Arius persönlich zu exkommunizieren) ἡ ἁγία ὑμῶν σύνοδος, οὐκ
ἀντιτείνοντες ἀλλὰ συντιθέμενοι τοῖς παρ' ὑμῖν κεκριμένοις (damit
kann nur die erste nicaenische Synode gemeint sein), καὶ διὰ τούτου
τοῦ γράμματος (wie damals durch die Unterzeichnung der πίστις)
πληροφοροῦμεν τὴν συγκατάθεσιν». Dans cette interprétation il y a

mot ' *homoousios* ' *(consubstantiel)*, nous avons été entièrement du parti de la paix, sans jamais avoir suivi l'hérésie.
4 Ainsi donc, tout en mentionnant, pour la sécurité des
Églises, tout ce qui s'était présenté à notre esprit, pleinement rassurés nous-mêmes et rassurant ceux qui doivent
être convaincus par notre entremise, nous avons souscrit
à la formule de foi. Mais nous n'avons pas donné notre
signature à l'anathématisme *(d'Arius)*, non que nous
accusions la formule de foi, mais parce que nous doutions
que l'accusé fût tel qu'on le disait ; car d'après ses relations
personnelles avec nous et en raison de ses lettres et de nos
entretiens en tête à tête, nous étions assurés qu'il n'était
pas tel. **5** Mais puisque votre saint concile s'est laissé persuader, nous ne faisons pas opposition, mais nous nous
associons à ce que vous avez décidé et, par le présent écrit,
nous confirmons notre assentiment[1], non parce que nous
supportons mal l'exil, mais pour nous dépouiller du soupçon d'hérésie. **6** Si de fait vous daignez maintenant du
moins nous recevoir à nouveau en votre présence, vous
nous trouverez unis de sentiment en tout, nous conformant
aux décisions que vous avez prises, et surtout quand,
celui-là même qui était poursuivi pour ces motifs, il a plu
à vos Révérences de le traiter avec bonté et de le rappeler.

---

une contradiction radicale. Les évêques qui viennent de dire : Nous
avons refusé d'excommunier Arius (*scil.* au concile de Nicée évidemment), ne peuvent poursuivre en disant : Mais si le concile ἐπείσθη
d'excommunier Arius, nous ne nous y opposons pas. Et comment ces
présents οὐκ ἀντιτείνοντες... συντιθέμενα... πληροφοροῦμεν seraient-
ils possibles s'il s'agit de faits passés deux ans auparavant ? Le sens
vrai est : Puisque vous avez maintenant réhabilité Arius, nous sommes
entièrement d'accord. 2) Pour le reste, je me range entièrement à
l'opinion de Schwartz, qui est la seule possible : εἰ δὲ ἐπείσθη ἡ ἁγία
ὑμῶν σύνοδος ne souffre que le sens : Puisque votre saint concile a
décidé que, et, comme il ne peut s'agir du 1er concile de Nicée, il doit
nécessairement s'agir d'un second concile (Schwartz, p. 208, le date
de nov. 327 : cf. la lettre de Constantin à Arius, qui est du 27 nov. 327)
(A.-J. F.).

976 φιλανθρωπεύσασθαι καὶ ἀνακαλέσασθαι. 7 Ἄτοπον δὲ τοῦ
δοκοῦντος εἶναι ὑπευθύνου ἀνακεκλημένου καὶ ἀπολογη-
σαμένου, ἐφ' οἷς διεβάλλετο, ἡμᾶς ἐπισιωπᾶν καθ' ἑαυτῶν
διδόντας τὸν ἔλεγχον. Καταξιώσατε οὖν, ὡς ἁρμόζει τῇ
φιλοχρίστῳ ὑμῶν εὐλαβείᾳ, καὶ τὸν θεοφιλέστατον βασιλέα
ὑπομνῆσαι καὶ τὰς δεήσεις ἡμῶν ἐγχειρίσαι καὶ θᾶττον
βουλεύσασθαι τὰ ὑμῖν ἁρμόζοντα ἐφ' ἡμῖν. »
   Ὧδε μὲν αὐτοῖς Εὐσέβιός τε καὶ Θέογνιος μετεμελήθησαν
καὶ τὰς αὐτῶν ἐκκλησίας ἀπέλαβον.

17

1 Ὑπὸ δὲ τοῦτον τὸν χρόνον μέλλων τὸν βίον μεταλλάσσειν
Ἀλέξανδρος Ἀλεξανδρείας ἐπίσκοπος διάδοχον αὐτοῦ κατ-
72 έλιπεν Ἀθανάσιον, θείαις | προστάξεσιν, ὡς ἡγοῦμαι, ἐπ'
αὐτὸν ἐνέγκας τὴν ψῆφον· ἐπεὶ τόν γε Ἀθανάσιόν φασιν
ἀποφυγεῖν πειραθῆναι καὶ ἄκοντα βιασθῆναι πρὸς Ἀλεξάνδρου τὴν ἐπισκοπὴν ὑποδέξασθαι. 2 Καὶ μαρτυρεῖ
Ἀπολινάριος ὁ Σύρος ὧδε λέγων·
   « Οὐκ ὤκνει δὲ καὶ μετὰ ταῦτα πολεμεῖν ἡ δυσσέβεια,
ἀλλὰ πρῶτον μὲν ἐπὶ τὸν μακάριον διδάσκαλον τοῦ ἀνδρὸς

1. « Se repentirent » est peut-être trop fort, mais le grec a ici
μετεμελήθησαν et plus haut (§ 2) μετανοίας βιβλίον. BARDY (p. 100)
dit « lettre de soumission » (A.-J. F.).

2. La mort d'Alexandre survint le 18 avril 328 (cf. BARDY, p. 99 :
date établie d'après la chronique des lettres pascales), et la consécration d'Athanase eut lieu le 7 juin de la même année.

3. Sur Apollinaire de Laodicée (ou Apollinaire le Jeune), né vers 310,
fidèle d'Athanase, défenseur acharné de l'orthodoxie, qui répliqua
courageusement, grâce à sa vaste érudition sacrée et profane, à la
politique scolaire de Julien (362-363), avant de fonder l'hérésie apollinariste, voir Lexikon f. Theol. 1 (1957), c. 714 (H. DE RIEDMATTEN).
Sozomène est seul à transmettre le présent texte, qui constitue le
fragment 168 de l'œuvre d'Apollinaire (éd. Lietzmann). Le partisan

7 Il serait absurde, alors que celui qui paraissait être coupable a été rappelé et a présenté sa défense sur les points où on le calomniait, que nous gardions, nous, le silence, fournissant contre nous-mêmes un motif de conviction. Daignez donc, comme il convient à vos Révérences amies du Christ, et nous rappeler au souvenir du très pieux empereur, et lui offrir nos prières et délibérer au plus vite sur ce qu'il est juste que vous fassiez pour nous. »

C'est ainsi donc qu'Eusèbe et Théognios se repentirent[1] auprès des évêques et reprirent leurs églises.

Chapitre 17

A la mort d'Alexandre d'Alexandrie,
Athanase, désigné par lui, lui succède ;
récit concernant l'enfance d'Athanase ;
comment il devint prêtre sans avoir été instruit ;
affection que lui voue le grand Antoine.

1 Vers ce temps-là, sur le point de quitter la vie, Alexandre, évêque d'Alexandrie, laissa pour lui succéder Athanase, qu'il avait choisi, comme je le pense, à la suite d'ordres divins[2]. On raconte en effet qu'Athanase avait essayé de fuir et que c'est malgré lui qu'il fut contraint par Alexandre d'assumer l'épiscopat. **2** Cela, Apollinaire de Syrie[3] l'atteste, qui parle ainsi :

« L'impiété après cela encore n'hésitait pas à faire la guerre. Elle s'arma d'abord contre le bienheureux précepteur de cet homme *(Athanase)*, auquel il prêtait son

---

d'Athanase y développe le thème du refus du pouvoir, impérial ou épiscopal, comme signe de légitimité : ce lieu commun est habituel chez les panégyristes (SYMMAQUE, *or.* I, 10 ; III, 5 ; et PACATUS, *paneg.* 12, 11), chez les historiens, par ex. *S.H.A.*, *Probus*, 10, 5 et 6, chez les hagiographes *(Vita s. Ambrosii, 7-9)*.

ὡπλίζετο, ᾧ καὶ οὗτος παρῆν συνήγορος ὡς πατρὶ παῖς,
ἔπειτα καὶ ἐπ᾽ αὐτόν, ὡς ἧκεν ἐπὶ τὴν τῆς ἐπισκοπῆς διαδοχήν, πολλῇ μὲν ἀποφυγῇ χρησάμενος, κατὰ θεὸν δὲ
ἀνευρεθείς, ὡς καὶ τῷ μακαρίῳ ἀνδρὶ τῷ τὴν ἐπισκοπὴν
ἐγχειρίσαντι προδεδήλωτο θείαις δηλώσεσιν οὐχ ἕτερον ἔσεσθαι τὸν διάδοχον ἢ τοῦτον. 3 Ἐκαλεῖτο μὲν γὰρ ἐκ τοῦ βίου·
ἤδη δὲ πρὸς ἀπαλλαγὴν τυγχάνων Ἀθανάσιον ὀνομαστὶ μὴ
παρόντα ἐκάλει. Καὶ ὡς ὁ παρὼν ὁμώνυμος ὑπήκουε τῇ
κλήσει, πρὸς μὲν τοῦτον ἀπεσιώπα, ὡς οὐ τοῦτον καλῶν.
Αὖθις δὲ ἐχρῆτο τῇ κλήσει· καὶ ὡς ταὐτὸ πολλάκις ἐγίνετο,
ἀπεσιωπᾶτο μὲν ὁ παρών, ἐδηλοῦτο δὲ ὁ μὴ παρών. Καὶ
προφητικῶς ἔλεγεν ὁ μακάριος Ἀλέξανδρος· ᾿ Ἀθανάσιε,
νομίζεις ἐκπεφευγέναι· οὐκ ἐκφεύξῃ δέ ᾿, δηλῶν ὡς πρὸς τὸν
977 ἀγῶνα ἐκαλεῖτο. »

4 Ταῦτα μὲν Ἀπολινάριος γράφει περὶ Ἀθανασίου. Οἱ δὲ
ἀπὸ τῆς Ἀρείου αἱρέσεως λέγουσιν, ὡς Ἀλεξάνδρου τελευτήσαντος ἐκοινώνουν ἀλλήλοις οἱ τὰ Ἀλεξάνδρου καὶ Μελιτίου φρονοῦντες, συνελθόντες τε ἐκ Θηβαΐδος καὶ τῆς ἄλλης
Αἰγύπτου πεντήκοντα καὶ τέσσαρες ἐπίσκοποι ἐνωμότως
συνέθεντο κοινῇ ψήφῳ αἱρεῖσθαι τὸν ὀφείλοντα τὴν Ἀλεξανδρέων ἐκκλησίαν ἐπιτροπεύειν· ἐπιορκήσαντας δὲ ἑπτά
τινας τῶν ἐπισκόπων παρὰ τὴν πάντων γνώμην κλέψαι τὴν
Ἀθανασίου χειροτονίαν, καὶ διὰ τοῦτο πολλοὺς τοῦ λαοῦ
καὶ τῶν ἀνὰ τὴν Αἴγυπτον κληρικῶν ἀποφυγεῖν τὴν πρὸς
αὐτὸν κοινωνίαν.

73 | 5 Ἐγὼ δὲ πείθομαι τὸν ἄνδρα τοῦτον οὐκ ἀθεεὶ παρελθεῖν
ἐπὶ τὴν ἀρχιερωσύνην, λέγειν τε καὶ νοεῖν ἱκανὸν καὶ πρὸς
ἐπιβουλὰς ἀντέχειν, οἵου μάλιστα ὁ κατ᾽ αὐτὸν ἐδεῖτο καιρός.
Ἐγένετο δὲ ἐκκλησιαστικὸς ὅτι μάλιστα καὶ περὶ τὸ ἱερᾶσθαι
ἐπιτηδειότατος, ἐκ νέου, ὡς εἰπεῖν, αὐτοδίδακτος τοιοῦτος

---

1. Ils sont représentés par Philostorge, *H.E.* II, 11. En sens
opposé, voir Athanase, *Apologia contra Arianos*, 6, 4, et Socrate,
H.E. I, 23, 3, qui est sur ce point beaucoup plus rapide et vague que
Sozomène. D'après notre historien lui-même, cette ordination brus-
quée fut l'une des raisons invoquées contre Athanase au concile de
Tyr (cf. *infra*, 25, 6).

appui comme un fils à son père, puis elle lutta contre lui-
même, lorsqu'il lui eut succédé dans l'épiscopat. Il avait
pourtant fui au loin, mais il fut découvert par le vouloir
de Dieu, du fait qu'il avait été annoncé par de divines révé-
lations au bienheureux (Alexandre), qui lui avait confié
l'épiscopat, qu'il n'aurait pas d'autre successeur que
celui-là. **3** C'était au moment où il était rappelé hors de
la vie ; déjà il allait la quitter quand il se mit à appeler par
son nom Athanase qui n'était pas là. Comme son assistant,
qui portait le même nom, répondait à l'appel, il se tut, car
ce n'était pas lui qu'il appelait. Il réitéra son appel. Et
alors que cela se renouvelait souvent, chaque fois, l'Athanase présent récoltait le silence et c'était l'Athanase absent
qui était désigné. Et le bienheureux Alexandre répétait de
manière prophétique : ' Tu crois y avoir échappé, Athanase : mais tu n'y échapperas pas ', signifiant par là qu'il
l'appelait au combat. »

4 Voilà ce qu'Apollinaire écrit sur Athanase. Mais à ce
que disent les partisans de l'hérésie d'Arius[1], après la mort
d'Alexandre, ceux qui tenaient pour Alexandre et ceux
qui tenaient pour Mélétios se réunirent ; et lorsque se furent
rassemblés de la Thébaïde et du reste de l'Égypte cin-
quante-quatre évêques, ils convinrent par serment, d'une
commune voix, de choisir ensemble celui qui devait gouverner l'Église d'Alexandrie. Mais ensuite, ayant manqué
à leur serment, sept de ces évêques, contrairement à l'avis
commun, obtinrent par surprise l'ordination d'Athanase,
et c'est là la raison pour laquelle beaucoup des laïcs et des
clercs de l'Égypte se détournèrent de sa communion.

5 Cependant j'estime, quant à moi, que ce n'est pas sans
le secours de Dieu que cet homme parvint au pontificat
suprême, car il était à la fois bon orateur et intelligent, et
capable de s'opposer aux embûches, tel surtout que l'exigeait le temps où il vécut. Il fut au plus haut point attaché
aux fonctions ecclésiastiques et tout à fait propre à exercer
le sacerdoce, et il apparut tel sans y avoir été instruit,

φανείς. 6 Ἀμέλει τοι οὔπω προσήβῳ γενομένῳ τόδε φασὶν
ἐπ' αὐτῷ συμβεβηκέναι. Δημοτελῆ καὶ σφόδρα λαμπρὰν
πανήγυριν εἰσέτι νῦν ἄγουσιν Ἀλεξανδρεῖς τὴν ἐτησίαν
ἡμέραν τῆς μαρτυρίας Πέτρου τοῦ γενομένου παρ' αὐτοῖς
ἐπισκόπου. Ταύτην τε ἐπιτελῶν Ἀλέξανδρος ὁ τότε τῆς
ἐκκλησίας ἡγούμενος, ἤδη τὴν λειτουργίαν πληρώσας,
περιέμενε τοὺς ἅμα αὐτῷ μέλλοντας ἀριστᾶν. 7 Καθ' ἑαυτὸν
δὲ διάγων τοὺς ὀφθαλμοὺς εἶχεν ἐπὶ τὴν θάλασσαν. Ἰδὼν δὲ
πόρρωθεν παρὰ τὸν αἰγιαλὸν παῖδας παίζοντας καὶ ἐπίσκοπον
μιμουμένους καὶ τὰ τῆς ἐκκλησίας ἔθη, ἐφ' ὅσον ἀκίνδυνον
ἑώρα τὴν μίμησιν, ἤδετο τῇ θέᾳ καὶ τοῖς γινομένοις ἔχαιρεν.
Ἐπεὶ δὲ καὶ τῶν ἀπορρήτων ἥψαντο, ἐταράχθη· καὶ μετακαλεσάμενος τοὺς ἐν τέλει τοῦ κλήρου ἐπέδειξε τοὺς παῖδας,
καὶ συλληφθέντας αὐτοὺς ἀχθῆναι κελεύσας ἐπυνθάνετο, τίς
αὐτοῖς ἦν ἡ παιδιὰ καὶ ποδαποὶ οἱ ἐπὶ ταύτῃ λόγοι καὶ πράξεις. 8 Οἱ δὲ δείσαντες τὰ πρῶτα ἠρνοῦντο, ἐπιμείναντος δὲ
αὐτοῦ τῇ βασάνῳ κατεμήνυσαν ἐπίσκοπον μὲν καὶ ἀρχηγὸν
γενέσθαι τὸν Ἀθανάσιον, βαπτισθῆναι δὲ παρ' αὐτοῦ τινας
τῶν ἀμυήτων παίδων. 9 Οὓς ἐπιμελῶς ἀνέκρινεν Ἀλέξανδρος,
τί μὲν αὐτοὺς ἤρετο ἢ ἐποίησεν ὁ τῆς παιδιᾶς ἱερεύς, τί δὲ
αὐτοὶ ἀπεκρίναντο ἢ ἐδιδάχθησαν. Ἀνευρὼν δὲ πᾶσαν τὴν
ἐκκλησιαστικὴν τάξιν ἀκριβῶς ἐπ' αὐτοῖς φυλαχθεῖσαν,
ἐδοκίμασεν ἅμα τοῖς ἀμφ' αὐτὸν ἱερεῦσι βουλευσάμενος μὴ
χρῆναι ἀναβαπτίσαι τοὺς ἅπαξ ἐν ἁπλότητι τῆς θείας χάριτος
ἀξιωθέντας· τὰ δὲ ἄλλα περὶ αὐτοὺς ἐπλήρου, ἃ θέμις μόνους
980   τοὺς ἱερωμένους μυσταγωγοῦντας ἐπιτελεῖν. 10 Ἀθανάσιον
δὲ καὶ τοὺς ἄλλους παῖδας, οἳ πρεσβύτεροι καὶ διάκονοι ἐν
τῷ παίζειν ἐτύγχανον, ὑπὸ μάρτυρι τῷ θεῷ τοῖς οἰκείοις
παρέδωκεν ἀναθρέψαι τῇ ἐκκλησίᾳ καὶ ἀγαγεῖν ἐφ' ὃ ἐμι-

---

1. Pierre avait affronté le martyre le 26 novembre 311 : cf. *Lexikon
f. Theol.* 8 (1963), c. 331 (P. CAMELOT).

2. On a l'imparfait (ἐπλήρου) parce qu'il s'agit d'une action qui se
renouvelle pour chaque enfant. En français on ne peut traduire que
par le passé défini (*supplevit* Valois). Pour ce rôle de l'imparfait en
grec, cf. R. KÜHNER - B. GERTH, *Ausführliche Grammatik der griechischen Sprache*, Leverkusen 1955⁴, t. I, p. 162, Anmerk. 4 (A.-J.F).

depuis sa jeunesse, si l'on peut dire. **6** Car voici, dit-on, ce qui lui arriva alors qu'il n'était pas encore adolescent. Aujourd'hui encore les Alexandrins célèbrent publiquement et avec éclat comme fête le jour anniversaire du martyre de Pierre[1], qui avait été chez eux évêque. Alexandre, alors chef de l'Église, avait célébré cette fête et, la liturgie achevée, il attendait ceux qui devaient déjeuner avec lui. **7** Il était seul et il regardait vers la mer. Il vit de loin, sur le rivage, des enfants qui jouaient et qui, dans leur jeu, imitaient l'évêque et les cérémonies de l'Église. Tant qu'il voyait que cette imitation était sans risque, il prenait plaisir à cette vue et la chose l'amusait. Mais quand les enfants en vinrent aux parties secrètes de la messe, il fut pris de trouble. Et ayant fait venir les dignitaires de son clergé, il leur montra les enfants et leur ordonna de les prendre et de les lui amener. Il se mit alors à leur demander ce qu'était là ce jeu et d'où ils tenaient les paroles et les actes qu'il comportait. **8** Effrayés, les enfants d'abord refusaient de parler. Mais quand il eut poussé plus avant l'examen, ils lui révélèrent qu'Athanase était devenu pour eux évêque et initiateur, et que certains des enfants non initiés avaient été baptisés par lui. **9** Alexandre les examina soigneusement sur ce que leur demandait ou leur avait fait l'évêque de ce jeu, et sur ce qu'ils avaient répondu eux-mêmes ou avaient appris. Il découvrit que ces enfants avaient exactement suivi toutes les règles de l'Église et, après en avoir délibéré avec les prêtres de sa suite, il jugea qu'il ne fallait pas rebaptiser ceux qui, en toute simplicité, avaient été jugés dignes une fois de la grâce divine : il se borna à compléter[2] le reste des cérémonies, que seuls les initiants consacrés par le sacerdoce ont droit à accomplir. **10** Athanase donc et les autres enfants qui se trouvaient être prêtres et diacres dans le jeu, Alexandre les rendit à leurs parents, prenant Dieu à témoin, afin de les élever pour l'Église et les amener aux fonctions qu'ils avaient imitées. Peu après, il fit d'Athanase son commensal et

μήσαντο. Μετ' οὐ πολὺ δὲ ὁμοδίαιτον καὶ ὑπογραφέα τὸν
Ἀθανάσιον εἶχεν. Εὖ δὲ ἀχθείς, γραμματικοῖς τε καὶ ῥήτορσι
φοιτήσας, ἤδη εἰς ἄνδρας τελῶν, καὶ πρὸ τῆς ἐπισκοπῆς
πεῖραν ἔδωκε τοῖς ὁμιλήσασιν αὐτῷ σοφοῦ καὶ ἐλλογίμου
74 ἀνδρός. 11 Ἐπεὶ δὲ ἐτελεύτησεν Ἀλέξανδρος διά|δοχον
αὐτὸν καταλιπών, ἔτι μᾶλλον ἐπέδωκεν ἡ περὶ αὐτοῦ δόξα
βεβαιουμένη ταῖς οἰκείαις ἀρεταῖς καὶ τῇ μαρτυρίᾳ Ἀντωνίου
τοῦ μεγάλου μοναχοῦ. Μετακαλουμένου γὰρ αὐτοῦ ὑπήκουε
καὶ ταῖς πόλεσιν ἐφοίτα καὶ εἰς τὰς ἐκκλησίας συνῄει καὶ
οἷς ἐδόξαζε περὶ θεοῦ συνεψηφίζετο, καὶ φίλον ἐν πᾶσιν
εἶχεν αὐτὸν καὶ τοὺς ἐναντιουμένους ἢ ἀπεχθανομένους
αὐτῷ ἀπεστρέφετο.

18

1 Μάλιστα δὲ ἐνδοξότατον αὐτὸν κατέστησαν οἱ τὰ
Ἀρείου καὶ Μελιτίου φρονοῦντες, ἀεὶ μὲν ἐπιβουλεύσαντες,
οὐδέποτε δὲ δικαίως αὐτὸν ἑλεῖν δόξαντες. 2 Τὰ μὲν οὖν
πρῶτα δι' ἐπιστολῆς ἐπειράθη αὐτοῦ Εὐσέβιος δέχεσθαι
τοὺς περὶ Ἄρειον· εἰ δὲ ἀπειθήσει, κακῶς αὐτὸν ποιήσειν
ἀγράφως ἠπείλει. Ὡς δὲ οὐκ εἶξε, μὴ δεκτοὺς εἶναι ἐνιστά-

---

1. Le texte de Sozomène dépend de Rufin, H.E. I (X), 15, qu'il
suit de très près. Le motif du destin d'un personnage préfiguré dans
l'enfance par ses jeux est bien attesté dans les biographies impériales.
Cf. Thelamon, p. 333-337.

2. Voir Athanase, Vita Antonii, 68-71, notamment 68, 3 pour
l'hostilité d'Antoine aux ariens : « Il disait que leurs discours sont
pires que le venin des serpents. »

3. Quand Sozomène dit « Eusèbe », il s'agit toujours d'Eusèbe de
Nicomédie. Quand il veut indiquer Eusèbe de Césarée, il dit Εὐσέβιος
ὁ Παμφίλου (A.-J. F.).

4. Lettre mentionnée par Athanase lui-même, dans Apologia
contra Arianos, 59, 4 et reproduite par Socrate, H.E. I, 23, 4. L'habi-

son secrétaire. Comme il avait été bien éduqué, qu'il avait
fréquenté les écoles des grammairiens et des rhéteurs[1],
une fois arrivé à l'âge d'homme, c'est bien avant même
l'épiscopat qu'il donna des preuves aux personnes en relations avec lui de sa sagesse et de sa compétence. **11** Quand
Alexandre, à sa mort, l'eut laissé comme successeur, sa
réputation s'accrut encore, confirmée par ses vertus et
par le témoignage du grand moine Antoine[2]. En effet,
quand Athanase l'appelait à lui, Antoine obéissait, il fré-
quentait les villes, il l'accompagnait dans les églises, il
joignait son vote aux définitions théologiques qu'exprimait
Athanase, il l'avait pour ami en tout et il abhorrait ceux
qui s'opposaient à lui ou le haïssaient.

Chapitre 18

Les ariens et les méléciens rendent Athanase célèbre.
Eusèbe ; comment Athanase est sollicité de recevoir Arius ;
le terme « homoousios » ;
un différend extrêmement vif oppose
Eusèbe de Pamphile et Eustathe d'Antioche.

1 Ceux qui rendirent surtout Athanase très illustre,
ce sont les sectateurs d'Arius et de Mélétios, qui sans cesse
intriguèrent contre lui mais ne purent jamais se prévaloir
de l'avoir pris en faute. **2** Tout d'abord Eusèbe[3] lui demanda
par lettre de recevoir Arius et ses partisans[4] : s'il refusait,
il menaçait oralement de lui causer des torts. Comme
Athanase ne céda pas, répliquant qu'on ne pouvait accepter

tude du temps, attestée par la correspondance de SYMMAQUE (livre 1,
lettre 46) et l'*Histoire* d'AMMIEN MARCELLIN (par ex. 28, 8, 18), était
de doubler la correspondance officielle par une correspondance offi-
cieuse, souvent orale, qui complétait, mais bien souvent aussi contre-
disait la teneur de la première : voir encore Sozomène, *infra*, 19, 6.

μενος τοὺς ἐπὶ νεωτερισμῷ τῆς ἀληθείας αἵρεσιν εὑρόντας
καὶ παρὰ τῆς ἐν Νικαίᾳ συνόδου ἀποκηρυχθέντας, ἐσπούδαζεν
ὅπως αὐτὸς ὁ βασιλεὺς προσδέξηται τὸν Ἄρειον καὶ κάθοδον
αὐτῷ παράσχῃ. Ἀλλὰ ταῦτα μὲν ὡς ἐγένετο, οὐκ εἰς μακρὰν
ἐρῶ. 3 Ἐν δὲ τῷ τότε πάλιν πρὸς ἑαυτοὺς ἐστασίαζον οἱ
ἐπίσκοποι ἀκριβολογούμενοι περὶ τὸ ὁμοούσιον ὄνομα. Οἱ
μὲν γὰρ τοὺς τοῦτο προσδεχομένους βλασφημεῖν ᾤοντο,
ὡς ὑπάρξεως ἐκτὸς τὸν υἱὸν δοξάζοντας καὶ τὰ Μοντανοῦ καὶ
Σαβελλίου φρονοῦντας, οἱ δ᾽ αὖ πάλιν ὡς Ἑλληνιστὰς τοὺς
ἑτέρους ἐξετρέποντο καὶ πολυθεΐας εἰσάγειν διέβαλλον.
4 Κατετρίβοντο δὲ μάλιστα περὶ τὰ τοιαῦτα Εὐσέβιός τε ὁ
Παμφίλου καὶ Εὐστάθιος ὁ Ἀντιοχεύς. Ἀμφότεροι μὲν γὰρ
τὸν υἱὸν τοῦ θεοῦ ἐν ὑποστάσει εἶναι ὡμολόγουν, ὥσπερ δὲ
981   ἀλλήλων μὴ ἐπαΐοντες ἀλλήλους διέβαλλον. Καὶ Εὐστάθιος
μὲν ἐπῃτιᾶτο Εὐσέβιον <ὡς> εἰς τὰ ἐν Νικαίᾳ δόξαντα περὶ
τοῦ δόγματος καινοτομοῦντα, ὁ δὲ ταῦτα μὲν ἐπαινεῖν φησιν,
Εὐσταθίῳ δὲ τὴν Σαβελλίου ὀνειδίζειν δόξαν.

1. Le montanisme est un mouvement apocalyptique, fondé par le
prêtre Montan, qui prophétisait en Phrygie au cours de la seconde
moitié du IIᵉ siècle. A cause de ses traits ascétiques, ce mouvement
connut une résurgence en Afrique et Tertullien se rallia à lui momen-
tanément en 206 : voir *Lexikon f. Theol.* 7 (1962), c. 578-580 (H. BACHT).
Sabellius, théologien du début du IIIᵉ siècle, était, comme ses collègues
Noet et Praxéas, partisan du monarchianisme : soucieux avant tout
de préserver le monothéisme et l'unité, la « monarchie », de Dieu, il
tombait dans l'hérésie du fait qu'il ne reconnaissait pas la « subsis-
tence » indépendante du Fils. A l'intérieur du monarchianisme,
Sabellius était le chef de file de la tendance modaliste, qui se distin-

les auteurs d'une hérésie qui révolutionnait la vraie doctrine et des hommes qui avaient été excommuniés par le concile de Nicée, Eusèbe s'efforçait d'obtenir que l'empereur lui-même accueillît Arius et lui procurât le retour à Alexandrie. Mais comment tout cela se fit, je le dirai d'ici peu *(chap. 22, 1 s.)*. **3** Pour l'instant les évêques étaient de nouveau en dispute par un souci de précision quant au terme de *homoousios*. Selon les uns, ceux qui acceptaient ce terme blasphémaient, du fait qu'ils tenaient le Fils pour sans existence propre et partageaient les hérésies de Montan et de Sabellius[1] ; mais les autres au contraire fuyaient comme païens ceux qui refusaient le terme et ils les accusaient d'introduire dans le christianisme du polythéisme. **4** La dispute était surtout vive à ce sujet entre Eusèbe de Pamphile et Eustathe d'Antioche. Tous deux convenaient que le Fils de Dieu est dans sa substance propre[2], mais, comme des gens qui ne s'écoutent pas, ils s'accusaient l'un l'autre. Eustathe accusait Eusèbe d'apporter des innovations contraires aux définitions dogmatiques de Nicée, Eusèbe répondait qu'il les approuvait, mais il reprochait à Eustathe de partager l'erreur de Sabellius.

guait de la tendance adoptianiste : cf. *Lexikon f. Theol.* 9 (1964), c. 193 (R. LACHENSCHMID), et DANIÉLOU-MARROU, p. 250-252 ; 295 ; 298-301 (« le front commun antisabellien »).

2. Τὸν υἱὸν τοῦ θεοῦ ἐν ὑποστάσει εἶναι (pour ἐν ὑποστάσει εἶναι cf. LAMPE, *s.v.* ὑπόστασις II B), autrement dit ne se confond pas avec le Père. C'est le contraire de ὡς ὑπάρξεως ἐκτὸς τὸν υἱὸν δοξάζοντας (A.-J. F.).

19

1 Συνόδου δὲ ἐν Ἀντιοχείᾳ γενομένης ἀφαιρεῖται Εὐστάθιος τὴν Ἀντιοχέων ἐκκλησίαν, τὸ μὲν ἀληθές, ὡς ὁ πολὺς
ἔχει λόγος, καθότι τὴν ἐν Νικαίᾳ πίστιν ἐπήνει καὶ τοὺς
75 ἀμφὶ τὸν Εὐσέβιον καὶ Παυλῖνον τὸν Τύρου | ἐπίσκοπον καὶ
Πατρόφιλον τὸν Σκυθοπόλεως, ὧν τῇ γνώμῃ οἱ ἀνὰ τὴν ἕω
ἱερεῖς εἵποντο, οἷά γε τὰ Ἀρείου φρονοῦντας ἀπεστρέφετο
καὶ φανερῶς διέβαλλε, πρόφασιν δέ, ὡς οὐχ ὁσίαις πράξεσι
τὴν ἱερωσύνην αἰσχύνας ἐφωράθη. **2** Μεγίστη δὲ διὰ τὴν
αὐτοῦ καθαίρεσιν ἀνεκινήθη στάσις κατὰ τὴν Ἀντιόχειαν,
ὡς μικροῦ δεῖν ξιφῶν ἅψασθαι τὸ πλῆθος καὶ πᾶσαν κινδυ-
νεῦσαι τὴν πόλιν. Ἔβλαψε δὲ αὐτὸ τοῦτο οὐ μετρίως αὐτὸν
πρὸς βασιλέα. Ὡς γὰρ ἔγνω ταῦτα συμβεβηκέναι καὶ τὸν
λαὸν τῆς ἐκκλησίας εἰς δύο διῃρῆσθαι, σφόδρα ἐχαλέπαινε καὶ
ἐν ὑπονοίᾳ αὐτὸν εἶχεν ὡς αἴτιον τῆς στάσεως. Πέμπει δὲ
ὅμως τινὰ τῶν ἀμφ᾽ αὐτὸν λαμπρῶς στρατευομένων, ἐντειλάμενος εἰς δέος καταστῆσαι τὸ πλῆθος καὶ δίχα ταραχῆς καὶ
βλάβης καταπαῦσαι τὴν στάσιν.

---

1. « Dès 330, à ce qu'il semble » : BARDY, p. 102 ; CAVALLERA, p. 37
(A.-J. F.).

2. D'après THÉODORET, *H.E.* I, 21, Eustathe aurait été calomnieu-
sement accusé par une femme de l'avoir séduite. BARDY, p. 102, n. 4,
relève que, d'après ATHANASE, Eustathe aurait été accusé auprès de
Constantin d'avoir fait un affront à la mère de l'empereur, Hélène
(le texte auquel Bardy se réfère sans le préciser est sans doute l'*Historia Arianorum ad monachos*, 4 : διαβάλλεται Κωνσταντίνῳ... πρόφασίς
τε ἐπινοεῖται, ὡς τῇ μητρὶ αὐτοῦ ποιήσας ὕβριν.

3. Voir EUSÈBE, *Vita Constantini*, 3, 59, et SOCRATE, *H.E.* I, 24, 5.
Du reste, d'après CAVALLERA, p. 66-70, Sozomène se trompe en interprétant Eusèbe. Ce dernier parlant de troubles, Sozomène, à la suite
de Socrate, a cru qu'il s'agissait de troubles fomentés par Eustathe.
Or les troubles n'éclatèrent que deux ans après la déposition d'Eustathe, quand ce dernier était parti et sans doute mort en exil.

Chapitre 19

Synode d'Antioche ;
Eustathe est injustement déposé
et Euphronios lui succède comme évêque.
Lettre de Constantin le Grand au synode
et à Eusèbe de Pamphile qui avait refusé le siège d'Antioche.

1 Un synode s'étant réuni à Antioche[1], Eustathe est déposé de l'Église d'Antioche. La vraie cause, comme on le dit généralement, est qu'il approuvait la foi de Nicée et repoussait et accusait ouvertement comme sectateurs d'Arius Eusèbe, Paulin évêque de Tyr, Patrophile évêque de Scythopolis, à l'opinion desquels s'étaient ralliés les évêques d'Orient ; le prétexte, c'est qu'il avait été pris en flagrant délit de déshonorer le sacerdoce par des actions indécentes[2]. **2** Sa déposition suscita un très grand soulèvement à Antioche[3], peu s'en fallut que la populace ne prît les armes et que toute la ville ne fût en péril. Cela même ne nuisit pas médiocrement à Eustathe auprès de l'empereur. Quand il connut en effet ces événements et que les fidèles étaient partagés en deux camps, il en fut très irrité et il soupçonnait Eustathe d'être la cause de cette division. Il se borna néanmoins à envoyer un de ses hauts dignitaires[4], avec ordre de ramener la populace à la crainte et de mettre fin à la révolte sans trouble ni dommage.

4. Sozomène vise ici Strategius Musonianus, *comes* de Constantin, puis gouverneur de Thébaïde en 349, proconsul de Constantinople en 353, proconsul d'Achaïe, enfin préfet du prétoire d'Orient de 354 à 358. Sur ce personnage de haut fonctionnaire lettré, chrétien, mais entretenant des relations très cordiales avec Libanius, voir le portrait nuancé d'AMMIEN MARCELLIN, 15, 13, 1-2, et la notice de la *P.L.R.E.*, I, p. 611.

3 Λογισάμενοι δὲ οἱ καθελόντες Εὐστάθιον, οἳ δὴ τούτου
χάριν εἰς Ἀντιόχειαν συνηγμένοι ἐτύγχανον, ὡς εἰ τῶν ὁμοδόξων αὐτοῖς προστήσαιντό τινα τῆς ἐνθάδε ἐκκλησίας
βασιλεῖ γνώριμον καὶ ἐπὶ λόγων ἐπιστήμη εὐδόκιμον, ῥᾳδίως
ἕξουσι πειθομένους τοὺς ἄλλους, εὖ ἔχειν ἐνόμισαν ἐπιτρέψαι
τὸν Ἀντιοχέων θρόνον Εὐσεβίῳ τῷ Παμφίλου. Καὶ γράφουσι περὶ τούτου τῷ βασιλεῖ δηλώσαντες καὶ τῷ λαῷ
ὑπερφυῶς τοῦτο κεχαρισμένον εἶναι. Ὧδε γὰρ ἐξῄτησαν
καὶ ὅσοι τοῦ κλήρου καὶ τοῦ πλήθους ἀπεχθῶς εἶχον πρὸς
Εὐστάθιον. 4 Ὅ γε μὴν Εὐσέβιος ἔγραψε βασιλεῖ παραι-
τούμενος. Ἐπαινέσας δὲ αὐτοῦ τὴν παραίτησιν ὁ βασιλεύς
— νόμος γὰρ ἐκκλησιαστικὸς ἐκώλυε τὸν ἅπαξ ἡγησάμενον
ἐκκλησίας ἐπισκοπὴν ἄλλην μὴ μετιέναι — καὶ ἔγραψεν οὖν
Εὐσεβίῳ ἀποδεχόμενος αὐτὸν τῆς γνώμης καὶ μακάριον
ἀποκαλῶν ὡς οὐ μιᾶς πόλεως, ἀλλὰ πάσης τῆς οἰκουμένης
ἄξιον ὄντα ἐπισκοπεῖν. 5 Ἔγραψε δὲ καὶ τῷ λαῷ τῆς
Ἀντιοχέων ἐκκλησίας περί τε ὁμονοίας καὶ τοῦ μὴ δεῖν
984 ἐφίεσθαι τοῦ παρ᾽ ἄλλοις ἐπισκοποῦντος, ὡς οὐκ ἀγαθοῦ
ὄντος τῶν ἀλλοτρίων ἐπιθυμεῖν. 6 Ἰδίᾳ δὲ παρὰ ταύτας
76 ἄλλην ἐπιστολὴν τῇ συνόδῳ διεπέμψατο· καὶ Εὐσέβιον | μὲν
ὁμοίως τῆς παραιτήσεως ἐθαύμαζεν ἐν τοῖς πρὸς αὐτοὺς
γράμμασιν, ὡς δοκίμους δὲ τὴν πίστιν εἶναι πυθόμενος
Εὐφρόνιον Καππαδόκην πρεσβύτερον καὶ Γεώργιον Ἀρε-
θούσιον, ἐκέλευσε τούτων, ὃν ἂν κρίνωσιν, ἢ ἕτερον, ὃς
ἄξιος, φησί, φανείη, χειροτονῆσαι τῆς Ἀντιοχέων ἐκκλησίας
προστάτην.

Ἐπεὶ δὲ τὰ βασιλέως ἐδέξαντο γράμματα, Εὐφρόνιον

---

1. Naturellement, EUSÈBE ne manque pas de reproduire la lettre
que lui adressa Constantin et les lettres de l'empereur aux Antiochéens
(*Vita Constantini*, 3, 61) et au synode (*ibid.*, 3, 62), qui sont également
flatteuses pour lui.
2. Cette règle est le quinzième canon de Nicée ; cf. BARDY, p. 90 :
« Il arrivait parfois que des évêques, des prêtres ou des diacres, quit-
tassent l'Église pour laquelle ils avaient été ordonnés et acceptassent
de passer dans une autre contrairement aux anciens usages : les

3 Cependant les évêques qui avaient déposé Eustathe, ceux qui précisément pour cela se trouvaient réunis à Antioche, se dirent que s'ils mettaient à la tête de l'Église d'Antioche quelqu'un de leur opinion, qui fût connu de l'empereur et en renom pour sa science, ils se rendraient aisément obéissants tous les autres : ils jugèrent bon, alors, de confier le siège d'Antioche à Eusèbe de Pamphile. Ils écrivirent à ce sujet à l'empereur, lui annonçant que ce serait aussi extrêmement agréable au peuple : c'est en effet ce qu'avaient demandé aussi tous ceux du clergé et du peuple qui haïssaient Eustathe. **4** Eusèbe pourtant exprima à l'empereur, par lettre, son refus. L'empereur loua son refus[1] — une règle ecclésiastique empêchait en effet que celui qui avait été mis une fois à la tête d'une Église passât à un autre évêché[2] — et il écrivit alors une lettre à Eusèbe[3] en l'approuvant de sa décision et en le déclarant bienheureux de ce qu'il fût digne d'être évêque, non d'une seule ville, mais de la terre entière. **5** Il écrivit aussi aux fidèles de l'Église d'Antioche sur la concorde, et sur ce qu'il ne fallait pas rechercher celui qui était déjà évêque chez d'autres, car il n'est pas bien de désirer ce qui appartient à autrui. **6** Privément, outre ces lettres, il en adressa une autre au synode. Dans cette lettre aux évêques il exprimait également son admiration pour le refus d'Eusèbe, mais, comme il avait appris qu'Euphronios, prêtre de Cappadoce, et Georges d'Aréthuse étaient de bon renom quant à la foi, il leur recommandait d'ordonner comme chef de l'Église d'Antioche celui des deux qu'ils jugeraient bon, ou un autre, disait-il, qui leur aurait paru digne.

Au reçu de la lettre impériale, ils ordonnèrent Euphro-

---

canons 15 et 16 interdisent les translations et déclarent nulle toute ordination faite par un autre que le propre évêque du clerc. »

3. Il ne faut pas seulement supprimer avec Nolte δὲ καὶ τῷ λαῷ, mais aussi αὐτῷ qui n'a de sens que s'il y a dans le texte ce qui précède. T a le bon texte : καὶ ἔγραψεν οὖν Εὐσεβίῳ (A.-J. F.).

ἐχειροτόνησαν. **7** Εὐστάθιος δέ, ὡς ἐπυθόμην, ἡσυχῇ τὴν
συκοφαντίαν ἤνεγκεν ὧδέ πῃ κρίνας εἶναι ἄμεινον, ἀνὴρ τά
τε ἄλλα καλὸς καὶ ἀγαθὸς καὶ ἐπὶ εὐγλωττίᾳ δικαίως θαυμα-
ζόμενος, ὡς ἐκ τῶν φερομένων αὐτοῦ λόγων συνιδεῖν ἔστιν
ἀρχαιότητι φράσεως καὶ σωφροσύνῃ νοημάτων καὶ ὀνομάτων
κάλλει καὶ χάριτι ἀπαγγελίας εὐδοκιμούντων.

20

1 Ὑπὸ δὲ τοῦτον τὸν χρόνον Ἰούλιος μέν, Μάρκου μετὰ
Σίλβεστρον ἐπ' ὀλίγῳ χρόνῳ ἐπισκοπήσαντος, τὸν ἐν Ῥώμῃ
διεῖπε θρόνον, Μάξιμος δὲ μετὰ Μακάριον τὸν Ἱεροσολύμων.

1. Sozomène ne donne pas un récit complet et chronologiquement
correct des événements compliqués qui suivirent la déposition d'Eustathe au concile d'Antioche en 330. D'après CAVALLERA, p. 41, 47, et
surtout p. 328 (résumé chronologique), en 330-331, Eustathe fut exilé
à Trajanopolis en Thrace où il mourut avant 337. En 331, six mois
après la déposition d'Eustathe, l'arien Paulin de Tyr, grand ami
d'Eusèbe de Césarée qui lui a dédié le livre X de l'*Histoire Ecclésiastique*, fut transféré à Antioche : c'est alors qu'une fraction des catholiques, les orthodoxes, se sépara de l'Église officielle, sous la direction
du prêtre Paulin (sur ce personnage qui, plus tard, en 362, fut ordonné
évêque par Lucifer de Cagliari, puis, en 381, reconnu par Rome comme
évêque légitime d'Antioche, voir la notice du *Lexikon f. Theol.* 8 [1963],
c. 207 [A. VAN ROEY]). En 331, Eulalios succéda à Paulin de Tyr,
décédé après 6 mois d'épiscopat, et n'acheva pas lui-même la seconde
année de son ministère (331-332). Ce n'est donc qu'en 332 qu'Euphronios cité ici occupa le siège d'Antioche pendant un an et quelques
mois jusqu'en 334. Son élection fut précédée de troubles : c'est alors
que se place la candidature d'Eusèbe de Césarée, puis sa reculade...
A partir de 334, Flacillos succéda à Euphronios.
2. Parmi les ouvrages d'Eustathe d'Antioche, seul le traité sur la
pythonisse d'Endor (ville de Palestine, où Saül, avant de livrer
bataille aux Philistins, consulta, par l'intermédiaire de la devineresse,
l'ombre de Samuel : cf. *I. Sam.* 28), traité dirigé contre Origène, est
conservé intégralement. Son traité *Sur l'âme*, ses autres ouvrages
dogmatiques et exégétiques, ses homélies ne sont connus que par

nios[1]. **7** Quant à Eustathe, comme je l'ai appris, il supporta patiemment la calomnie, ayant jugé que d'une certaine façon c'était meilleur pour lui : c'était un homme de grand mérite en général, et en particulier justement admiré pour son don de parole, comme il est possible de s'en rendre compte d'après les discours de lui en circulation, qui sont estimés pour le classicisme de l'expression, la sagesse des pensées, la noblesse du langage et la grâce du style[2].

Chapitre 20

Maxime obtient, après Macaire, le siège de Jérusalem.

1 En ce temps-là, c'est Jules qui occupait le siège de Rome[3] — Marc, successeur de Silvestre, n'avait été évêque que peu de temps — et Maxime, successeur de Macaire, celui de Jérusalem[4]. Ce Maxime, à ce qu'on raconte, avait

des fragments : cf. A. VAN ROEY, notice du *Lexikon f. Theol.* 3 (1959), c. 1202, renvoyant à M. SPANNEUT, *Recherches sur les écrits d'Eustathe d'Antioche*.

3. « En ce temps-là » est une liaison temporelle vague et approximative, comme il arrive souvent chez Sozomène. En l'occurrence, Sozomène commet une erreur chronologique caractérisée. En effet, Jules n'a occupé le siège de Rome qu'à partir de 337, date de la mort de Constantin (cf. R. BAÜMER, notice du *Lexikon f. Theol.* 5 [1960], c. 1203). Pendant la plus grande partie du règne de Constantin, période que traite ici Sozomène, c'est Silvestre qui était évêque de Rome, de 314 à 335 (cf. H. U. INSTINSKY, notice du *Lexikon f. Theol.* 9 [1964], c. 757). L'erreur de Sozomène est d'autant plus surprenante qu'il paraît pourtant bien informé : il connaît le successeur de Silvestre, Marc, et le caractère éphémère de son épiscopat (cf. G. SCHWAIGER, notice du *Lexikon f. Theol.* 7 [1962], c. 8).

4. D'abord confesseur (cf. *supra*, I, 10, 1-2), Maxime, partisan d'Athanase, succéda à Macaire sur le siège de Jérusalem un peu avant 335 et mourut vers 350 : cf. *Lexikon f. Theol.* 7 (1962), c. 210 (G. GARITTE).

Τοῦτον δὲ λόγος ἐπίσκοπον ὑπὸ Μακαρίου χειροτονηθῆναι
τῆς ἐν Διοσπόλει ἐκκλησίας, ἐπισχεθῆναι δὲ παρὰ τῶν ἐν
Ἱεροσολύμοις κατοικούντων· ὁμολογητὴς γὰρ ὢν καὶ ἄλλως
ἀγαθὸς τῇ δοκιμασίᾳ τοῦ λαοῦ ὑποψήφιος ἦν μετὰ τὴν
Μακαρίου τελευτὴν εἰς τὴν ἐνθάδε ἐπισκοπήν. 2 Ἐπεὶ δὲ
χαλεπῶς τὸ πλῆθος ἔφερεν οὗ τῆς ἀρετῆς ἐπειράθη ἀποστε-
985 ρούμενον, καὶ στάσις ἠπειλεῖτο, ἔδοξεν εὖ ἔχειν Διοσπολίταις
μὲν ἕτερον αἱρεῖσθαι ἐπίσκοπον, Μάξιμον δὲ ἐν Ἱεροσολύμοις
μεῖναι καὶ Μακαρίῳ συνιερᾶσθαι, μετὰ δὲ τὴν αὐτοῦ τελευτὴν
ἡγεῖσθαι τῆς ἐκκλησίας. Ἰστέον μέντοι ὡς οἱ τάδε ἠκριβω-
κότες κατὰ γνώμην Μακαρίου γενέσθαί τε καὶ σπουδασθῆναι
τῷ πλήθει ταῦτα ἰσχυρίζονται· φασὶ γὰρ αὐτὸν μεταμεληθῆναι
ἐπὶ τῇ Μαξίμου χειροτονίᾳ, ἐπιλογισάμενον ὡς ὀρθῶς περὶ
θεοῦ δοξάζων καὶ διὰ τὴν ὁμολογίαν τῷ λαῷ κεχαρισμένος
ἀναγκαίως φυλακτέος ἐστὶν εἰς τὴν αὐτοῦ διαδοχήν. 3 Ἐδε-
δίει γάρ, μὴ τελευτήσαντος αὐτοῦ καιρὸν εὑρόντες οἱ ἀμφὶ
τὸν Εὐσέβιον καὶ Πατρόφιλον, οἱ δὴ τὰ Ἀρείου φρονοῦντες,
ὁμοδόξῳ τὸν ἐνθάδε θρόνον ἐπιτρέψουσιν· ἐπεὶ καὶ Μακαρίου
περιόντος νεωτερίσαι ἐπεχείρησαν, ἀφορισθέντες δὲ παρ᾽
αὐτοῦ διὰ τοῦτο ἡσυχίαν ἦγον.

21

1 Ἐν τούτῳ δὲ Αἰγυπτίοις οὔπω τέλος εἶχεν ἡ ἐξ ἀρχῆς
αὐτοῖς πρὸς ἀλλήλους κινηθεῖσα φιλονικία. Ἐπεὶ γὰρ ἐν τῇ
77 συνόδῳ τῇ κατὰ Νίκαιαν ἡ | μὲν Ἀρειανὴ αἵρεσις παντά-

1. Diospolis est un autre nom de Lydda, ville de Palestine. Le
christianisme y pénétra d'assez bonne heure ; le premier évêque de
Diospolis historiquement connu, Aétios, participa au concile de Nicée.
Le siège de Diospolis-Lydda, qui dépendait d'abord du métropolitain
de Césarée, dépendit plus tard du patriarcat de Jérusalem (c'est déjà
vrai pour l'époque considérée par Sozomène) : cf. PW XIII, 2 (1927),
c. 2120-2122 (G. HÖLSCHER).

2. Scil. au siège de Diospolis (A.-J. F.).

été ordonné par Macaire évêque de l'Église de Diospolis[1],
mais les habitants de Jérusalem l'avaient empêché de
partir : confesseur en effet et par ailleurs homme de mérite,
il était susceptible d'être élu par un vote du peuple au
siège de Jérusalem après la mort de Macaire. 2 Comme la
populace supportait mal d'être privée d'un homme dont
elle avait éprouvé la vertu, et qu'il y avait menace de
révolte, il parut bon que fût choisi pour Diospolis un autre
évêque et que Maxime demeurât à Jérusalem, y fût le
coadjuteur de Macaire et présidât à l'Église après sa mort.
Il faut savoir pourtant que les gens bien au courant de ces
choses affirment que ces efforts de la populace correspon-
dirent aux vœux de Macaire. Il s'était en effet repenti,
dit-on, après l'ordination de Maxime[2] : il s'était dit que
Maxime était dans l'orthodoxie sur Dieu, que par suite de
son caractère de confesseur, il était cher au peuple, et qu'il
fallait donc nécessairement le garder pour sa succession.
3 Il craignait de fait que, lui mort, les tenants d'Eusèbe et
de Patrophile, partisans d'Arius, trouvassent l'occasion
bonne pour confier le siège à un homme de leur opinion,
puisque, du vivant même de Macaire, ils avaient tenté
d'innover et ne restaient tranquilles que parce qu'il les
avait excommuniés.

Chapitre 21

Les méléciens et les ariens s'unissent ;
Eusèbe et Théognios entreprennent
de rallumer l'hérésie arienne.

1 A cette époque la rivalité qui avait été originellement
mise en branle en Égypte n'avait pas encore atteint son
achèvement. Après que, au concile de Nicée, l'hérésie
arienne eut été entièrement excommuniée, et que les parti-

πασιν ἀπεκηρύχθη, οἱ δὲ τὰ Μελιτίου φρονοῦντες ἐπὶ τοῖς
εἰρημένοις ἐδέχθησαν, ἐπανελθόντι Ἀλεξάνδρῳ εἰς Αἴγυπτον
παρέδωκε Μελίτιος τὰς ἐκκλησίας, ἃς παρανόμως ὑφ᾽
ἑαυτὸν ἐποιήσατο, καὶ ἐν τῇ Λυκῷ διῆγε. 2 Μετ᾽ οὐ πολὺ δὲ
μέλλων τὸν βίον τελευτᾶν Ἰωάννην τινὰ τῶν αὐτῷ συνήθων
παρὰ τὸ δόγμα τῆς ἐν Νικαίᾳ συνόδου κατέστησεν ἀντ᾽
αὐτοῦ καὶ πάλιν αἴτιος ἀταξίας ταῖς ἐκκλησίαις ἐγένετο.
3 Ἰδόντες δὲ οἱ Ἀρείου τοὺς Μελιτίου νεωτερίζοντας συν-
ετάραττον καὶ αὐτοὶ τὰς ἐκκλησίας. Οἷα γὰρ φιλεῖ ἐν ταῖς
τοιαύταις ταραχαῖς, οἱ μὲν τὴν Ἀρείου δόξαν ἐθαύμαζον,
οἱ δὲ ἐδικαίουν τοὺς ὑπὸ Μελιτίου χειροτονηθέντας χρῆναι
τῶν ἐκκλησιῶν ἡγεῖσθαι, καὶ τούτοις προσετίθεντο. Πρότερον
δὲ διαφερόμενοι πρὸς ἑαυτοὺς ἑκάτεροι, ὡς εἶδον τὸ πλῆθος
ἑπόμενον τοῖς ἱερεῦσι τῆς καθόλου ἐκκλησίας, εἰς φθόνον
κατέστησαν. 4 Καὶ πρὸς ἀλλήλους ἐσπείσαντο καὶ κοινὴν
988   τὴν ἔχθραν ἀνεδέξαντο πρὸς τὸν κλῆρον Ἀλεξανδρείας.
Ἐπιμίξ τε πρὸς οὓς διελέγοντο τὰ ἐγκλήματα προέφερον
καὶ τὰς ἀπολογίας ἐποιοῦντο ἐπὶ τοσοῦτον, ὡς προϊόντος
τοῦ χρόνου Μελιτιανοὺς ἐν Αἰγύπτῳ παρὰ τῶν πολλῶν
ὀνομάζεσθαι τοὺς τὰ Ἀρείου φρονοῦντας· καίτοι γε προστασίας μόνης ἕνεκεν ἐκκλησιῶν διεφέροντο, Ἀρειανοὶ δὲ

---

1. Cf. *supra*, I, 24 : Mélétios était confirmé comme évêque, mais
seulement de Lycopolis ; les évêques ordonnés par lui resteraient en
fonction, mais seraient subordonnés aux membres du clergé orthodoxe
(athanasien) de chaque paroisse ou diocèse ; des méléciens pourraient
être nommés évêques, à la mort d'évêques catholiques, mais à condition d'être confirmés par l'évêque d'Alexandrie : voir BARDY, p. 87-88
et note 2, précisant que « la solution donnée aux problèmes soulevés
par Mélétios nous est connue par la lettre adressée par les membres
du concile de Nicée aux évêques d'Égypte, de Libye et de Pentapole,
apud SOCRATE, *H.E.* I, 9 ; THÉODORET, *H.E.* I, 8 ; GÉLASE, *H.E.*
II, 34 ».

2. Cette période d'accalmie relative se place entre 325 (retour
d'Alexandre du concile de Nicée) et 328 (mort d'Alexandre).

3. En effet, le concile de Nicée n'avait pas autorisé Mélétios à
procéder à de nouvelles ordinations. Or Jean, dit Arkaph, est bien
mentionné sur la liste des 28 évêques que Mélétios disait avoir ordonnés

sans de Mélétios eurent été reçus dans la communion aux conditions plus haut indiquées[1], quand Alexandre fut revenu en Égypte, Mélétios lui remit les Églises qu'il avait placées illégitimement sous sa coupe et il se retira à Lycopolis[2]. 2 Mais peu après, sur le point de mourir, il établit à sa place un certain Jean, de ses familiers, contrairement à la décision de Nicée[3], et devint de nouveau la cause de trouble pour les Églises[4]. 3 Quand les partisans d'Arius eurent vu que ceux de Mélétios tentaient du nouveau, ils excitèrent eux aussi du désordre dans les Églises. Comme il arrive en de tels désordres, les uns approuvaient la thèse d'Arius, les autres trouvaient juste que les évêques ordonnés par Mélétios dussent gouverner leurs Églises et ils se joignaient à ces évêques. Alors que ces deux camps avaient été antérieurement en dissentiment, dès qu'ils eurent vu que la masse du peuple suivait les prêtres de l'Église catholique, ils entrèrent en des dispositions de jalousie à son égard. 4 Ils firent mutuellement la paix et tournèrent en commun leur haine contre le clergé d'Alexandrie. Dans les discussions qu'ils avaient, ils présentaient pêle-mêle leurs accusations et leurs défenses, si bien que, avec le temps, les tenants d'Arius étaient appelés par la plupart en Égypte des méléciens ; et cependant les méléciens n'étaient en différend avec les catholiques que sur la présidence des Églises, les ariens en revanche partageaient les opinions théologiques d'Arius.

---

avant le concile de Nicée (voir ATHANASE, *Apologia contra Arianos*, 71 : Ἐν Μέμφι Ἰωάννης κελευσθεὶς παρὰ τοῦ βασιλέως εἶναι μετὰ τοῦ ἀρχιεπισκόπου), mais au titre d'évêque « coadjuteur » de l'archevêque de *Memphis*. Son ordination comme évêque de *Lycopolis*, après 325, constitue bien un manquement à la règle établie à Nicée, d'autant que Mélétios et Jean se gardèrent bien de demander la confirmation de l'évêque d'Alexandrie !

4. Sur ces troubles d'Alexandrie et sur la personnalité de Jean Arkaph, « ambitieux et intrigant », qui se montra très ingénieux pour inquiéter Athanase, voir le témoignage d'ATHANASE lui-même, *Epist. fest.* 4 et *Apologia contra Arianos*, 65, et BARDY, p. 105.

ὁμοίως Ἀρείῳ περὶ θεοῦ ἐδόξαζον. 5 Ἀλλ' ὅμως ἰδίᾳ τὰ
παρ' ἀλλήλων ἀναινόμενοι, ὑποκρίνεσθαι σφᾶς παρὰ γνώμην
καὶ συμφωνεῖν ὑπέμενον ἐν τῇ κοινωνίᾳ τῆς ἔχθρας, ἕκαστοι
προσδοκῶντες ῥᾳδίως κρατήσειν ὧν ἐβούλοντο. Τῷ δὲ
χρόνῳ, ὡς εἰκός, ἐκ τῶν περὶ ταῦτα διαλέξεων ἕξιν λαβόντες
τῶν Ἀρείου δογμάτων ὁμοίως περὶ θεοῦ ἐδόξαζον. Ἐντεῦθέν
τε πάλιν εἰς τὴν προτέραν ταραχὴν ἐπανῆλθε τὰ κατὰ τὸν
Ἄρειον, καὶ λαοὶ καὶ κλῆροι τῆς πρὸς ἀλλήλους ἀπεσχίζοντο
κοινωνίας.

6 Οὐ μὴν ἀλλὰ καὶ ἐν ἄλλαις πόλεσιν καὶ μάλιστα παρὰ
Βιθυνοῖς καὶ Ἑλλησποντίοις καὶ ἐν τῇ Κωνσταντινουπόλει
78 αὖθις ἀνερριπίζετο τὰ περὶ | τῶν Ἀρείου δογμάτων. Ἀμέλει
τοι λέγεται ὡς Εὐσέβιος ὁ Νικομηδείας ἐπίσκοπος καὶ
Θεόγνιος ὁ Νικαίας παραπείσαντες τὸν ὑπὸ τοῦ βασιλέως
ἐπιτραπέντα φυλάττειν τὴν γραφὴν τῆς ἐν Νικαίᾳ συνόδου
ἀπήλειψαν τὰς ἑαυτῶν ὑπογραφὰς καὶ εἰς τὸ φανερὸν ἐπεχείρουν διδάσκειν μὴ χρῆναι ὁμοούσιον εἶναι τῷ πατρὶ τὸν υἱὸν
δοξάζειν. 7 Περὶ δὲ τούτου ἐγκαλούμενον Εὐσέβιον ὧδε
ἄντικρυς πρὸς βασιλέα παρρησιάσασθαι καὶ εἰπεῖν ἐπιδεί-
ξαντά τι ὧν ἠμφίεστο ὡς· « Εἰ τοῦτο τὸ ἱμάτιον ἐμοῦ θεωμέ-
νου διαιρεθείη, οὔποτε ἂν φαίην τῆς αὐτῆς οὐσίας ἑκάτερον. »
Ἐπὶ τούτοις δὲ χαλεπῶς ἄγαν ἔφερεν ὁ βασιλεύς· οἰόμενος
γὰρ μετὰ τὴν ἐν Νικαίᾳ σύνοδον πεπαῦσθαι τὰς τοιαύτας
ζητήσεις, παρ' ἐλπίδα αὖθις ἀνακινουμένας ἑώρα. 8 Οὐχ
ἥκιστα δὲ αὐτὸν ἐλύπησεν Εὐσέβιος καὶ Θεόγνιος Ἀλεξ-
ανδρεῦσί τισι κοινωνήσαντες, οὓς εἰς μεταμέλειαν ἡ σύνοδος

---

1. J'ai clarifié la phrase de Sozomène qui, comme il arrive souvent
quand il résume, n'est pas claire. Ce qu'il résume est la lettre de
Constantin aux habitants de Nicomédie (nov.-déc. 325), aussitôt après
le concile de Nicée ; cf. Oριτz, document 27, §§ 15-16 : « Mais tout
d'abord, pour laisser de côté les autres traits de sa perversité (scil.
d'Eusèbe), écoutez, je vous prie, ce qu'il a fait principalement avec
Théognios, qu'il a comme associé en sa démence. J'avais ordonné que
fussent envoyés ici (à Nicomédie) certains Alexandrins qui s'étaient
séparés de notre foi, parce que la torche de la discorde avait été
allumée à cause d'eux. Or ces excellents évêques non seulement ont
accueilli et gardé auprès d'eux ces gens que le concile plein de vérité

5 Mais pourtant, bien que chaque camp désavouât dans le privé ce qui lui venait de l'autre, ils acceptaient de se jouer la comédie contrairement à leur opinion propre et de s'accorder dans la communion de leur haine, chaque camp espérant bien qu'il se rendrait aisément maître de ce qu'il désirait. Avec le temps, comme il est naturel, ayant pris l'habitude des thèses d'Arius en raison des entretiens qu'ils avaient à ce sujet, tous pensaient également de même sur Dieu. A partir de ce moment les affaires d'Arius revinrent aux premiers désordres et il y avait scission et dans le peuple fidèle et dans le clergé.

6 D'autre part, dans d'autres villes aussi et surtout en Bithynie, dans l'Hellespont et à Constantinople, les disputes relatives aux thèses d'Arius reprenaient flamme. Par exemple, dit-on, Eusèbe évêque de Nicomédie et Théognios évêque de Nicée, ayant réussi à persuader celui qui, selon les ordres de l'empereur, avait été chargé de garder le texte du concile de Nicée, effacèrent leurs signatures, et tentaient ouvertement d'enseigner qu'il ne fallait pas tenir le Fils comme consubstantiel au Père. **7** Eusèbe fut accusé à ce sujet et, s'adressant au prince avec grande audace lui dit tout droitement, montrant l'un de ses vêtements : « Si ce manteau était déchiré sous mes yeux, je ne pourrais jamais dire que les deux morceaux sont substantiellement les mêmes. » Tout cela était extrêmement pénible à l'empereur, car il avait pensé que ces sortes de disputes prendraient fin après le concile de Nicée, et, contre son attente, il les voyait suscitées de nouveau. **8** Ce qui ne l'avait pas le moins fâché contre Eusèbe et Théognios, c'est qu'ils étaient entrés en communication avec certains Alexandrins, que le concile avait mis en surveillance comme non orthodoxes, pour qu'ils se repentissent ; mais l'empereur, estimant qu'ils étaient causes de la discorde et que c'était pour cela qu'ils avaient quitté leur patrie, ordonna qu'ils fussent bannis[1].

avait mis une bonne fois en surveillance pour qu'ils se repentissent, mais ils ont participé à leur mauvaise manière de croire. Aussi ai-je

τετηρήκει ὡς μὴ ὀρθῶς δοξάζοντας, αὐτὸς δὲ ὡς αἰτίους
989 τῆς διχονοίας καὶ ἐπὶ τούτῳ τῆς πατρίδος ἐκδημοῦντας
ἐκπεμφθῆναι προσέταξεν. Ἐκ ταύτης δὲ τῆς αἰτίας εἰσὶν οἱ
λέγουσιν ὀργισθέντα τὸν βασιλέα καταδικάσαι φυγὴν Εὐσεβίου καὶ Θεογνίου. Ἀλλὰ περὶ μὲν τούτου ἐν τοῖς πρόσθεν
ἔγραψα, ἅπερ παρὰ ἀκριβῶς ἐπισταμένων ἀκήκοα.

22

1 Ἀθανασίῳ δὲ τῶν ἐπιγενομένων δυσχερῶν πρῶτοι
γεγόνασιν αἴτιοι. Πλείστην γὰρ ἔχοντες παρὰ βασιλεῖ παρ-
ρησίαν καὶ δύναμιν τὸν Ἄρειον μὲν ὡς ὁμόδοξον καὶ φίλον
κατάγειν εἰς τὴν Ἀλεξάνδρειαν ἐσπούδαζον, τὸν δὲ τῆς
ἐκκλησίας ἐκβαλεῖν ὡς ἐναντίον αὐτοῖς γινόμενον. Δια-
βάλλουσιν οὖν αὐτὸν πρὸς Κωνσταντῖνον ὡς στάσεων καὶ
θορύβων αἴτιον τῇ ἐκκλησίᾳ γενόμενον καὶ εἴργοντα τοὺς
βουλομένους εἰς τὴν ἐκκλησίαν εἰσιέναι, ἐξὸν πάντας ὁμονοεῖν, εἰ τοῦτο μόνον συγχωρηθείη. 2 Ἐπιστοῦντο δὲ ἀληθεῖς
εἶναι τὰς κατ᾽ αὐτοῦ διαβολὰς πολλοὶ τῶν μετὰ Ἰωάννου
ἐπισκόπων καὶ κληρικῶν, συνεχῶς βασιλεῖ προσιόντες
ὀρθοδόξους τε σφᾶς εἶναι λέγοντες καὶ φόνων δὲ καὶ δεσμῶν
79 καὶ πληγῶν ἀδίκων καὶ τραυμάτων καὶ ἐμπρησμῶν | ἐκκλη-
σιῶν κατηγοροῦντες αὐτοῦ καὶ τῶν ὑπ᾽ αὐτὸν ἐπισκόπων.
3 Ἐπεὶ δὲ καὶ Ἀθανάσιος ἐδήλωσε τῷ βασιλεῖ, παρανόμους
χειροτονίας ἐγκαλῶν τοῖς ἀμφὶ τὸν Ἰωάννην καὶ νεωτε-
ρισμὸν τῶν ἐν Νικαίᾳ δοξάντων καὶ πίστιν οὐχ ὑγιᾶ καὶ
στάσεις καὶ ὕβρεις κατὰ τῶν ὀρθῶς περὶ θεοῦ δοξαζόντων,
οὐκ εἶχε λοιπὸν ὅτῳ πιστεύσειεν ὁ Κωνσταντῖνος. 4 Τοιαῦτα

jugé bon d'agir contre ces ingrats (les Alexandrins) : j'ai ordonné
qu'ils fussent saisis et bannis au plus loin. » Ces « Alexandrins » sont
Théonas de Marmarikè et Secundus de Ptolémaïs (en Libye) : cf.
SCHWARTZ, *Gesamm. Schriften*, p. 202 s. (A.-J. F.).
    1. Sozomène brouille les dates et les faits. Renvoyant au livre I
(22, 5), c'est-à-dire à la déposition des deux évêques, déposition

C'est pour cette raison, disent certains, que l'empereur, mis
en colère, condamna à l'exil Eusèbe et Théognios. Mais j'ai
écrit plus haut à ce sujet ce que j'ai appris de gens exactement au courant[1].

Chapitre 22

*Machinations contre saint Athanase
organisées par les ariens et les méléciens, sans résultat.*

1 Des embarras qui survinrent à Athanase, les premiers
fauteurs furent ces évêques. Comme ils avaient très grande
liberté de langage et influence auprès de l'empereur, ils
faisaient effort pour ramener Arius, leur ami et cosectateur,
à Alexandrie et chasser Athanase de l'Église parce qu'il
s'opposait à eux. Ils le calomnièrent donc auprès de
Constantin comme ayant été la cause de séditions et de
troubles pour l'Église et comme empêchant ceux qui le
voulaient d'entrer à l'église, alors qu'il serait possible que
tous fussent d'accord, si seulement on le leur permettait.
2 Ce qui faisait croire à la vérité de ces calomnies, c'est que
beaucoup des évêques et des clercs de la suite de Jean
(*cf. chap. 21, 2*) approchaient continuellement l'empereur ;
ils disaient qu'ils étaient orthodoxes et ils accusaient Athanase et les évêques sous sa coupe de meurtre, d'emprison-
nements, de coups iniques, de blessures et d'incendies
d'églises. **3** Comme d'autre part, Athanase avait écrit à
l'empereur, accusant Jean et ses partisans d'ordinations
illégitimes, d'innovations à l'égard des dogmes de Nicée, de
foi non orthodoxe, de séditions et de violences contre les
orthodoxes, Constantin ne savait plus qui croire. **4** Alors

ordonnée en cette même lettre de Constantin de fin 325, il oublie
qu'il a dit au livre II, chap. 16, 2 qu'Eusèbe et Théognios ont été
rétablis sur leur siège (en 327) (A.-J. F.).

δὲ αὐτῶν ἐγκαλούντων ἀλλήλοις καὶ πολλάκις πολλῶν κατηγόρων ἑκατέρωθεν ὀχλούντων, ἐπεὶ σφόδρα αὐτῷ ἔμηλε τῆς
ὁμονοίας τῶν λαῶν, γράφει Ἀθανασίῳ μηδένα τῆς ἐκκλησίας εἴργεσθαι· εἰ δὲ τοῦτο καὶ εἰς ὕστερον μηνυθείη, πέμπειν
ἀμελλητὶ τὸν ἐξελάσοντα αὐτὸν τῆς Ἀλεξανδρέων πόλεως.
Εἴ τῳ δὲ φίλον καὶ αὐτῇ τῇ τοῦ βασιλέως ἐντυχεῖν ἐπιστολῇ,
ὧδε ἔχει τὸ περὶ τούτου μέρος·

5 « Ἔχων τοίνυν τῆς ἐμῆς βουλήσεως τὸ γνώρισμα πᾶσι
992 τοῖς βουλομένοις εἰς τὴν ἐκκλησίαν εἰσελθεῖν ἀκώλυτον
παράσχου τὴν εἴσοδον. Ἐὰν γὰρ γνῶ, ὡς κεκώλυκας αὐτῶν
τινας τῆς ἐκκλησίας μεταποιουμένους ἢ ἀπεῖρξας τῆς εἰσό-
δου, ἀποστελῶ παραχρῆμα τὸν καθαιρήσοντά σε ἐξ ἐμῆς
κελεύσεως καὶ τῶν τόπων μεταστήσοντα. »

6 Ἐπεὶ δὲ γράφων Ἀθανάσιος καὶ τὸν βασιλέα ἔπειθε
μὴ μεταδοτέον κοινωνίας τοῖς Ἀρείου πρὸς τὴν καθόλου
ἐκκλησίαν, συνιδὼν Εὐσέβιος ὡς οὐκ ἐπιτεύξεται τοῦ σκοποῦ,
Ἀθανασίου τἀναντία σπουδάζοντος, ᾠήθη δεῖν πάσῃ μηχανῇ
ἐκποδὼν αὐτὸν ποιῆσαι. Πρόφασιν δὲ μὴ ἔχων ἱκανὴν πρὸς
τοσαύτην ἐπιβουλήν, ὑπέσχετο τοῖς Μελιτίου συλλαμβάνε-
σθαι πρὸς βασιλέα <καὶ> τοὺς ἀμφ' αὐτὸν δυναμένους, ἢν
ἐθέλωσιν Ἀθανασίου κατηγορεῖν. 7 Ἐντεῦθέν τε πρώτην
ὑπομένει γραφὴν ὡς χιτωνίων λινῶν φόρον ἐπιθεὶς Αἰγυπτίοις καὶ παρὰ τῶν κατηγόρων τοιοῦτον δασμὸν εἰσπραξά-
μενος. Παρατυχόντες <δὲ> αὐτόθι Ἄπις καὶ Μακάριος,
πρεσβύτεροι τῆς Ἀλεξανδρέων ἐκκλησίας, ψευδῆ τὴν κατηγορίαν ἐσπούδασαν διελέγξαι. 8 Ἐκ ταύτης τε τῆς αἰτίας

---

1. Ayant refusé de recevoir les ariens à la communion comme
Eusèbe le lui demandait, ATHANASE reçut une lettre de Constantin
dont il nous a conservé un fragment (*Apologia contra Arianos*, 59, 6),
reproduit par Gélase de Cyzique, Socrate (I, 27, 4) et Sozomène.

2. Καὶ τὸν βασιλέα ἔπειθε. Cf. ATHANASE, *Apologia contra Arianos*, 60 : βασιλέα γράφων ἔπειθον (A.-J. F.).

3. Comme le note SCHWARTZ, *Gesamm. Schriften*, III, p. 193, 2,
cette imposition faisait tort au fisc (A.-J. F.). C'est au cours de l'hiver
331-332 que Jean Arkaph, le successeur de Mélétios, envoya à la Cour
quatre de ses suffragants, Ision, Eudaemon, Callinicos et Hiéra-

qu'on s'accusait ainsi de part et d'autre et que beaucoup d'accusateurs l'importunaient souvent de chacun des deux côtés, comme il se souciait extrêmement du bon accord des fidèles, il écrivit à Athanase[1] de ne plus refuser à personne l'entrée de l'église : s'il apprenait dorénavant un pareil fait, il enverrait sans retard un commissaire qui l'expulserait d'Alexandrie. S'il plaît à quelqu'un de lire la lettre même du prince, voici le passage relatif à ce point : **5** « Puisque tu as donc maintenant connaissance de ma volonté, fais que tous ceux qui veulent entrer à l'église puissent y entrer sans empêchement. Si j'apprends que tu en as empêché certains parmi eux qui désiraient participer à l'assemblée ou que tu leur as refusé l'entrée, j'enverrai sur-le-champ un commissaire qui, sur mon ordre, te déposera et t'éloignera du lieu. »

6 Comme de son côté Athanase, par une lettre, avait persuadé aussi l'empereur[2] qu'il ne fallait pas accepter les partisans d'Arius dans la communion de l'Église catholique, Eusèbe comprit qu'il n'atteindrait pas son but tant qu'Athanase ferait effort en sens contraire et il pensa qu'on devait employer tout moyen pour le chasser. Comme il n'avait pas de prétexte suffisant pour une si grande embûche, il promit aux méléciens de les assister auprès de l'empereur et des gens influents de son entourage, s'ils acceptaient d'accuser Athanase. **7** De là vint qu'Athanase subit la première accusation publique, comme quoi il avait imposé aux Égyptiens une contribution sur les tuniques de lin[3] et exigé cette contribution de ses accusateurs même. Mais Apis et Macaire, prêtres de l'Église d'Alexandrie, qui se trouvaient par hasard à la Cour, s'empressèrent de convaincre cette accusation de mensonge. **8** Pour cette

cammon : cf. BARDY, p. 105 (remarquer que Sozomène ne mentionne pas ici une seconde accusation portée contre Athanase, celle d'avoir fait briser le « calice d'Ischyras » ; il le fera seulement en 23, 1).

μετακληθέντα Ἀθανάσιον πάλιν ἐγράψαντο, ὡς ἐπιβου-
λεύων τῷ κρατοῦντι λάρνακα χρυσίου Φιλουμενῷ τινι πέπομ-
80 φεν. | Ἐπεὶ δὲ συκοφαντίαν κατέγνω τῶν κατηγόρων ὁ
βασιλεύς, ἐπέτρεψεν Ἀθανασίῳ ἐπανελθεῖν οἴκαδε· καὶ τῷ
λαῷ τῆς Ἀλεξανδρείας ἔγραψε μαρτυρήσας αὐτῷ πολλὴν
ἐπιείκειαν καὶ πίστιν ὀρθήν, ἀσμένως τε αὐτῷ συντετυχη-
κέναι καὶ θεῖον εἶναι ἄνδρα πεπεῖσθαι· φθόνου τε χάριν τὴν
γραφὴν ὑπομείναντα κρείττω φανῆναι τῶν αὐτοῦ κατηγόρων.
9 Πυθόμενός τε πολλοὺς ἔτι ἀπὸ τῶν Αἰγυπτίων ζυγομαχεῖν
ἐκ τῆς Ἀρείου καὶ Μελιτίου προφάσεως, διὰ τῆς αὐτοῦ
ἐπιστολῆς παρεκάλεσε τὸ πλῆθος εἰς θεὸν ἀπιδεῖν καὶ τὴν
παρ' αὐτοῦ κρίσιν εἰς νοῦν λαβεῖν, εὐνοεῖν τε ἀλλήλοις καὶ
τοὺς ἐπιβουλεύοντας τῇ αὐτῶν ὁμονοίᾳ παντὶ σθένει διώκειν.
Καὶ ὁ μὲν βασιλεὺς ὧδέ πη γράφων εἰς τὸ κοινόν, πάντας
εἰς ὁμόνοιαν ἐκάλει, καὶ μὴ διασπᾶσθαι τὴν ἐκκλησίαν
ἐσπούδαζε.

23

1 Μελιτιανοὶ δὲ τῆς προτέρας ἀποτυχόντες πείρας ἑτέρας
ὕφαινον κατὰ Ἀθανασίου γραφάς, τὴν μὲν ὡς ποτήριον

1. Entrevue de Psamathia (faubourg de Nicomédie), nov. 331. Du
même temps, lettre de Constantin « au peuple fidèle de l'Église catholique d'Alexandrie », où il justifie Athanase : cf. SEECK, *Regesten*,
à l'année 331 fin (A.-J. F.).

2. THÉODORET, *H.E.* I, 26, 4 est plus précis. C'est l'argent produit
par la taxe sur les tuniques de lin qui aurait été envoyé « à un homme
qui préparait une usurpation » (τυραννίδα κατασκευάζοντι). L'accusation est évidemment absurde, mais il est possible que Philoumène
eût influence à la Cour et qu'Athanase voulût se le concilier : voir la
note d'OPITZ ap. ATHANASE, *Apologia contra Arianos*, 60, 4, p. 141, 1
(A.-J. F.). — Sozomène ne précise pas non plus que le tout-puissant
préfet du prétoire Ablabius fut pour beaucoup dans l'absolution
qu'obtint Athanase à propos de l'affaire de Philoumène. Sur ce
dernier personnage, voir la notice de la *P.L.R.E.*, I, p. 699. L'histoire

raison, Athanase fut mandé à la Cour[1], et de nouveau ses
ennemis intentèrent une action publique contre lui, comme
quoi, conspirant contre l'empereur, il avait envoyé une
cassette d'or à un certain Philoumène[2]. Mais après que
l'empereur eut convaincu les accusateurs de calomnie, il
permit à Athanase de rentrer chez lui[3]. Et il écrivit au
peuple fidèle d'Alexandrie, portant témoignage à l'équité
et à l'orthodoxie d'Athanase, assurant qu'il avait eu plaisir
à le rencontrer et qu'il était convaincu de sa sainteté : c'est
par jalousie qu'il avait subi une accusation publique et il
l'avait emporté, à l'évidence, sur ses accusateurs. **9** Apprenant en outre qu'il y avait encore beaucoup de rixes en
Égypte sous le prétexte d'Arius et de Mélétios, l'empereur,
par sa lettre, engagea le peuple à regarder vers Dieu, à
prendre en considération le jugement divin, à être mutuellement bienveillants et à chasser de toutes leurs forces ceux
qui conspiraient contre leur bon accord. Écrivant à la
communauté à peu près en ces termes, le prince les invitait
tous à la concorde et il faisait effort pour que l'Église ne fût
pas déchirée.

Chapitre 23

Calomnie concernant saint Athanase
par l'entremise d'Arsène.

1 Comme ils avaient échoué dans leur premier essai, les
méléciens tissaient de nouvelles accusations publiques

des tuniques de lin n'est pas dissimulée par Athanase lui-même :
voir *Apologia contra Arianos*, 60.

3. Athanase put célébrer à Alexandrie la fête de Pâques de 332 et
c'est lui qui rapporta aux Alexandrins la lettre de Constantin, très
louangeuse pour leur évêque, très dure pour les perturbateurs, citée
également par Socrate, *H.E.* I, 27, 38 : voir *Apologia contra Arianos*,
61, et Bardy, p. 105.

993 ἱερὸν συνέτριψε, τὴν δὲ ὡς Ἀρσένιόν τινα κτείνας ἐξέτεμεν
αὐτοῦ τὸν βραχίονα καὶ παρ' ἑαυτῷ ἔχει γοητείας ἕνεκεν.
Οἷα δὲ κληρικὸς ἐλέγετο ὁ Ἀρσένιος οὗτος ἁμαρτήματι
περιπεσὼν κρύπτεσθαι· δίκην γὰρ ὑφωρᾶτο δώσειν παρὰ
τῷ ἐπισκόπῳ εὐθυνόμενος. 2 Τὸ δὲ συμβὰν οὕτως εἰς ἐσχάτην
διαβολὴν διεσκεύασαν οἱ ἐπιβουλεύοντες Ἀθανασίῳ. Καὶ τὸν
μὲν Ἀρσένιον ἐπιμελῶς ἀναζητήσαντες εὗρον, καὶ φιλο-
φρονησάμενοι καὶ πᾶσαν εὔνοιαν καὶ ἀσφάλειαν παρέξειν
αὐτῷ ὑποσχόμενοι ἄγουσι λάθρα πρός τινα τῶν αὐτοῖς συνήθων καὶ τὰ αὐτὰ σπουδαζόντων· Πρίνης ὄνομα αὐτῷ ἦν,
πρεσβύτερος μοναστηρίου· ἐνταῦθά τε τὸν Ἀρσένιον κρύ-
ψαντες σπουδῇ περιήεσαν κατὰ τὰς ἀγορὰς καὶ τοὺς συλλό-
γους τῶν ἐν τέλει λογοποιοῦντες τοῦτον πεφονεῦσθαι παρὰ
Ἀθανασίου. Παρεσκεύαστο δὲ πρὸς τοιαύτην κατηγορίαν
81 καὶ Ἰωάννης μοναχός τις ὁ | Ἀρχὰφ λεγόμενος. 3 Ταύτης
δὲ τῆς αἰσχρᾶς φήμης εἰς πολλοὺς διασπαρείσης ἐπὶ τοσοῦτον,
ὡς καὶ βασιλέως ἀκοὰς φθάσαι, ὁρῶν Ἀθανάσιος ὡς, εἰ
συμβαίη αὐτὸν καὶ ἐπὶ ταύτῃ τῇ αἰτίᾳ γραφὴν ὑπομεῖναι,
χαλεπόν ἐστιν ἀπολογήσασθαι παρὰ δικασταῖς τοιαύταις
φήμαις προκατειλημμένοις, ἀντεστρατήγει ταῖς τῶν ἐναντίων
τέχναις, καὶ ὡς ἐνεδέχετο πάντας πιστούμενος ἐπόνει μὴ
καλύπτεσθαι τὴν ἀλήθειαν ταῖς αὐτῶν διαβολαῖς. 4 Ἦν

1. Arsène était l'évêque mélécien d'Hypsélé. L'accusation portée
contre Athanase à son sujet peut être datée de la fin 333 ou du début
de 334 : cf. BARDY, p. 106. Pour l'histoire du faux meurtre d'Arsène, voir
aussi RUFIN, *H.E.* I (X), 16 s. ; *Vita Athanasii*, 12 (*P G* 25, c. CXCV).

2. Le récit de Sozomène dépend, à partir d'ici et jusqu'au § 6,
d'ATHANASE, *Apologia contra Arianos*, 65-67 : l'évêque d'Alexandrie
y cite une lettre adressée à Jean Arkaph par un prêtre, qu'il nomme
Pinnes, du monastère de Ptemencyris, dans le nome d'Antéopolis :
cf. BARDY, p. 107, n. 1.

3. C'est généralement l'évêque Jean, successeur de Mélétios, qui
est ainsi surnommé. Sozomène paraît les distinguer (A.-J. F.). — Jean
Arkaph était évêque de Memphis, avant même la mort d'Alexandre
d'Alexandrie (cf. la liste fournie à ce dernier par Mélétios, conservée
dans ATHANASE, *Apologia contra Arianos*, 71), et c'est en cette qualité
qu'il reçut la lettre de Pinnes, citée dans l'*Apologia contra Arianos*,
où le prêtre lui donne le titre de Père. Dans ses *Annotationes*, VALOIS

contre Athanase. L'une était qu'il avait brisé un vase sacré, l'autre qu'il avait tué un certain Arsène[1], lui avait coupé le bras et gardait chez lui ce bras pour des opérations magiques. Cet Arsène était dit avoir commis une faute en tant que clerc et se cacher ; il craignait en effet d'avoir à rendre des comptes devant l'évêque et d'être puni. 2 Ceux qui conspiraient contre Athanase transformèrent ce qui s'était ainsi passé en la calomnie la plus atroce. Ils cherchèrent avec soin Arsène, le découvrirent, le comblèrent de prévenances, lui promirent bons soins et pleine sécurité, puis le conduisirent en secret chez l'un de leurs amis qui pensait comme eux ; il s'appelait Prinès[2] et était prêtre d'un monastère. Après avoir caché là Arsène, ils parcoururent avec empressement les marchés et les réunions des gens en place, racontant que cet Arsène avait été assassiné par Athanase : un certain moine Jean, dit Archaph[3], intriguait aussi en vue de cette accusation. 3 Ce bruit honteux s'étant répandu chez beaucoup au point qu'il parvint aux oreilles de l'empereur, Athanase comprit que, s'il lui arrivait d'être l'objet d'une accusation publique pour cette cause aussi, il lui serait difficile de se défendre devant des juges prévenus par de telles rumeurs ; il manœuvrait donc contre les stratagèmes de ses ennemis et, s'assurant, autant que possible, la fidélité de tous, il tâchait de faire que la vérité ne fût pas couverte par leurs calomnies. 4 Il était

propose de corriger le texte des mss Ἰωάννης μοναχός τις ὁ γραφόμενος, en substituant ὁ Ἀρχάφ λεγόμενος à ὁ γραφόμενος (*PG* 67, c. 993-994). Mais il reconnaît ne pas pouvoir expliquer le titre de moine donné ici à l'évêque. Deux solutions : ou bien, comme le pense le Père Festugière, il s'agit d'un autre personnage que Jean Arkaph (mais la présence de Jean Arkaph, l'évêque mélécien, dans cette affaire paraît attestée par la lettre à lui adressée par Pinnes, qui l'appelle Père) ; ou il s'agit bel et bien de Jean dit Arkaph, qui aurait été, comme bien d'autres, moine, avant d'être ordonné évêque de Memphis, puis de Lycopolis par Mélétios. Tenant pour nulles ces deux ordinations, Sozomène « réduit » ici, d'une manière polémique et méprisante, l'évêque chef des méléciens à l'état de simple moine.

δὲ ἄρα τοὺς πολλοὺς πείθειν ἐργῶδες Ἀρσενίου μὴ φαινο-
μένου. Λογισάμενος οὖν ὡς οὐκ ἂν ἄλλως ἑαυτὸν καθάροι
τῆς ὑπονοίας, εἰ μὴ ζῆν ἀπελέγξειε τὸν τεθνάναι λεγόμενον,
πέμπει τῶν ἀμφ᾽ αὐτὸν πιστότατόν τινα διάκονον ἀναζη-
τήσοντα τοῦτον. Ὁ δὲ παραγενόμενος εἰς Θηβαΐδα ἐξαγ-
γειλάντων τινῶν μοναχῶν ἔγνω ὅπου διῆγεν. Ἐπεὶ δὲ ἧκε
πρὸς Πρίνην, παρ᾽ ᾧ ἐκρύπτετο, αὐτὸν μὲν Ἀρσένιον οὐ
καταλαμβάνει· προμαθόντες γὰρ τὴν ἄφιξιν τοῦ διακόνου
996 μετέστησαν τοῦτον εἰς τὴν κάτω Αἴγυπτον. 5 Παραλαβὼν
δὲ τὸν Πρίνην ἤγαγεν εἰς Ἀλεξάνδρειαν, ἅμα δὲ καὶ Ἡλίαν,
ἕνα τῶν αὐτῷ συνόντων, ὃς ἐλέγετο τὸν Ἀρσένιον ἑτέρωθι
μεταστῆσαι. Ἄμφω τε προσαχθέντες τῷ ἄρχοντι τῶν ἐν
Αἰγύπτῳ στρατιωτικῶν ταγμάτων ὡμολόγησαν ἐν ζῶσιν
εἶναι Ἀρσένιον, λαθεῖν δὲ παρ᾽ αὐτοῖς πρότερον κρυπτόμενον,
καὶ νῦν ἐν Αἰγύπτῳ διάγειν. 6 Ταῦτα οὕτω συμβάντα δῆλα
γενέσθαι Κωνσταντίνῳ ἐσπούδασεν Ἀθανάσιος. Τῷ δὲ βασιλεὺς ἀντέγραψεν ἔχεσθαι τῆς ἱερωσύνης ἐπιμελῶς καὶ τῆς
τοῦ λαοῦ εὐταξίας καὶ εὐσεβείας προνοεῖν, παρ᾽ οὐδὲν δὲ
ἡγεῖσθαι τὰς τῶν Μελιτιανῶν ἐπιβουλάς, ὡς καὶ αὐτοῦ εὖ
εἰδότος φθόνον αὐτοὺς ἐγείρειν εἰς τοιαύτας ψευδεῖς καὶ
πεπλασμένας γραφὰς καὶ τοὺς κατὰ τῆς ἐκκλησίας θορύβους. 7 Αὐτόν τε τοῦ λοιποῦ μὴ συγχωρεῖν τὰ τοιαῦτα, ἀλλὰ
δικαστὴν ἔσεσθαι κατὰ τοὺς πολιτικοὺς νόμους, εἰ μὴ ἡσυχίαν ἄγοιεν, καὶ δίκην λαβεῖν παρ᾽ αὐτῶν ὡς οὐ μόνον ἀδίκως
τοῖς ἀθῴοις ἐπιβουλευόντων, ἀλλ᾽ ἀδίκως τῇ εὐταξίᾳ τῆς
ἐκκλησίας καὶ τῇ εὐσεβείᾳ λυμαινομένων. Τοιαῦτα γράψας ὁ
βασιλεὺς Ἀθανασίῳ προσέταξεν εἰς τὸ κοινὸν ἀναγνωσθῆναι
τὴν ἐπιστολήν, ἵν᾽ εἰδέναι πάντες ἔχοιεν τὴν αὐτοῦ προαί-
ρεσιν. 8 Τὸ δὲ ἐξ ἐκείνου περιδεεῖς γενόμενοι οἱ τὰ Μελιτίου
φρονοῦντες τέως ἠρέμουν ὑφορώμενοι τὴν τοῦ κρατοῦντος
ἀπειλήν. Εἰρηνευομένη δὲ ἡ κατὰ πᾶσαν Αἴγυπτον ἐκκλησία

---

1. Elle a été conservée dans l'*Apologia contra Arianos*, 68. D'après
Sozomène, l'enquête fut menée par le *dux Aegypti*. En fait, Constantin

assurément difficile de persuader la plupart tant qu'Arsène restait invisible. S'étant donc dit qu'il ne pourrait se purifier du soupçon à moins de convaincre qu'était bien en vie celui qu'on disait mort, il envoya un diacre de sa suite, tout à fait sûr, pour le rechercher. Parvenu en Thébaïde, sur les dires de certains moines, ce diacre sut où vivait l'homme. Mais lorsqu'il fut arrivé chez Prinès, chez qui Arsène était caché, il ne le trouva pas ; ayant su en effet à l'avance l'arrivée du diacre, on l'avait fait passer en la Basse-Égypte. **5** Le diacre alors prit avec lui Prinès et le conduisit à Alexandrie, ainsi qu'Élias, l'un des compagnons de Prinès, dont on disait qu'il avait fait passer Arsène ailleurs. Ils furent amenés tous deux devant le *dux* des troupes en Égypte, ils confessèrent qu'Arsène était vivant, qu'à l'insu de tous, il avait été d'abord caché chez eux, et qu'il était maintenant en Égypte. **6** Athanase s'empressa de faire connaître la vérité sur ces faits à Constantin. L'empereur lui répondit de rester bien attaché à sa fonction épiscopale, de veiller au bon ordre et à la piété du peuple, et de ne tenir pour rien les intrigues des méléciens, car il savait fort bien lui-même que la seule jalousie les avait excités à de telles accusations mensongères et imaginaires et à jeter du trouble dans l'Église. **7** Lui-même désormais n'accueillerait plus de telles plaintes, mais jugerait selon les lois civiles, s'ils ne se tenaient pas en paix, et tirerait d'eux une punition comme non seulement s'en prenant criminellement à des innocents, mais nuisant criminellement au bon ordre de l'Église et à la piété. Cette lettre écrite[1], l'empereur enjoignit à Athanase de la faire lire publiquement, pour que tous connussent la décision impériale. **8** Depuis ce moment les méléciens, devenus timides, se tinrent pour l'instant tranquilles, car ils redoutaient la menace du prince. L'Église, dans toute l'Égypte, était en paix, et, dirigée par

chargea son demi-frère, le censeur Delmatius de mener l'enquête et d'instruire la cause : cf. BARDY, p. 106.

82 καὶ ὑπὸ | τοσούτου ἱερέως προστασίᾳ ἰθυνομένη πολυπλα-
σίων ὁσημέραι ἐγίνετο, πολλῶν προστιθεμένων ἐκ τοῦ
Ἑλληνικοῦ πλήθους καὶ τῶν ἄλλων αἱρέσεων.

24

1 Ὑπὸ δὲ τοῦτον τὸν χρόνον παρειλήφαμεν καὶ τοὺς ἔνδον
τῶν καθ᾽ ἡμᾶς Ἰνδῶν, ἀπειράτους μείναντας τῶν Βαρθολο-
μαίου κηρυγμάτων, μετασχεῖν τοῦ δόγματος ὑπὸ Φρου-
μεντίῳ, ἱερεῖ καὶ καθηγητῇ γενομένῳ παρ᾽ αὐτοῖς τῶν ἱερῶν
μαθημάτων. Ἵνα δὲ γνοίημεν καὶ ἐν τῷ παραδόξῳ τοῦ
συμβάντος περὶ τοὺς Ἰνδοὺς οὐκ ἐξ ἀνθρώπων, ὥς τισι
τερατολογεῖσθαι δοκεῖ, τὴν σύστασιν λαβεῖν τὸ τῶν Χριστιανῶν δόγμα, ἀναγκαῖον καὶ τὴν αἰτίαν τῆς Φρουμεντίου
χειροτονίας διεξελθεῖν· ἔχει δὲ ὧδε. 2 Περὶ πολλοῦ τοῖς παρ᾽
997 Ἕλλησιν εὐδοκιμωτάτοις φιλοσόφοις ἐγίνετο πόλεις καὶ
τόπους ἀγνῶτας ἱστορεῖν. Οὕτω γοῦν Πλάτων ὁ Σωκράτους
ἑταῖρος Αἰγυπτίοις ἐνεδήμησε τὰ παρ᾽ αὐτοῖς μαθησόμενος,

---

1. Littéralement « des Indiens de notre côté », τῶν καθ᾽ ἡμᾶς Ἰνδῶν
selon une manière de dire commune chez les Anciens depuis Eschyle,
Suppl., 284-286 (A.-J. F.). Voir note complémentaire 2, p. 387.

2. Barthélemy, l'un des douze apôtres, est couramment identifié
à Nathanaël (cf. B. Kraft, « Bartholomäus, Apostel », in Lexikon f.
Theol. 2 [1958], c. 9-10) : la désignation de Barthélemy-Nathanaël
comme apôtre pour l'Orient est attestée dès le iie siècle ; des témoignages plus tardifs lui font exercer sa prédication chez les Indiens de
l'Est (Eusèbe, H.E. V, 10), dans le voisinage de l'Éthiopie d'après
Rufin (H.E. I [X], 9) et Socrate (H.E. I, 19), ou encore en Arabie
heureuse, l'actuel Yémen. Comme il l'indique liminairement (« Pour
qu'on sache bien... que les fondations de la religion chrétienne ne sont
pas dues à des hommes, comme l'inventent mensongèrement certains »), Sozomène, en nommant ici Barthélemy et en comparant, à la
fin du chapitre, Frumentius aux apôtres, veut, exactement comme
Rufin qu'il suit ici de près, directement ou par l'intermédiaire de
Socrate (Rufin, H.E. I [X], 9 : « Dans ce partage de la terre, qui fut
opéré par tirage au sort par les apôtres pour prêcher la parole de Dieu,
alors que les diverses provinces étaient dévolues à différents apôtres, la

un si grand pontife, elle se multipliait de jour en jour, beaucoup se joignant à elle, venus de la masse des païens et des autres sectes.

Chapitre 24

Les Indiens de l'intérieur aussi reçoivent à ce moment la foi chrétienne, grâce aux prisonniers Frumentius et Édesius.

1 Vers ce temps-là, comme nous l'avons appris, les peuples de l'intérieur de l'Inde citérieure[1], qui n'avaient pas été touchés par la prédication de Barthélemy[2], participèrent à la foi sous l'influence de Frumentius, qui avait été ordonné évêque et qui leur enseigna les saintes vérités. Pour qu'on sache bien, par le caractère paradoxal aussi de ce qui arriva en « Inde », que les fondations de la religion chrétienne ne sont pas dues à des hommes, comme l'inventent mensongèrement certains, il est nécessaire de raconter aussi la cause de l'ordination de Frumentius. Voici ce qu'il en est. **2** Les plus en renom des philosophes grecs ont toujours attaché un haut prix à l'enquête sur des villes et des régions inconnues. C'est ainsi en tout cas que Platon, le disciple de Socrate[3], visita l'Égypte pour y apprendre les choses de ce pays, et qu'il navigua vers la Sicile pour y voir les cratères

Parthie, dit-on, fut attribuée par le sort à Thomas, l'Éthiopie à Mathieu, et l'Inde citérieure, qui lui est contiguë, à Barthélemy » [trad. F. Thelamon]), situer explicitement les aventures de Frumentius et leur issue dans le *plan divin* de l'évangélisation de toute la terre.

3. Les voyages de Platon en Égypte et en Cyrénaïque, son premier voyage en Italie méridionale et en Sicile se situent entre la condamnation à mort de Socrate (399) et le retour à Athènes, marqué par la fondation de l'Académie en 387 : cf. Diogène Laërce, 3, 18 ; Athénée, 11, 507 B ; Olympiodore, *Vita Plat.*, 4. L'historien Ammien Marcellin va même jusqu'à attribuer au séjour de Platon en Égypte une influence décisive sur sa formation (22, 16, 22).

ἔπλευσε δὲ καὶ εἰς Σικελίαν ἐπὶ θέᾳ τῶν αὐτόθι κρατήρων,
ἐν οἷς ἀεὶ μὲν ὡς ἀπὸ πηγῆς ἀναδιδόμενον αὐτόματον παφλά-
ζει πῦρ, πολλάκις δὲ ὑπερχέον ποταμοῦ δίκην ῥεῖ καὶ τὴν
γείτονα γῆν ἐπιβόσκεται τοσοῦτον, ὡς ἔτι νῦν πολλοὺς
ἀγροὺς φαίνεσθαι κατακεκαυμένους καὶ μήτε σπόρον δέχεσθαι μήτε φυτείαν δένδρων, οἷά γε περὶ τῆς Σοδομιτῶν χώρας
καταγγέλλουσι. 3 Τούτους δὲ τοὺς κρατῆρας καὶ Ἐμπε-
δοκλῆς ἱστόρησεν, ἀνὴρ λαμπρῶς παρ᾽ Ἕλλησι φιλοσοφήσας
καὶ ἐν ἔπεσιν ἡρῴοις τὴν ἐπιστήμην πραγματευσάμενος·
διαπορούμενος δὲ περὶ τῆς ἀναδόσεως τοῦ πυρός, ἢ τούτῳ
τῷ τρόπῳ ἄμεινον ἀποθανεῖν δοκιμάσας, ἢ — τό γε ἀληθέστερον εἰπεῖν — οὐδὲ αὐτὸς ἴσως εἰδὼς οὗ χάριν πρὸ καιροῦ τὴν τοιαύτην εὗρεν ἑαυτῷ τοῦ βίου ἀπαλλαγήν, ἥλατο
εἰς τὸ πῦρ καὶ διεφθάρη. 4 Οὐ μὴν ἀλλὰ καὶ Δημόκριτος ὁ
Κῷος πλείστας ἱστόρησε πόλεις, ἀέρα τε καὶ χώρας καὶ ἔθνη·
καὶ ἐπὶ ἔτεσιν ὀγδοήκοντα διαγαγεῖν ἐπὶ ξένης αὐτός που
περὶ ἑαυτοῦ φησιν. Ἄλλοι τε ἐπὶ τούτοις μυρίοι τῶν παρ᾽
Ἕλλησι σοφῶν, ἀρχαῖοι καὶ νεώτεροι, τοῦτο ἐσπούδασαν.
5 Οὓς ζηλώσας Μερόπιός τις φιλόσοφος Τύριος τῆς Φοινίκης παρεγένετο εἰς Ἰνδούς. Εἵποντο δὲ αὐτῷ παῖδες δύο,
Φρουμέντιός τε καὶ Ἐδέσιος, ἄμφω δὲ γένει αὐτῷ προσή-
κοντες· οὓς διὰ λόγων ἦγε καὶ ἐλευθερίως ἐπαίδευεν. Ἱστο-
83 ρήσας δὲ τῆς Ἰνδικῆς | ὅσα γε αὐτῷ ἐξεγένετο, τῆς ἐπανόδου
εἴχετο νηὸς ἐπιτυχὼν στελλομένης εἰς Αἴγυπτον. Συμβὰν
δὲ κατὰ χρείαν ὕδατος ἢ τῶν ἄλλων ἐπιτηδείων εἰς ὅρμον
τινὰ προσσχεῖν τὴν ναῦν, καταδραμόντες οἱ τῇδε Ἰνδοὶ

---

1. D'Empédocle d'Agrigente (*circa* 490), auteur d'un poème sur
l'*Univers* et des *Purifications*, certains disent qu'il mourut dans le
Péloponnèse, d'autres en se jetant dans le cratère de l'Etna : voir les
diverses traditions dans Diogène Laërce, 8, 67-74.

2. Propre à Sozomène ; en général Démocrite est dit d'Abdère. Au
surplus ce qui suit doit être emprunté à Clément d'Alexandrie (cf.
fr. 299 Diels-Kranz, t. II, p. 208 s.), avec la même faute de « quatre-
vingts », peut-être pour cinq (cf. apparat, p. 209, l. 1) (A.-J. F.).
Démocrite (460 env. — 370 env.) est souvent lié à l'illustre médecin
Hippocrate *de Cos* (460-377). La confusion commise par Sozomène
s'explique-t-elle par une lecture rapide de Diogène Laërce, source

locaux, en lesquels le feu jaillit constamment de lui-même, comme d'une source, et bouillonne, et souvent débordant coule à la manière d'un fleuve, et se repaît si bien de la terre avoisinante qu'aujourd'hui encore on peut voir beaucoup de champs brûlés qui n'admettent ni ensemencement ni plantation d'arbres, comme il est arrivé, dit-on, à la région de Sodome. **3** Ces cratères, Empédocle aussi les a visités[1], qui fut un philosophe brillant chez les Grecs et qui exposa sa science en vers héroïques. Comme il était dans l'incertitude sur le jaillissement de ce feu, ou parce qu'il jugea meilleur pour lui de mourir de cette façon, ou — pour dire plus probablement le vrai — sans même savoir peut-être lui-même pourquoi il se donnait avant l'heure cette sorte de mort, il se jeta dans le feu et périt. **4** D'autre part, Démocrite de Cos[2] visita beaucoup de villes, de climats, de régions et de peuples ; et il dit quelque part, sur lui-même, qu'il vécut quatre-vingts ans à l'étranger. Outre ceux-là, des quantités de sages grecs, parmi les anciens et les récents, se sont empressés à cette activité. **5** Dans un esprit d'émulation un certain Mérope, philosophe de Tyr en Phénicie, s'en alla chez les « Indiens ». Il était suivi de deux jeunes gens, Frumentius et Édésius, qui tous deux lui étaient apparentés : il les formait aux bonnes lettres et leur donnait une éducation libérale. Ayant visité dans l' « Inde » tout ce qu'il lui avait été possible de voir, il était sur le retour, ayant trouvé un bateau en partance pour l'Égypte. Il arriva que le bateau, par besoin d'eau ou d'autre ravitaillement, jeta l'ancre en un certain mouillage et que les « Indiens » du lieu[3], étant accourus, tuèrent tout le monde, y compris

fréquente de telles anecdotes « érudites » » ? En effet, Diogène Laërce rapporte qu'Hippocrate vint voir Démocrite et cite deux anecdotes à ce sujet (9, 34-48, et notamment 42).

3. Ces « Indiens » de la *côte* peuvent-ils relever des « peuples de l'*intérieur* de l'Inde citérieure » (probablement les Axoumites : voir p. 45, n. 3, et p. 386, note complémentaire 2) auxquels Frumentius apporta l'Évangile (II, 24, 1) ? En fait, les Axoumites ont pu, au

κτείνουσι πάντας καὶ τὸν Μερόπιον· ἔτυχον γὰρ τότε λύσαντες
τὰς πρὸς Ῥωμαίους σπονδάς. 6 Τοὺς δὲ παῖδας νέους ὄντας
οἰκτείραντες ἐζώγρησαν καὶ βασιλεῖ τῷ ἑαυτῶν προσήγαγον.
Ὁ δὲ τὸν μὲν νεώτερον οἰνοχόον κατέστησε, μείζονα δὲ τῆς
αὐτοῦ οἰκίας τὸν Φρουμέντιον καὶ τῶν χρημάτων ἐπίτροπον·
ἔγνω γὰρ αὐτὸν ἐχέφρονα καὶ διοικεῖν ἱκανώτατον. Ἐπὶ
πολὺν δὲ χρόνον χρησίμους σφᾶς καὶ πιστοὺς παρασχομένους,
τελευτῶν ἐπὶ παιδὶ καὶ γαμετῇ, ἐλευθερίᾳ τῆς εὐνοίας αὐτοὺς
ἠμείψατο καὶ ᾗ βούλοιντο διάγειν ἐπέτρεψε. 7 Καὶ οἱ μὲν
εἰς Τύρον πρὸς τοὺς οἰκείους ἐπανελθεῖν ἐσπούδαζον· ἔτι
δὲ τοῦ βασιλέως υἱοῦ νέου κομιδῇ ὄντος ἐδεήθη ἡ τούτου
μήτηρ ἐπ᾽ ὀλίγον χρόνον περιμεῖναι ἄμφω τὴν βασιλείαν
ἐπιτροπεύοντας, ἄχρις ἂν ὁ παῖς ἀνδρωθείη. Ἀντιβολοῦσαν
δὲ τὴν βασιλίδα ᾐδέσθησαν, καὶ τὰ βασίλεια καὶ τὴν ἡγεμονίαν Ἰνδῶν διῷκουν. 8 Ὁ δὲ Φρουμέντιος θείαις ἴσως
προτραπεὶς ἐπιφανείαις ἢ καὶ αὐτομάτως τοῦ θεοῦ κινοῦντος
ἐπυνθάνετο, εἴ τινες εἶεν Χριστιανοὶ παρ᾽ Ἰνδοῖς ἢ Ῥωμαῖοι
τῶν εἰσπλεόντων ἐμπόρων. Ἐπιμελῶς δὲ τούτους ἀναζητῶν
1000 μετεκαλεῖτο πρὸς ἑαυτόν· ἀμφαγαπάζων τε καὶ φιλοφρο-
νούμενος εὐχῆς ἕνεκεν συνιέναι ἐποίει καὶ ᾗ Ῥωμαίοις ἔθος
ἐκκλησιάζειν, καὶ διὰ πάντων προὔτρέπετο τὸ θεῖον πρεσβεύειν, εὐκτηρίους οἴκους οἰκοδομήσας. 9 Ἤδη δὲ τοῦ βασιλέως υἱοῦ εἰς ἐφήβους τελοῦντος, παραιτησάμενοι αὐτὸν καὶ
τὴν βασιλίδα οὐκ ἀνεκτὸν ἡγουμένους χωρίζεσθαι σφῶν,
πείσαντες καὶ φίλοι ἀπαλλαγέντες, παρεγένοντο εἰς τὴν
Ῥωμαίων ὑπήκοον. Καὶ Ἐδέσιος μὲν τοὺς οἰκείους ὀψόμενος
εἰς Τύρον ἦλθεν, ἔνθα δὴ μετὰ ταῦτα πρεσβυτερίου ἠξιώθη.
Φρουμέντιος δὲ τὴν ἐπὶ Φοινίκην ὁδὸν τέως ἀναβαλλόμενος
ἀφίκετο εἰς Ἀλεξάνδρειαν· ἔδοξε γὰρ αὐτῷ οὐ καλῶς ἔχειν
πατρίδος καὶ γένους δευτερεύειν τὴν περὶ τὰ θεῖα σπουδήν.

ɪvᵉ siècle, établir leur suzeraineté sur un point de la côte : cf. J. Dᴇ-
sᴀɴɢᴇs, « Une mention altérée d'Axoum dans l'*Expositio totius mundi
et gentium*, *Annales d'Éthiopie* 7 (1967), p. 150, n. 1.

Mérope ; à ce moment en effet ils avaient rompu la trêve avec les Romains. **6** Ils eurent pitié néanmoins des garçons, vu leur jeune âge, les firent prisonniers et les conduisirent à leur roi. Celui-ci fit du plus jeune son échanson, et de Frumentius le chef de sa maison et l'intendant de son trésor ; il lui avait reconnu en effet de la prudence et une très grande capacité à administrer. Après que ces jeunes gens se furent montrés un long temps utiles et fidèles, au moment de mourir en laissant un fils et son épouse, il récompensa leur bonne volonté par l'affranchissement et leur permit de vivre où ils voudraient. **7** Ils avaient envie de retourner à Tyr chez leurs proches ; mais comme le fils du roi était encore tout jeune, sa mère les pria tous deux de rester encore un peu de temps à gouverner le royaume, jusqu'à ce que ce fils fût arrivé à l'âge d'homme. Ils eurent égard aux supplications de la reine, et administrèrent le palais et le royaume des « Indiens ». **8** Cependant, Frumentius, encouragé peut-être par des apparitions divines ou bien spontanément sous l'impulsion de Dieu, s'était mis à demander s'il y avait des chrétiens chez les « Indiens », ou bien si parmi les négociants qui arrivaient par mer il y avait des Romains. Il les recherchait avec soin et les faisait venir à lui, et, les entourant d'affection et de prévenances, il les faisait se réunir pour la prière et tenir des assemblées de culte comme chez les Romains, et, ayant fait bâtir des églises, il les encourageait de toute manière à rendre culte à la Divinité. **9** Quand le fils du roi fut parvenu à l'âge d'éphèbe, ils refusèrent les propositions du prince et de la reine, qui ne pouvaient supporter la pensée de se séparer d'eux, ils parvinrent à les persuader, les quittèrent en amitié, et arrivèrent à la terre soumise aux Romains. Édésius retourna voir ses parents à Tyr, et il fut là, quelque temps après, ordonné prêtre. Frumentius, lui, remit pour l'instant à plus tard son retour en Phénicie, et il se rendit à Alexandrie ; il estima en effet qu'il ne convenait pas que le zèle des choses de Dieu passât après sa patrie et sa famille.

10 Συντυχὼν δὲ Ἀθανασίῳ τῷ προϊσταμένῳ τῆς Ἀλεξανδρέων ἐκκλησίας τὰ κατ᾽ Ἰνδοὺς διηγήσατο καὶ ὡς ἐπισκόπου δέοι αὐτοῖς τῶν αὐτόθι Χριστιανῶν ἐπιμελησομένου.
Ὁ δὲ Ἀθανάσιος τοὺς ἐνδημοῦντας ἱερέας ἀγείρας ἐβουλεύσατο περὶ τούτου· καὶ χειροτονεῖ αὐτὸν τῆς Ἰνδικῆς
ἐπίσκοπον, λογισάμενος ἐπιτηδειότατον εἶναι τοῦτον καὶ
ἱκανὸν πολλὴν ποιῆσαι τὴν θρησκείαν, παρ᾽ οἷς πρῶτος
αὐτὸς ἔδειξε τὸ Χριστιανῶν ὄνομα καὶ σπέρμα παρέσχετο
τῆς τοῦ δόγματος μετουσίας. **11** Ὁ δὲ Φρουμέντιος πάλιν
εἰς Ἰνδοὺς ὑποστρέψας λέγεται τοσοῦτον εὐκλεῶς τὴν
ἱερωσύνην μετελθεῖν, ὡς ἐπαινεθῆναι παρὰ πάντων τῶν αὐτοῦ
84 πειρα|θέντων, οὐχ ἧττον ἢ τοὺς ἀποστόλους θαυμάζουσι,
καθότι καὶ ἐπισημότατον αὐτὸν ὁ θεὸς ἀπέφηνε, πολλὰς καὶ
παραδόξους ἰάσεις καὶ σημεῖα καὶ τέρατα δι᾽ αὐτοῦ δημιουρ-
γήσας. Ἡ μὲν δὴ παρ᾽ Ἰνδοῖς ἱερωσύνη ταύτην ἔσχεν ἀρχήν.

25

1 Ἀθανασίῳ δὲ πάλιν αἱ τῶν ἐναντίων ἐπιβουλαὶ ἀνεκί-
νουν πράγματα καὶ μῖσος παρὰ τῷ βασιλεῖ κατεσκεύαζον
καὶ κατηγόρων ἐπήγειρον πλῆθος. Παρ᾽ ὧν ὀχλούμενος ὁ
βασιλεὺς σύνοδον γενέσθαι προσέταξεν ἐν Καισαρείᾳ τῆς

---

1. Sur le problème historique de la conversion des « Indiens », voir
PALANQUE, p. 495, qui distingue, dans le récit de Rufin et dans ceux
de Socrate et de Sozomène qui en sont étroitement tributaires, des
éléments véridiques (c'est bien au IVe siècle que furent évangélisés les
deux royaumes riverains de la mer Rouge, l'Arabie homérite et
l'Abyssinie axoumite ; cependant Sozomène se garde bien de préciser
que la pénétration antérieure du judaïsme facilita la christianisation
de ces pays !), mais aussi des éléments romanesques (l'épisode de
Frumentius), et dénonce un excès d'optimisme dans l'appréciation
des résultats obtenus par le christianisme dès le IVe siècle (la conversion officielle et générale ne serait effective qu'au VIe siècle). En sens
contraire, J. DORESSE, dans un article plus récent portant sur « Les
premiers monuments chrétiens de l'Éthiopie et l'église archaïque
de Yéha », *Novum Testamentum*, I, 3 (1956), p. 209-224, écrit,

10 Il eut un entretien avec Athanase, alors chef de l'Église d'Alexandrie, lui décrivit l'état des choses en « Inde » et lui dit qu'il leur fallait un évêque pour prendre soin des chrétiens qui étaient là. Athanase rassembla les prêtres de son conseil et délibéra avec eux à ce sujet ; et il ordonna Frumentius évêque de l' « Inde », s'étant dit qu'il y était tout à fait propre et capable d'accroître la religion, puisqu'il avait été le premier à leur révéler le nom des chrétiens et qu'il avait jeté la semence de la participation à la foi. **11** Frumentius retourna donc en « Inde » et il y accomplit si brillamment, dit-on, son office d'évêque qu'il fut loué de tous ceux qui eurent affaire à lui, non moins qu'on admire les apôtres, attendu que Dieu l'avait rendu tout à fait illustre, ayant opéré par lui nombre de guérisons extraordinaires, de miracles et de prodiges. Telles furent donc les origines du culte chrétien en « Inde »[1].

Chapitre 25

Concile de Tyr ; déposition inattendue de saint Athanase.

1 Cependant, de nouveau, les intrigues de ses adversaires créaient des difficultés à Athanase, suscitaient contre lui de la haine chez l'empereur et mettaient en mouvement une foule d'accusateurs. Importuné par eux, l'empereur ordonna

p. 209 : « La conversion de l'empire d'Axoum se situe sous le roi Ezana, vers le second quart du ive siècle... Le premier roi se nommait Ela-Amida, le fils de ce dernier Ezana. L'envoi de Frumentius par Athanase se situe entre 328 et 356. La lettre de Constance II aux Axoumites (356) atteste que leur empire est, dès lors, chrétien. » Sur le récit de Rufin, source de celui de Sozomène, et qui repose lui-même sur le rapport oral d'Édésius, compagnon de Frumentius, voir le commentaire approfondi de F. THELAMON, hostile à l'opinion de Doresse, p. 37-83. (« L'introduction du christianisme dans le royaume d'Axoum »).

Παλαιστίνης. Εἰς ἢν κληθεὶς οὐχ ὑπήκουσεν, Εὐσεβίου τοῦ τῇδε ἐπισκόπου καὶ τοῦ Νικομηδείας καὶ τῶν ἀμφ' αὐτοὺς δείσας τὴν σκαιωρίαν. Ἀλλὰ τότε μὲν καίτοι συνελθεῖν ἀναγκαζόμενος ἀμφὶ τοὺς τριάκοντα μῆνας ἀνεβάλλετο· 2 μετὰ δὲ ταῦτα σφοδρότερον βιασθεὶς ἧκεν εἰς Τύρον.

Ἔνθα δὴ συνελθόντες πολλοὶ τῶν ἀνὰ τὴν ἕω ἐπισκόπων ἐκέλευον αὐτὸν τὰς εὐθύνας ὑπέχειν τῶν κατηγορουμένων. 3 Κατηγόρουν δὲ αὐτοῦ τοῦ μέρους Ἰωάννου Καλλίνικος ἐπίσκοπος καὶ Ἰσχυρίων τις ὡς μυστικὸν ποτήριον συνέτριψε καὶ ἐπισκοπικὸν καθεῖλε θρόνον καὶ Ἰσχυρίωνα τοῦτον πρεσβύτερον ὄντα πολλάκις καθεῖρξε καὶ συκοφαντήσας πρὸς Ὑγῖνον τὸν Αἰγύπτου ὕπαρχον, ὡς βασιλικὰς εἰκόνας λιθάσαντα, δεσμωτήριον οἰκεῖν παρεσκεύασε, 4 Καλλίνικον δὲ ὡς ἐπίσκοπον ὄντα ἐν Πηλουσίῳ τῆς καθόλου ἐκκλησίας καὶ μετὰ Ἀλεξάνδρου συναγόμενον καθεῖλεν, ὅτι γέ, φησι, παρῃτεῖτο κοινωνεῖν αὐτῷ, εἰ μὴ πεισθείη περὶ τοῦ συντετρῖφθαι ὑπονοουμένου μυστικοῦ ποτηρίου, Μάρκῳ δέ τινι πρεσβυτερίου ἀφῃρημένῳ τὴν Πηλουσίου ἐκκλησίαν ἐπέτρεψεν, αὐτὸν δὲ Καλλίνικον στρατιωτικῆς φρουρᾶς καὶ αἰκισμῶν καὶ δικαστηρίων πειραθῆναι ἐποίησε. 5 Καὶ Εὔπλος δὲ καὶ Παχώμιος καὶ Ἰσαὰκ καὶ Ἀχιλλεὺς καὶ Ἑρμαίων, τῶν ἀμφ' Ἰωάννην ἐπίσκοποι, πληγῶν αὐτοῦ κατηγόρουν,

---

1. *Scil.* au concile de Tyr, été 335 (7 mai : lettre de Constantin au concile ; 11 juillet : arrivée d'Athanase ; 8 sept. : remise du placet des prêtres de la Maréotide au préfet d'Égypte en faveur d'Athanase ; 29 oct. : Athanase quitte Tyr pour Constantinople ; cf. les *Regesten* de SEECK pour 335 ; SCHWARTZ, *Gesamm. Schriften*, p. 257, 2, date l'arrivée à Constantinople du 30 octobre). Les dates du concile de Césarée sont controversées. Se fondant sur les « trente mois » du présent passage, SCHWARTZ dit « février-mars 333 » (*ibid.*, p. 200, 1). H. I. BELL, *Jews and Christians in Egypt*, Londres 1924, p. 48 et note 1, tient pour 334. Sozomène en tout cas n'est pas conséquent, car, en 25, 17, il donne le concile de Césarée comme ayant eu lieu un an avant celui de Tyr, donc en 334 (A.-J. F.).

2. Le déroulement du concile de Tyr est connu par PHILOSTORGE, *H.E.* II, 11 et par ATHANASE, *Apologia contra Arianos*, 3-19, qui reproduit une longue lettre du concile égyptien de 340 rapportant à sa

qu'un concile eût lieu à Césarée de Palestine. Athanase y fut convoqué, mais n'obéit pas, car il craignait les machinations d'Eusèbe évêque du lieu, d'Eusèbe de Nicomédie et de leurs partisans. A ce moment donc, bien que contraint de se présenter, il différa durant environ trente mois, **2** mais ensuite, sous une contrainte plus forte, il se rendit à Tyr[1].

A Tyr donc, beaucoup des évêques d'Orient, s'étant réunis[2], ordonnaient qu'Athanase rendît ses comptes sur les points dont on l'accusait. **3** Voici les accusations de Callinicos, évêque du parti de Jean[3], et d'un certain Ischyrion : il avait brisé un vase sacré et déposé de son siège épiscopal Callinicos ; cet Ischyrion, qui était prêtre, il l'avait souvent enfermé et, après l'avoir calomnié auprès du préfet d'Égypte Hygin[4] comme ayant jeté des pierres contre des statues de l'empereur, il avait fait en sorte qu'il fût mis en prison. **4** Callinicos, lui, qui était évêque de l'Église catholique à Péluse et avait été en communion avec Alexandre[5], il l'avait déposé, parce que, disait-il, Callinicos refusait d'être en communion avec lui aussi longtemps qu'il n'aurait pas été persuadé touchant le vase sacré dont on soupçonnait qu'Athanase l'avait brisé ; il avait confié l'Église de Péluse à un certain Marc qui avait été exclu du clergé presbytéral, et il avait fait en sorte que Callinicos lui-même fût gardé par des soldats et devînt la victime d'outrages et de procès. **5** De leur côté Euplos, Pachôme, Isaac, Achille et Hermaion, évêques du parti de Jean, l'accusaient de coups.

---

manière le synode de Tyr ; voir aussi *ibid.*, 71-87, le récit du synode avec citation de plusieurs pièces authentiques. D'après Bardy, p. 109, n. 2, le récit de Sozomène dérive de la relation que les évêques envoyèrent à Constantin (cf. *infra*, § 16) et que lui-même a pu trouver dans le recueil de Sabinos.

3. L'évêque mélécien, successeur de Mélétios (A.-J. F.).

4. Préfet d'Égypte en 332 (Seeck, *Regesten*, p. 181). Sur ce personnage, voir aussi *P.L.R.E.*, I, p. 446 : originaire d'Italie, il succéda à Florentius comme préfet d'Égypte en 331.

5. L'ancien évêque d'Alexandrie (A.-J. F.).

6 κοινῇ δὲ πάντες, ὡς δι' ἐπιορκίας τινῶν εἰς τὴν ἐπισκοπὴν
παρῆλθεν, συνθεμένων πάντων μηδένα χειροτονεῖν, πρὶν τὰ
ἐν αὐτοῖς ἐγκλήματα διαλύσωσιν· ἀποστῆναι δὲ διὰ τοῦτο
αὐτοὺς ἀπατηθέντας τῆς πρὸς αὐτὸν κοινωνίας· τὸν δὲ μὴ
1004 ἀξιῶσαι πεῖσαι, ἀλλὰ βιάζεσθαι, καὶ δεσμωτηρίοις αὐτοὺς
ἐμβαλεῖν.

85 | 7 Ἐπὶ τούτοις τε καὶ τὰ κατὰ Ἀρσένιον ἀνεκινεῖτο. Καὶ
οἷα φιλεῖ ἐν σπουδαζομέναις ἐπιβουλαῖς, ἀπροσδόκητοι καὶ
τῶν νομιζομένων φίλων ἀνεφύοντο κατήγοροι. Καὶ γραμ-
ματεῖον ἀνεγινώσκετο δημοτικῶν ἐκβοήσεων, ὡς τῶν ἀνὰ
τὴν Ἀλεξάνδρειαν λαῶν δι' αὐτὸν ἐκκλησιάζειν μὴ ἀνεχο-
μένων. 8 Ὁ δὲ Ἀθανάσιος ἀπολογήσασθαι προσταχθείς,
προελθὼν πολλάκις εἰς τὸ δικαστήριον τὰ μὲν τῶν ἐγκλημά-
των ἀπελύσατο, τῶν δὲ πρὸς ἐπίσκεψιν ὑπέρθεσιν ᾐτησεν.
Ἠπόρει δὲ λίαν καὶ τοὺς κατηγόρους τοῖς δικασταῖς ὁρῶν
κεχαρισμένους καὶ μάρτυρας πολλοὺς κατ' αὐτοῦ παρε-
σκευασμένους ἐκ τῶν τὰ Ἀρείου καὶ Μελιτίου φρονούντων
καὶ τοὺς συκοφάντας, ἐφ' οἷς ἐγκλήμασιν ἐκράτει, συγγνώ-
μης ἀξιουμένους, καὶ μάλιστα ἐπὶ τῇ κατὰ Ἀρσένιον γραφῇ,
οὗ γοητείας ἕνεκα κατηγορεῖτο τὸν βραχίονα ἐκτεμεῖν, καὶ
<τῇ κατὰ> γυναῖκά τινα, ᾗ δῶρα ἐπὶ ἀσελγείᾳ δεδωκέναι
καὶ νύκτωρ ἀκούσῃ συνδιαφθαρῆναι ἐνεκαλεῖτο. 9 Ἑκατέρα
<δὲ> γραφὴ γελοία ἐφωράθη καὶ συκοφαντίας ἀνάπλεως.
Ἐπεὶ γὰρ συνειλεγμένων ἐπισκόπων κατηγόρει ταῦτα ἡ
γυνή, παρεστὼς Ἀθανασίῳ Τιμόθεος Ἀλεξανδρεὺς πρεσβύτερος, ὡς αὐτοῖς λάθρα συνεδόκει, ὑπολαβὼν πρὸς τὸ

1. Cf. supra, chap. 17, 4 (A.-J. F.).
2. Cf. supra, chap. 23, 1-5 (A.-J. F.).
3. Cf. Rufin, H.E. I (X), 18 ; Vita Athanasii, 13, P G 25, c. CXCVI ;
Théodoret, H.E. I, 30 ; Philostorge, H.E. II, 11. Pour achever
de déconsidérer ce racontar, Sozomène souligne au § 11 qu'il n'est
même pas mentionné dans les Actes du concile, ce qui semble indiquer
qu'il les a consultés, au moins dans le recueil de Sabinos.
4. Naturellement, il ne peut s'agir ici de l'archidiacre d'Alexandrie,
nommé également Timothée, auquel on attribue l'ouvrage, rédigé en

6 Tous enfin l'accusaient en commun de n'être parvenu à l'épiscopat que grâce au parjure de certains, alors que tous avaient juré en commun de n'ordonner aucun évêque avant qu'ils n'eussent réfuté les accusations qu'ils se portaient l'un contre l'autre[1] ; c'était là la raison, disaient-ils, de ce que, ayant été trompés, ils s'étaient séparés de sa communion ; mais lui n'avait pas daigné les persuader, loin de là, il usait contre eux de violence et les avait jetés en prison.

7 Par là-dessus, on soulevait à nouveau l'affaire d'Arsène[2]. Et, comme il arrive lorsqu'on fomente des intrigues, il jaillissait des accusateurs, contre toute attente, dans les rangs même de ceux qu'on croyait amis. On lisait même un document de plaintes publiques, comme quoi les fidèles d'Alexandrie ne voulaient plus célébrer le culte à cause d'Athanase. **8** Lors donc qu'il eut reçu l'ordre de se défendre, Athanase, ayant comparu souvent devant le tribunal, réfuta certains chefs d'accusation et, pour d'autres, demanda un délai en vue de les examiner. Ce qui le mettait en grande difficulté, c'est qu'il voyait que les accusateurs avaient les faveurs des juges, qu'ils s'étaient procuré beaucoup de témoins contre lui parmi les partisans d'Arius et de Mélétios, et que les calomniateurs obtenaient leur pardon pour des chefs d'accusation où lui-même l'emportait, principalement dans le cas de l'action publique concernant Arsène, dont on l'accusait d'avoir coupé le bras en vue d'opérations magiques, et dans le cas de l'action publique concernant une femme, à qui on lui faisait grief d'avoir donné de l'argent dans un dessein impudique et de s'être uni une nuit malgré elle. **9** Or, dans l'un et l'autre cas, il fut flagrant que l'accusation était ridicule et bourrée de calomnie[3]. Comme en effet, les évêques s'étant rassemblés, la femme portait cette accusation, Timothée, prêtre d'Alexandrie[4], se tenant près d'Athanase — ils avaient convenu secrètement de la

grec, qui peut avoir servi de modèle à Rufin pour son *Historia mona-chorum* (cf. *supra*, p. 180, n. 1).

γύναιον· « Ἐγώ σε, ἔφη, ἐβιασάμην, ὦ γύναι; » Ἡ δέ·
« Ἀλλ' οὐ σύ; », καιρὸν λέγουσα καὶ τόπον ἐν ᾧ δῆθεν
βεβίαστο. 10 Ἀρσένιον δὲ εἰς μέσον παρήγαγε καὶ ἀμφο-
τέρας ἀρτίους αὐτοῦ χεῖρας ἐπέδειξε τοῖς δικασταῖς, καὶ
ἐδεῖτο αὐτῶν εὐθύνας ὑπέχειν τοὺς κατηγόρους οὗ ἐπ-
εφέροντο βραχίονος. Ἔτυχε γὰρ Ἀρσένιος οὗτος, ἢ θειόθεν
ἐλαυνόμενος ἤ, ὡς λέγεται, ὑπὸ τῶν ἐπιβούλων Ἀθανασίου
κρυπτόμενος, ἀναγγείλαντός του δι' αὐτὸν κινδυνεύειν τὸν
ἐπίσκοπον, ἀποδρὰς νύκτωρ καὶ πρὸ μιᾶς τοῦ δικαστηρίου
κατάρας εἰς Τύρον. 11 Ἑκατέρου δὲ ἐγκλήματος ὧδε λυθέν-
τος, ὡς μηδὲν ἀπολογίας προσδεηθῆναι, τὸ μὲν πρῶτον, ὡς
οἶμαι, ἐπὶ προφάσει δῆθεν τοῦ μὴ χρῆναι οὕτως αἰσχρὸν
καὶ γελοιῶδες πρᾶγμα ἐπὶ συνόδου ἀναγράφεσθαι, οὐκ
ἐμφέρεται τοῖς πεπραγμένοις. 12 Πρὸς δὲ τὸ δεύτερον
ἤρκεσεν εἰς ἀπολογίαν τοῖς κατηγόροις εἰπεῖν, ὡς Πλου-
σιανός τις ἐπίσκοπος τῶν ὑπὸ Ἀθανάσιον κατὰ πρόσταξιν
αὐτοῦ τὴν Ἀρσενίου οἰκίαν κατέφλεξε, καὶ κίονι προσδήσας
86 καὶ ἱμᾶσιν αἰκισάμενος ἐν οἰκίσκῳ καθεῖρξε· | διὰ θυρίδος
1005 δὲ ἀποδρᾶσαι τοῦτον καί, ἐπειδὴ ζητητέος ἦν, ἐπὶ χρόνον
λαθεῖν κρυπτόμενον, μὴ φαινόμενον δὲ εἰκότως ἀποθανεῖν
νομισθῆναι. Καὶ οἷά γε ἐπιφανῆ ἄνδρα καὶ ὁμολογητὴν οἱ
ἀμφὶ τὸν Ἰωάννην ἐπίσκοποι ἐζήτουν αὐτὸν προσιόντες τοῖς
ἄρχουσι.

13 Ταῦτ' οὖν λογιζόμενος Ἀθανάσιος περιδεὴς ἦν· ἅμα
δὲ ὑφωρᾶτο, μὴ καιρὸν εὑρόντες οἱ ἐπιβουλεύοντες λάθρα
ἀνέλωσιν αὐτόν. Μετὰ πολλὰς δὲ συνόδους, θορύβου καὶ

1. Sans doute s'agit-il ici de l'un des sept évêques qui avaient
ordonné Athanase sans attendre que fût aplani le différend opposant
méléciens et orthodoxes (cf. *supra*, § 6, renvoyant à II, 17, 4).

2. Notamment le comte Flavius Dionysius, représentant Constantin
au concile ; cf. la lettre de Constantin ap. THÉODORET, *H.E.* I, 29, 4.
Sur ce personnage, voir *P.L.R.E.*, I, p. 259 : il était originaire de Sicile,
gouverneur de Phénicie en 328/329 ; consulaire de Syrie en 329-335 ;
comte du Consistoire en 335 ; encore influent à la cour de Constantinople en 341.

3. Jusqu'à νομισθῆναι, on a ce que disent les accusateurs d'Athanase pour leur défense dans le cas d'Arsène. La phrase Καὶ οἷά γε...

chose, Athanase et lui —, l'interrompt et lui dit : « C'est bien moi qui t'ai violée, femme? » Elle alors : « Mais n'est-ce pas toi? », et elle indiquait l'heure et le lieu où, à l'en croire, elle avait été violée. **10** Quant à Arsène, il l'introduisit en plein milieu, montra aux juges qu'il avait les deux mains bien intègres et réclama que les accusateurs eussent à rendre des comptes sur le bras qu'ils apportaient avec eux. Il était arrivé en effet que cet Arsène, ou poussé par la Providence divine, ou parce que, à ce qu'on raconte, tandis qu'il était caché par ceux qui tendaient des pièges à Athanase, quelqu'un l'avait averti qu'à cause de lui l'évêque était en péril, avait fui de nuit et abordé à Tyr la veille du jour du procès. **11** Des deux chefs d'accusation ainsi réfutés au point qu'il n'y eut plus besoin de défense, le premier n'est pas rapporté dans les Actes du concile, sous le prétexte, je suppose, qu'il ne fallait pas, apparemment, inscrire au compte du concile une affaire aussi honteuse et ridicule. **12** Quant au second, les accusateurs jugèrent suffisant de dire pour leur défense que Plousianos, l'un des évêques suffragants[1] d'Athanase, avait, sur l'ordre de celui-ci, incendié la maison d'Arsène, l'avait attaché à une colonne et torturé à coups de fouet, puis enfermé dans une cabane ; qu'Arsène avait fui par une fenêtre ; que, comme il était l'objet de poursuites, il s'était longtemps tenu caché, et alors, comme il ne paraissait pas, on l'avait à bon droit jugé mort. Et ainsi les évêques du parti de Jean allaient trouver les magistrats[2] et recherchaient l'alliance d'Arsène, comme si c'était un héros illustre et un confesseur de la foi[3]. **13** Réfléchissant donc à tout cela, Athanase était pris de crainte. En même temps il redoutait que, ayant trouvé une occasion propice, ceux qui intriguaient contre lui ne le déposassent secrètement de son siège. Après plusieurs

---

ἐζήτουν, où la construction change *(verbum absolutum)*, marque la conclusion et annonce la suite (Athanase περιδεὴς ἦν). A mon sens il faut un point, non un point en haut après νομισθῆναι. (A.-J. F.).

ταραχῆς ἐμπλησθέντος τοῦ συλλόγου, κεκραγότων τε τῶν
κατηγόρων καὶ τοῦ περὶ τὸ δικαστήριον πλήθους πάσῃ
μηχανῇ χρῆναι αὐτὸν ἐκποδὼν ποιεῖν ὡς γόητα καὶ βίαιον
καὶ ἱερωσύνης ἀνάξιον, δείσαντες οἱ παρὰ τοῦ βασιλέως
προστεταγμένοι παρεῖναι τῇ συνόδῳ εὐταξίας ἕνεκα, μή,
ὡς εἰκὸς ἐν στάσει, καταδραμόντες αὐτόχειρες αὐτοῦ γένων-
ται, λάθρα αὐτὸν ὑπεξήγαγον τοῦ δικαστηρίου. 14 Ὁ δὲ
λογισάμενος οὐκ ἀκίνδυνον αὐτῷ διατρίβειν ἐν Τύρῳ οὔτε
ἀσφαλὲς δικάσασθαι πρὸς πλῆθος κατηγόρων παρὰ δικασταῖς
ἐχθροῖς, φεύγει εἰς Κωνσταντινούπολιν. 15 Καταδικάζουσι
δὲ αὐτοῦ ἐρήμην ἡ σύνοδος καὶ καθαιροῦσι τῆς ἐπισκοπῆς·
καὶ ψηφίζονται αὐτὸν μηκέτι τὴν Ἀλεξάνδρειαν οἰκεῖν, ἵνα
μή, φησι, θορύβους καὶ στάσεις παρὼν ἐργάζηται. Ἰωάννην
δὲ καὶ τοὺς σὺν αὐτῷ πάντας ὡς οὐ δικαίως κακῶς παθόντας
εἰς κοινωνίαν προσίενται, καὶ τὸ ἐν τῷ κλήρῳ ἀξίωμα ἑκάστῳ
ἀπέδωκαν*. 16 Δηλοῦσι δὲ τὰ πεπραγμένα τῷ βασιλεῖ καὶ
γράφουσι τοῖς πανταχῇ ἐπισκόποις μὴ μεταδοῦναι αὐτῷ
κοινωνίας μήτε γράφειν μήτε γράμματα παρ᾽ αὐτοῦ δέχεσθαι, ὡς ἐληλεγμένου ἐν οἷς διήκουσαν καὶ διὰ τῆς φυγῆς καὶ
ἐπὶ ταῖς μὴ ἀγωνισθείσαις γραφαῖς ἁλόντος. 17 Ἐδήλουν
δὲ διὰ τῆς ἐπιστολῆς ἐπὶ τοιαύτην προῆχθαι ψῆφον πρῶτον
μὲν ὅσα χαλεπαίνοντες, καθότι τοῦ βασιλέως προστάξαντος
ἐν τῷ παρελθόντι ἐνιαυτῷ συνελθεῖν αὐτοῦ χάριν εἰς Καισά-
ρειαν τοὺς ἀνὰ τὴν ἕω ἐπισκόπους οὐκ ἀπήντησεν, ἐπὶ
μακρῷ χρόνῳ ταλαιπωρουμένην τὴν σύνοδον ἰδὼν καὶ τῶν
τοῦ κρατοῦντος προσταγμάτων καταφρονήσας. 18 Πλειόνων
δὲ συνελθόντων εἰς Τύρον ἅμα πλήθει ἀφίκετο καὶ ταραχὰς
καὶ θορύβους ἐνεποίει τῇ συνόδῳ, πῇ μὲν τὰς ἀπολογίας

*ἀπέδωκαν Schwartz Festugière : διέδωκαν codd. Bidez.

---

1. Je préfère ἀπέδωκαν (Schwartz) à διέδωκαν, possible à la rigueur,
mais de langue très bizarre (A.-J. F.).
2. Il s'agit notamment des 49 évêques d'Égypte (ATHANASE,

séances, comme le concile était rempli de tumulte et de trouble, que les accusateurs et la foule qui entourait le tribunal hurlaient qu'il fallait par tout moyen le chasser comme sorcier, usant de violence et indigne du sacerdoce, les fonctionnaires préposés par l'empereur pour assister au concile en vue d'assurer l'ordre, craignant que, comme il est naturel en une sédition, on ne courût sus à Athanase et le tuât, le firent sortir secrètement du tribunal par une porte dérobée. **14** S'étant dit alors qu'il n'était pas sans péril pour lui de rester à Tyr et qu'il n'y avait pas de sûreté dans un procès contre une foule d'accusateurs devant des juges qui le haïssaient, Athanase s'enfuit à Constantinople. **15** Les Pères du concile le condamnèrent par défaut et le déposèrent de son siège ; ils votèrent qu'il n'habiterait plus à Alexandrie, pour ne pas créer par sa présence, disaient-ils, du trouble et des séditions. Ils admirent à leur communion, comme ayant été brimés de façon inique, Jean et tous ses partisans, et ils rendirent[1] à chacun son rang dans le clergé. **16** Les Pères transmirent les Actes au prince et ils écrivirent aux évêques de partout de ne pas admettre Athanase en leur communion, de ne pas lui écrire et de ne pas accueillir de lettre de lui, car il avait été convaincu de crime dans les matières où ils l'avaient écouté jusqu'au bout, et il avait été condamné aussi par sa fuite dans les procès auxquels il n'avait pas répondu. **17** Ils signifiaient par cette lettre qu'ils avaient été amenés à ce vote d'abord par irritation, attendu que l'année d'avant, malgré l'ordre de l'empereur que les évêques d'Orient se réunissent à cause de lui à Césarée, il n'avait pas daigné paraître, laissant ainsi le concile se fatiguer longtemps pour rien et méprisant les ordres impériaux. **18** Ensuite, quand beaucoup d'évêques étaient déjà rassemblés à Tyr, il était arrivé avec toute une masse de gens[2] et avait causé troubles et tumultes dans le concile,

---

Apologia contra Arianos, 79) qui ne furent pas admis au concile : cf. BARDY, p. 108 et n. 3.

87 παρακρουόμενος, πῇ δὲ τῶν ἐπισκόπων ἕκαστον προ|πηλα-
κίζων, ἄλλοτε δὲ καλούμενος ὑπ' αὐτῶν μὴ ὑπακούων, ποτὲ
δὲ κρίνεσθαι μὴ ἀξιῶν. 19 Περιφανῶς δὲ πεφωρᾶσθαι αὐτὸν
ἐπὶ τοῦ μυστικοῦ ποτηρίου τῇ συντριβῇ κατήγγελλον, μάρτυρας ἐπὶ τούτῳ προϊσχόμενοι Θεόγνιον τὸν Νικαίας ἐπίσκοπον καὶ Μάριν τὸν Χαλκηδόνος καὶ Θεόδωρον τὸν Ἡρακλείας, Οὐάλεντά τε καὶ Οὐρσάκιον καὶ Μακεδόνιον· οὓς
ἀπέστειλαν εἰς Αἴγυπτον, ὥστε παραγενομένους εἰς τὴν
κώμην, ἔνθα συντετρῖφθαι τὸ ποτήριον ἐλέγετο, τὸ ἀληθὲς
ἀνευρεῖν. Τοιαῦτα ἔγραψαν, καθ' ἕκαστον ἔγκλημα δικανικῶς
ἐφαψάμενοι καὶ οἷον ἐκ τέχνης τινὸς διαβολὴν κατασκευάσαι
σπουδάζοντες. 20 Οὐχ ὑγιῶς δὲ ταύτην τὴν κρίσιν ἔχειν καὶ
1008 πολλοῖς τῶν παρόντων ἱερέων κατεφαίνετο. Λέγεται γοῦν
Παφνούτιον τὸν ὁμολογητὴν τῇ συνόδῳ ταύτῃ παραγενόμενον,
λαβόμενον τῆς χειρὸς ἐξαναστῆσαι Μάξιμον τὸν Ἱεροσολύμων ἐπίσκοπον, ὡς οὐ δέον συλλόγου κοινωνεῖν πονηρῶν
ἀνθρώπων ὁμολογητὰς αὐτοὺς ὄντας καὶ δι' εὐσέβειαν τοὺς
ὀφθαλμοὺς αὐτῶν κεκομμένους καὶ τὰς ἀγκύλας πεπη-
ρωμένους.

1. Théognios de Nicée et Maris de Chalcédoine, « vétérans des
controverses ariennes » (BARDY, p. 108), avaient déjà participé au
concile de Nicée (cf. supra, p. 208, n. 1). Au contraire, Valens de
Mursa et Ursace de Singidunum, deux évêques pannoniens qu'Arius
pourrait avoir catéchisés au cours de son exil (sur cette hypothèse,
voir toutefois les réserves de M. MESLIN, Les Ariens d'Occident (335-
430), Paris 1967, p. 71-84), apparaissent ici pour la première fois. Mais
après la mort d'Eusèbe de Nicomédie (341), ils deviendront les chefs
du parti arien et, conseillers attitrés de Constance II, ils domineront
les innombrables conciles qui marquèrent le règne de cet empereur.
Sur ces deux personnages d'intrigants, voir Lexikon f. Theol. 10 (1965),
c. 568 (A. HAMMAN), notice commune retraçant leur carrière jusque
sous Valens. Macédonios fut installé par les eusébiens dans le siège de
Constantinople en 342, au prix d'émeutes sanglantes, alors que Paul
de Thessalonique, qui avait déjà été élu régulièrement évêque à la

tantôt refusant de se défendre, tantôt couvrant de boue chacun des évêques, d'autres fois n'obéissant pas quand ils le convoquaient ou ne daignant pas se montrer au procès. **19** Ils rapportaient qu'il avait été manifestement convaincu d'avoir brisé le calice, et ils présentaient comme témoins sur cette accusation Théognios, évêque de Nicée, Maris de Chalcédoine, Théodore d'Héraclée, et Valens, Ursace et Macédonios[1] ; ils les avaient en effet envoyés en Égypte pour que, parvenus au village où, disait-on, le vase avait été brisé, ils découvrissent la vérité[2]. Voilà ce qu'ils écrivirent, touchant à chaque grief en avocats habiles et s'efforçant de forger une accusation qui fût le produit d'un art consommé. **20** Cependant, aux yeux de beaucoup aussi des évêques présents, ce jugement ne semblait pas correct. On raconte en tout cas que Paphnuce le Confesseur, qui assistait à ce concile, prit par la main Maxime, évêque de Jérusalem[3], et le fit se lever, disant qu'ils ne devaient pas s'associer à une assemblée de malfaiteurs, eux qui étaient confesseurs, qui avaient eu, pour la foi, leurs yeux arrachés et leurs jarrets estropiés.

mort d'Alexandre (336), mais évincé par Eusèbe de Nicomédie, avait tous les droits de récupérer son siège épiscopal. Sur Macédonios, lui aussi au début de sa carrière (il soutiendra par la suite le parti semi-arien et défendra sa cause au concile de Séleucie d'Isaurie en 359, avant de mourir en 362), voir *Lexikon f. Theol.* 6 (1961), c. 1314-1315 (V. GRUMEL). Théodore, évêque d'Héraclée (335-355), fut également l'un des semi-ariens les plus en vue ; il prit part au synode d'Antioche en 341 (Sozomène, *H.E.* III, 5), fut envoyé par Constance II à son frère Constant pour justifier l'exil d'Athanase et de Paul de Constantinople : cf. *Lexikon f. Theol.* 10 (1965), c. 40 (A. VAN ROEY).

2. Sur cette « commission d'enquête », qu'Athanase avait acceptée à condition qu'elle ne fût pas recrutée « parmi ses ennemis les plus notoires », voir BARDY, p. 110.

3. Cf. *supra*, I, 10, 1-2 et 23, 3. Voir RUFIN, *H.E.* I (X), 18, et le commentaire de F. THELAMON, p. 427-430.

26

1 Ἐν τούτῳ δὲ ἀμφὶ τὴν τρίτην δεκάδα τῆς Κωνσταντίνου
ἡγεμονίας ἐξεργασθέντος τοῦ ἐν Ἱεροσολύμοις νεὼ περὶ
τὸν <τοῦ> Κρανίου χῶρον, ὃ μέγα μαρτύριον προσαγορεύεται,
παραγενόμενος εἰς Τύρον Μαριανός, ἀνὴρ τῶν ἐν ἀξίᾳ,
βασιλικὸς ταχυγράφος, ἀπέδωκε τῇ συνόδῳ βασιλέως ἐπιστολὴν παρακελευομένην ἐν τάχει τὰ Ἱεροσόλυμα καταλαβεῖν
καὶ τὸν νεὼ καθιερῶσαι. **2** Τοῦτο δὲ καὶ πρὶν βεβουλευμένος
ἀναγκαῖον ἐνόμισε πρότερον ἐν Τύρῳ συνελθόντας τοὺς
ἐπισκόπους διαθεῖναι τὰς πρὸς ἀλλήλους διαφοράς, οὕτω τε
κεκαθαρμένους διχονοίας καὶ λύπης ἐπὶ τὴν ἀφιέρωσιν τοῦ
νεὼ χωρῆσαι· πρόσφορον γὰρ εἶναι τῇ τοιαύτῃ πανηγύρει
τὴν ὁμόνοιαν τῶν ἱερέων. **3** Καὶ οἱ μὲν ἧκον εἰς Ἱεροσόλυμα
καὶ τὸν ναὸν καθιέρωσαν καὶ τὰ παρὰ τοῦ βασιλέως ἀπο-
σταλέντα κειμήλιά τε καὶ ἀναθήματα, ἃ εἰσέτι νῦν ἐν τῷδε
τῷ ἱερῷ οἴκῳ ἀνάκεινται καὶ πολὺ παρέχει θαῦμα τοῖς θεω-
μένοις πολυτελείας τε καὶ μεγέθους ἕνεκα. **4** Ἐξ ἐκείνου δὲ
ἐτήσιον ταύτην τὴν ἑορτὴν λαμπρῶς μάλα ἄγει ἡ Ἱεροσο-
88 λύμων ἐκκλησία, ὡς καὶ μυήσεις | ἐν αὐτῇ τελεῖσθαι, καὶ
ὀκτὼ ἡμέρας ἐφεξῆς ἐκκλησιάζειν, συνιέναι τε πολλοὺς

---

1. *Tricennalia* : 25 juillet 335. Consécration de l'église de la sainte
Croix à Jérusalem par l'évêque Macaire : 17 sept. 335. Cf. SEECK,
Regesten, année 335 (A.-J. F.).

2. A l'époque de Constantin, tachygraphes chargés d'établir les
procès-verbaux des délibérations du Consistoire impérial (JONES, t. I,
p. 103), les *notarii* furent, sous ses successeurs immédiats, intégrés dans
une *schola notariorum*, organisée selon une hiérarchie militaire : les
notarii sont d'abord protecteurs, puis tribuns, enfin tribuns prétoriens ;
à leur tête est placé le primicier des notaires, qui tient le grand tableau
d'avancement, le *laterculum maius*. D'abord chargés de missions
importantes ou confidentielles, ils furent souvent, dès le règne de
Constance, chargés de l'exécution des basses besognes avec les
agentes in rebus. Sur Marianus, cf. *P.L.R.E.*, I, p. 559 : il était resté

Chapitre 26

*L'église de Jérusalem fondée par Constantin le Grand
sur le Golgotha; sa consécration.*

1 En ce temps-là, au moment des *tricennalia*[1] du règne
de Constantin, comme avait été achevée, à Jérusalem,
l'église du Golgotha, qui est appelée le grand martyrium,
arriva à Tyr un dignitaire, Marianus, notaire impérial[2], qui
remit au concile une lettre de l'empereur lui ordonnant de
se rendre en hâte à Jérusalem pour la consécration de
l'église. **2** Déjà auparavant, l'empereur avait délibéré de la
chose, et il avait jugé nécessaire que les évêques rassemblés
à Tyr commençassent par régler leurs différends et qu'ils
allassent, ainsi purgés de la discorde et des frictions
mutuelles, à la consécration de l'église : la concorde des
évêques ajouterait à l'éclat d'une telle fête. **3** Les évêques[3]
se rendirent donc à Jérusalem, et y consacrèrent l'église,
ainsi que les vases sacrés et offrandes envoyés par le prince,
qui aujourd'hui encore sont déposés en cette sainte église
et y causent grande admiration chez les spectateurs pour
leur richesse et leur grandeur. **4** C'est à partir de cette date
que l'Église de Jérusalem célèbre brillamment chaque
année, cette fête, au point qu'il s'y pratique des baptêmes,
qu'on y fait les offices huit jours à la suite, et qu'il s'y

---

fermement chrétien en dépit de la persécution. Constantin lui donna
la charge des « Encaenies » en 335 (cf. Eusèbe, *Vita Constantini*, 4, 44).

3. Οἱ μέν n'est pas « les uns », il n'y a pas de οἱ δέ. A ce οἱ μέν
s'oppose Τηνικαῦτα δὲ... οἱ τὰ Ἀρείου φρονοῦντες τῶν ἐπισκόπων
ἐσπούδασαν γενέσθαι ἐν Ἱεροσολύμοις κτλ. (chap. 27, 1). Tous les
évêques vont donc à Jérusalem, et là, certains d'entre eux etc.
(A.-J. F.).

1009 σχεδὸν ἐκ πάσης τῆς ὑφ' ἥλιον, οἱ καθ' ἱστορίαν τῶν ἱερῶν
τόπων πάντοθεν συντρέχουσι κατὰ τὸν καιρὸν ταύτης τῆς
πανηγύρεως.

27

1 Τηνικαῦτα δὲ καιροῦ λαβόμενοι οἱ τὰ Ἀρείου φρονοῦντες τῶν ἐπισκόπων ἐσπούδασαν γενέσθαι ἐν Ἱεροσολύμοις σύνοδον καὶ κοινωνίας αὐτῷ μεταδοῦναι καὶ Εὐζωίῳ·
ἐθάρρησαν δὲ ταῦτα κατὰ πρόφασιν τοιάνδε. 2 Πρεσβύτερός
τις ἦν συνήθης τῇ ἀδελφῇ τοῦ βασιλέως, ἐπαινέτης τῶν
Ἀρείου δογμάτων. Καὶ ὅτι τάδε ἐφρόνει, τὰ πρῶτα ἐλάν-
θανεν. Ὡς δὲ πολλοῖς προελθὼν χρόνοις οἰκειότερον ἑαυτὸν
κατέστησε Κωνσταντίᾳ — τοῦτο γὰρ ὄνομα ἦν τῇ ἀδελφῇ
Κωνσταντίνου —, ἀδείας λαβόμενος ἐπαρρησιάσατο πρὸς
αὐτήν, καὶ κατεμέμφετο μὴ δικαίως Ἄρειον τὴν πατρίδα
φεύγειν καὶ τῆς ἐκκλησίας ἐκβεβλῆσθαι, διὰ φθόνον καὶ
ἰδίας ἔχθρας ἐκβληθέντα παρὰ Ἀλεξάνδρου τοῦ ἐπιτροπεύσαντος τὴν Ἀλεξανδρέων ἐκκλησίαν· εὐδοκιμοῦντα γάρ,

1. Sur les fêtes qui marquèrent à Jérusalem la dédicace de la
basilique dite plus tard de l'Anastasis, voir Eusèbe, *Vita Constantini*,
4, 43-45, qui exalte la splendeur des cérémonies liturgiques et l'éloquence des discours prononcés : cf. Bardy, p. 112 et Piganiol, p. 41.
Sur le rôle de l'Anastasis dans la liturgie à Jérusalem, cf. Égérie,
Journal de voyage, 24-35 et 37-48.

2. Ce diacre d'Arius (cf. *supra*, livre I, chap. 15, 7) devint par la
suite, très officiellement, évêque d'Antioche : cf. Daniélou-Marrou,
p. 303 et I. Daniele, art. « Euzoio », *Enciplopedia cattolica* 5 (1950),
c. 874 : c'est en 361 qu'Euzoïos fut élevé au siège d'Antioche et, la
même année, il baptisa l'empereur Constance à Mopsucrène sur son
lit de mort. Très en faveur sous le règne de Valens, empereur arien, il
mourut vers 376.

3. Flauia Iulia Constantia, étant l'un des six enfants de Constance I
et de Théodora, était la demi-sœur de Constantin. Épouse de Licinius (313), puis veuve de ce dernier (324), elle subit l'influence d'Eusèbe de Césarée et d'Eusèbe de Nicomédie. L'histoire que rapporte

rassemble des multitudes de presque toute la terre, qui, au moment de cette panégyrie, accourent de partout pour visiter les Lieux saints[1].

Chapitre 27

Le prêtre qui persuada Constantin
de rappeler d'exil Arius et Euzoïos ;
libelle concernant la profession de foi d'Arius ;
Arius est de nouveau accueilli
par le concile rassemblé à Jérusalem.

1 Alors les évêques partisans d'Arius saisirent cette occasion et s'employèrent à ce qu'il y eût à Jérusalem un concile où l'on rendrait la communion à Arius et à Euzoïos[2]. Ils y furent enhardis pour la raison que voici. **2** Il y avait un prêtre qui était familier de la sœur de l'empereur et qui approuvait les thèses d'Arius. Qu'il fût partisan d'Arius, on ne le sut pas tout d'abord. Mais quand, avec le temps, il fut entré plus étroitement dans l'intimité de Constantia[3] — ainsi se nommait la sœur de Constantin —, parvenu à la sécurité, il lui parla avec franchise et faisait ouvertement des reproches : injustes, disait-il, étaient l'exil d'Arius et son exclusion de l'Église ; il en avait été chassé à cause d'envie et de haine particulière par Alexandre, l'évêque d'Alexandrie ; comme Alexandre en effet l'avait vu en

Sozomène à la suite de Rufin, *H.E.* I (X), 12, et de Socrate, *H.E.* I, 25 (mais ce dernier se trompe sur la date de la mort de Constantia qu'il place immédiatement après le concile de Nicée, alors qu'elle survint aux alentours de 333), est sans doute destinée à rendre compte, d'une manière flatteuse pour Constantin, de ses sympathies de plus en plus affirmées pour l'arianisme. Sur Constantia, voir *P.L.R.E.* I, p. 221. Nous connaissons le nom, Eutokios, du prêtre qu'elle recommanda à l'empereur.

ἔφη, παρὰ τῷ πλήθει ὁρῶν αὐτὸν ἐζηλοτύπησεν. 3 Ἀληθῆ
δὲ ταῦτα πεισθεῖσα Κωνσταντία, ἐν ᾧ μὲν περιῆν, οὐδὲν
ἔφθασε νεωτερίσαι τῶν ἐν Νικαίᾳ δοξάντων· ἐπεὶ δὲ νόσῳ
περιέπεσε, καθυφωρᾶτο τελευτᾶν· καὶ παραγενόμενον ὡς
αὐτὴν τὸν ἀδελφὸν ἐκέλευσε τελευταίαν αὐτῇ δοῦναι χάριν,
ἣν ἂν αἰτήσειεν. Ἐδεῖτο δὲ οἰκεῖον ἔχειν τὸν εἰρημένον πρεσβύτερον καὶ ὡς ὀρθῶς δοξάζοντι περὶ τὸ θεῖον πείθεσθαι·
ἑαυτὴν μὲν γάρ, ἔφη, οἴχεσθαι καὶ λοιπὸν τῆς ἐνταῦθα βιοτῆς
μηδὲν φροντίζειν· περὶ αὐτοῦ δὲ ὀρρωδεῖν μή τι πάθοι ὑπὸ
θεομηνίας ἢ αὐτὸς κακῶς πράξας ἢ τὴν ἡγεμονίαν αἰσχρῶς
ἀποβαλών, ἐπεὶ δικαίους, ἔφη, καὶ ἀγαθοὺς ἄνδρας ἀδίκως
πεισθεὶς τισιν ἀιδίῳ φυγῇ ἐζημίωσεν. 4 Ἐντεῦθεν ὁ βασιλεὺς
οἰκειότατα διετέθη περὶ τὸν πρεσβύτερον τοῦτον· καὶ παρρησίας αὐτῷ μεταδοὺς καὶ κοινωσάμενος περὶ ὧν ἐνετείλατο
ἡ ἀδελφή, ᾠήθη χρῆναι πάλιν πειραθῆναι τῶν κατὰ τὸν
Ἄρειον, ὡς εἰκὸς ὑποτοπήσας ἀληθεῖς εἶναι τὰς διαβολὰς ἢ
89 τῇ | ἀδελφῇ χαριζόμενος. Οὐκ εἰς μακράν τε μετεκαλέσατο
Ἄρειον ἀπὸ τῆς φυγῆς, καὶ γραφὴν ἐκέλευσεν ἐκδοῦναι ὧν
πιστεύει περὶ θεοῦ. 5 Ὁ δὲ τὸ καινὸν ἐκκλίνας ὧν πρότερον
εὗρεν ὀνομάτων, ἑτέραν ὕφανεν ἔκθεσιν ἁπλοῖς ῥητοῖς καὶ
ἐγνωσμένοις ταῖς ἱεραῖς βίβλοις χρησάμενος, καὶ ὅρκον
ὤμοσεν ἦ μὴν ὧδε πιστεύειν καὶ κατὰ νοῦν ταῦτα φρονεῖν
καὶ μηδὲν ἕτερον ἐννοεῖν παρὰ ταῦτα. Ἔχει δὲ ὧδε·

6 « Τῷ εὐσεβεστάτῳ καὶ θεοφιλεστάτῳ δεσπότῃ ἡμῶν βασιλεῖ
Κωνσταντίνῳ Ἄρειος καὶ Εὐζώιος πρεσβύτεροι.

1012 Καθὼς προσέταξεν ἡ θεοφιλής σου εὐσέβεια, δέσποτα
βασιλεῦ, ἐκτιθέμεθα τὴν ἑαυτῶν πίστιν <καὶ> ἐγγράφως

---

1. Cette nouvelle profession de foi d'Arius, datée de 335, se trouve
également chez Socrate, *H.E.* I, 26, et constitue le document 30 du
recueil de Opitz. Ce document devait figurer dans la Συναγωγὴ τῶν
συνοδικῶν de l'évêque Sabinos d'Héraclée de Thrace, qui rassemblait
les Actes de tous les conciles d'Orient depuis Nicée jusqu'à 373 au
moins (pour la dépendance de Sozomène sur ce point, voir Bardy,
p. 108, n. 1).

renom auprès de la foule, il l'avait jalousé. **3** Bien qu'elle
eût pris ces dires pour des vérités, Constantia, tant qu'elle
vécut, ne se hâta pas de rien innover contre ce qui avait été
décidé à Nicée. Mais quand elle fut tombée malade, elle eut
le soupçon qu'elle allait mourir, et, comme son frère était
venu auprès d'elle, elle le pria de lui accorder une dernière
faveur, celle qu'elle demanderait. Or, elle lui demandait de
tenir pour son familier le dit prêtre et de lui obéir comme
ayant des opinions théologiques orthodoxes. Elle-même,
dit-elle, s'en allait et désormais ne se souciait plus en rien
de cette vie mortelle ; mais elle craignait pour son frère
qu'il ne fût victime d'une colère divine soit en éprouvant
du malheur lui-même soit en perdant honteusement le
règne, puisque, dit-elle, persuadé par certains, il avait
injustement puni de bannissement éternel des hommes
justes et bons. **4** De ce moment l'empereur fut tout à fait
intime avec ce prêtre. Il lui donna toute liberté de parole
et s'étant entretenu avec lui de ce que lui avait recommandé
sa sœur, il estima qu'il fallait ouvrir à nouveau l'enquête
sur l'affaire d'Arius, soit qu'il eût soupçonné, comme il est
vraisemblable, que les accusations du prêtre étaient vraies,
ou pour faire plaisir à sa sœur. Peu après il rappela Arius
de l'exil et il lui ordonna de lui remettre un écrit sur ses
opinions théologiques. **5** Arius donc, ayant abandonné la
nouveauté des formules dont il avait d'abord usé, tissa, à
l'aide des saintes Écritures, une nouvelle exposition de foi
en termes simples et reconnus, il jura que telle était bien
sa foi, que les opinions ici exprimées répondaient à ses sentiments et qu'il n'avait rien en tête que ce qui était dit là.
Voici ce texte[1] :

6 « A notre très pieux et très ami de Dieu souverain, l'empereur
Constantin, Arius et Euzoïos, prêtres.

Selon ce qu'a ordonné votre Piété amie de Dieu, souverain empereur, nous exposons notre foi et, devant Dieu,

ὁμολογοῦμεν ἐπὶ θεοῦ οὕτως πιστεύειν, καὶ αὐτοὶ <καὶ> πάντες οἱ σὺν ἡμῖν, ὡς ὑποτέτακται.

7 Πιστεύομεν εἰς ἕνα θεὸν πατέρα παντοκράτορα καὶ εἰς κύριον Ἰησοῦν Χριστὸν τὸν υἱὸν αὐτοῦ, τὸν ἐξ αὐτοῦ πρὸ πάντων τῶν αἰώνων γεγεννημένον θεὸν λόγον, δι᾽ οὗ τὰ πάντα ἐγένετο, τά τε ἐν οὐρανῷ καὶ τὰ ἐπὶ τῆς γῆς, τὸν ἐλθόντα καὶ σάρκα ἀναλαβόντα καὶ παθόντα καὶ ἀναστάντα καὶ ἀνελθόντα εἰς τοὺς οὐρανοὺς καὶ πάλιν ἐρχόμενον κρῖναι ζῶντας καὶ νεκρούς. Καὶ εἰς ἅγιον πνεῦμα καὶ σαρκὸς ἀνάστασιν, καὶ εἰς ζωὴν τοῦ μέλλοντος αἰῶνος, καὶ εἰς βασιλείαν οὐρανῶν, καὶ εἰς μίαν ἐκκλησίαν καθολικὴν τοῦ θεοῦ τὴν ἀπὸ περάτων ἕως περάτων.

8 Ταύτην δὲ τὴν πίστιν παρειλήφαμεν ἐκ τῶν ἁγίων εὐαγγελίων λέγοντος τοῦ κυρίου τοῖς ἑαυτοῦ μαθηταῖς· ʽ Πορευθέντες μαθητεύσατε πάντα τὰ ἔθνη, βαπτίζοντες αὐτοὺς εἰς τὸ ὄνομα τοῦ πατρὸς καὶ τοῦ υἱοῦ καὶ τοῦ ἁγίου πνεύματος. ʼ 9 Εἰ δὲ μὴ ταῦτα οὕτως πιστεύομεν καὶ ἀποδεχόμεθα ἀληθῶς πατέρα καὶ υἱὸν καὶ ἅγιον πνεῦμα, ὡς πᾶσα ἡ καθολικὴ ἐκκλησία καὶ αἱ ἅγιαι γραφαὶ διδάσκουσιν, αἷς κατὰ πάντα πιστεύομεν, κριτὴς ἡμῶν ἔσται ὁ θεὸς καὶ νῦν καὶ ἐν τῇ μελλούσῃ ἡμέρᾳ.

90   10 Διὸ | παρακαλοῦμέν σου τὴν εὐσέβειαν, θεοφιλέστατε ἡμῶν βασιλεῦ, ἐκκλησιαστικοὺς ἡμᾶς ὄντας καὶ τὴν πίστιν καὶ τὸ φρόνημα τῆς ἐκκλησίας καὶ τῶν ἁγίων γραφῶν ἔχοντας ἑνοῦσθαι ἡμᾶς διὰ τῆς εἰρηνοποιοῦ σου καὶ θεοσεβοῦς εὐσεβείας τῇ μητρὶ ἡμῶν, τῇ ἐκκλησίᾳ δηλαδή, περιηρημένων τῶν ζητημάτων καὶ τῶν ἐκ τῶν ζητημάτων περισσολογιῶν, ἵνα καὶ ἡμεῖς καὶ ἡ ἐκκλησία μετ᾽ ἀλλήλων εἰρηνεύσαντες τὰς συνήθεις εὐχὰς ὑπὲρ τῆς εἰρηνικῆς σου καὶ εὐσεβοῦς βασιλείας καὶ παντὸς τοῦ γένους σου κοινῇ πάντες ποιώμεθα. »

11 Ταύτης τῆς πίστεως τὴν γραφὴν οἱ μὲν ἔλεγον τεχνικῶς συγκεῖσθαι καὶ τῷ δοκεῖν τοῖς ῥητοῖς διαλλάσσειν, συμφέρεσθαι δὲ καὶ οὕτως τοῖς Ἀρείου δόγμασι κατὰ τὴν

professons par écrit que nous croyons ainsi, et nous et nos partisans, comme il est écrit ci-dessous :

7 Nous croyons en un seul Dieu Père tout-puissant, et dans le Seigneur Jésus Christ son Fils, qui a été engendré de lui avant tous les siècles Dieu Verbe, par lequel toutes choses ont été créées, et celles du ciel et celles de la terre, qui est venu, a pris chair, a souffert, est ressuscité et remonté au ciel, et qui doit revenir juger les vivants et les morts. Et dans le Saint Esprit, dans la résurrection de la chair, la vie du siècle à venir, le royaume des cieux, et une seule Église catholique de Dieu qui subsiste d'un bout de la terre à l'autre.

8 Cette foi, nous l'avons reçue en transmission des saints évangiles, quand le Seigneur dit à ses disciples *(Matth. 28, 19)* : ' Allez, enseignez toutes les nations, baptisez-les au nom du Père, du Fils et du Saint Esprit. ' **9** Si nous ne croyons pas ces choses en la façon susdite et n'admettons pas sincèrement le Père, le Fils et le Saint Esprit en la façon où l'enseignent toute l'Église catholique et les saintes Écritures en lesquelles nous croyons en tout, Dieu sera notre juge et maintenant et au Jour à venir.

10 C'est pourquoi nous demandons à votre Piété, notre très aimé de Dieu empereur, comme nous sommes hommes d'Église et que nous tenons la foi et le dogme de l'Église et des saintes Écritures, que, par votre Piété pacificatrice et sainte, nous soyons unis à notre mère, c'est à savoir l'Église, par la suppression des controverses et des subtilités issues des controverses, afin que et nous et l'Église, ayant conclu mutuellement la paix, nous adressions tous en commun à Dieu les prières habituelles pour votre règne pacifique et pieux et pour toute votre famille. »

11 De cette exposition de foi, les uns disaient qu'elle avait été artificiellement composée, qu'en apparence il y avait des différences quant aux expressions, mais qu'au fond, même ainsi, elle s'accordait avec les thèses d'Arius selon l'interprétation des termes, qui fournissaient le

ἐκδοχὴν τῶν ὀνομάτων, ἄδειαν παρεχόντων ἐπαμφοτερίζειν
καὶ πρὸς ἑκατέραν διάνοιαν ταῦτα ἐκλαμβάνειν. 12 Ὑπολαβὼν δὲ ὁ βασιλεὺς παραπλήσια δοξάζειν Ἀρειόν τε καὶ
Εὐζώιον τοῖς ἐν Νικαίᾳ συνεληλυθόσιν ἥσθη τῷ πράγματι.
Οὐ μὴν ἑαυτῷ ἐπέτρεψεν εἰς κοινωνίαν αὐτοὺς δέξασθαι πρὸ
κρίσεως καὶ δοκιμασίας τῶν τούτου κυρίων κατὰ τὸν νόμον
1013 τῆς ἐκκλησίας. 13 Πέμπει δὲ αὐτοὺς πρὸς τοὺς ἐν Ἱεροσολύμοις τότε συνελθόντας ἐπισκόπους, γράψας σκοπη-
θῆναι αὐτῶν τὴν ἔκθεσιν τῆς πίστεως, φιλάνθρωπον δὲ
ψῆφον ἐνεγκεῖν ἐπ' αὐτοῖς τὴν σύνοδον, ἥν τε ὀρθῶς φανεῖεν
δοξάζοντες καὶ φθόνου χάριν ἐπιβουλευθέντες ἥν τε μηδὲν
ἔχοντες μέμφεσθαι τοῖς ἤδη ἐπ' αὐτοῖς κεκριμένοις μετα-
μεληθεῖεν. 14 Καιροῦ δὲ λαβόμενοι οἱ ταῦτα πάλαι σπουδάζοντες προφάσει τῶν βασιλέως γραμμάτων ἐδέξαντο
αὐτοὺς εἰς κοινωνίαν. Καὶ ὅτε τοῦτο ἐποίησαν, αὐτῷ τε τῷ
βασιλεῖ ἔγραψαν καὶ τῇ ἐκκλησίᾳ Ἀλεξανδρείας καὶ τοῖς
ἀνὰ τὴν Αἴγυπτον καὶ Θηβαΐδα καὶ Λιβύην ἐπισκόποις καὶ
κληρικοῖς, παρακελευσάμενοι προθύμως αὐτοὺς δέξασθαι, ὡς
καὶ τοῦ βασιλέως μαρτυρήσαντος ὀρθὴν εἶναι τὴν αὐτῶν
91 πίστιν, ἣν καὶ τῇ οἰκείᾳ ἐπιστολῇ ὑπέταξαν, καὶ τῆς | συνόδου
ἐπιψηφισαμένης τῇ τοῦ βασιλέως κρίσει. Καὶ τὰ μὲν ὧδε
ἐν Ἱεροσολύμοις ἐσπουδάζετο.

1. Cf., dans le même sens, l'appréciation de BARDY, p. 107-108 :
« une profession de foi assez anodine et qui, avec un peu de bonne
volonté, pouvait être regardée comme à peu près orthodoxe par ses
lecteurs... le consubstantiel de Nicée n'y figure pas, mais Arius y
reconnaît que le Fils est né de Dieu avant tous les siècles. »

2. En fait, Constantin dicta bel et bien sa volonté au concile, dont
la majorité était, du reste, assez disposée à le suivre dans la ligne et le
prolongement du concile de Tyr, où Athanase avait été condamné et
déposé. Au § 13, Sozomène écrit, sans s'apercevoir du risque de
contradiction avec ce qu'il a affirmé précédemment, que Constantin
demanda par écrit aux évêques que « le concile rendît son vote sur eux
(Arius et Euzoïos) avec clémence », laissant seulement aux Pères
conciliaires le choix du motif (« soit qu'ils parussent être orthodoxes...,
soit que... ils se fussent repentis ») ! Cf. BARDY, p. 112 : « Une lettre de
Constantin fit connaître ses ordres aux évêques ; ceux-ci obtempé-
rèrent. »

moyen de tenir le milieu entre deux opinions et de comprendre le texte dans l'un ou l'autre sens[1]. **12** Mais l'empereur fut d'avis qu'Arius et Euzoïos pensaient de la même
façon que les pères réunis à Nicée et il se réjouit de la
chose. Cependant il ne se permit pas à lui-même de les
recevoir dans la communion avant jugement et examen de
ceux qui avaient autorité sur ce point d'après la loi de
l'Église[2]. **13** Il les envoya donc aux évêques alors rassemblés à Jérusalem, ayant demandé par écrit à ceux-ci que
fût examinée leur exposition de foi et que le concile rendît
son vote sur eux avec clémence, soit qu'ils parussent être
orthodoxes et avoir été victimes d'embûches par jalousie,
soit que, sans qu'ils eussent rien à reprocher à la décision
jadis portée contre eux, ils se fussent repentis. **14** Prenant
prétexte de la lettre impériale, ceux qui depuis longtemps
travaillaient dans ce dessein profitèrent de l'occasion et les
reçurent dans leur communion. Cela fait, ils écrivirent d'une
part à l'empereur lui-même, d'autre part à l'Église d'Alexandrie et aux évêques et clercs d'Égypte[3], de Thébaïde et de
Libye. Ils y invitaient ces évêques à accueillir, avec empressement, Arius et Euzoïos, attendu que l'empereur avait
témoigné en faveur de l'orthodoxie de leur profession de foi,
qu'ils avaient jointe à leur lettre, et que le concile avait
confirmé par son vote le jugement de l'empereur. Voilà
donc à quoi on s'appliquait à Jérusalem.

---

3. Cf. ATHANASE, *De synodis*, 21, et *Apologia contra Arianos*, 84.
Cette lettre n'empêcha pas — ou même suscita — à Alexandrie des
manifestations en faveur d'Athanase que Sozomène ne mentionne
qu'au chapitre 31. Le prestigieux moine Antoine adressa à Constantin
plusieurs lettres pour demander le retour de l'évêque : si Athanase ne
fait pas état de la correspondance échangée entre Antoine et Constantin à son sujet, c'est sans doute parce que l'empereur s'exprimait très
sévèrement sur son compte alors qu'il veut toujours accréditer l'idée
que Constantin n'a jamais cessé de le soutenir (cf. BARDY, p. 112, n. 3).

28

1 Ἀθανάσιος δὲ φεύγων ἐκ Τύρου εἰς Κωνσταντινούπολιν
ἦλθε, καὶ προσελθὼν Κωνσταντίνῳ τῷ βασιλεῖ, ἃ πέπονθεν
ἀπωδύρετο παρόντων τῶν καταδικασάντων αὐτοῦ ἐπισκόπων,
καὶ ἐδεῖτο τῶν ἐν Τύρῳ κεκριμένων γενέσθαι τὴν ἐξέτασιν
ἐπὶ αὐτοῦ βασιλέως. Κωνσταντῖνος δὲ εὔλογον εἶναι δοκιμάσας τὴν αἴτησιν τάδε ἔγραψε τοῖς ἐν Τύρῳ συνελθοῦσιν
ἐπισκόποις·

2 « Ἐγὼ μὲν ἀγνοῶ τίνα ἐστὶ τὰ ὑπὸ τῆς ὑμετέρας
συνόδου μετὰ θορύβου καὶ χειμῶνος κριθέντα δοκεῖ δέ πως
ὑπό τινος ταραχώδους ἀταξίας ἡ ἀλήθεια διεστράφθαι, ὑμῶν
δηλαδὴ διὰ τὴν πρὸς τοὺς πέλας ἐρεσχελίαν, ἣν ἀήττητον
εἶναι βούλεσθε, τὰ τῷ θεῷ ἀρέσκοντα μὴ συνορώντων.
3 Ἀλλὰ ἔσται τῆς θείας προνοίας ἔργον καὶ τὰ τῆς φιλο-
νικίας ταύτης κακὰ φανερῶς ἁλόντα διασκεδάσαι καὶ ἡμῖν
διαρρήδην ἐπιδεῖξαι εἴ τινα τῆς ἀληθείας αὐτόθι συνελθόντες
ἐποιήσασθε φροντίδα καὶ εἰ τὰ κεκριμένα χωρίς τινος χάριτος καὶ ἀπεχθείας ἐκρίνατε. 4 Τοιγαροῦν ἠπειγμένως πάντας
ὑμᾶς πρὸς τὴν ἐμὴν ἐλθεῖν εὐλάβειαν βούλομαι, ἵνα τὴν τῶν
πεπραγμένων ὑμῖν ἀκρίβειαν καὶ <ἐφ'> ἡμῶν αὐτῶν παρα-
στήσητε. 5 Τίνος δὲ ἕνεκεν ταῦτα γράψαι πρὸς ὑμᾶς ἐδι-
καίωσα καὶ ὑμᾶς πρὸς ἐμαυτὸν διὰ τοῦ γράμματος καλῶ, ἐκ
τῶν ἑπομένων γνώσεσθε. Ἐπιβαίνοντί μοι λοιπὸν τῆς ἐπω-
νύμου ἡμῶν καὶ πανευδαίμονος πατρίδος τῆς Κωνσταντινουπόλεως — συνέβαινε δέ με τηνικαῦτα ἐφ' ἵππου ὀχεῖ-
σθαι — ἐξαίφνης Ἀθανάσιος ὁ ἐπίσκοπος ἐν μέσῳ τῆς λεωφό-

---

1. Non sans mal, si l'on en croit ATHANASE, *Apologia contra Arianos*,
86, qui dit avoir essuyé plusieurs refus avant de pouvoir aborder
Constantin au cours d'une promenade à cheval que faisait l'empereur.
Aux §§ 5-6, Sozomène donne, à l'intérieur du document qu'il cite, des
détails sur les circonstances exactes de cette entrevue pathétique.

2. Cf. ATHANASE, *Apologia contra Arianos*, 86 ; SOCRATE, *H.E.* I,

Chapitre 28

*Lettre de l'empereur Constantin au concile de Tyr ;
exil d'Athanase par suite de l'intrigue des ariens.*

1 Athanase de son côté, fuyant de Tyr, était arrivé à
Constantinople. Il y eut une entrevue avec l'empereur
Constantin[1], s'y plaignit de ce qu'il avait souffert, en la
présence des évêques qui l'avaient condamné, et demanda
qu'enquête fût faite devant l'empereur lui-même sur les
décisions de Tyr. Constantin estima que cette demande
était raisonnable et il envoya aux évêques qui s'étaient
réunis à Tyr la lettre suivante[2] :

2 « J'ignore les jugements qu'a portés votre concile dans
le tumulte et l'agitation, mais la vérité semble avoir été de
quelque façon opprimée par du trouble et du désordre, dès
lors que, de toute évidence, à cause de votre dispute contre
le prochain, où vous ne voulez pas être vaincus, vous ne
considérez pas ce qui plaît à Dieu. **3** Eh bien, il appartien-
dra à la divine Providence et de dissiper les maux manifestement montrés à nu de cet esprit de querelle et de nous
faire voir ouvertement si, réunis là-bas, vous avez eu
quelque souci de la vérité et si vous avez porté vos jugements sans parti pris et sans haine. **4** C'est pourquoi je veux
que vous veniez en hâte auprès de ma Piété pour que vous
nous rendiez compte exactement devant nous-mêmes, de
vos actes. **5** La raison pour laquelle j'ai jugé bon de vous
écrire cette lettre et de vous appeler par elle près de moi,
connaissez-la par ce qui suit. Alors que je rentrais dans
mon éponyme et très bienheureuse patrie, Constantinople
— je me trouvais alors à cheval —, soudain, au milieu de la

34 ; Gélase de Cyzique, *H.E.* III, 18, avec des interpolations (cf.
Bardy, p. 111).

1015 ρου μετὰ ἑτέρων τινῶν, οὓς περὶ αὐτὸν εἶχεν, ἀπροσδοκήτως
οὕτω προσῆλθεν, ὡς καὶ παρασχεῖν ἐκπλήξεως ἀφορμήν.

92 6 Μαρτυρεῖ μοι γὰρ ὁ πάντων ἔφορος θεός, ὡς οὐδὲ ἐπιγνῶναι
αὐτὸν ὅστις ἦν <παρὰ τὴν πρώτην ὄψιν ἠδυνήθην, εἰ μὴ τῶν
ἡμετέρων τινές, καὶ ὅστις ἦν> καὶ τὴν ἀδικίαν ἣν πέπονθε,
πυνθανομένοις, ὥσπερ εἰκός, ἀπήγγειλαν ἡμῖν. 7 Ἐγὼ μὲν
οὖν οὐ διειλέχθην αὐτῷ κατ᾽ ἐκεῖνο καιροῦ οὔτε ὁμιλίας
ἐκοινώνησα. Ὡς δὲ ἐκεῖνος μὲν ἠξίου, ἐγὼ δὲ παρῃτούμην
καὶ μικροῦ δεῖν ἀπελαύνεσθαι αὐτὸν ἐκέλευον, μετὰ πλείονος
παρρησίας οὐδὲν ἕτερον παρ᾽ ἡμῶν ᾔτει ἢ τὴν ὑμετέραν
ἄφιξιν, <ἣν> ἠξίωσεν ὑπάρξαι, ἵν᾽ ὑμῶν παρόντων, ἃ πέπονθεν ἀναγκαίως ἀποδύρασθαι δυνηθείη. 8 Ὅπερ ἐπειδὴ
εὔλογον εἶναι καὶ τοῖς καιροῖς πρέπον κατεφαίνετο, ἀσμένως
ταῦτα γραφῆναι πρὸς ὑμᾶς προσέταξα, ἵνα πάντες, ὅσοι τὴν
σύνοδον τὴν ἐν Τύρῳ γενομένην ἐπληρώσατε, ἀνυπερθέτως
εἰς τὸ στρατόπεδον τῆς ἡμετέρας ἡμερότητος ἐπειχθῆτε τοῖς
ἔργοις αὐτοῖς ἐπιδείξοντες τὸ τῆς ὑμετέρας κρίσεως καθαρόν
τε καὶ ἀδιάστροφον, ἐπ᾽ ἐμοῦ, ὃν τοῦ θεοῦ γνήσιον εἶναι
θεράποντα οὐκ ἂν ἀρνηθείητε. 9 Τοιγαροῦν διὰ τῆς ἐμῆς
πρὸς τὸν θεὸν λατρείας τὰ πανταχοῦ εἰρηνεύεται, καὶ τῶν
βαρβάρων αὐτῶν τὸ τοῦ θεοῦ ὄνομα γνησίως εὐλογούντων,
οἳ μέχρι νῦν τὴν ἀλήθειαν ἠγνόουν· δῆλον δὲ ὅτι ὁ τὴν ἀλήθειαν ἀγνοῶν οὐδὲ τὸν θεὸν ἐπιγινώσκει. 10 Πλὴν ὅμως,
καθὰ προείρηται, καὶ οἱ βάρβαροι νῦν δι᾽ ἐμὲ τὸν τοῦ θεοῦ
θεράποντα γνήσιον ἐπέγνωσαν τὸν θεὸν καὶ εὐλαβεῖσθαι
μεμάθηκαν, ὃν ὑπερασπίζειν μου πανταχοῦ καὶ προνοεῖσθαι
τοῖς ἔργοις αὐτοῖς ᾔσθοντο· ὅθεν μάλιστα καὶ ἴσασι τὸν
θεόν, ὃν ἐκεῖνοι μὲν διὰ τὸν πρὸς ἡμᾶς φόβον εὐλαβοῦνται,
11 ἡμεῖς δὲ οἱ τὰ μυστήρια τῆς εὐμενείας αὐτοῦ δοκοῦντες
προβάλλεσθαι — οὐδὲ γὰρ ἂν εἴποιμι φυλάττειν —, ἡμεῖς,

---

1. Ἀναγκαίως va naturellement avec ἃ πέπονθεν. Donc pas de
virgule après πέπονθεν. Opitz, ap. *Apologia secunda*, 86, 8 (p. 165, 15),
a la bonne ponctuation (A.-J. F.).

2. *Scil.* nous chrétiens, par opposition aux Barbares (A.-J. F.).
Constantin fait preuve ici d'une remarquable clairvoyance, assez rare
chez lui, qui rejoint les observations sarcastiques de son neveu et suc-

grand-rue, l'évêque Athanase, avec d'autres gens de sa
suite, m'a abordé de façon si inattendue qu'il m'a rempli
de stupeur. **6** Car Dieu qui voit tout m'est témoin que je
n'eusse pas même pu reconnaître à première vue qui c'était,
si certains de ma suite, interrogés par moi, comme il est
naturel, ne m'avaient appris qui c'était et l'iniquité qu'il
avait subie. **7** A ce moment-là donc ni je ne m'entretins
avec lui, ni je ne lui donnai audience. Il me suppliait
pourtant, et moi je refusais et peu s'en fallut que je n'or-
donnasse de le chasser. Mais il s'enhardit davantage et ne
me demanda rien d'autre que votre venue ici. Il estima
qu'elle dût avoir lieu, afin qu'en votre présence il pût se
plaindre des contraintes qu'il avait subies[1]. **8** Comme cela
me paraissait raisonnable et approprié aux circonstances,
j'ai volontiers ordonné que vous fût écrite cette lettre, pour
que, vous tous qui vous êtes réunis au complet au concile
qui a eu lieu à Tyr, vous vous hâtiez sans délai vers le camp
de ma Mansuétude, afin de montrer, par vos actes mêmes,
la pureté et l'impartialité de votre jugement, devant moi,
dont vous ne sauriez nier que je suis l'authentique serviteur
de Dieu. **9** Et c'est pour cela, à cause du culte que je rends
à Dieu, que l'Empire est partout en paix, que les Barbares
eux-mêmes bénissent authentiquement le nom de Dieu, eux
qui jusqu'ici ignoraient la vérité ; or il est clair que celui
qui ignore la vérité ne reconnaît pas non plus Dieu. **10** Eh
bien, pourtant, quand les Barbares, comme j'ai dit, par
moi l'authentique serviteur de Dieu, aujourd'hui ont
reconnu Dieu et ont appris à le révérer, puisqu'ils ont
constaté à l'œuvre même qu'il me protège partout et prend
soin de moi — et c'est là la cause principale de ce qu'ils
connaissent Dieu —, quand, dis-je, ces Barbares, par la
crainte qu'ils ont de moi, révèrent Dieu, **11** nous autres[2],
qui faisons semblant de mettre en avant les mystères de la
bonté de Dieu — car je ne saurais dire que nous les gar-

cesseur Julien et d'AMMIEN MARCELLIN, l'historien de ce dernier
(22, 5, 4).

φημί, οὐδὲν πράττομεν ἢ τὰ πρὸς διχόνοιαν καὶ μῖσος συντεί-
νοντα καί, ἁπλῶς εἰπεῖν, τὰ πρὸς ὄλεθρον τοῦ ἀνθρωπίνου
γένους ἔχοντα τὴν ἀναφοράν. **12** Ἀλλ' ἐπείχθητε, καθὰ
προείρηται, καὶ πρὸς ἡμᾶς σπεύσατε πάντες ᾗ τάχος, πεπεισ-
μένοι ὡς παντὶ σθένει κατορθῶσαι πειράσομαι, ὅπως ἐν
93 τῷ νόμῳ τοῦ θεοῦ | ταῦτα ἐξαιρέτως φυλάττωνται, οἷς οὔτε
ψόγος οὔτε κακοδοξία τις δυνήσεται προσπλακῆναι, διασκε-
δασθέντων δηλαδὴ καὶ συντριβέντων ἄρδην καὶ παντελῶς
ἀφανισθέντων τῶν ἐχθρῶν τοῦ νόμου, οἵτινες ἐπὶ προσχήματι
τοῦ <ἁγίου> ὀνόματος ποικίλας καὶ διαφόρους βλασφημίας
παρέχουσι. »

13 Τάδε τοῦ βασιλέως γράψαντος οἱ μὲν ἄλλοι δείσαντες
οἴκαδε ἀνεχώρησαν, οἱ δὲ ἀμφὶ τὸν Εὐσέβιον τὸν Νικομηδείας ἐπίσκοπον παραγενόμενοι πρὸς βασιλέα δίκαια ψηφί-
σασθαι ἐπὶ Ἀθανασίῳ τὴν ἐν Τύρῳ σύνοδον διισχυρίζοντο.
Καὶ μάρτυρας παραγαγόντες εἰς μέσον Θεόγνιον καὶ Μάριν
1017 καὶ Θεόδωρον, Οὐάλεντά τε καὶ Οὐρσάκιον ἔπεισαν ὡς
μυστικὸν ποτήριον συνέτριψεν, ἄλλα τε πολλὰ λοιδορησά-
μενοι ἐκράτησαν ταῖς διαβολαῖς. **14** Ὁ δὲ βασιλεὺς ἢ ἀληθῆ
τάδε πιστεύσας ἢ λοιπὸν ὁμονοεῖν τοὺς ἐπισκόπους ὑπολα-
βών, εἰ ἐκποδὼν γένηται Ἀθανάσιος, προσέταξεν αὐτὸν ἐν
Τριβέρει τῶν πρὸς δύσιν Γαλατῶν οἰκεῖν. Καὶ ὁ μὲν ἀπήχθη.

1. Dans ce style à la fois imprécis et amphigourique de Constantin,
je suppose que ταῦτα désigne les vérités de Nicée. C'est ce que semble
indiquer la suite οὔτε κακοδοξία τις δυνήσεται προσπλακῆναι. A
noter que cette conclusion ne répond pas au but précis de la lettre :
révision du procès d'Athanase. Mais il s'y montre la grande préoccupa-
tion de Constantin, garder avant tout la paix de Nicée (A.-J. F.).

2. Les adversaires d'Athanase (*Apologia contra Arianos*, 9 et 87)
prétendaient aussi que l'évêque d'Alexandrie s'était vanté de pouvoir
affamer Constantinople en empêchant le départ des convois de blé
d'Égypte qui lui étaient destinés (cf. SOCRATE, *H.E.* I, 35 ; et BARDY,
p. 111).

3. Les Gaulois d'Occident par opposition aux Gaulois d'Orient ou
Galates. Au surplus, le récit de Sozomène réclame des précisions.
Athanase arrive à Constantinople le 29 ou 30 octobre 335. Il trouve le
moyen de parler à l'empereur au cours d'une promenade de celui-ci.
L'empereur envoie sa lettre. Celle-ci ne peut avoir été envoyée à Tyr

dions —, nous, dis-je, nous ne produisons dans nos actes
rien d'autre que ce qui tend à la discorde et à la haine, et,
d'un mot, ce qui a rapport à la ruine du genre humain.
12 Eh bien, hâtez-vous, comme j'ai dit, venez tous au plus
vite vers moi, en étant bien assurés que, de tout mon pouvoir, je m'efforcerai de faire en sorte que, dans la loi de
Dieu, ces vérités soient tout spécialement maintenues[1], et
que ni blâme ni aucune fausse opinion ne puisse s'y enlacer,
je veux dire parce qu'auront été dispersés, complètement
écrasés et absolument anéantis les ennemis de la loi divine,
qui, sous couleur de défendre le saint nom de Dieu, profèrent
une multitude variée de blasphèmes. »

13 Quand l'empereur eut écrit cette lettre, les uns, pris
de crainte, rentrèrent chez eux. En revanche Eusèbe,
évêque de Nicomédie et ses partisans, venus chez l'empereur, soutenaient que le vote émis par le concile de Tyr
sur Athanase était juste. Ils présentèrent des témoins,
Théognios, Maris, Théodore, Valens et Ursace, ils persuadèrent l'empereur qu'Athanase avait brisé un vase sacré
et, ayant produit toutes sortes d'autres reproches injurieux[2],
ils l'emportèrent par leurs accusations. **14** L'empereur, soit
qu'il eût cru que ce fût vrai, soit qu'il eût pensé que les
évêques seraient désormais en concorde si l'on chassait
Athanase, ordonna qu'il fût exilé à Trèves chez les Gaulois
de l'Ouest[3]. Athanase donc y fut emmené.

puisque les évêques étaient partis pour Jérusalem : elle est adressée aux
évêques qui avaient été à Tyr (SCHWARTZ, *Gesamm. Schriften*, p. 259,
1, note justement que πάντες ὅσοι τὴν σύνοδον τὴν ἐν Τύρῳ γενομένην
ἀνεπληρώσατε ne convient qu'à un synode qui a eu lieu, non à un
synode encore en séance). Et de toute façon, où qu'elle ait été envoyée,
Tyr ou Jérusalem, l'intervalle entre le 30 oct. et le 7 nov., date de
l'exil d'Athanase, est trop court pour le voyage de la lettre et le retour
à Constantinople d'Eusèbe de Nicomédie et de ses partisans. Ceux-ci
se trouvaient donc à Constantinople, où peut-être ils s'étaient rendus,
comme le conjecture SCHWARTZ (*l.c.*, p. 260), dès qu'ils avaient appris
le départ d'Athanase pour la capitale. Athanase obtint de l'empereur
une seconde audience le 7 nov., irrita, semble-t-il, l'empereur par un
langage trop libre (*ibid.*, p. 258, 2) et fut ce jour même exilé (A.-J. F.).

29

1 Μετὰ δὲ τὴν ἐν Ἱεροσολύμοις σύνοδον ἧκεν Ἄρειος εἰς
Αἴγυπτον. Μὴ κοινωνούσης δὲ αὐτῷ τῆς Ἀλεξανδρέων
ἐκκλησίας πάλιν ἦλθεν εἰς Κωνσταντινούπολιν. Ἐπίτηδες
δὲ συνδραμόντων τῶν τὰ αὐτὰ φρονούντων ἰδίᾳ καὶ τῶν
πειθομένων Εὐσεβίῳ τῷ Νικομηδείας ἐπισκόπῳ, καὶ σύνοδον
ποιῆσαι παρασκευαζομένων, αἰσθόμενος τῆς αὐτῶν σπουδῆς
Ἀλέξανδρος ὁ τότε τὸν ἐν Κωνσταντινουπόλει διέπων θρόνον
ἐπειράθη διαλῦσαι τὴν σύνοδον. **2** Ὡς δὲ τοῦτο οὐκ ἐξεγένετο,
ἄντικρυς ἀπηγόρευε ταῖς πρὸς Ἄρειον σπονδαῖς, μὴ θεμιτὸν
μηδὲ ἐκκλησιαστικὸν εἶναι λέγων σφῶν αὐτῶν τὴν ψῆφον
ἄκυρον ποιεῖν καὶ τῶν ἅμα αὐτοῖς ἐκ πάσης σχεδὸν τῆς ὑφ'
ἥλιον συνεληλυθότων εἰς Νίκαιαν. Οἱ δὲ ἀμφὶ τὸν Εὐσέβιον,
ὡς τὰ πρῶτα λόγοις οὐκ ἔπειθον τὸν Ἀλέξανδρον, ἐμπα-
ροινήσαντες αὐτῷ μετὰ ἀπειλῆς διεμαρτύραντο, εἰ μὴ προσ-
94 δέξεται τὸν Ἄρειον εἰς ῥητὴν ἡμέραν, αὐτὸν μὲν ὑπερ|ορίαν
οἰκήσειν ἐκβληθέντα τῆς ἐκκλησίας, Ἀρείῳ δὲ κοινωνήσειν
τὸν μετ' αὐτόν. **3** Ἐπὶ τούτοις τε ἀπηλλάγησαν τότε ἀλλήλων,
οἱ μὲν τῇ προθεσμίᾳ περιμένοντες ἐπιτελέσαι τὰς ἀπειλάς,
ὁ δὲ Ἀλέξανδρος προσευχόμενος μὴ εἰς ἔργον ἐκβῆναι τοὺς
Εὐσεβίου λόγους. Μάλιστα δὲ αὐτὸν περιδεᾶ ἐποίει καὶ
ὁ βασιλεὺς ἐνδιδόναι τρόπον τινὰ συμπεισθείς. Τῇ δὲ πρὸ
τῆς προθεσμίας ἡμέρᾳ εἰσδὺς ὑπὸ τὸ θυσιαστήριον παννύχιος

---

1. Ce voyage est attesté par Rufin, *H.E.* I (X), 13, que suivent
Socrate, *H.E.* I, 37, et Sozomène. L'information dérive-t-elle du
Synodikon d'Athanase ? Comme Athanase dans sa *Lettre à Sérapion
sur la mort d'Arius* ne parle pas de ce retour d'Arius à Alexandrie,
l'existence de ce voyage paraît à Bardy, p. 113, « assez difficile à
admettre ».

2. Alexandre, évêque de Constantinople après 325, mourut en
336/337. Voir Socrate, *H.E.* I, 18, et la notice du *Lexikon f. Theol.* 1
(1957), c. 314 (L. Uedding).

Chapitre 29

Alexandre, évêque de Constantinople,
refuse d'accueillir en communion Arius;
Arius « éclate », pris de colique dans un lieu d'aisance.

1 Après le concile de Jérusalem, Arius arriva en Égypte[1]. Mais comme l'Église d'Alexandrie lui refusait la communion, il retourna à Constantinople. Accoururent vers lui en privé, à dessein, ceux qui étaient de même opinion et les sectateurs d'Eusèbe, évêque de Nicomédie, et ils tâchaient à constituer un synode ; Alexandre[2], qui occupait alors le siège de Constantinople, eut vent de leur empressement et il s'efforça de dissoudre le synode[3]. **2** Comme cela n'était pas possible, il rompit ouvertement la trêve avec Arius, disant qu'il n'était pas permis ni conforme aux lois ecclésiastiques d'infirmer le vote qu'ils avaient émis eux-mêmes[4] et les Pères rassemblés avec eux à Nicée de presque toute la terre. Comme, de leur côté, Eusèbe et ses partisans n'arrivaient pas d'abord à persuader Alexandre par leurs propos, ils l'insultèrent et lui affirmèrent avec menaces que, s'il n'accueillait pas Arius à un certain jour fixé, il irait, chassé de l'Église, en exil et son successeur entrerait en communion avec Arius. **3** Ils se séparèrent alors sur ces mots, les uns attendant d'accomplir leurs menaces au jour fixé, Alexandre faisant des prières pour que la menace d'Eusèbe ne fût pas mise à exécution. Ce qui l'effrayait surtout, c'est que l'empereur consentait d'une certaine manière à se laisser fléchir. La veille donc du jour fixé, s'étant glissé sous l'autel, il resta là couché tout de son long la nuit entière,

---

3. Διαλῦσαι τὴν σύνοδον, ce qui implique que le synode s'est réellement réuni. C'est ce que dit également Rufin, I, (X), 13 (A.-J. F.).

4. *Scil.* à Nicée comme il est dit plus loin (A.-J. F.).

ἔκειτο πρηνὴς τοῦ θεοῦ δεόμενος ἐμποδισθῆναι τὸ τέλος τῶν
1020 κατ᾿ αὐτοῦ βεβουλευμένων. 4 Κατὰ δὲ ταύτην τὴν ἡμέραν
ἀπιὼν που περὶ δείλην ὀψίαν ῎Αρειος, ἐξαπίνης ἀνακινη-
σάσης αὐτὸν τῆς γαστρός, τοῦ κατεπείγοντος ἐγίνετο καὶ εἰς
δημόσιον τόπον πρὸς τοιαύτην χρείαν ἀφωρισμένον ἦλθεν.
῾Ως δὲ ἐπὶ πολλῷ οὐκ ἐξῄει, εἰσελθόντες τινὲς τῶν ἔξω
προσδεχομένων αὐτὸν καταλαμβάνουσι νεκρὸν ἐπὶ τῆς καθέ-
δρας κείμενον. 5 ᾿Επεὶ δὲ τοῦτο δῆλον ἐγένετο, οὐ ταὐτὰ
πάντες ἐνόμιζον περὶ τῆς αὐτοῦ τελευτῆς. ᾿Εδόκει δὲ τοῖς
μὲν ἀθρόᾳ νόσῳ ληφθεὶς περὶ τὴν καρδίαν, ἢ πάρεσιν ὑπο-
μείνας ὑφ᾿ ἡδονῆς τῶν κατὰ γνώμην ἀπαντησάντων πραγμάτων, αὐθωρὸν τεθνάναι, τοῖς δὲ ὡς δυσσεβήσας δεδωκέναι
δίκην. Οἱ δὲ τὰ αὐτοῦ φρονοῦντες γοητείαις ἐλογοποίουν
ἀνῃρῆσθαι τὸν ἄνδρα. Οὐκ ἄτοπον δὲ τὰ περὶ αὐτοῦ εἰρημένα
᾿Αθανασίῳ τῷ ἐπισκόπῳ ᾿Αλεξανδρείας εἰς μέσον ἀγαγεῖν·
ἔχει δὲ ὧδε·

30

1 « Καὶ γὰρ καὶ αὐτὸς ῎Αρειος ὁ τῆς μὲν αἱρέσεως ἔξαρχος,
Εὐσεβίου δὲ κοινωνός, κληθεὶς ἐκ σπουδῆς τότε τῶν περὶ
Εὐσέβιον παρὰ τοῦ μακαρίτου Κωνσταντίνου τοῦ Αὐγούστου,
ἀπαιτούμενος ἐγγράφως εἰπεῖν τὴν ἑαυτοῦ πίστιν, ἔγραψεν
ὁ δόλιος κρύπτων τὰς ἀναιδεῖς τῆς δυσσεβείας λέξεις, ὑπο-
κρινόμενος καὶ αὐτὸς ὡς ὁ διάβολος τὰ τῶν γραφῶν ῥήματα
ἁπλᾶ καὶ ὥς ἐστι γεγραμμένα. 2 Εἶτα λέγοντος τοῦ μακαρίου

1. Le terme πάρεσις désigne la paralysie ou plus précisément un
ictus apoplectique. Le mot est employé dans ce sens chez les auteurs
médicaux grecs relativement tardifs, par exemple ARÉTÉE (S D 1, 7 ;
éd. Hude, C.M.G. II, p. 44-45), où on désigne ainsi la privation de
mouvement, la paralysie (note aimablement communiquée par le
professeur M. D. GRMEK, directeur d'Études à l'E.P.H.E.).
2. Sur la mort d'Arius, comparer RUFIN, H.E. I (X), 14, commenté
par F. THELAMON, p. 446-452. Le récit de Rufin, comme celui de
SOCRATE, H.E. I, 38, et de Sozomène, dépend de sources athana-
siennes : l'Epist. ad episcopos Aegypti et Libyae, 18-19, d'après le

suppliant Dieu d'empêcher l'accomplissement de ce qui avait été délibéré contre lui. **4** Ce même jour, sortant de chez lui, tard dans la soirée, Arius, soudain pris de colique, avait cédé à ce besoin pressant et était allé à un lieu public déterminé pour ces sortes de nécessités. Comme, au bout d'un long temps, il n'en était pas sorti, quelques-uns de ceux qui l'attendaient dehors y entrèrent et ils le trouvèrent mort assis sur le siège. **5** Quand la chose fut connue, les avis différèrent sur sa mort. Les uns estimaient qu'il était mort sur l'heure victime d'une crise cardiaque, ou parce que la joie de voir les choses lui réussir à son gré avait causé en lui une apoplexie[1] ; d'autres pensaient qu'il avait été puni pour son impiété ; et ses partisans inventaient cette fable qu'il avait été tué par des opérations magiques. Il n'est pas hors de place de présenter au public ce que dit de lui Athanase, l'évêque d'Alexandrie. Voici ce texte[2] :

Chapitre 30

Ce qu'écrit le grand Athanase sur l' « éclatement » d'Arius.

1 « De fait Arius aussi, le chef de la secte, l'associé d'Eusèbe, fut convoqué alors, du fait du zèle empressé des partisans d'Eusèbe, par le bienheureux Constantin Auguste. L'empereur lui demanda de déclarer par écrit sa foi, et le rusé l'écrivit, couvrant d'un voile les impudentes formules de son impiété, usant par feinte, lui aussi, comme le diable, des termes des Écritures, tout simples et tels qu'ils sont écrits. **2** Ensuite, comme le bienheureux Constantin lui

P. Festugière, mais peut-être aussi la *Lettre à Sérapion sur la mort d'Arius*, d'après BARDY, p. 113, n. 3. Une version particulièrement scatologique, presque sûrement une interpolation, est donnée par THÉODORET dans l'*Histoire des moines de Syrie*, I, 10 : voir A. LEROY-MOLINGHEN, « Un imbroglio suspect », *Byzantion* 37 (1967), p. 126-135.

Κωνσταντίνου· ' Εἰ μηδὲν ἕτερον ἔχεις παρὰ ταῦτα ἐν τῇ διανοίᾳ, μάρτυρα τὴν ἀλήθειαν δός· ἀμυνεῖται γὰρ ἐπιορκήσαντά σε αὐτὸς ὁ κύριος ', ὤμοσεν ὁ ἄθλιος μήτ' ἔχειν μήτ' ἄλλα παρὰ τὰ νῦν γραφέντα φρονεῖν, κἂν εἰρῆσθαι πώποτε

95 εἴη παρ' | αὐτοῦ. Ἀλλ' εὐθὺς ἐξελθὼν ὥσπερ δίκην δοὺς
1021 κατέπεσε ' καὶ πρηνὴς γενόμενος ἐλάκησε μέσος '. 3 Πᾶσι μὲν οὖν ἀνθρώποις κοινὸν τοῦ βίου τέλος θάνατός ἐστιν, καὶ οὐ δεῖ τινος ἐπεμβαίνειν, κἂν ἐχθρὸς ᾖ ὁ τελευτήσας, ἀδήλου ὄντος, μὴ ἕως ἑσπέρας καὶ αὐτὸν τοῦτο καταλάβῃ. Τὸ δὲ τέλος Ἀρείου, ἐπειδὴ οὐχ ἁπλῶς γέγονε, διὰ τοῦτο καὶ διηγήσεώς ἐστιν ἄξιον. 4 Τῶν γὰρ περὶ Εὐσέβιον ἀπειλούντων εἰσαγαγεῖν αὐτὸν εἰς τὴν ἐκκλησίαν, ὁ μὲν ἐπίσκοπος τῆς Κωνσταντινουπόλεως Ἀλέξανδρος ἀντέλεγεν. Ὁ δὲ Ἄρειος ἐθάρρει τῇ βίᾳ καὶ ταῖς ἀπειλαῖς Εὐσεβίου· σάββατον γὰρ ἦν, καὶ προσεδόκα τῇ ἑξῆς συνάγεσθαι· πολὺς δὲ καὶ νῦν ἀγὼν ἦν ἐκείνων μὲν ἀπειλούντων, Ἀλεξάνδρου δὲ εὐχομένου. Ἀλλ' ὁ κύριος κριτὴς γενόμενος ἐβράβευσε κατὰ τῶν ἀδικούντων. Οὔπω γὰρ ὁ ἥλιος ἔδυ, καὶ χρείας αὐτὸν ἑλκυσάσης εἰς τόπον ἐκεῖ κατέπεσε, καὶ ἀμφοτέρων, τῆς τε κοινωνίας καὶ τοῦ ζῆν, εὐθὺς ἐστερήθη. 5 Καὶ ὁ μὲν μακαρίτης Κωνσταντῖνος ἀκούσας ἐθαύμασεν εἰδὼς ἐλεγχθέντα τοῦτον ἐπίορκον, πᾶσι δὲ τότε γέγονε φανερόν, ὅτι τῶν μὲν

1024 περὶ Εὐσέβιον ἠσθένησαν αἱ ἀπειλαὶ καὶ ἡ ἐλπὶς δὲ Ἀρείου ματαία γέγονεν. Ἐδείχθη δὲ πάλιν ὅτι παρὰ τοῦ σωτῆρος ἀκοινώνητος γέγονεν ἡ Ἀρειανὴ μανία καὶ ὧδε καὶ ἐν τῇ ' τῶν πρωτοτόκων ἐν οὐρανοῖς ἐκκλησίᾳ '. Τίς οὖν οὐ θαυμάσειεν ὁρῶν τούτους δικαιῶσαι φιλονικοῦντας, ὃν ὁ κύριος κατέκρινε, καὶ βλέπων αὐτοὺς ἐκδικοῦντας τὴν αἵρεσιν, οὓς ἀκοινωνήτους ἤλεγξεν ὁ κύριος, μὴ ἀφεὶς τὸν αὐτῆς ἔξαρχον εἰς τὴν ἐκκλησίαν εἰσελθεῖν. »

1. Avec κἂν εἰρῆσθαι πώποτε εἴη παρ' αὐτοῦ, il faut évidemment sous-entendre ἄλλα, à prendre un peu avant : μήτ' ἄλλα παρὰ τὰ νῦν γραφέντα φρονεῖν (A.-J. F.).

2. D'après BARDY, p. 113, n. 3, « Il n'y a pas de raison sérieuse pour récuser ce témoignage. La mort d'Arius apparaît à Athanase comme un châtiment providentiel. Mais Athanase n'aurait guère pu, sitôt après les événements, accréditer une légende. »

disait : ' Si tu n'as rien d'autre dans l'esprit que cela, jure au nom de la Vérité ; car, si tu t'es parjuré, le Seigneur lui-même te châtiera ', le malheureux jura qu'il n'avait rien d'autre dans l'esprit, et qu'il n'avait pas d'autre opinion que celle qui était là écrite, même s'il était arrivé qu'il eût jamais dit autre chose[1]. Mais à peine sorti, comme s'il était puni, il s'effondra et, ' renversé, creva par le milieu ' *(Act. 1, 18)*. **3** Certes, pour tout homme le terme commun de la vie est la mort, et il ne faut attaquer quiconque, le mort fût-il un ennemi, étant donné qu'on ne sait pas si, d'ici au soir, la mort ne vous aura pas vous-même surpris. Mais comme la mort d'Arius n'a pas eu lieu tout simplement, il vaut la peine pour cela de la raconter. **4** Eusèbe et ses partisans avaient menacé d'introduire de force Arius dans l'Église. L'évêque de Constantinople, Alexandre, s'y opposait. Arius, de son côté, comptait sur les moyens de violence et les menaces d'Eusèbe ; c'était le samedi, et il s'attendait à ce qu'il fût admis dans la communion le lendemain : cependant, à cette heure même, grande était la lutte, les ennemis menaçant, Alexandre se tenant en prière. Mais le Seigneur se fit l'arbitre contre les criminels. Le soleil en effet ne s'était pas encore couché que, un besoin ayant tiré Arius vers les latrines, il s'y effondra, et fut aussitôt privé des deux, et de la communion et de la vie. **5** Le bienheureux Constantin, à l'ouïe de la nouvelle, admira la chose, ayant reconnu qu'Arius avait été convaincu de parjure, et il devint alors manifeste à tous que les menaces d'Eusèbe et de ses partisans avaient été sans force et que l'espoir d'Arius s'était révélé vain. Il fut démontré en outre que la folie arienne avait été exclue par le Sauveur de sa communion, et ici même et dans ' l'Église des premiers-nés dans les cieux ' *(Hébr. 12, 23)*. Qui donc ne s'étonnerait à voir ces gens-là s'efforçant de justifier celui que le Seigneur a condamné, à les voir prendre la défense d'hérétiques que le Seigneur a convaincus d'être hors de la communion, puisqu'il n'a pas permis que leur chef entrât dans l'Église[2] ? »

6 Ὧδε μὲν Ἄρειον ἀποθανεῖν παρειλήφαμεν. Λόγος οὖν
ἐπὶ πολλῷ χρόνῳ μηδένα χρήσασθαι τῇ καθέδρᾳ ἐφ᾽ ᾗ
τέθνηκεν· οἷα δὲ εἰς δημόσιον χῶρον διὰ τὴν χρείαν ὀχλου-
μένων, ὡς φιλεῖ ἐν πλήθει γίνεσθαι, καὶ παρακελευομένων
ἀλλήλοις τῶν εἰσιόντων φυλάττεσθαι τὴν καθέδραν, ἀποτρό-
παιος ἦν καὶ τοῖς μετὰ ταῦτα ὁ τόπος, ὡς ἀσεβείας ποινὰς
αὐτόθι δεδωκότος Ἀρείου. 7 Χρόνῳ δὲ ὕστερον τῶν τὰ
αὐτοῦ φρονούντων τις πλούσιός τε ‹καὶ› ἐν δυνάμει σπουδῇ
96 χρησάμενος ἐπρίατο τοῦτον τὸν τόπον παρὰ τοῦ | δημοσίου
καὶ οἰκίαν κατεσκεύασε καθελὼν τὴν προτέραν ὄψιν, ὥστε
λήθην γενέσθαι τῷ δήμῳ καὶ μὴ τῇ διαδοχῇ τῆς τοιαύτης
ἀναμνήσεως τὸν Ἀρείου θάνατον κωμῳδεῖσθαι.

31

1 Ἀλλὰ γὰρ οὐδὲ τούτου τελευτήσαντος τέλος ἔσχεν ἡ
ζήτησις ὧν ηὗρεν δογμάτων, οὐδὲ ἐπαύσαντο οἱ τὰ αὐτοῦ
φρονοῦντες τοῖς τἀναντία δοξάζουσιν ἐπιβουλεύοντες. 2 Ἀμέλει τοι καὶ τοῦ Ἀλεξανδρέων δήμου συνεχῶς ἐκβοῶντος
καὶ ἐν λιταῖς ἱκετεύοντος περὶ τῆς Ἀθανασίου καθόδου καὶ
Ἀντωνίου τοῦ μεγάλου μοναχοῦ πολλάκις περὶ αὐτοῦ γράψαντος καὶ ἀντιβολοῦντος μὴ πείθεσθαι τοῖς Μελιτιανοῖς,
1025 ἀλλὰ συκοφαντίας ἡγεῖσθαι τὰς αὐτῶν κατηγορίας, οὐκ
ἐπείσθη ὁ βασιλεύς, ἀλλὰ τοῖς μὲν Ἀλεξανδρεῦσιν ἔγραψεν
ἄνοιαν καὶ ἀταξίαν ἐγκαλῶν, κληρικοῖς δὲ καὶ ταῖς ἱεραῖς
παρθένοις ἡσυχίαν ἐπιτάττων· καὶ μὴ μετατεθήσεσθαι τῆς
γνώμης ἰσχυρίζετο μηδὲ μετακαλεῖσθαι τὸν Ἀθανάσιον,
ὡς στασιώδη καὶ ἐκκλησιαστικῇ καταδεδικασμένον κρίσει.
3 Ἀντωνίῳ δὲ ἀντεδήλωσε μὴ οἷός τε εἶναι τῆς συνόδου

6 Telle fut, comme nous l'avons appris, la mort d'Arius.
Le bruit court que pendant longtemps nul ne se servit du
siège sur lequel il était mort. Attendu que des gens sont
forcés d'aller aux latrines publiques pour leurs besoins
naturels, ainsi qu'il arrive dans une foule, et que ceux qui
entraient se recommandaient les uns aux autres d'éviter ce
siège, même par la suite on se détourna du lieu, parce
qu'Arius y avait été puni de son impiété. **7** Plus tard, un
homme riche et puissant parmi les partisans d'Arius, pris
de zèle, acheta ce lieu à l'État, démolit ce qu'on voyait
avant et bâtit une maison, en sorte que le peuple finit par
oublier la chose, et qu'on cessa de se moquer de la mort
d'Arius en se transmettant le souvenir de l'événement.

Chapitre 31

Événements arrivés après la mort d'Arius ;
ce qu'écrit Constantin aux habitants d'Alexandrie.

1 Cependant, même Arius mort, la controverse sur les
dogmes qu'il avait inventés ne s'acheva point et ses partisans ne cessèrent pas de dresser des embûches contre les
orthodoxes. **2** Au surplus non seulement le peuple d'Alexandrie poussait continuellement des clameurs et faisait des
prières de supplication pour le retour d'Athanase, mais
encore le grand moine Antoine écrivit plusieurs fois à
l'empereur sur Athanase, le suppliant de ne pas suivre les
méléciens, mais de tenir leurs témoignages comme des
calomnies. L'empereur pourtant ne se laissa pas persuader.
Dans une lettre aux Alexandrins il les accusait de démence
et de désordre, et il ordonnait aux clercs et aux vierges
sacrées de se tenir tranquilles ; il affirmait qu'il ne changerait pas d'avis et ne rappellerait pas Athanase, car c'était
un séditieux et il avait été condamné par un jugement
ecclésiastique. **3** A Antoine il répondit qu'il ne pouvait

ὑπεριδεῖν τὴν ψῆφον. Εἰ γὰρ καὶ ὀλίγοι, φησί, πρὸς ἀπέχθειαν
ἢ χάριν ἐδίκασαν, οὐ δήπου πιθανὸν τοσαύτην πληθὺν ἐλλο-
γίμων καὶ ἀγαθῶν ἐπισκόπων τῆς ὁμοίας γενέσθαι γνώμης·
τὸν γὰρ Ἀθανάσιον ὑβριστήν τε εἶναι καὶ ὑπερήφανον καὶ
διχονοίας καὶ στάσεων αἴτιον. Οἱ γὰρ ἐναντίως ἔχοντες πρὸς
αὐτὸν περὶ ταῦτα μάλιστα διέβαλλον αὐτόν, καθότι ὑπερφυῶς τοὺς τοιούτους ὁ βασιλεὺς ἀπεστρέφετο. 4 Τότε γοῦν
πυθόμενος διχῇ μεμερίσθαι τὴν ἐκκλησίαν καὶ τοὺς μὲν
Ἀθανάσιον, τοὺς δὲ Ἰωάννην θαυμάζειν, σφόδρα ἠγανάκτησε
καὶ αὐτὸν Ἰωάννην ἐξώρισεν. Ἦν δὲ οὗτος ὁ Μελίτιον διαδεξάμενος καὶ παρὰ τῆς ἐν Τύρῳ συνόδου προσταχθεὶς τῇ
ἐκκλησίᾳ κοινωνεῖν καὶ τὰς τιμὰς τῶν ἰδίων κλήρων ἔχειν
αὐτός τε καὶ οἱ τὰ αὐτοῦ φρονοῦντες. 5 Καίτοι γε παρὰ
γνώμην τοῦτο ἀπέβη τοῖς Ἀθανασίου ἐχθροῖς, ἀλλ᾿ ὅμως
ἐγένετο, καὶ οὐδὲν ὤνησεν Ἰωάννην τὰ δεδογμένα τοῖς ἐν
Τύρῳ συνεληλυθόσι. Κρείττων γὰρ ἦν ὁ βασιλεὺς ἱκεσίας
καὶ παντοδαπῆς παραιτήσεως πρὸς τὸν ὑπονοούμενον εἰς
στάσιν ἢ διχόνοιαν ἐγείρειν τὰ πλήθη τῶν Χριστιανῶν.

32

1 Τὸ δὲ Ἀρείου δόγμα, εἰ καὶ πολλοῖς ἐν ταῖς διαλέξεσιν
ἐσπουδάζετο, οὔπω εἰς ἴδιον διεκέκριτο λαὸν ἢ ὄνομα τοῦ
97 εὑρόντος, ἀλλὰ πάντες ἅμα | ἐκκλησίαζον καὶ ἐκοινώνουν,

---

1. Athanase ne signalant ni les manifestations en sa faveur ni les
lettres échangées entre Antoine et Constantin (cf. *supra*, chap. 28, 14,
n. *ad. loc.*), Socrate lui-même ne citant pas cette lettre, la documentation de Sozomène paraît ici particulièrement intéressante et originale.

passer au-dessus du vote du concile[1]. Même si, disait-il, un
petit nombre avait jugé par haine ou faveur, il n'était sans
doute pas croyable qu'une si grande assemblée d'évêques
en renom et vertueux eût jugé par les mêmes sentiments :
Athanase était un violent, un orgueilleux, un fauteur de
discorde et de division. De fait, c'est sur ce point précisément que les ennemis d'Athanase l'accusaient le plus, étant
donné que l'empereur abhorrait à l'extrême de telles gens.
4 Il est sûr en tout cas que, ayant appris alors que l'Église
était divisée, les uns tenant pour Athanase, les autres pour
Jean, il en fut très irrité et exila Jean lui-même. C'était le
successeur de Mélétios, au sujet duquel le concile de Tyr
avait prescrit qu'il fût réintroduit dans la communion de
l'Église et que lui-même et ses partisans reprissent leur
rang dans le clergé. **5** Cette mesure de Constantin fut
contraire aux vœux des ennemis d'Athanase, mais enfin
elle fut prise, et les décisions des Pères de Tyr ne servirent
de rien à Jean. Car l'empereur était inflexible à toute espèce
de supplication et d'intercession quand il s'agissait d'un
homme qu'il soupçonnait de pousser la masse des chrétiens
à la division ou à la discorde.

Chapitre 32

*Constantin édicte une loi contre toutes les sectes
ordonnant que le culte ne soit célébré
que dans l'Église catholique;
il en résulte la disparition de la plupart des sectes :
les ariens, autour d'Eusèbe de Nicomédie,
s'efforcent par un subterfuge de supprimer
le terme « consubstantiel ».*

1 Même si la doctrine d'Arius avait la faveur de beaucoup de gens dans leurs conversations, néanmoins il n'y
avait pas encore eu de séparation de manière à former un
peuple à part désigné par le nom de l'auteur, mais tous

πλὴν Ναυατιανῶν καὶ τῶν ἐπικαλουμένων Φρυγῶν, Οὐαλεν-
τίνων τε καὶ Μαρκιωνιστῶν καὶ Παυλιανῶν, καὶ εἴ τινες
ἕτεροι ἑτέρας ἤδη ηὑρημένας αἱρέσεις ἐπλήρουν. 2 Κατὰ
τούτων δὲ πάντων νόμον θέμενος ὁ βασιλεὺς προσέταξεν
ἀφαιρεθῆναι αὐτῶν τοὺς εὐκτηρίους οἴκους καὶ ταῖς ἐκκλησίαις συνάπτεσθαι, καὶ μήτε ἐν οἰκίαις ἰδιωτῶν μήτε δημοσίᾳ
ἐκκλησιάζειν. Κάλλιον δὲ τῇ καθόλου ἐκκλησίᾳ κοινωνεῖν
εἰσηγεῖτο καὶ εἰς ταύτην συνιέναι συνεβούλευε. Διὰ τοῦτον
1028 δὲ τὸν νόμον τούτων τῶν αἱρέσεων οἶμαι τὴν πολλὴν ἀφα-
νισθῆναι μνήμην. 3 Ἐπὶ μὲν γὰρ τῶν πρὶν βασιλέων, ὅσοι
τὸν Χριστὸν ἔσεβον, εἰ καὶ ταῖς δόξαις διεφέροντο, πρὸς τῶν
Ἑλληνιστῶν οἱ αὐτοὶ ἐνομίζοντο καὶ κακῶς ὁμοίως ἔπασχον.
Σφᾶς δὲ αὐτοὺς πολυπραγμονεῖν διὰ τὰς κοινὰς συμφορὰς
οὐκ ἠδύναντο, καὶ διὰ τοῦτο ῥᾳδίως καθ' ἑαυτοὺς ἕκαστοι
συνιόντες ἐκκλησίαζον καὶ συνεχῶς ὁμιλοῦντες ἀλλήλοις, εἰ

1. Sur le fondateur de cette secte, voir *supra*, p. 181, n. 3. Comme
le reconnaît Sozomène au § 5, les novatiens étaient orthodoxes ; ils
n'en furent pas moins excommuniés. A Nicée, leur évêque Acésius,
bien qu'il eût souscrit au Credo, fut critiqué par Constantin comme
persistant dans le schisme par péché d'orgueil sur le problème des
lapsi (*supra*, I, 22).

2. Autrement dit les montanistes : cf. *supra*, p. 304, n. 1.

3. Disciples de Valentinus, fondateur, au IIe siècle, d'une secte
gnostique réservant l'accès du « plérôme » aux seuls *Pneumatici* (qui
sont les valentiniens eux-mêmes), assez influente et dangereuse pour
mériter la réfutation de Tertullien dans son traité *Aduersus Valen-
tinianos*.

4. Disciples de l'hérétique Marcion, excommunié en 144, pour
lequel l'Évangile chrétien étant un évangile d'Amour, à l'exclusion de
la Loi, l'Ancien Testament ne compte pas, ni non plus une grande
part du Nouveau. Le succès de cette hérésie est attesté par le nombre
et la qualité de ceux qui s'employèrent à la réfuter, entre autres Irénée
de Lyon, Tertullien, Hippolyte de Rome.

5. Sectateurs de Paul de Samosate, évêque d'Antioche en 260. Sa
christologie, une forme du monarchianisme dynamique, fut condamnée
par deux (ou trois) synodes à Antioche et il fut déposé en 268. C'est
lors de la dispute que provoquèrent ses doctrines qu'apparut le
mot *homousios*. Les paulianistes refusant d'admettre la Trinité, le
19e canon de Nicée exigeait qu'ils fussent rebaptisés pour rejoindre
la communion catholique.

célébraient le culte en commun avec les catholiques et participaient à leur communion, sauf les novatiens[1], ceux qu'on nommait Phrygiens[2], les valentiniens[3], les marcionites[4], et les paulianistes[5] et tout ce qu'il pouvait y avoir d'autres qui formassent des sectes déjà en existence. **2** Contre tous ces hérétiques l'empereur édicta une loi[6] où il ordonna qu'on détruisît leurs oratoires, qu'ils se ralliassent aux églises et ne célébrassent plus le culte ni dans des maisons privées ni en public. Il émettait l'avis qu'il valait mieux rentrer dans la communion de l'Église catholique et il conseillait de s'y rattacher. C'est par cette loi, à mon avis, qu'a été quasi anéanti le souvenir de ces hérésies. **3** Sous les empereurs précédents en effet, tous ceux qui adoraient le Christ, même s'ils différaient d'opinion, étaient tenus pour les mêmes par les païens et ils souffraient tous également. A cause de ces malheurs communs, ils ne pouvaient se mêler indiscrètement des affaires les uns des autres, et pour cette raison, les tenants de chaque secte pouvaient facilement se rassembler et célébrer le culte entre eux, et, alors qu'ils formaient continuellement des conciliabules, ils ne furent pas dissous, bien qu'ils ne fussent

6. Sozomène parle d'une loi postérieure aux conciles de Tyr et de Jérusalem, donc datée des toutes dernières années du règne. Il ne peut donc s'agir des lois *De Hereticis*, consécutives au concile de Nicée, conservées dans le *Code Théodosien*, XVI, 5, 1 (1er sept. 326), et XVI, 5, 2 (25 sept. 326). Sozomène suit ici Eusèbe qui, au livre 3 de la *Vita Constantini*, donne le texte d'une constitution de Constantin dirigée contre les hérétiques (chap. 65) et, au chapitre suivant, d'une loi de Constantin enlevant aux hérétiques leurs lieux de réunion (chap. 66) : ces lois, qui visent nommément les novatiens, les valentiniens, les paulianistes et les Phrygiens, leur interdisent les réunions même privées, ferment leurs lieux de culte et enjoignent que les édifices appartenant aux hérétiques soient incontinent remis à l'Église catholique. Sozomène, assez peu intéressé par l'Occident, ne dit mot de la persécution entreprise simultanément par Constantin en Afrique contre les donatistes (en 336). Les lois dont il parle furent en fait beaucoup moins efficaces qu'il le prétend, puisque Théodose dut encore légiférer contre les hérésies.

καὶ ὀλίγοι ἦσαν, οὐ διελύθησαν. 4 Μετὰ δὲ τοῦτον τὸν νόμον οὔτε δημοσίᾳ ἐκκλησιάζειν ἠδύναντο κωλυόμενοι οὔτε λάθρα τῶν κατὰ πόλιν ἐπισκόπων καὶ κληρικῶν παρατηρούντων. Ἐντεῦθεν δὲ περιδεεῖς οἱ πλείους γενόμενοι τῇ καθόλου ἐκκλησίᾳ προσέθεντο. Οἱ δὲ καὶ ἐπὶ τῆς αὐτῆς μείναντες γνώμης οὐκέτι διαδόχους τῆς αὐτῶν αἱρέσεως καταλιπόντες ἐτελεύτησαν, ὡς μήτε εἰς ταὐτὸν συνιέναι συγχωρούμενοι μήτε ἀδεῶς ὁμοδόξους ἐκδιδάσκειν δυνάμενοι. Ἐπεὶ καὶ τὴν ἀρχὴν αἱ μὲν ἄλλαι αἱρέσεις ὀλίγους τοὺς ζηλώσαντας ἔσχον ἢ διὰ σκαιότητα δογμάτων ἢ φαυλότητα τῶν εὑρόντων καὶ καθηγητῶν τούτων γενομένων. 5 Οἱ δὲ τὰ Ναυάτου φρο-νοῦντες, ὡς ἀγαθῶν ἡγεμόνων ἐπιτυχόντες καὶ τὰ αὐτὰ περὶ τὸ θεῖον τῇ καθόλου ἐκκλησίᾳ δοξάζοντες, πολλοί τε ἦσαν ἐξ ἀρχῆς καὶ διέμειναν, οὐδὲν μέγα βλαβέντες ὑπὸ τούτου τοῦ νόμου. Ὡς γὰρ οἶμαι, καὶ ὁ βασιλεὺς ἑκὼν καθυφίει, φοβῆσαι μόνον, οὐ λυμήνασθαι τοὺς ὑπηκόους προθέμενος. Καὶ Ἀκέσιος δὲ ὁ τότε ἐν Κωνσταντινουπόλει τῆς αὐτῶν αἱρέσεως ἐπίσκοπος, βασιλεῖ κεχαρισμένος ὢν

98 διὰ τὸν βίον, ὡς εἰκός, ἐβοήθει τῇ ὑπ' αὐτὸν | ἐκκλησίᾳ. 6 Φρύγες δὲ κατὰ τὴν ἄλλην ἀρχομένην παραπλήσια τοῖς ἄλλοις ὑπέμειναν, πλὴν Φρυγίας καὶ τῶν ἄλλων ἐθνῶν τῶν ἐκ γειτόνων, ἔνθα δὴ ἐκ τῶν κατὰ Μοντανὸν χρόνων πλῆθος ἀρξάμενοι καὶ νῦν εἰσι.

7 Περὶ δὲ τοῦτον τὸν χρόνον οἱ ἀμφὶ τὸν Εὐσέβιον τὸν Νικομηδείας ἐπίσκοπον καὶ Θεόγνιον τὸν Νικαίας ἐγγράφως ἤρξαντο νεωτερίζειν περὶ τὴν ἔκθεσιν τῶν ἐν Νικαίᾳ συνελη-λυθότων. Καὶ ἀναφανδὸν μὲν ἐκβάλλειν τὸ ὁμοούσιον εἶναι τῷ πατρὶ τὸν υἱὸν οὐκ ἐθάρρησαν· ᾔδεσαν γὰρ βασιλέα ὧδε δοξάζοντα. 8 Ἑτέραν δὲ ἐκθέμενοι γραφὴν ἐπὶ ῥηταῖς ἑρμη-νείαις καταδεδέχθαι τὰ ὀνόματα τοῦ ἐν Νικαίᾳ δόγματος

---

1. *Scil.* : furent de moins en moins nombreux (A.-J. F.).

encore qu'un petit nombre. **4** Mais après cette loi ils ne purent célébrer le culte ni en public, car ils en étaient empêchés, ni en cachette, car les évêques et les clercs en chaque ville les surveillaient. A partir de ce moment, la plupart furent pris de crainte et se joignirent à l'Église catholique. Ceux d'autre part qui avaient persévéré dans leurs sentiments moururent sans laisser désormais de successeurs de leur hérésie, puisque ni ils n'avaient plus le droit de se réunir, ni ils ne pouvaient plus catéchiser librement leurs coreligionnaires. Il faut bien dire d'ailleurs que dès le principe, la plupart des hérésies n'avaient eu que peu de zélateurs soit à cause de la bizarrerie des doctrines, soit par la médiocrité de ceux qui les avaient inventées et qui en avaient été les précepteurs. **5** Seuls furent nombreux dès le début et le restèrent les novatiens, parce qu'ils avaient eu la chance d'avoir de bons chefs et parce qu'ils partageaient sur la Divinité les dogmes de l'Église catholique, et ils ne souffrirent nul grand dommage de cette loi. A mon avis en effet, l'empereur même cédait volontairement par-dessous : il ne voulait qu'effrayer ses sujets, non les ruiner. Au surplus, Acésius même, qui était alors à Constantinople, évêque de leur secte, comme il était cher à l'empereur à cause de sa sainte vie, portait secours, comme il est naturel, à l'Église sous sa direction. **6** Quant aux Phrygiens, dans l'Empire en général, ils subirent le sort des autres hérétiques[1], sauf en Phrygie et dans les provinces limitrophes où, depuis le temps de Montan, ils furent dès le début et sont encore une grande foule.

7 Vers ce temps-là Eusèbe, évêque de Nicomédie, et Théognios, de Nicée, commencèrent d'innover par écrit touchant l'exposition de foi des Pères réunis à Nicée. Ils n'osèrent pas rejeter ouvertement la formule de la consubstantialité du Père et du Fils ; ils savaient en effet que l'empereur y tenait. **8** Mais, ayant publié une autre exposition de foi, ils signifièrent aux évêques d'Orient qu'ils ne recevaient les termes du dogme de Nicée que sous condition

ἐμήνυσαν τοῖς ἀνὰ τὴν ἕω ἐπισκόποις. Ἐκ τούτου δὲ τοῦ
ῥητοῦ καὶ διανοίας εἰς διάλεξιν πεσοῦσα ἡ προτέρα ζήτησις
καὶ δόξασα πεπαῦσθαι πάλιν ἀνεκινεῖτο.

33

1 Ἐν δὲ τῷ τότε καὶ Μάρκελλον τὸν Ἀγκύρας ἐπίσκοπον
τῆς Γαλατῶν, ὡς καινῶν δογμάτων εἰσηγητὴν καὶ τὸν υἱὸν
τοῦ θεοῦ λέγοντα ἐκ Μαρίας τὴν ἀρχὴν εἰληφέναι καὶ τέλος
ἕξειν τὴν αὐτοῦ βασιλείαν, καὶ γραφήν τινα περὶ τούτου
1029 συντάξαντα, συνελθόντες ἐν Κωνσταντινουπόλει καθεῖλον καὶ
τῆς ἐκκλησίας ἐξέβαλον· καὶ Βασιλείῳ δεινῷ λέγειν καὶ ἐπὶ
παιδεύσει ὑπειλημμένῳ ἐπιτρέπουσι τὴν ἐπισκοπὴν τῆς
Γαλατῶν παροικίας. Καὶ ταῖς αὐτόθι ἐκκλησίαις ἔγραψαν

1. Cet évêque avait participé au concile de Nicée et combattu
vigoureusement les ariens. Eusèbe de Nicomédie et Eusèbe de Césarée
l'accusèrent de sabellianisme et d'ébionisme ; il fut déposé en 336
(toutefois BARDY, p. 104, adoptant la chronologie de E. SCHWARTZ,
« Zur Geschichte des Athanasius », VIII, dans les *Nachrichten* de
Göttingen, 1911, p. 400-407, contre le témoignage de Socrate et de
Sozomène, croit la déposition de Marcel contemporaine de celle
d'Eustathe d'Antioche, vers 330) ; rétabli en 337, à la mort de Constantin, il fut chassé de nouveau par le successeur de ce dernier,
Constance II, en 339. En dépit des critiques portées contre sa doctrine
par les Orientaux aux conciles de Constantinople en 336 et d'Antioche
en 341, l'Occident reconnut son orthodoxie aux conciles de Rome en
340 et de Sardique en 343 : cf. O. PERLER, « Markellos », *Lexikon f.
Theol.* 7 (1962), c. 4.

2. Le Περὶ ὑποταγῆς contre l'arien Astérius. Préoccupé avant tout
de maintenir l'union de Dieu et du Logos, Marcel ne donnait d'existence individuelle au Fils de Dieu que pour l'œuvre de la Rédemption :
il ne commençait d'être, donc, qu'à partir de Marie (ἐκ Μαρίας τὴν ἀρχὴν
εἰληφέναι) et son règne de Rédempteur s'achevait à la Résurrection, après laquelle il rentrait dans le sein de Dieu (cf. A. von HAR-
NACK, *Lehrburg der Dogmengeschichte*, II, Tübingen 1932[5], p. 235, 1).
Au concile de Sardique (343), Marcel soutiendra qu'il n'avait exprimé
là que des recherches, non des vérités reconnues de tous, « que ni il ne
donnait de commencement au Logos de Dieu à partir de la sainte
Marie (seulement), ni il ne donnait une fin à son règne, mais qu'il avait

de certaines interprétations. En conséquence de la lettre
de ce texte et de son esprit, l'ancienne controverse fut
remise sur le tapis et, alors qu'on l'avait crue achevée, elle
était soulevée à nouveau.

Chapitre 33

Marcel d'Ancyre, son hérésie, sa déposition.

1 A ce moment-là aussi les évêques réunis à Constantinople déposèrent de son siège et exclurent de l'Église Marcel,
évêque d'Ancyre[1] en Galatie, comme ayant introduit des
doctrines révolutionnaires, soutenu que le Fils de Dieu n'a
commencé d'exister que tiré du sein de Marie et que son
règne aura une fin, et comme ayant composé un écrit à ce
sujet[2]. Les évêques conférèrent l'épiscopat du diocèse de
Galatie à Basile[3], homme éloquent et approuvé pour sa
formation intellectuelle. Et ils écrivirent aux Églises de la
région de rechercher et détruire le livre de Marcel et de

écrit que ce règne du Logos était sans commencement et sans fin » :
cf. ATHANASE, *Apologia secunda*, 45, 1 (lettre synodale des évêques
d'Occident). On voit bien que tout change, une fois l'expression « Fils
de Dieu » (= le Christ) remplacée par « Logos ». Mais les évêques
d'Occident ne percevaient pas ces subtilités. — La date de la déposition de Marcel est controversée. Sozomène semble la placer ici après
le concile de Tyr et celui de Jérusalem, à la fin du règne de Constantin
(335 ou 336). SCHWARTZ, *Gesamm. Schriften*, p. 230-238, la date de peu
après Nicée, quand Eusèbe de Nicomédie reprend de l'influence et
qu'Eustathe d'Antioche ennemi d'Eusèbe est également déposé
(330) (A.-J. F.).

3. Représentant de l'arianisme modéré, il fut, après avoir remplacé
Marcel en 336, déposé lui-même par le concile de Sardique en 343,
puis réinstallé par Constance II en 348. Il participa aux synodes
arianisants de Sirmium (351), Ancyre (358), Séleucie (359). Mais, en
prenant ses distances par rapport à l'arianisme extrême d'Aétius et
d'Eudoxius, il mécontenta ses partisans qui le firent chasser de son
siège en 360 et bannir en Illyricum où il mourut : voir la notice du
Lexikon f. Theol. 2 (1958) c. 31-32 (O. PERLER).

ἀναζητῆσαι τὴν Μαρκέλλου βίβλον καὶ ἐξαφανίσαι καὶ τοὺς
τὰ αὐτὰ φρονοῦντας, εἴ τινας εὕροιεν, μεταβάλλειν. 2 Καὶ
διὰ μὲν τὸ πολύστιχον τῆς γραφῆς μὴ τὸ πᾶν ὑποτάξαι
βιβλίον ἐδήλωσαν, ῥητὰ δέ τινα ἐνέθηκαν τῇ αὐτῶν ἐπιστολῇ
πρὸς ἔλεγχον τοῦ δοξάζειν αὐτὸν τάδε. Ἐλέγετο δὲ πρός
τινων ταῦτα ὡς ἐν ζητήσει εἰρῆσθαι Μαρκέλλῳ καὶ ὡς
ὡμολογημένα διαβεβλῆσθαι καὶ αὐτῷ τῷ βασιλεῖ παρὰ τῶν
ἀμφὶ τὸν Εὐσέβιον, καθότι ὑπερφυῶς ἐχαλέπαινον αὐτῷ
μήτε ἐν τῇ κατὰ Φοινίκην συνόδῳ συντεθειμένῳ τοῖς ὑπ'
αὐτῶν ὁρισθεῖσι μήτε ἐν Ἱεροσολύμοις ἐπὶ Ἀρείῳ μήτε
τῆς ἀφιερώσεως τοῦ μεγάλου μαρτυρίου μετασχόντι δι' ἀπο-
φυγὴν τῆς πρὸς αὐτοὺς κοινωνίας. 3 Ἀμέλει τοι γράφοντες
περὶ αὐτοῦ τῷ βασιλεῖ καὶ ταῦτα εἰς διαβολὴν προύφερον,
ὡς καὶ αὐτοῦ ὑβρισμένου ὑπ' | αὐτοῦ μὴ ἀξιώσαντος τὴν
99 ἀφιέρωσιν τιμῆσαι τοῦ ἐν Ἱεροσολύμοις νεῶ οἰκοδομηθέντος.
4 Πρόφασις δὲ γέγονε Μαρκέλλῳ ταύτης τῆς γραφῆς Ἀστέ-
ριός τις ἐκ Καππαδοκίας σοφιστής, ὃς καὶ περὶ τοῦ δόγματος
λόγους συγγράφων τῇ Ἀρείου δόξῃ συμφερομένους περιιὼν
τὰς πόλεις ἐπεδείκνυτο καὶ τοῖς ἐπισκόποις καὶ ταῖς γινο-
μέναις συνόδοις ὡς ἐπίπαν παρεγίνετο. Ἀντιλέγων γὰρ
αὐτῷ Μάρκελλος ἢ ἑκὼν ἢ οὐχ οὕτω νοήσας εἰς τὴν Παύλου
τοῦ Σαμοσατέως ἐξεκυλίσθη δόξαν. Ἀλλ' ὁ μὲν ⟨ἐν⟩ τῇ ἐν
Σαρδοῖ συνόδῳ ὕστερον τὴν ἐπισκοπὴν ἀνείληφε μὴ φρονεῖν
ὧδε λογισάμενος.

---

1. Comme l'a vu Schwartz, *Gesamm. Schriften*, III, p. 237, 1, ce
sont les termes mêmes de la synodale des évêques occidentaux à
Sardique. C'est donc à ce texte que Sozomène a emprunté son renseignement (A.-J. F.).

2. Sozomène désigne ainsi la basilique du Saint-Sépulcre du Golgotha, appelée plus tard basilique de l'Anastasis, à Jérusalem, dont
la dédicace eut lieu en 335 : cf. H. Leclercq, art. « martyrium »,
DACL X, 2 (1932), c. 2515-2523, et notamment c. 2515-2516 ; le
terme est fréquemment appliqué aux églises élevées communément
sur le tombeau des martyrs (cf. Sozomène, *H.E.* IX, 2 : église des
quarante martyrs de Sébaste). Dans le présent texte, on constate donc
une extension de l'emploi de ce terme, qui n'est du reste pas spéciale

convertir tous ceux de son opinion qu'ils trouveraient.
2 Ils signifièrent que, à cause de la longueur de l'écrit de
Marcel, ils n'avaient pas mis sous leurs yeux tout le livre,
mais qu'ils avaient adjoint à leur lettre certaines formules
pour convaincre que Marcel soutenait bien ces opinions.
Certains disaient pourtant que Marcel avait parlé ainsi par
manière de recherche et que ses paroles avaient été calom-
nieusement présentées à l'empereur même, par Eusèbe et
son parti, comme vérités reconnues[1], attendu qu'ils avaient
été extrêmement irrités contre lui de ce qu'il ne s'était pas
associé à leurs décisions au concile de Phénicie *(Tyr)* ni
non plus à Jérusalem dans le cas d'Arius, et qu'il n'avait
pas participé à la consécration du grand martyrium[2]
parce qu'il se séparait de la communion. **3** Au surplus,
dans leur lettre à l'empereur sur Marcel, les évêques
mettaient en avant aussi ces points-là pour l'accuser, allé-
guant que l'empereur lui-même avait été outragé par
Marcel, qui n'avait pas daigné honorer la consécration de
l'église bâtie à Jérusalem. **4** Quant à la cause de cet écrit
de Marcel, la voici : un certain Astérius, sophiste de Cappadoce, qui, écrivant lui aussi sur le dogme, avait donné son
assentiment à la thèse d'Arius, parcourait les villes, s'y
produisait au grand jour, et de façon générale se présentait
aux évêques et aux synodes qui se tenaient. C'est à lui
en effet que Marcel avait répondu, mais, soit de plein gré,
soit qu'il ne l'eût pas voulu, il tomba dans l'hérésie de Paul
de Samosate[3]. Plus tard cependant, au concile de Sardique,
il recouvra son siège, après avoir démontré[4] que telle n'était
pas sa manière de penser.

à Sozomène, puisque, dans la *Vita Constantini*, 4, 47, Eusèbe applique
le mot *martyrion* à la même basilique du Golgotha.

3. Cf. *supra*, chap. 32, 1, et la note *ad. loc.* sur les paulianistes. En
effet, les tendances sabellianistes de Marcel pouvaient l'entraîner vers
le monarchianisme dynamique de Paul de Samosate.

4. Ce sens de λογίζεσθαι paraît ici s'imposer ; *sic* Valois : *cum...*
demonstrauisset (A.-J. F.).

34

1 Ὁ δὲ βασιλεὺς ἤδη πρότερον εἰς τοὺς παῖδας Καίσαρας
ὄντας τὴν ἀρχὴν διελών, καὶ Κωνσταντίνῳ μὲν καὶ Κώνσταντι
τὰ πρὸς δύσιν ἀπονείμας, Κωνσταντίῳ δὲ τὰ πρὸς ἕω,
μαλακισθεὶς τὸ σῶμα ὡς αὐτομάτοις λουτροῖς χρησόμενος
ἧκεν εἰς Ἑλενόπολιν Βιθυνῶν. Χαλεπώτερον δὲ διατεθεὶς
διεκομίσθη εἰς Νικομήδειαν, ἔνθα δὴ ἐν προαστείῳ διάγων
1032 ἐμυήθη τὴν ἱερὰν βάπτισιν· ἐπὶ τούτῳ τε σφόδρα ἡσθεὶς
χάριν ὡμολόγει τῷ θεῷ. **2** Διαθήκην τε ποιήσας τοῖς μὲν
παισὶ διένειμε τὴν ἀρχὴν ὡς πρότερον, πρεσβεῖα δὲ τὰ μὲν
τῇ πρεσβυτέρᾳ Ῥώμῃ, τὰ δὲ τῇ ἐπωνύμῳ αὐτοῦ καταλιπὼν
ἔδωκε τὴν διαθήκην τῷ πρεσβυτέρῳ, ὃν ἐπαινέτην ὄντα
Ἀρείου, ἀγαθὸν δὲ τῷ βίῳ, παρέθετο αὐτῷ τελευτῶσα Κωνσταντία ἡ ἀδελφή, καὶ ὅρκον προσθεὶς ἐνετείλατο Κωνσταντίῳ
δοῦναι ἐπειδὰν ἀφίκηται· οὔτε γὰρ οὗτος οὔτε ἄλλος τῶν
Καισάρων παρῆν τῷ πατρὶ τελευτῶντι. **3** Καὶ ὁ μὲν ταῦτα
ἐντειλάμενος ὀλίγας ἐπεβίω ἡμέρας· καὶ ἐτελεύτησεν ἀμφὶ
πέντε καὶ ἑξήκοντα ἔτη γεγονώς, ἐν τούτοις δὲ τριάκοντα

---

1. Sozomène omet — ou se garde — de préciser, ici et un peu plus
loin (§ 2), que Constantin avait prévu le partage de l'Empire entre
ses trois fils et ses deux neveux, Delmatius et Hannibalianus, fils de
son demi-frère, le censeur Delmatius ! C'est pour notre historien la
façon la plus simple d'effacer de son récit le « massacre des princes »
qui marqua tristement l'avènement de Constance II (cf. AMMIEN
MARCELLIN, 21, 16, 8 et X. LUCIEN-BRUN, « Constance II et le massacre des princes », *Bull. Assoc. G. Budé* 32 [1973], p. 585-602).

2. C'est Drépanon ; cf. *supra*, chap. 2, 5. Sources d'eau chaude ;
cf. K. RUGE, art. « Drepanon 4. », *PW* V, 2 (1905), c. 1697, 61 s.
En avril 337 selon SEECK, *Regesten*, à l'année 337 (A.-J. F.).

3. Cf. *supra*, chap. 27, 2 et la note *ad loc.* SOCRATE, *H.E.* I, 39,
nomme ce prêtre Eutokios. Une tradition rapportée par PHILOS-
TORGE, *H.E.* II, 16, prétend que Constantin aurait chargé ce même
Eutokios d'avertir ses fils qu'il mourait empoisonné par ses frères.
Naturellement, Sozomène, n'ayant pas mentionné le projet de partage

Chapitre 34

Mort de Constantin le Grand ;
baptisé sur le tard, il meurt et est enterré
dans l'église des saints Apôtres.

1 L'empereur qui, auparavant déjà, avait partagé l'Empire entre ses fils[1], qui étaient Césars, ayant assigné à Constantin et à Constant l'Occident, à Constance l'Orient, s'étant affaibli de corps se rendit à Hélénopolis de Bithynie pour y prendre les eaux qui jaillissent spontanément du sol[2]. S'étant senti plus mal, il fut transporté à Nicomédie, et c'est là, que, dans un faubourg, il reçut le baptême : cela le remplit d'une joie extrême et il rendit grâces à Dieu. **2** Ayant fait son testament, où il partageait l'Empire entre ses fils comme déjà auparavant et où il accordait des privilèges, tant à la Vieille Rome qu'à sa ville éponyme, il le remit au prêtre, sans doute sectateur d'Arius, mais homme de vie vertueuse, que sa sœur Constantia lui avait recommandé à sa mort[3] ; et, l'ayant fait jurer par serment, il lui commanda de remettre ce testament à Constance quand il serait arrivé ; ni lui en effet ni aucun autre des Césars n'était présent au lit de mort de leur père. **3** Après ce commandement il ne survécut que peu de jours. Et il mourut[4] âgé d'environ soixante-cinq ans, après avoir

de l'Empire entre les trois fils et les deux neveux de Constantin, n'a que faire de cette légende, qui justifia *a posteriori* « le massacre des princes » (cf. Piganiol, p. 69, n. 7).

4. A Ancyro, faubourg de Nicomédie, le 22 mai 337 (A.-J. F.). Cf. Eusèbe, *Vita Constantini*, 4, 60-61, et Socrate, I, 39-40, mais aussi Aurélius Victor, *Caesares*, 41, 16 *(rure proximo Nicomediae — Achyronam uocant — excessit)*. Sozomène se garde de préciser que Constantin reçut le baptême des mains de l'évêque du lieu, Eusèbe de Nicomédie, le chef des ariens (cf. Piganiol, p. 69).

καὶ ἓν βασιλεύσας, ἀνὴρ ἐς τὰ μάλιστα τῆς Χριστιανῶν
θρησκείας ἐπαινέτης, ὡς καὶ πρῶτος βασιλέων ἄρξαι τῆς
περὶ τῆς ἐκκλησίας σπουδῆς καὶ εἰς ἄκρον ἀγαγεῖν ἐπιδόσεως,
4 ἐπιτευκτικὸς δὲ ὡς οὐκ οἶδ᾽ εἴ τις ἕτερος ἐν οἷς ἐπ-
εχείρησεν· ἄνευ γὰρ θεοῦ, ἐμοὶ δοκεῖν, οὐκ ἐπεχείρει, ὅς γε
πολέμων τε τῶν ἐπ᾽ αὐτῷ συμβάντων πρός τε Γότθους καὶ
Σαυρομάτας περιεγένετο καὶ τὴν πολιτείαν πρὸς τὸ δόξαν
αὐτῷ οὕτω ῥαδίως μετεσχημάτισεν, ὡς ἑτέραν καταστῆσαι
βουλὴν καὶ βασιλίδα πόλιν τὴν ἐπώνυμον αὐτοῦ, τὴν δὲ Ἑλλη-
100 νικὴν θρησκείαν ἅμα τε ἐπεχείρησε καὶ ἐν ὀλίγῳ | καθεῖλεν
ὑπό τε ἀρχόντων καὶ ἀρχομένων ἐκ τοσούτου χρόνου σπουδα-
σθεῖσαν.

5 Ἐπεὶ δὲ ἐτελεύτησε, διεκομίσθη αὐτοῦ τὸ σῶμα εἰς
Κωνσταντινούπολιν ἐν λάρνακι χρυσῇ καὶ ἐπὶ βήματός τινος
ἐν τοῖς βασιλείοις ἀπετέθη. Τιμὴ δὲ καὶ τάξις ὥσπερ εἰς
ζῶντα ἡ αὐτὴ ἐγένετο παρὰ τῶν ἐν τοῖς βασιλείοις. Ὡς δὲ
τὴν τοῦ πατρὸς τελευτὴν θᾶττον αὐτῷ μηνυθεῖσαν ἔγνω
Κωνστάντιος ἐν τῇ ἕῳ διατρίβων, σπουδῇ τὴν Κωνσταντινούπολιν κατέλαβε· καὶ βασιλικῶς κηδεύσας αὐτὸν ἔθαψεν

---

1. S'il n'y a pas de problème pour la durée du règne de Constantin
(306-337), l'expression même de Sozomène, « âgé d'environ soixante-
cinq ans », montre que, dès son époque, il y avait incertitude sur la
date de la naissance de Constantin. En effet, Eutrope (10, 4) le fait
mourir à 65 ans, ce qui le fait naître vers 272. Aurélius Victor
(Caesares, 41, 16) le fait mourir à 62 ans : Constantin serait né vers 275.
Constantin serait né « peu après 280 », d'après Benjamin, PW IV, 1
(1900), c. 1014 ; en 285, d'après J. Vogt, Lexikon f. Theol. 6 (1961),
c. 478. La P.L.R.E., I, p. 223, paraît plus près de la vérité en faisant
naître Constantin « peut-être vers 272 », ce qui est conforme à l'indication d'Eutrope et de Sozomène.
2. Sur ces victoires de Constantin, voir Rufin, H.E. I (X), 8.
Récapitulant ici l'œuvre militaire de Constantin, Sozomène reprend
ce qu'il en a dit en I, 8, 8 (voir la note ad loc.) : en 322, victoires sur les
Sarmates qui avaient envahi la Pannonie ; en 323, sur les Goths qui
avaient forcé le diocèse thracique (cf. Stein, p. 104) ; en 331-332,

régné dans ce nombre trente et un ans[1]. Il avait été un
homme au plus haut point admirateur de la religion chrétienne, en sorte qu'il fut le premier des empereurs à prendre
l'initiative du zèle pour l'Église et à la conduire à un haut
degré d'accroissement ; 4 et il avait réussi, plus qu'aucun
homme que je connaisse, en ce qu'il avait entrepris : car
ce n'est pas sans le secours divin, à mon avis, qu'il entre-
prenait les choses, lui qui l'avait emporté dans les guerres
qui eurent lieu de son fait contre les Goths et les Sarmates[2],
lui qui transforma si facilement les institutions dans le sens
qui lui plaisait qu'il avait fondé un second sénat et une
seconde capitale, celle qui porte son nom, lui qui enfin tout
à la fois attaqua et détruisit en peu de temps le culte païen
qui avait été depuis si longtemps l'objet du zèle et des gou-
vernants et des sujets.

5 Quand il fut mort, son corps fut transporté à Constantinople dans un cercueil d'or et déposé au palais sur une
estrade. Il lui fut donné par les gens du palais mêmes
honneurs et même rang que de son vivant. On avertit au
plus tôt Constance, qui se trouvait en Orient, de la mort
de son père et, quand il l'eut apprise, il revint en hâte à
Constantinople. Il fit à son père des funérailles impériales[3]
dans l'église surnommée d'après les apôtres[4], où, de son

succès de Constantin César sur les Goths qui avaient envahi la Scythie
mineure ; en 334, Constantin vint lui-même au secours des Sarmates
libres (ou Argaragantes) malmenés par leurs esclaves, les Limigantes :
cf. STEIN-PALANQUE, p. 129 et PIGANIOL, p. 59-60.

3. Le détail en est donné par EUSÈBE, *Vita Constantini*, 4, 65 s.
Cf. PIGANIOL, p. 70.

4. Sur l'église des Apôtres, voir JANIN, *Géographie*, p. 41 s. : dédiée
à l'ensemble des apôtres — et pas seulement à saint André, saint Luc
et saint Timothée dont les reliques y furent déposées —, l'église fut
projetée par Constantin qui en fit commencer la construction, peut-
être en 336 ; mais elle ne fut inaugurée que sous son fils et successeur,
avant 356.

ἐν τῇ ἐπωνύμῳ τῶν ἀποστόλων ἐκκλησίᾳ, ἔνθα δὴ περιὼν
αὐτὸς Κωνσταντῖνος ἑαυτῷ τάφον κατεσκεύασεν, **6** ἀπὸ
τούτου δὲ ὡς ἔκ τινος ἀρχῆς ἔθους γενομένου καὶ οἱ μετὰ
ταῦτα τελευτήσαντες ἐν Κωνσταντινουπόλει βασιλεῖς Χριστιανοὶ κεῖνται, οὐ μὴν ἀλλὰ καὶ ἐπίσκοποι, ὡς καὶ τῆς ἱερωσύνης ὁμοτίμου οἶμαι τῇ βασιλείᾳ οὔσης, μᾶλλον μὲν οὖν ἐν
τοῖς ἱεροῖς τόποις καὶ τὰ πρῶτα ἐχούσης.

1. Constantin avait voulu ainsi, orgueilleusement, se donner, *post
mortem*, dans cette église où douze θῆκαι renfermaient les statues des
apôtres, la place de treizième Apôtre, sinon même celle du Christ !
Sous la pression des fidèles scandalisés par la prétention de l'empereur
à confondre culte impérial et culte martyrial, Constance II dut
remanier l'ensemble du monument et placer le tombeau de son père
dans un mausolée qu'il fit construire *accolé* à l'église elle-même :
cf. DAGRON, p. 401-409. Sozomène se garde de parler de ce remaniement significatif et la dernière phrase du livre II laisse entendre que
les volontés de Constantin, scrupuleusement observées, furent à

vivant encore, Constantin avait fait préparer sa tombe[1].
6 Depuis ce temps, comme si une coutume avait pris là son commencement, les empereurs chrétiens aussi, qui après cela sont morts à Constantinople, reposent là, et pareillement des évêques, attendu que le sacerdoce a même rang, je pense, que la royauté, ou plutôt tient même le premier rang dans les lieux sacrés.

l'origine d'une tradition qui se prolonge sans histoire jusqu'à son époque. En fait, les dernières volontés de Constantin créèrent pour longtemps des difficultés à l'autorité impériale. M. Jean Rougé a bien voulu nous signaler une loi du 30 juillet 381 (*Code Théodosien*, IX, 17, 6), interdisant de se prévaloir du fait que les empereurs sont enterrés aux Saints-Apôtres pour se faire enterrer à l'intérieur des cités. Qu'il soit ici vivement remercié pour toutes les corrections et additions précieuses qu'il nous a aimablement suggérées tout au long des présentes notes aux livres I et II.

13

NOTES COMPLÉMENTAIRES

1. La ville de Constantina en Phénicie (II, 5, 8)

A.-J. Festugière a identifié de façon intéressante, mais sans expliciter ses justifications, la « ville de Constantina en Phénicie », dont parle Sozomène en II, 5, 8, avec Antarados, le port d'Arados. Toutefois, dans son ouvrage sur *Arados et sa Pérée aux époques grecque, romaine et byzantine*, Paris 1974, J.-P. Rey-Coquais ne fait pas état de notre texte. Il nous semble aussi que le passage de Sozomène n'est pas assez précis pour qu'on puisse identifier sûrement la ville qu'il mentionne avec *Constantia*, l'ex-Antarados, mentionnée par Théophane, *Chron.* 57, 10 Bonn (= 38, 8 Boor), qui lui donne une date de nouvelle fondation certainement incorrecte, ou avec *Constantina*, mentionnée par Hiéroclès, *Synecd.* 716, 7, comme siège d'un évêché, à côté d'Arados *et* d'Antarados (cf. les notices de Benzinger, *PW* IV, 1 [1900], c. 951-953 pour « Constantia » et c. 960-961 pour « Constantina »).

2. L'Inde citérieure (II, 24)

Le texte de Sozomène (II, 24, 1) dit « les Indiens de notre côté » (τῶν καθ' ἡμᾶς Ἰνδῶν) pour désigner, selon la tradition, l' « Inde citérieure », plus proche des Grecs et des Romains que la grande Inde. Cette Inde africaine (cf. Virgile, *Énéide*, 6, 794-795 et 8, 705), dans l'arrière-pays de laquelle (τοὺς ἔνδον τῶν καθ' ἡμᾶς Ἰνδῶν) Frumentius a exercé sa prédication, ne peut pas se confondre avec le royaume d'Axoum puisqu'un ouvrage à peu près contemporain des événements, l'*Expositio totius mundi et gentium* (composée vers 359/360), distingue la région d'Axoum, en l'appelant *Exomia* (pour *Axomia*) *regio*, à la fois de l'*India maior* et de l'*India minor* : voir le commentaire de J. Rougé, pour les chap. xvi-xviii, aux p. 228-231 de son éd., *SC* 124, Paris 1966, et l'article de J. Desanges, « Une mention altérée d'Axoum dans l'*Expositio totius mundi et gentium* », *Annales d'Éthiopie* 7 (1967), p. 141-155. Est-elle pour autant la Nubie de Méroë et de Napata et Frumentius a-t-il annoncé l'Évangile, non pas dans le royaume d'Axoum, mais dans une contrée qui s'étendrait à l'intérieur d'un

continent entre l'Inde citérieure et la Parthie (= l'Inde actuelle),
comme le pensent F. ALTHEIM et R. STIEHL, « Die Datierung des
König Ezana von Aksum », *Klio* 39 (1961), p. 234-248, interprétant
RUFIN, *H.E.* I (X), 9 ? On croira plutôt, à la suite de la critique que
A. DIHLE a faite de l'interprétation précédente dans *Umstritte Daten.
Untersuchungen zum Aufreteten des Griechen am Roten Meer*, Cologne-
Opladen 1965, p. 32-64, que l' « *India citerior* de Rufin (= τῶν καθ'
ἡμᾶς Ἰνδῶν) est la zone côtière de la mer Rouge et que l'*India ulterior*
de Rufin (= τοὺς ἔνδον τῶν καθ' ἡμᾶς Ἰνδῶν de Sozomène), jusqu'où
Frumentius assura la pénétration du christianisme, est le pays
d'Axoum (*ulterior* se comprend du point de vue du navigateur qui
doit aller « au-delà » de la côte pour atteindre Axoum). Dans le même
sens que Dihle, J. DESANGES, *art. cit.*, p. 150, n. 1. Du reste, l'iden-
tification avec Axoum est appuyée par le texte d'ATHANASE, *Apologie
à Constance*, 29. Sur l'ensemble de la question et pour des références
complètes, nous renvoyons à la mise au point de F. THELAMON,
p. 49-54, que nous remercions d'avoir attiré notre attention sur ce
point, comme sur d'autres où le texte de Rufin aide à la compréhension ou à l'appréciation exacte de celui de Sozomène.

TABLE DES MATIÈRES

(Les chiffres renvoient aux pages)

TABLE DES MATIÈRES

SOURCES CHRÉTIENNES

LISTE COMPLÈTE DE TOUS LES VOLUMES PARUS

N. B. — L'ordre suivant est celui de la date de parution (n° 1 en 1942), et il n'est pas tenu compte ici du classement en séries : grecque, latine, byzantine, orientale, textes monastiques d'Occident ; et série annexe : textes para-chrétiens.

Sauf indication contraire, chaque volume comporte le texte original, grec ou latin, souvent avec un apparat critique inédit.

La mention *bis* indique une seconde édition, parue ou en préparation. Quand cette seconde édition ne diffère de la première que par de menues corrections et des *Addenda et Corrigenda* ajoutés en appendice, la date est accompagnée de la mention « réimpression avec supplément ».

15 bis. Athanase d'Alexandrie : **Lettres à Sérapion.** J. Lebon.
En préparation

16 bis. Origène : **Homélies sur l'Exode.** H. de Lubac, J. Fortier.
En préparation

17. Basile de Césarée : **Sur le Saint-Esprit.** B. Pruche. Trad. seule (1947).

17 bis. 2ᵉ édition avec le texte grec (1968).

18 bis. Athanase d'Alexandrie : **Discours contre les païens.** P. Th. Camelot (1977).

19 bis. Hilaire de Poitiers : **Traité des Mystères.** P. Brisson (réimpression avec supplément, 1967).

20. Théophile d'Antioche : **Trois livres à Autolycus.** G. Bardy, J. Sender. Trad. seule (1948). 2ᵉ édition avec le texte grec. *En préparation*

21. Éthérie : **Journal de voyage.** H. Pétré. *Remplacé par le nᵒ 296.*

22 bis. Léon le Grand : **Sermons (1-19),** t. I. J. Leclercq, R. Dolle (1964).

23. Clément l'Alexandrie : **Extraits de Théodote** (réimpression 1970).

24 bis. Ptolémée : **Lettre à Flora.** G. Quispel (1966).

25 bis. Ambroise de Milan : **Des sacrements. Des mystères. Explication du Symbole.** B. Botte (réimpr. de la 2ᵉ éd., 1980).

26 bis. Basile de Césarée : **Homélies sur l'Hexaéméron.** S. Giet (réimpression avec supplément, 1968).

27 bis. **Homélies Pascales,** t. I. P. Nautin. *En préparation*

28 bis. Jean Chrysostome : **Sur l'incompréhensibilité de Dieu.** J. Daniélou, A.-M. Malingrey, R. Flacelière (1970).

29 bis. Origène : **Homélies sur les Nombres.** A. Méhat.
En préparation

30 bis. Clément d'Alexandrie : **Stromate I.** *En préparation*

31. Eusèbe de Césarée : **Histoire ecclésiastique,** t. I. G. Bardy (réimpression 1965).

32 bis. Grégoire le Grand : **Morales sur Job.** Tome I. Livres I-II. R. Gillet, A. de Gaudemaris (1975).

33 bis. **A Diognète.** H. I. Marrou (réimpr. avec suppl., 1965).

34. Irénée de Lyon : **Contre les hérésies,** livre III. F. Sagnard.
Remplacé par les nᵒˢ 210 et 211.

35 bis. Tertullien : **Traité du baptême.** F. Refoulé. *En préparation*

36 bis. **Homélies Pascales,** t. II. P. Nautin. *En préparation*

37 bis. Origène : **Homélies sur le Cantique.** O. Rousseau (1966).

38 bis. Clément d'Alexandrie : **Stromate II.** *En préparation*

39 bis. Lactance : **De la mort des persécuteurs.** 2 vol.
En préparation

40. Théodoret de Cyr : **Correspondance,** t. I. Lettres I-LII. Y. Azéma (1955).

41. Eusèbe de Césarée : **Histoire ecclésiastique,** t. II. G. Bardy (réimpression 1965).

42. Jean Cassien : **Conférences,** t. I. E. Pichery (réimpression 1966).

43. S. Jérôme : **Sur Jonas.** P. Antin (1956).

44. Philoxène de Mabboug : **Homélies.** E. Lemoine. Trad. seule (1956).

45 bis. Ambroise de Milan : **Sur S. Luc,** t. I. Introd. et livres I-VI. G. Tissot (réimpr. avec suppl., 1971).

46. Tertullien **De la prescription contre les hérétiques.** P. de Labriolle, F. Refoulé (1957).

47. Philon d'Alexandrie : **La migration d'Abraham.** *Épuisé.* Voir série « Les Œuvres de Philon ».

48. **Homélies Pascales,** t. III. F. Floëri, P. Nautin (1957).

49 bis. Léon le Grand : Sermons (20-37), t. II. R. Dolle (1969).

50 bis. Jean Chrysostome : Huit Catéchèses baptismales inédites. A. Wenger (réimpr. avec suppl., 1970).

51 bis. Syméon le Nouveau Théologien : Chapitres théologiques, gnostiques et pratiques. J. Darrouzès (1980).

52 bis. Ambroise de Milan : Sur S. Luc, t. II. Livres VII-X, index. G. Tissot (réimpr. avec suppl., 1976).

53 bis. Hermas : Le Pasteur. R. Joly (réimpr. avec suppl., 1968).

54. Jean Cassien : Conférences, t. II. E. Pichery (réimpression 1966).

55. Eusèbe de Césarée : Histoire ecclésiastique, t. III. G. Bardy (réimpression 1967).

56. Athanase d'Alexandrie : Deux apologies. J. Szymusiak (1958).

57. Théodoret de Cyr : Thérapeutique des maladies helléniques. 2 vol. P. Canivet (1958).

58 bis. Denys l'Aréopagite : La hiérarchie céleste. G. Heil, R. Roques, M. de Gandillac (réimpr. avec suppl., 1970).

59. Trois antiques rituels du baptême. A. Salles. Trad. seule. *Épuisé.*

60. Aelred de Rievaulx : Quand Jésus eut douze ans... A. Hoste, J. Dubois (1958).

61 bis. Guillaume de Saint-Thierry : Traité de la contemplation de Dieu. J. Hourlier (réimpression, 1977).

62. Irénée de Lyon : Démonstration de la prédication apostolique. L. Froidevaux. Nouvelle trad. sur l'arménien. Trad. seule (réimpression 1971).

63. Richard de Saint-Victor : La Trinité. G. Salet (1959).

64. Jean Cassien : Conférences, t. III. E. Pichery (réimpr. 1971).

65. Gélase Iᵉʳ : Lettre contre les Lupercales et dix-huit messes du sacramentaire léonien. G. Pomarès (1960).

66. Adam de Perseigne : Lettres, t. I. J. Bouvet (1960).

67. Origène : Entretien avec Héraclide. J. Scherer (1960).

68. Marius Victorinus : Traités théologiques sur la Trinité. P. Henry, P. Hadot. Tome I. Introd., texte critique, traduction (1960).

69. Id. — Tome II. Commentaire et tables (1960).

70. Clément d'Alexandrie : Le Pédagogue, t. I. H. I. Marrou, M. Harl (1960).

71. Origène : Homélies sur Josué. A. Jaubert (1960).

72. Amédée de Lausanne : Huit homélies mariales. G. Bavaud, J. Deshusses, A. Dumas (1960).

73. Eusèbe de Césarée : Histoire ecclésiastique, t. IV. Introd. générale de G. Bardy et tables de P. Périchon (réimpr. 1971).

74 bis. Léon le Grand : Sermons (38-64), t. III. R. Dolle (1976).

75. S. Augustin : Commentaire de la 1ʳᵉ Épître de S. Jean. P. Agaësse (réimpression 1966).

76. Aelred de Rievaulx : La vie de recluse. Ch. Dumont (1961).

77. Defensor de Ligugé : Le livre d'étincelles, t. I. H. Rochais (1961).

78. Grégoire de Narek : Le livre de prières. I. Kéchichian. Trad. seule (1961).

79. Jean Chrysostome : Sur la providence de Dieu. A.-M. Malingrey (1961).

80. Jean Damascène : Homélies sur la Nativité et la Dormition. P. Voulet (1961).

81. Nicétas Stéthatos : Opuscules et lettres. J. Darrouzès (1961).

82. Guillaume de Saint-Thierry : Exposé sur le Cantique des Cantiques. J.-M. Déchanet (1962).

83. Didyme l'Aveugle : Sur Zacharie. Texte inédit. L. Doutreleau. Tome I. Introd. et livre I (1962).

84. Id. — Tome II. Livres II et III (1962).

Hors série:

Directives pour la préparation des manuscrits (de « Sources Chrétiennes »). A demander au Secrétariat de « Sources Chrétiennes », 29, rue du Plat, 69002 Lyon.

La Règle de S. Benoît. VII. Commentaire doctrinal et spirituel. A. de Vogüé.

SOUS PRESSE

PROCHAINES PUBLICATIONS

SOURCES CHRÉTIENNES
(1-306)

Également aux Éditions du Cerf :

LES ŒUVRES DE PHILON D'ALEXANDRIE

publiées sous la direction de

R. ARNALDEZ, C. MONDÉSERT, J. POUILLOUX.

Texte grec et traduction française.

1. **Introduction générale, De opificio mundi.** R. Arnaldez (1961).
2. **Legum allegoriae.** C. Mondésert (1962).
3. **De cherubim.** J. Gorez (1963).
4. **De sacrificiis Abelis et Caini.** A. Méasson (1966).
5. **Quod deterius potiori insidiari soleat.** I. Feuer (1965).
6. **De posteritate Caini.** R. Arnaldez (1972).
7-8. **De gigantibus. Quod Deus sit immutabilis.** A. Mosès (1963).
9. **De agricultura.** J. Pouilloux (1961).
10. **De plantatione.** J. Pouilloux (1963).
11-12. **De ebrietate. De sobrietate.** J. Gorez (1962).
13. **De confusione linguarum.** J.-G. Kahn (1963).
14. **De migratione Abrahami.** J. Cazeaux (1965).
15. **Quis rerum divinarum heres sit.** M. Harl (1966).
16. **De congressu eruditionis gratia.** M. Alexandre (1967).
17. **De fuga.** E. Starobinsky-Safran (1970).
18. **De mutatione nominum.** R. Arnaldez (1964).
19. **De somniis.** P. Savinel (1962).
20. **De Abrahamo.** J. Gorez (1966).
21. **De Iosepho.** J. Laporte (1964).
22. **De vita Mosis.** R. Arnaldez, C. Mondésert, J. Pouilloux, P. Savinel (1967).
23. **De Decalogo.** V. Nikiprowetzky (1965).
24. **De specialibus legibus.** Livres I-II. S. Daniel (1975).
25. **De specialibus legibus.** Livres III-IV. A. Mosès (1970).
26. **De virtutibus.** R. Arnaldez, A.-M. Vérilhac, M.-R. Servel, P. Delobre (1962).
27. **De praemiis et poenis. De exsecrationibus.** A. Beckaert (1961).
28. **Quod omnis probus liber sit.** M. Petit (1974).
29. **De vita contemplativa.** F. Daumas, P. Miquel (1964)
30. **De aeternitate mundi.** R. Arnaldez et J. Pouilloux (1969)
31. **In Flaccum.** A. Pelletier (1967).
32. **Legatio ad Caium.** A. Pelletier (1972).
33. **Quaestiones in Genesim et in Exodum, Fragmenta graeca** F. Petit (1978).
34. A. **Quaestiones in Genesim,** I-II (e vers. armen.). Ch. Mercier (1979).
34. B. **Quaestiones in Genesim,** III-IV (e vers. armen.). Ch. Mercier, F. Petit (sous presse).
34. C. **Quaestiones in Exodum,** I-II (e vers. armen.) (en préparation).
35. **De Providentia** I-II. M. Hadas-Lebel (1973).
36. **De animalus.** A. Terian et J. Laporte (en préparation).

ACHEVÉ D'IMPRIMER SUR LES
PRESSES DE L'IMPRIMERIE
DARANTIERE A DIJON-QUETIGNY
LE VINGT NOVEMBRE M CM LXXXIII

Numéro d'édition 7780
Dépôt légal novembre 1983